高等院校市场营销系列教材

Network Marketing

网络营销
第3版

杨路明 陈曦 罗裕梅 崔睿 等◎编著

机械工业出版社
CHINA MACHINE PRESS

随着网络经济的快速发展，我们已经进入了一个全新的经济时代——数字经济时代。在数字经济时代，利用网络实施营销已经不只是一种手段，更是一种战略。企业需要对数字经济时代中人们的行为习惯，特别是消费习惯进行有效的了解；需要在网络环境下具备快速的反应能力，并采取相应的营销手段。正是基于这样的需求，本书在前两版的基础上，进行了大幅度的修改与完善，但总体上保持了第 2 版的三个设计原则：一是宏观与微观的平衡；二是思想与技术的结合；三是理论与实践的统一。同时，本书具有以下特色：①注重营销概念；②明确学习目标；③讲述真实企业的真实故事；④归纳章节内容；⑤凝练关键词；⑥设计了综合复习题。

本书可作为电子商务、物流管理、市场营销、企业管理、旅游管理及其他商科专业的学生学习网络营销理论及应用的教材，也可作为具有一定实践经验的 MBA、MPA、高级管理人员，以及网络营销从业人员学习与掌握网络营销理论和技术的入门读物。

图书在版编目（CIP）数据

网络营销 / 杨路明等编著 . —3 版 . —北京：机械工业出版社，2024.3
高等院校市场营销系列教材
ISBN 978-7-111-74999-8

I. ①网… II. ①杨… III. ①网络营销 – 高等学校 – 教材 IV. ① F713.365.2

中国国家版本馆 CIP 数据核字（2024）第 040404 号

机械工业出版社（北京市百万庄大街 22 号　邮政编码 100037）
策划编辑：张有利　　　　　责任编辑：张有利　李晓敏
责任校对：郑　婕　李　杉　责任印制：李　昂
河北鹏盛贤印刷有限公司印刷
2024 年 4 月第 3 版第 1 次印刷
185mm × 260mm · 20 印张 · 491 千字
标准书号：ISBN 978-7-111-74999-8
定价：59.00 元

电话服务　　　　　　　　网络服务
客服电话：010-88361066　机　工　官　网：www.cmpbook.com
　　　　　010-88379833　机　工　官　博：weibo.com/cmp1952
　　　　　010-68326294　金　书　网：www.golden-book.com
封底无防伪标均为盗版　　机工教育服务网：www.cmpedu.com

前 言
PREFACE

随着网络经济的快速发展,我们已经进入了一个全新的经济时代——数字经济时代。在数字经济时代,信息获取、处理方式的改变,深刻影响着我们的生活方式,商务的竞争更加激烈。在数字经济环境下,企业之间、政府之间、人与人之间都在谋求更快的发展,并试图提高自身的竞争力。

营销是企业、政府,以及个人所需要开拓并应用的基本理论与方法。在数字经济时代,利用网络实施营销已经不只是一种手段,更是一种战略。企业需要对数字经济时代中人们的行为习惯,特别是消费习惯进行有效的了解;需要在网络环境下具备快速的反应能力,并采取相应的营销手段。要做到这些,就要求企业、政府及从业者具备系统的知识体系,将理念、思想、技术与现实相结合。正是基于这样的需求,本书在前两版的应用中,听取了众多使用者的意见及建议,特别是高校师生,以及实际从事网络营销工作的人员的想法和观点,对上一版进行了大幅度的修改、完善。本书秉持了第2版的三个设计原则。

一是宏观与微观的平衡。使读者在对网络社会以及网络营销的整体环境有基本认识的基础上,能够更符合客观规律地来制订具体的网络营销计划。

二是思想与技术的结合。思想为先,技术为辅,使读者学会站在营销管理的高度来学习网络营销,形成与网络时代相匹配的思想和理念,同时掌握必要的技术工具。

三是理论与实践的统一。以理论扩充知识,锻炼思想,形成理念,同时配以丰富的实践案例,加深对理论的直观理解,并训练实际操作能力。

本书适合作为电子商务、物流管理、市场营销、企业管理、旅游管理及其他商科专业的学生学习网络营销理论及应用的教材,也适合作为具有一定实践经验的MBA、MPA、高级管理人员,以及网络营销从业人员学习及掌握网络营销理论与技术的入门读物。

本书具有以下特色:
- 注重营销概念。在每一章中我们都会论述几个与营销相关的概念并探究网络对这些概念的影响,如此学生可以在学习营销学理论的同时,更快地了解网络营销的新知识。互联网的变化是巨大的,今天与明天,明天与未来,网络的环境日新月异。读者可以运用基本的营销概念去理解新的知识,并通过学习网络营销技术来解决在数字经济时代中遇到的营销问题。虽然在数字经济时代,传统的营销方式已经发生变革,但应当注意到,营销的基本流程还是不变的。读者可以运用基本的营销概念去理解新的知识,并通过学习网络营销的一些技术来探索数字经济时代下的营销方式。

- 明确学习目标。在每一章的开头都列出本章的学习目标,这样就为学生掌握并有效学习各章节知识指出了具体的方向,以及需要重点关注的内容,从而更容易达到预定的学习目标。
- 讲述真实企业的真实故事。在每一章的开头都引入一篇企业案例,旨在通过案例的引入提高读者学习兴趣,结合实际引出对相应技术及方法的介绍。在每一章结尾提出一篇案例,让学生通过对案例的分析与讨论,掌握本章的核心内容及关键点,巩固学习效果。
- 归纳章节内容。每一章都有一个本章小结,对章节内容脉络进行梳理总结。要注意的是,小结只是对一章内容的总体归纳,学生还是需要在系统学习教材知识之后,根据本章小结对知识进行回顾,查漏补缺,做到温故知新。
- 凝练关键词。为了帮助学生定位关键知识,每章内容中的重要术语以关键词的形式呈现出来。主要目的就是让读者通过关键词来理顺自己所学习的核心知识点,帮助记忆,构建知识索引,进而有效掌握。
- 设计了综合复习题。在每章的结尾我们设计了三类复习题:一是思考题;二是讨论题;三是网络实践题。思考题有助于加深读者对本章概念、方法与实际应用的思考;讨论题用来强化对本章知识的掌握,特别是理论知识与实际应用的融合;网络实践题则通过应用网络技术来提升实际应用网络的能力。练习的目的不仅在于掌握理论,更是加大对网络技术的实际应用,进而提升网络营销为企业营销服务的能力。

本书由杨路明(阳光学院特聘教授/云南大学教授、博士生导师)负责整体的组织、统稿及最后定稿。由杨路明教授、陈曦教授、罗裕梅副教授、崔睿博士、马孟丽副教授共同编著。参与撰写的人员还有杜昱辰(研究生)、李海兰(研究生)。本书提供的教学及学习所用PPT由王蕊、蔡雨婷、农卫诚、白鹤祥四位研究生制作。

在写作过程中,我们参阅了大量中外文资料及相关的文献,并得到了许多企业、单位及个人的支持与帮助,在此我们谨向书中提到的参考文献的作者及其他未能列出的人员表示衷心的感谢。

网络营销的内涵与方法将随着技术的进步和发展日益丰富且呈现多样性。本书必然存在许多不足与缺陷,因此,特别期望能够得到来自不同学校、不同研究机构、不同企业的读者的意见及建议,以使本书的编著能够持续完善与进步,不断有所创新,使我们的研究也能够真正为社会服务、为企业服务、为读者服务。

谨将本书献给为企业发展、社会进步而不断努力的人,献给为互联网发展、网络的普及和应用而辛勤劳动的人,献给致力于应用网络营销理论与方法来实现自身理想与抱负的读者。

编者
2024年2月

目 录
CONTENTS

前　言

| 第1章　网络营销概述 ……………… 1 | 2.3　道德与法律问题 ………………… 34 |

本章导读 ………………………………… 1
学习目标 ………………………………… 1
引导案例　小米公司的网络营销 ……… 1
1.1　互联网简史 ………………………… 3
1.2　网络营销的内涵 …………………… 9
1.3　网络营销发展现状 ………………… 17
案例分析　可口可乐的私人定制 ……… 22
本章小结 ………………………………… 25
关键词 …………………………………… 25
综合复习题 ……………………………… 25

第2章　网络营销环境 ……………… 26

本章导读 ………………………………… 26
学习目标 ………………………………… 26
引导案例　京东"618"十一周年庆
　　　　　营销活动 ………………… 26
2.1　网络营销的发展环境 ……………… 28
2.2　网络营销的安全挑战 ……………… 31

2.3　道德与法律问题 …………………… 34
2.4　新型网络营销模式 ………………… 39
案例分析　美团的团购营销策略分析 … 42
本章小结 ………………………………… 43
关键词 …………………………………… 44
综合复习题 ……………………………… 44

第3章　网络营销理论基础 …………… 45

本章导读 ………………………………… 45
学习目标 ………………………………… 45
引导案例　天猫营销案例 ……………… 45
3.1　网络社会的发展与演化 …………… 47
3.2　网络社会化媒体 …………………… 52
3.3　网络营销战略理论 ………………… 57
3.4　网络环境下的消费者行为理论 …… 64
案例分析　58同城的网络营销 ………… 67
本章小结 ………………………………… 68
关键词 …………………………………… 69
综合复习题 ……………………………… 69

第 4 章　网络营销战略 ……………… 70

本章导读 ……………………………… 70
学习目标 ……………………………… 70
引导案例　散户狂欢：互联网时代
　　　　　华尔街的一次滑铁卢 …… 70
4.1　战略规划 ………………………… 73
4.2　网络营销战略 …………………… 76
4.3　网络市场细分战略 ……………… 80
4.4　网络营销战略规划及实施 ……… 84
案例分析　途牛网四大法则：巨头
　　　　　阴影下的生存术 ………… 88
本章小结 ……………………………… 92
关键词 ………………………………… 93
综合复习题 …………………………… 93

第 5 章　网络商业模式 ……………… 95

本章导读 ……………………………… 95
学习目标 ……………………………… 95
引导案例　奇虎360的企业价值创造 … 95
5.1　网络商业模式 …………………… 97
5.2　互联网金融商业模式 …………… 104
5.3　基于大数据的商业模式创新 …… 107
5.4　基于云计算的商业模式 ………… 113
5.5　基于人工智能技术的商业模式 … 117
案例分析　腾讯商业模式的演化 …… 123
本章小结 ……………………………… 126
关键词 ………………………………… 127
综合复习题 …………………………… 127

第 6 章　网络市场调研 ……………… 128

本章导读 ……………………………… 128
学习目标 ……………………………… 128
引导案例　哈根达斯天猫旗舰店提升
　　　　　客户转化率 ……………… 128
6.1　网络市场调研概述 ……………… 130
6.2　网络市场调研的方法 …………… 135
6.3　调研与分析工具介绍 …………… 141
案例分析　安徽特酒集团的网络
　　　　　市场调研 ………………… 145
本章小结 ……………………………… 149
关键词 ………………………………… 149
综合复习题 …………………………… 149

第 7 章　网络营销计划 ……………… 150

本章导读 ……………………………… 150
学习目标 ……………………………… 150
引导案例　淘宝网店营销推广方案 … 150
7.1　网络营销计划概述 ……………… 153
7.2　制订网络营销计划的步骤 ……… 158
7.3　网络营销计划书的编制 ………… 165
案例分析　农村电商新玩法 ………… 170
本章小结 ……………………………… 171
关键词 ………………………………… 171
综合复习题 …………………………… 171

第 8 章　网络营销管理 ……………… 173

本章导读 ……………………………… 173
学习目标 ……………………………… 173
引导案例　《啥是佩奇》：品牌与IP
　　　　　力量的聚合式爆发 ……… 174
8.1　网络产品与服务 ………………… 175
8.2　网络营销的定价 ………………… 185
8.3　网络分销渠道 …………………… 196
8.4　网络广告与促销 ………………… 205
案例分析　网络营销管理案例三则 … 218
本章小结 ……………………………… 219
关键词 ………………………………… 219
综合复习题 …………………………… 219

第 9 章　网络营销的基本方法 ········ 221

本章导读 ································· 221
学习目标 ································· 221
引导案例　加多宝玩转"互联网＋"
　　　　　场景营销 ················· 221
9.1　Web 营销 ························· 223
9.2　许可 E-mail 营销 ··············· 227
9.3　网络会员制营销 ················· 233
9.4　搜索引擎营销 ···················· 236
9.5　病毒式网络营销 ················· 246
9.6　移动互联网营销 ················· 249
9.7　网络新零售 ······················ 253
9.8　网络社会化营销 ················· 255
9.9　IP 营销 ··························· 259
9.10　网红营销 ························ 260
案例分析　杜蕾斯成功的网络
　　　　　营销策略 ················· 262
本章小结 ································· 263
关键词 ··································· 263
综合复习题 ······························ 263

第 10 章　网络营销站点建设 ········ 264

本章导读 ································· 264
学习目标 ································· 264
引导案例　从数据挖掘角度改善网站
　　　　　的用户体验 ················ 265

10.1　网站建设与推广 ··············· 266
10.2　移动 App 开发 ················· 274
10.3　微信小程序的开发 ············ 279
10.4　网络支付手段 ·················· 282
案例分析　App 开发未来路在何方 ······ 284
本章小结 ································· 286
关键词 ··································· 287
综合复习题 ······························ 287

第 11 章　网络营销效果评估 ········ 288

本章导读 ································· 288
学习目标 ································· 288
引导案例　聚美优品的社交网络
　　　　　营销效果分析 ············· 288
11.1　网络营销效果评估指标 ······· 291
11.2　网络营销效果评估的基本方法 ···· 295
11.3　网络营销效果评估策略 ······· 301
案例分析　卡当网的七夕节网络营销
　　　　　活动策划 ················· 302
本章小结 ································· 304
关键词 ··································· 305
综合复习题 ······························ 305

参考文献 ···························· 306

第 1 章
CHAPTER 1

网络营销概述

§ **本章导读**

　　进入 21 世纪，随着信息技术的迅猛发展和互联网的广泛应用，新兴的营销模式——网络营销，日渐得到人们的关注。目前，网络营销已取得飞速发展，并被企业广泛认识，得到了不同程度的尝试与应用，尤其在网络营销服务市场、网络营销基础建设等方面的表现更为突出。本章的学习内容主要围绕三方面展开：首先，了解国外互联网和我国互联网的产生与发展，认识网络社会环境的基本特征；其次，理解网络营销的概念、职能及其与传统营销的区别；最后，认识国内外网络营销的发展现状及其趋势。本章可以为学习者了解网络营销在中国市场的发展提供一些参考，同时也为企业网络营销计划的调整提供依据。

§ **学习目标**

- 了解国际互联网的产生与发展
- 掌握我国互联网发展的各个阶段及其主要特点
- 掌握网络营销的概念及基本职能
- 了解目前我国网络营销发展的现状
- 了解并把握网络营销的未来发展趋势

§ **引导案例**

小米公司的网络营销

　　小米公司始创于 2010 年，是一家创新型智能产品自主研发的移动互联网公司，由国内知名的天使投资人雷军创建。"为发烧而生"是小米的商品理念，同时，小米公司首创了以互联网模式开发手机操作系统、发热友参与开发改进的模式。

　　小米的第一代产品小米 1，可以说是中国安卓智能手机的划时代产品，因为当时市面上的双核智能手机价格普遍都在3 000元左右，并且没有一部是国产手机，小米手机的横空出世震惊了当时的手机市场，也迅速拉低了智能手机的价格，真正地为消费者带来了实惠。小米第一代手机于2011年8月发布，售价1 999元，主要针对手机发烧友，采用线上销售模式，其搭载的双核处理器性能是其他单核处理器的3倍，与其他双核智能手机相比也提升了1/4。目前，小米公司研发的主要产品有手机、电脑、电视及其他一些科技感十足的产品。

2014年，小米公司在最新一轮筹资活动中获得10亿美元（当时约合人民币61.87亿元），是由摩根士丹利分析师季卫东运营的科技投资基金领投的，这意味着小米公司的最新估值将高达450亿美元（当时约合人民币2 784亿元）。假如以此计算，小米公司将成为中国第四大互联网公司，位列阿里巴巴、腾讯和百度之后。在中国的硬件公司中，小米公司的价值几乎相当于3个联想集团。在4年的时间里，小米公司的估值从2.5亿美元跃升至超过400亿美元，翻了160倍。大家都在问：小米是如何创造了这个难以想象的奇迹？其实，互联网的营销思维是关键。雷军团队认为："我们做手机的宗旨就是用户至上。"小米利用互联网获得了巨大的关注度，为小米的发展做出了重大贡献。

小米通过互联网这种新型工具，在短时间内获得了大量关注度。这几乎是没有成本的，但是效果却出奇的好，很多传统厂商多年积攒的人气都无法达到小米几个月的粉丝量。这主要得益于小米采用了全新的思维和方式去经营。

1. 粉丝营销

中国手机市场竞争激烈，但小米手机却能异军突起，在成立不到5年的时间里就成为关注度排名前三的手机品牌。究其原因是小米手机成功地建立了一套完整的粉丝营销传播生态系统。小米手机在对目标顾客深入洞察的基础上建立了以顾客需求为内核、以新媒体为主要用户沟通渠道、以娱乐化和偶像化为主要内容的粉丝营销生态系统。这套生态系统帮助小米手机获得了目标顾客的喜爱。

2. 饥饿营销

小米手机是拥有很高配置但价格低廉的手机，受到手机爱好者们的追捧，但这并不是让小米手机在手机市场中泛滥，而是一种奇货可居的方式。"对不起，我们又卖完了！"就是这样一句醒目的广告语，让"米粉"（小米的粉丝）们纷纷疯狂购买小米手机。当有新闻透露，小米手机初产1万台时，很可能让网友们产生一种"赶快买吧，不买就没有了；这么少的手机一定是精工细作的精品，我值得拥有"的感觉。当一次次小米官网上小米清仓、一机难求时，消费者会产生一种急迫感和叛逆感，非要买到不可，这时，就会产生很多的冲动消费。不得不说，小米很能把握住网友们的消费心理。饥饿营销模式的广告语，是小米手机打出的一张好牌。

3. 社区营销：强化互联网渠道

对于小米手机来说，在互联网上通过论坛、微博等网络社区聚集"米粉"，通过与粉丝的频繁互动获取粉丝需求，向粉丝传递产品信息，从而在互联网上完成手机销售的核心过程，这也是小米手机的粉丝营销实现价值的根本环节。在互联网上，小米完成了品牌的价值变现，直接向"米粉"销售产品以及服务，完成商业价值链的闭合。通过电子商务平台销售，最大限度地省去中间环节，降低运营成本和终端销售价格；去除线下多级渠道的盘剥，帮助小米突破了原有渠道的藩篱，这对于国产品牌手机无疑是一次充满创新的尝试。小米利用互联网的便利，大大地降低了手机在各个环节的费用，节省了大量的开支，从而让利给消费者，让"米粉"真正地享受实惠，用低廉的价格买到高质量的产品。这是小米崛起最重要的原因之一。

4. 口碑营销

在从不了解到追捧的过程中，我们其实都成为过小米的"传播者"。小米手机制作各种各样的事件、言论，引起网友的热烈讨论，不管真假都要讨论传播，小米也就越炒越热了。小米的信息就是在人们的各种交流途径中传播的，先是网上，后来也传播到现实中。负责小米手机营销部的黎万强也证实了网络论坛是效率最好、花钱最少的宣传方式。在做"米聊"设计时，黎万强为搜集、征求网友意见，招人每天在论坛上发帖。就这样通过口碑传播，"米聊"队伍越来越大。他还建立了小米手机论坛，论坛上有技术板块、资源下载、新手入门几个核心板块，"吸粉"速度不下于微博，总帖数过亿。总体来看，"微博+论坛"的营销方式，形成了坚实的"米粉"群体，吸引了大量的小米手机忠实粉丝。

小米公司重视品牌营销，基本上不采用大规模投放广告的传统方式，而是投入大量精力在与用户的沟通上，从而进行口碑传播。"我在意的不是最终的销售数字，而是用户满意度。假如大部分用户对产品不满意，那么卖出去多少台都是没有意义的。"雷军说。黎万强也表示，他更关注在卖出第一千台、第一万台的过程中，用户获得的体验是不是完美。只有这样做，才能支撑小米长期健康地发展。

资料来源：
[1] 李勇. 网络营销策略之北京小米科技有限责任公司的营销案例分析[J]. 智富时代，2015：102-103.
[2] 徐梦军. 小米手机的"粉丝营销"策略研究[J]. 科技创业月刊，2015，28（11）：37-41.
[3] 常亚南. 小米手机网络广告营销策略探索[J]. 产业与科技论坛，2015，14（15）：14-16.

【案例思考题】
1. 试分析小米网络营销成功的关键因素有哪些。
2. 从营销的角度看，该案例给予了哪些启发？

1.1 互联网简史

互联网作为网络营销的基础平台，对网络营销的发展起到重要的作用。伴随互联网技术的发展，网络营销也得到更广、更深的应用。因此，了解并认识互联网技术的产生及其发展的历程非常有必要。

1.1.1 国际互联网的产生与发展

国际互联网是美国高科技发展的结果，同时也是美国政府出于军事目的创造的产物。1969

年，美国国防部高级研究计划局建立的阿帕网（ARPANET）是互联网的前身。起初，它只允许几个著名大学院校、研究机构及军事设备承包商等与 ARPANET 连接，到了 20 世纪 80 年代中期，美国国家科学基金会（National Science Foundation，NSF）又建立了一个更加庞大的网络架构 NSFNET。1990 年，ARPANET 中止了与非军事有关的营运活动，随即 NSFNET 成为国际互联网初期的主干网。由于是政府出资，NSFNET 只对大学院校及公共研究机构免费开放，而且限制在该主干网传输与商业活动有关的数据信息。然而许多大企业都对网络潜在的巨大商业机会表示了极大的关注，并且出现了一些由企业自主兴建的主干网络。到了 1992 年，由于网络技术已日趋成熟，NSF 为了推进国际互联网的商业化进程，宣布几年后将停止营运 NSFNET，并开始积极鼓励和资助各类商业实体建立主干网。从此，国际互联网在基础设施领域的商业化进程进入快速发展时期，NSFNET 也于 1995 年正式退出。

国际互联网的发展与信息技术的发展息息相关，技术标准的制定以及技术上的创新是决定国际互联网得以顺利发展的重要因素。下面是互联网发展过程中出现的几个重要事件。

（1）互联网的标准通信方式。1961 年美国麻省理工学院的伦纳德·克兰罗克（Leonard Kleinrock）博士发表了分组交换技术的论文，该技术后来成为互联网的标准通信方式。

（2）传输控制协议／互联网协议（TCP/IP）的制定。1983 年，ARPANET 宣布将过去的 NCP（网络控制协议）向新的 TCP/IP（传输控制协议／互联网协议）过渡。

（3）全球广域网（World Wide Web，WWW；又称万维网）技术的出现。1991 年，CERN（欧洲核子研究组织）的科学家蒂姆·伯纳斯·李（Tim Berners-Lee）最先开发出了万维网，它的主要功能是用一种超文本（hypertext）格式把分布在网上的文件链接在一起。1993 年，位于美国伊利诺伊大学的国家超级计算机应用中心（NCSA）设计出了一个采用万维网技术的应用软件 Mosaic，这也是国际互联网史上第一个网页浏览器软件。

1995 年是国际互联网商业化元年，eBay、Amazon 开始商业化运作。同年，微软的 IE 浏览器诞生。此后的几年里，陆续出现了第一个即时通信应用 ICQ、第一个视频共享网站 Share Your World，丁磊创建了网易、张朝阳成立了搜狐网、刘强东成立了京东、谢尔盖·布林等人创立了谷歌，电子支付系统 PayPal 诞生以及腾讯、阿里巴巴相继出现，这些都是国际互联网商业化发展的结果。随着科技的发展，网页的浏览还具有支持动态的图像传输、声音传输等多媒体功能，这就为网络电话、网络电视、网络会议等提供一种新型、便捷、费用低廉的通信传输基础工具创造了有利条件，从而进一步推动了国际互联网商务活动的发展。

1.1.2 我国互联网的产生和发展

1994 年 4 月 20 日，中国国家计算机与网络设施（NCFC）通过美国 Sprint 公司接入互联网的 64K 国际专线开通，实现了与互联网的全功能连接。从此，中国被国际上正式承认为第 77 个真正拥有全功能互联网的国家。20 多年来，中国互联网发展经历了从无到有、从小到大、从大到强的过程，并对中国的商业和文化都产生着重要影响。在经历了 1994 年之前的中国互联网史前阶段之后，中国互联网的发展就基本与全球保持同步，大致可以分为 Web 1.0 阶段、Web 2.0 阶段和 Web 3.0 阶段。各阶段的产业规模和发展空间不同，用户规模和基数骤增，产业领军企业也在发生着巨大的变化，如表 1-1 所示。

表 1-1　中国互联网发展的各个阶段及主要特点

阶段	网络探索阶段	第一阶段 Web 1.0	第二阶段 Web 2.0	第三阶段 Web 3.0	第四阶段
时间	1994 年之前	1994～2000 年	2001～2008 年	2009～2014 年	2015～2024 年
特性	科研	商业化	社会化	即时化	网络空间
突出属性	学术	媒体	社交	即时	网络空间
中国网民临界点	无	3 370 万（3%），2001 年	3 亿（22%），2008 年	7 亿（50%），2015 年	10 亿（70%），2024 年
商业创新	邮件	门户、B2C	博客、视频、SNS	微博、微信	变革各行各业
中国代表性企业或应用	邮件	新浪、搜狐、网易、8848 等	百度、阿里巴巴、腾讯等	新浪微博、腾讯微信等	腾讯、阿里巴巴、百度等

资料来源：方兴东，潘可武，李志敏，等. 中国互联网 20 年：三次浪潮和三大创新 [J]. 新闻记者，2014（4）：3-14.

1. 网络探索阶段：1994 年之前

1994 年之前，是中国互联网的探索阶段。从 1986 年启动中国学术网项目，到 1987 年从本土经由意大利和德国的互联网路由节点发出第一封电子邮件，到 1990 年注册登记了我国的顶级域名 CN，再到 1993 年中国科学院高能物理研究所租用美国卫星链路接入美国能源网，最终到 1994 年 4 月初，中国互联网终于得到美国国家科学基金会的认可，正式开启中国拥抱全球互联网的时代。

在该阶段，由于互联网初期的技术门槛较高，资源有限，因此仅有科技工作者、科研技术人员等很少的人群使用，而且使用的范围也被限制在科学研究、学术交流等较窄的领域。

2. Web 1.0：1994～2000 年

1994 年 4 月 20 日，中国互联网诞生。随后，清华大学等高校、科研计算机网等多条互联网接入，国家邮电部正式向社会开放互联网接入业务，瀛海威等互联网服务供应商（ISP）开始出现，同时，互联网创业浪潮渐起。

1995 年 8 月 9 日，网景上市触发了中国互联网创业浪潮。1997 年开始，以人民网为代表的中央门户与上海热线、武汉热线等地方门户逐步建立起来，开启了互联网门户时代，同期，阿里巴巴、百度、盛大、天涯社区等互联网公司创立。随着风险投资环境开始改善，中国互联网第一次发展热潮到来。1999 年 7 月，中华网在纳斯达克成功上市，融资 8 600 万美元，2000 年 1 月，中华网又募得令人惊讶的 3 亿美元，第一次让风险投资者看到了中国市场的巨大商机，同时也带动了新浪、搜狐、网易等三大门户的上市热潮，以及一大批中国互联网公司的兴起。

然而，2000 年以科技股为代表的纳斯达克股市的崩盘和"网络泡沫"的破灭，三大门户的股价刚上市就一路暴跌，如新浪股价一度跌到 1.06 美元，搜狐股价跌到 60 美分，网易上市当天股价就跌破发行价，仅有 53 美分，全球互联网产业进入"严冬"，"多米诺骨牌"效应造成 IT 产业整体下滑。据网络产业研究公司 Webmergers.com 统计，2000 年的"网络泡沫"破灭，令全球至少有 4 854 家互联网公司被并购或者倒闭。

3. Web 2.0：2001～2008 年

2002 年中国移动推出的 SP（service provider）业务，不仅让三大门户从泡沫破灭中复活，而且带动了一批新锐网站的崛起，如携程、盛大等一批 SP 公司上市，中国互联网的发展进入第二次热潮。2005年8月5日百度的上市，使这股热潮达到顶峰，博客网的成功融资与繁荣发展，更是标志着互联网发展开始步入更高的Web 2.0阶段。作为第二代互联网门户，博客网是中立、开放和人性化的精选信息资源共享平台。使用者可以在博客网上进行社交，与他人分享自己的生活。经过几年发展，博客也由一种新型的网上信息内容的组织和传播形式变成了使用者在虚拟社会的标签和缩影。

同时，在2006年的互联网界，美国新一代社交网站SNS（social network service）是毋庸置疑的明星。有关MySapce、YouTube、Facebook的新闻不断出现，甚至还有调研公司声称MySapce在美国的流量超过了雅虎和谷歌。社交网站仍旧是投资的热点，原本快成为"明日黄花"的SNS先驱Friendster，正是因其获得了一笔又一笔的高额风险投资，而再次成为人们关注的焦点。这些社交网站随着时间的推移也逐步走向"正轨"：据估计，MySapce在当年的收入达到1.8亿美元，其作为新闻集团传媒产品分销渠道的价值也正日渐凸显；以校园学生为服务对象的Facebook和专注于商务社交的LinkedIn也自称实现了盈利。这种人气旺盛的社交平台还获得了互联网巨头的关注，谷歌前面刚垄断了MySapce的广告业务，微软随后就与Facebook达成了排他性广告联盟。在互联网上取得成功的社交网站投身无线领域的趋势也愈发明显。谷歌、雅虎和Facebook都曾表露进入此领域的意图。在当时看来，无线社交领域大有可为。

2007年，从网民普及率来看，全球网民达到13亿人，普及率为20%左右，美国、日本、韩国、欧洲等很多国家和地区的网民普及率已经达到70%以上，而中国网民达到1.6亿人，普及率为12%。然而，此时国内网站还处于互联网发展初期，谷歌、eBay、雅虎和亚马逊等互联网巨头，它们面向全球市场且在很多国家都是该领域的第一或第二，因此，中国的互联网公司虽然价值一时很高，但是事实上还缺乏全球性的竞争力，甚至在中国市场创新方面的核心竞争力也是非常薄弱的，它们需要更扎实的商业模式和具有中国特色的创新能力，这更让人对中国互联网的未来充满期望。

4. Web 3.0：2009～2014年

2009年开始，Web 2.0的概念逐渐淡出视野，而微博、微信类服务逐渐崛起，将中国互联网带入即时传播时代，中国互联网的发展开始呈现自己的特性：即时化。该阶段移动互联网经济开始发展。

与此同时，跨平台即时通信（IM）软件在欧美市场的蹿红式发展，让我国互联网的精英们看到了商机。2010年12月末，知名天使投资人雷军投资的小米公司推出了类似服务——米聊，并且获得晨兴和启明创投3 500万美元融资，估值高达2亿美元，可见业界对这类软件的重视。米聊上线半年多，注册用户已超过200万。相比QQ，米聊更加牢固地锁定在手机通讯录中的强关系人群，并能够实时分享信息、图片甚至语音，这比短信更轻、更快、更有趣。这类应用也在年轻人群体中备受青睐。

在米聊问世后的十几天，腾讯也随即上线了类似产品——微信，并大力推广这一新产品。2011年1月21日，腾讯微信正式发布，当时腾讯QQ在全球已突破了10亿注册用户。自腾讯微信上线以来，腾讯通过QQ海量用户资源，在QQ邮箱首页大力推广微信。"微信，能发照片的免费短信"，从腾讯微信的广告语中我们可以看出腾讯公司对几乎为零资费的微信的重视程度，凭借着与QQ好友相连接的优势，微信在短时间内获得了比其他竞争对手更多的用户。

随着 3G 技术、智能手机的普及，互联网入口从 PC 端向手机端分流，互联网经济开始向移动化、多元化发展，产生了诸如团购、O2O 等新商业模式。2014 年 1 月 30 日，腾讯市场价值突破 10 000 亿港元，同年 9 月 19 日，阿里巴巴在纽约证券交易所正式挂牌上市，市值达 2 314 亿美元，这两大巨头进入全球互联网经济阵营，开始与谷歌、亚马逊、Facebook 并肩。总体来看，在 2014 年，我国网民规模的逐步扩大和互联网企业竞争力的上升是建设网络强国最重要的驱动力，以移动互联网经济为代表的互联网新商业模式的发展与创新也逐渐超越美国，将中国移动互联网经济的发展推向新的高潮。

5. 2015～2024 年

根据经验和发展规律，未来几年新增的下一批网民，将主要来自中国、印度等广大发展中国家，他们将重新改变互联网，重新定义商业模式和市场格局。在未来几年内，中国互联网力量的全球崛起不再是梦想，中国将可能实现从网络大国到网络强国的目标。互联网将成为中国软实力全球崛起的主战场，面对机遇，中国互联网也将面临来自内部和外部的双重挑战，内部即互联网如何顺利地融入整个社会，成为中国未来发展的全新基础设施，外部即中国互联网如何影响世界，在全球范围拥有竞争力和话语权。

在这个过程中，互联网产业将继续以技术创新的形式，重新分配社会资源。大数据和人工智能将会被广泛应用到各个行业，互联网创业将继续推动我国实现大规模、深刻的改革，激发新的活力和动力，并重新调整和修改社会发展的游戏规则。更重要的是，未来互联网产业面临的复杂挑战和痛苦裂变，以及互联网产业的走向，将更为深远地影响中国社会经济、政治、文化发展的主旋律和在全球格局中的位置。

1.1.3　网络社会环境的基本特征

网络社会是建立在一系列虚拟数字技术基础上，并与现实社会相互交融渗透的一种新的真实存在的社会形态。从其存在的环境看，它是现实社会环境的衍生，是虚拟技术与现实社会的互构；从网络群体角度看，网络社会环境中的群体呈现出阶层分化和舆论倾向性特征；网络技术的飞速发展与用户群体的不断扩大也带来了信息的真实性问题，使网络社会更易折射出媒介镜像特征。因此，了解网络社会环境的基本特征，有利于网络营销者设计出更好的营销方案。

1. 虚拟与现实互构

网络社会是由互联网技术创造出来的一种虚拟存在的空间架构，它建立在计算机和网络数字技术的发展基础上。因此，从物质属性层面分析，网络社会环境在技术与互动关系上具有一定的虚拟特性。在网络社会的虚拟环境中，人们在现实生活中不能满足的需求可以在这里得到一定程度上的满足。相较于在现实社会中真实地感知和触摸，人与人之间的交流、购买商品、办公等，这些关系与行为都能在网络上以虚拟的存在形式呈现出来。但网络社会同时也是一种真实存在，它并不是无中生有，网络社会环境中依然具有和现实社会相同的基本构成要素，如活动空间、群体、互动关系、交换关系以及相对应的组织或团体、文化规范等。网络社会依存于现实社会，是现实社会的"延伸"，网络社会环境中的关系或行为内容是对现实社会的一种互动反映。可见，网络社会是建立在一系列虚拟数字技术基础上，并与现实社会相互交融渗透的一种新的真实存在的社会形态。

2. 用户群体阶层分化

在网络社会中，互联网技术促使人们的行为方式和生活方式发生较大的改变，公众在互动场域、主体之间的关系以及互动方式等方面都受网络技术的影响并重构，同时，人们在网络社会中互动的行为方式又反作用于网络社会结构的形成。

在这种社会结构中，由于网络声望、知识技能、受教育程度、网络社会关系、信息资源占有、职业等的不同和变化，同一社会阶层内部出现不断分化的趋势。由此可以看出，网络社会阶层分化是指占有不同网络社会资源的社会成员在网络社会阶层结构中的动态变化。随着网络群体的长期互动，加之网络技术能力、资源获取能力及其资源利用能力等差别的存在，网络社会的阶层化特征会越来越明显，突出表现在网络大V或意见领袖阶层与大众阶层的分化。由于意见领袖（舆论领袖）有特别的技术、知识、个性或其他特点，所以能对他人产生影响，能够在人际传播网络中为他人提供信息，同时他们也是对他人施加影响的"活跃分子"，他们在大众传播效果的形成过程中起着重要的中介或过滤的作用，由他们将信息扩散给受众，形成信息传递的两级传播。社会各个阶层都有意见领袖，而且可能在某种产品上这个人是"意见领袖"，但在另外一些产品上他又是观念追随者。所以，营销者应该努力找出自己产品的意见领袖，并在之后通过关键意见领袖（KOL）营销展开营销活动以触及特定的用户群体。

当然，网络社会结构并不是现实社会结构的复制，而是突破了传统社会分层标准的思维，形成的一套新的且不断流动的分层标准。自身知识结构、信息资源的获取能力等都将成为影响网络社会阶层转化的重要因素，这些因素也将是获得网络声望的重要资本。

3. 网络舆论倾向性

由于网络具有虚拟性、即时性、交互性和跨时空性等特点，大众的数字化行为也具有匿名性，使得他们有了一个相对自由且方便的、缺乏传统社会规则约束的"自由时空"。因而在网络社会环境中，人们可以畅所欲言地表达意见或建议，表达情感与宣泄情绪，由此而来的网络舆论表现最为明显。当下的网络社会如同一个舆论空间，在这个空间中，舆论传播的广度和速度是以往的报纸和电视等传统媒体无法比拟的，加之博客、微博、微信等社交平台上用户之间相互关注、评论、转发等网络行为的出现，更是强化了网络舆论功能。因此，网络营销者可以利用网络的开放性和传播力，通过舆论营销开展市场调研、目标市场选择、产品促销等经营活动，从而满足消费者需求，实现企业目标。

4. 媒介镜像性

雅克·拉康（Jacques Lacan）在1936年提出"镜像理论"，从婴儿照镜子出发，将一切混淆了现实与想象的情景都称为镜像体验。同时，他也从精神分析学的角度重新审视了人类认识世界和自我的途径，得出人们依然在并非真实本身而仅仅是真实的影像中陶醉这一结果。网络如同一面镜子，我们多次尝试在这面镜子中找到事实和真相，认识社会和世界，可见我们都生活在网络等媒介的镜像之中。不可否认的是，媒介本身带有相对应的价值与利益取向，我们所感知到的世界以及事实，实际上只是镜像中的世界与事实。在网络社会，由于匿名性特征与网络技术所产生的壁垒等方面的因素，使得人们所获取信息的真实性遇到前所未有的挑战，也往往会产生同一镜像能够折射出多元化信息的现象。这是由于各大媒介的关注点和认知不同，报道出的信息所折射出的事实也就不同。加之，由于个体的差异性、认知特点和心理结构等方面的不同，不同群体对同一事件的认知也就有所区别。因此，网络营销者可以适当运用"镜像式"营销的方法，实现品牌和媒体的高度互补，从而产生更广范围的共鸣影响，提升品牌附加值。

1.2 网络营销的内涵

网络营销是一门新兴的学科，但目前对于网络营销的含义还没有一个公认、完善的定义。网络营销是市场营销的一个重要组成部分，其本质与市场营销相同，但在技术手段和应用背景上又有其自身特点。概括来说，网络营销是企业整体营销策略的一个组成部分，是为实现企业总体经营目标所进行的以互联网为基本手段、营造网上经营环境的各种活动。

1.2.1 网络营销的概念与职能

网络营销源于传统营销，但与传统营销又有着巨大的差别。网络营销的突出特点是以互联网为手段，达成营销的目的。对其概念的界定，因时代的发展也不断发生变化。但是作为一种营销方式，其实质内涵是相对稳定的。

广义上而言，凡是以互联网为主要手段进行的、为达到一定营销目的的营销活动，都可称为网络营销。这就是说网络营销贯穿企业开展网上经营的整个过程，从信息发布、信息收集到开展以网上交易为主的电子商务过程，网络营销一直都是一项重要的内容。从营销的角度来看，网络营销是企业整体营销策略的一个组成部分，它是以互联网为基本手段、营造网上经营环境，为实现企业总体经营目标所开展的各种活动。这个定义说明网络营销与传统营销的本质是相同的，都是为了了解和满足顾客的需要，同时，它也不再是促销这么简单，从产品推出前的市场调研，到产品设计制造过程，到营销传播，再到售后服务，网络营销贯穿营销的整个过程。

网络营销是以互联网为传播手段，通过对市场的循环营销传播，达到满足消费者和商家诉求的过程。循环营销是指企业通过建立循环营销系统，建立、加强公众关系，提高顾客忠诚度，并以此扩大顾客群范围，实现持续销售的企业活动。简单地讲，网络营销就是指通过互联网，利用电子信息手段进行的营销活动。

网络营销的主要职能包括：网络品牌、信息搜索、信息发布、销售促进、销售渠道、顾客服务、顾客关系、网上调研。围绕网络营销的这八项基本职能，可以有效地制定合理的网络营销策略。

1. 网络品牌

美国广告专家拉里·莱特（Larry Light）预言：未来的营销是品牌的战争。对于企业来讲，拥有市场比拥有工厂更重要，而拥有占据市场主导地位的品牌是拥有市场的唯一方法。网络营销的一项重要任务就是在互联网上建立并推广自己的品牌，以及让企业的线下品牌在线上得到延伸和拓展。在拥有和承认品牌、重塑品牌形象以及提升品牌核心竞争力等方面，互联网的效果和作用是其他媒介替代不了的。

通过互联网，无论是大型企业还是中小型企业都可以用适合自己的方式展现品牌形象。清晰的网络品牌有助于展现自身的市场定位，帮助客户认同。例如，大家都知道打开优酷看电影，打开新浪看新闻，从淘宝购物等。网络品牌并非一蹴而就，而是一个长期经营的过程，网络品牌视觉和品牌内容的传播，营销信息的传递和社区渗透无不影响着目标客户，并不断强化客户的品牌认知。

2. 信息搜索

网络营销竞争力的强弱可以通过信息的搜索功能反映。企业在营销活动中，需要获取各种商机，进行价格比较，了解对手的竞争态势以及对商业情报等相关信息进行决策研究，这些信息的获取均可以通过多种信息搜索方法完成。搜索功能已成为营销主体能动性的一种表现，以及提升网络经营能力的竞争手段。

3. 信息发布

网络营销的主要方法之一就是发布信息。营销方式有很多种，但是无论采用哪种营销方式，最终的目的都是将信息快速有效地传递给目标客户。互联网作为一个开放的信息平台，使网络营销具备了强大的信息发布功能，形成了地毯式、全球化的信息发布链，实现并加速了信息的广覆盖。在网络营销中，我们可以主动跟踪信息的扩散过程，及时回复，进行交互式的交流和沟通。可见，网络营销下的信息发布效果是其他任何营销方式所无法比拟的。

4. 销售促进

与传统营销一样，网络营销也以直接或间接地促进销售为基本目的，各种网络营销方法基本上都是为最终增加销量提供支持的。同时，还有许多有针对性的线上促销方法，这些促销方法并不限于对线上销售进行支持，实践证明，在很多情况下网络营销对促进线下销售也十分有价值，这也就是为什么一些没有开展线上销售业务的企业有必要开展网络营销。

5. 销售渠道

互联网的出现，使营销信息的传播冲破了传统经济时代的交通阻隔、人为屏障、资金限制、语言障碍以及信息封闭等限制。网上销售是企业销售渠道在网上的延伸。网上销售渠道建设并不限于企业网站本身，还包括建立在专业电子商务平台上的网上商店，以及与其他电子商务网站不同形式的合作等。因此网上销售并不仅仅是大型企业才能开展的，不同规模的企业都有可能拥有适合自己需要的在线销售渠道。

6. 顾客服务

互联网提供了更加方便的在线顾客服务手段，企业通过开展网络营销，可以为顾客提供从形式最简单的常见问题解答，到电子邮件、邮件列表、在线论坛和各种即时信息服务等，在线顾客服务具有成本低、效率高的优点。可以说网络营销更强调"服务"观念，坚持"以顾客为中心"的原则，极大地提高了顾客的满意度。它在提高顾客服务水平方面具有重要作用的同时也直接影响网络营销的效果，因此在线顾客服务成为网络营销的基本组成内容。

7. 顾客关系

良好的顾客关系是网络营销取得成效的必要条件。顾客关系是与顾客服务相伴产生的一种结果，良好的顾客服务能带来稳固的顾客关系。顾客关系对于开发顾客的长期价值具有至关重要的作用，以顾客关系为核心的营销方式成为企业创造和保持竞争优势的重要策略。网络营销为建立顾客关系、提高顾客满意度和忠诚度提供了更为有效的手段。加强顾客关系成为网络营销取得长期效果的必要条件。

8. 网上调研

调研就是调查研究，指通过各种调查方式，如现场访问、拦截访问、电话调查、网上调查、邮寄问卷等形式获取受访者的态度和意见，从而进行统计分析，研究事物的总体特征。调研的目的是获得系统客观的信息，为决策做准备。网上调研也是调研的一种方式，互联网为企业提供了海量信息，通过网络，企业可以主动了解商情，分析客户心理，掌握竞争对手的动态及市场趋势。网上调研具有调查周期短、成本低的特点。网上调研不仅为制定网络营销策略提供支持，也是整个市场研究活动的辅助手段之一，合理利用网上市场调研手段对于市场营销策略具有重要价值。

综上所述，开展网络营销的意义就在于充分发挥各种职能，使网上经营的整体效益最大化。网络营销的职能比较简洁地概括了网络营销的核心内容，有助于改变大众对网络营销的片面认识，同时也明确了企业网络营销工作的基本任务。网络营销的职能是通过各种网络营销的方法来实现的，网络营销的这几种职能之间并不是相互独立的，某一种职能可能需要多种网络营销方法的共同作用，而某一种网络营销方法也可能适用于多种网络营销职能。

1.2.2 网络营销的基本内容

网络营销主要针对新兴的网络虚拟市场，而网络的特点是信息交流自由、开放和平等，且信息交流费用低廉、交流渠道直接高效。因此，营销者在网上开展营销活动，必须改变传统的营销手段和方式，及时了解并把握网络虚拟市场的消费者特征和消费者行为模式的变化，为企业在网上虚拟市场进行营销活动提供可靠的数据分析和营销依据。

网络营销的基本内容包括：网络市场调研、网络消费者行为分析、网络营销策略的制定、网络营销管理与控制、营销信息传播、客户关系管理。把握网络营销的这六项基本内容，有助于企业在网络环境下实现营销目标。

1. 网络市场调研

网络市场调研又称网上调查或在线调查。网络市场调研是指企业利用互联网作为沟通和了解市场信息的工具，对消费者、竞争者以及整体市场环境等与营销有关的数据系统进行调查分析研究，所采取的方法包括直接在网上通过发放问卷等形式进行调查，或者间接通过搜索引擎、E-mail、新闻组公告栏、访问相关网站等从其他网上媒体获取市场的信息，从而获得相关的数据，如顾客需求、市场机会、竞争对手、行业潮流、分销渠道以及战略合作伙伴等方面的情况。网络市场调研与传统的市场调研相比有着无可比拟的优势，如网络调研信息的及时性和共享性，调研方式的便捷性和经济性，调研过程的交互性和充分性，调研结果的相对可靠性和客观性，而且调研没有时间和地域的局限性，分析调研数据时具有可检验性。网络市场调研是制定营销策略、开展营销活动的基础工作，合理利用网络市场调研方法，并对所得到的市场调研数据进行深度挖掘分析，对于网络营销战略的制定有着重要价值。

2. 网络消费者行为分析

网络消费者是网络社会中一个特殊的群体，与传统市场上的消费群体的特性是截然不同的，因此要开展有效的网络营销活动必须要深入了解网上用户群体的需求特征、购买动机和购买行为模式。一般认为，消费者购买决策主要包括五个阶段：需求确认、信息搜寻、评估选择、购买决策和购后评价。依据网络消费者的购买决策过程，以及当前网络消费者行为的发展情况，现阶段对网络消费者行为分析的研究主要集中在：网络渠道选择行为、网络消费者信息搜寻行为、网络消费者购买行为、网络消费者在线评价行为。此外，互联网作为信息沟通的工具，正成为许多有相同兴趣和爱好的消费群体聚集与交流的地方，在网上形成了一个个特征鲜明的虚拟社区，对网上消费者行为的分析也要了解这些虚拟社区的消费群体的特征和喜好。

3. 网络营销策略的制定

网络营销策略是企业根据自身在市场中所处的不同地位而采取的一些网络营销组合，包括网页策略、产品策略、价格策略、促销策略、渠道策略和顾客服务策略。企业在采取网络营销实现企业营销目标时，必须制定与企业相适应的营销策略，因为不同企业的市场定位是不同的。同时也有几种在策略中常用的营销方式，如折扣营销、赠品营销、饥饿营销、病毒式营销、积分营销、全力优化网络、利用重大节假日开展优惠活动营销等。企业在实施网络营销的过程中，不仅需要进行投入，还需意识到存在一定的风险，因此企业在制定自己的网络营销策略时，应该考虑各种因素对网络营销策略制定的影响。

4. 网络营销管理与控制

网络营销管理主要是利用互联网搜集与企业营销相关的市场、竞争者、消费者以及宏观环境等方面的信息，由于是依托互联网开展营销活动，必将面临传统营销活动中无法碰到的许多问题，例如产品质量的保证问题、消费者隐私保护问题、信息的安全问题等。按照网络营销的八项基本职能可以将网络营销管理的一般内容划分为：网络品牌管理、网站推广管理、信息发布管理、在线顾客关系管理、在线顾客服务管理、网上促销管理、网上销售管理、网上市场调研管理。这些都是网络营销中必须重视和进行有效控制的问题，否则企业开展网络营销的效果就会适得其反。

网络营销所涵盖的范围较广，营销者应该延伸扩展对每一项基本内容的了解与把握，帮助企业在网络环境下更好地实现营销目标，提升网络营销整体水平，从而提升产品和服务的运营效率，促进相关业务的发展，使企业在电子商务环境下将网络营销工作开展得更加稳健和有效。

5. 营销信息传播

营销信息传播是指企业通过一定方式向消费者直接或间接地告知、劝说和提醒其销售的产品与品牌信息的活动。在某种意义上，营销信息的传播代表着企业及其品牌的声音，它们是消费者和潜在消费者了解企业并与企业建立关系的重要桥梁。网络营销信息传播具有一对一交互性、开放性、虚拟性、全球性等特征，并且随着网络技术不断成熟，网络营销信息的传播范围也将在最大程度上被拓展。网络营销信息传播的方式也多种多样，如网络广告、网络公关、网上促销等，企业通过运用互联网，既有利于更加充分地了解市场，也有助于扩大市场营销的范围并加快营销的速度，使其营销信息以更低成本、更高效率的方式传播到全国乃至全世界。

6. 客户关系管理

客户关系管理包括企业识别、挑选、获取、发展和保持客户的整个商业过程，是指以客户为核心，企业和客户之间在品牌推广、销售产品或提供服务等场景下所产生各种关系的处理过程，其最终目标就是吸引新客户关注并将其转化为企业付费用户、提高老客户留存率并让其帮助介绍更多新用户，以此来增加企业的市场份额及利润，从而增强企业竞争力。在网络营销竞争中，信息技术在客户关系管理中发挥着巨大作用，通过构建完整的顾客数据库，利用大数据技术描绘出客户画像，从而实现企业对顾客个性化需求的快速响应，以及提供及时的售后关怀服务与支持，增强顾客忠诚度与满意度，进而对未来企业开展全方位的网络营销活动起到重要作用。

1.2.3　网络营销与传统营销的区别

营销管理专家菲利普·科特勒（Philip Kotler）认为："营销是个人和集体通过创造并同别人交换产品和价值以获得其所需之物的一种社会过程。"传统的市场营销是"个人和集体通过创造，提供出售，并同别人交换产品和价值，以获得其所需所欲之物的一种社会和管理的过程"。它主要研究卖方的产品和劳务转移到最终消费者或用户手中的全过程，以及企业等组织在市场上的营销活动及其规律性。而网络营销是在市场营销的基础上发展起来的，可以认为网络营销是通过互联网、计算机和数字交互式媒体实现的市场营销方式。

传统营销中的"需要、需求、欲望、交换、交易、产品、市场、细分市场、目标市场、市场定位等"以及"以消费者为中心、对行业与竞争者的分析、新产品的开发等"同样存在于网络营销中。因此，网络营销并不能脱离传统营销或者取代传统营销而独立存在，它是传统营销的网上延续，与传统营销构成互补的关系。然而，网络营销相对于传统营销来说，仍存在许多优势或不同，主要表现在信息发布、促销手段、渠道结构、成本优势、交流模式、顾客服务、市场调研等方面。

1. 信息发布的不同

与传统营销相比，网络营销的信息发布表现出方便快捷、完整高效的特点。网络营销以文字、声音、图片、影像等静态或动态的方式实现，能及时迅速地进行更新和重复浏览查找，以最新、最快、最详尽的方式为顾客提供信息。同时，在信息传递过程中，信息接收者与发送者之间可以进行直接的交流，使信息发布更能锁定潜在客户，掌握客户需求，满足特定客户的需求。此外，网上的在线支付功能使交易变得快捷、方便，在信息的发布传递与销售之间搭起直通的桥梁，直接作用于产品销售，缩短了传统营销中信息的发布与传递以及实现销售的时间和空间上的距离，使得网络信息发布与传递的效率大大提高。

2. 促销手段的不同

网络营销常用的促销手段包括搜索引擎、分类目录、电子邮件、网站链接、在线黄页、网络广告、电子书、免费软件、社交媒体等。例如，免费电子邮箱服务商通常在电子邮件内容的结尾附上免费邮箱的推广语言；利用电子书作为病毒性营销工具；利用 Flash、视频信息、贺卡、免费软件等多种形式的推广方法，这些方法大都是利用先进的多媒体信息处理技术，提供近似于现实交易过程中的产品表现形式，以及双向的、快捷的、互不见面的信息传播模式，从而将买卖双方的意愿表达得淋漓尽致，同时也给对方留下充分的思考时间。与传统促销手段如电视广告、报纸广告、人员促销以及其他各种促销手段相比，网络促销手段不仅费用低廉、方便快捷，而且通过用户与用户之间的传播，使传播呈无限放大的趋势，每一个信息接收者同时又可能成为信息传播者，相对于传统的用户与用户之间口耳相传，网络促销的能量与速度是惊人的。

3. 渠道结构的不同

网络营销渠道结构与传统营销渠道结构的区别在于是否存在多级分销渠道。根据有无中间环节，营销渠道可分为直接分销渠道和间接分销渠道。由生产者直接将商品卖给消费者的营销渠道叫作直接分销渠道；而至少包括一个中间商的营销渠道则叫作间接分销渠道。传统营销渠道根据中间商数目的多少，将营销渠道分为若干级别。直接分销渠道没有中间商，因而叫作零级分销渠道；间接分销渠道则包括一级、二级、三级乃至级数更高的渠道。网络营销的直接分销渠道和传统的直接分销渠道一样，都是零级分销渠道；而其间接分销渠道结构要比传统营销渠道的简单得多，网络营销中只有一级分销渠道，即只存在一个电子中间商来沟通买卖双方的信息，而不存在多个批发商和零售商的情况，因而也就不存在多级分销渠道。

在网络环境下，网络直通消费者，将商品直接展示在顾客面前，回答顾客疑问，接受顾客订单，将产品、促销、顾客意见调查、广告、公共关系、顾客服务等各种营销活动整合在一起，进行一对一的沟通，真正达到营销组合。这种营销组合是营销渠道上的革命，彻底颠覆了传统的一级一级的营销渠道结构，相当于创造了无数的经销商与业务代表，亦即所谓的虚拟经销商与虚拟业务代表，同时又不受地域、时间的限制，可以进行无时间限制的全天候经营，无国界、无区域界限的经营，轻而易举地实现全球营销，并蕴藏着极大的潜在销售增长。

4. 成本优势的不同

通过电子商务平台，企业大大缩短了从接受订单、原材料采购到发货的周期，供应商、分销商和企业库存实时共享，实现实时主动的生产计划。网上低廉的沟通工具如 E-mail、网上电话、网上会议等方式大大降低了交通和通信费用，不出家门就可以将业务在网上任意拓展。传统管理过程中许多由人处理的业务，可以通过计算机和互联网自动完成，大大降低了人工费用。如戴尔公司开展网上直销，通过互联网实现了无店铺经营、无厂房经营，大大节省了租金费用。网上低廉的促销费用又使企业节省了高额的广告费用。与传统营销相比，这些都体现了网络营销有着极为显著的成本优势。

5. 交流模式的不同

网络营销的交流模式主要是主动性与互动性模式。与传统营销中的信息单向传递不同，网络营销中的信息传递是双向的，即具有交互性。网上的交互式广告、网络游戏、智能查询、在线实时服务、即时信息、电子邮件等都有不同程度的交互性，这种交互性对于企业和用户双方都是有利的，企业将正确的信息传递给用户，用户得到有助于购买决策的产品信息。网络的互动性还使顾客能够真正参与整个营销过程，顾客可以根据自身需要对企业提出新的要求和服务需求，企业可以及时根据自身情况，针对消费者需求开发新产品或提供新服务，顾客在无形中主动参与到企业的营销活动中来，形成了"一对一"的营销关系。在这种营销模式之下，企业和客户之间的关系变得非常紧密，甚至牢不可破，是一种以顾客为主，强调个性化的营销方式，与传统市场营销相比更能体现顾客的中心地位，真正体现顾客至上的宗旨，满足顾客的特定需求，从而开发出新的产品市场。

6. 顾客服务的不同

传统营销与网络营销在顾客服务上的不同主要体现在：传统营销的顾客服务成本高且效率低，极易受到时空限制；而网络营销则能突破时空障碍，实现高效率、低成本。传统的顾客服务方式如电话咨询、上门服务、开设服务网点等，因受到服务时间和空间等因素的影响，顾客服务难以做到完美，并且要花很大代价。而互联网提供了更加方便的在线顾客服务手段，如电子邮件、在线论坛和各种即时信息服务等，在线顾客服务具有成本低、效率高的优点。同时，企业也往往有着比较完备的销售数据和交易数据，可以很方便地采集各种客户信息，通过分析并运用这些信息，有利于掌握更多的顾客特性，获得更能体现客户行为和价值的信息内容，从而进行有效的顾客管理，锁定潜在客户群，集中精力为潜在顾客提供更好的服务。有效的顾客管理也能帮助企业更好地分析与满足顾客的不同需求，根据这些不同的需求调整营销策略，实现一对一的个性化营销，为顾客提供个性化服务，从而形成别人复制不了的差异化竞争优势。

7. 市场调研的不同

在市场调研方面，传统营销与网络营销的区别表现在：前者调研费用高、效率相对较低，而后者恰恰相反。传统的市场调研一般要投入大量的人力和物力，如果调研面较小，则不能全面掌握市场信息；如果调研面较大，则调研周期长，调研费用高。网络环境下市场调研的低价优势十分明显，主要体现在网络环境下的市场调研可以在较短的周期内，运用相同或者更低的成本，跨越时空限制，获得更多不同地区的消费者信息，从而能够掌握更全面的市场信息。另外，传统的市场调研中，被调查者处于被动地位，企业不可能针对不同的消费者设计不同的调查问卷，而针对企业的调查，消费者一般也不予以反应和回复。对收上来的调查问卷，整理与分析也是一个极为繁复的过程。与传统的市场调研相比，网络市场调研的效率优势是非常突出的：一是网络信息的传输速度保证了市场调研的及时性，被调查者可以快速方便地反馈意见；二是网络信息传递的互动性使得消费者可以更好地参与到市场调研中来，不仅对现有产品，还对尚在概念化阶段的产品发表意见和建议，这种参与能够使企业更好地了解市场的现有需求，洞察市场的潜在需求；三是调查者也可以根据调查了解到的情况及时对问卷进行修改和补充，不断完善调查的内容与范围，提高调研的质量。同时，对反馈回来的数据，由于是电子数据，调查者可以快速便捷地整理和分析，形成数据库，达到调研的目的与要求，为企业决策提供依据。以上是对网络营销与传统营销区别的具体分析，表1-2对此进行了总结。

表1-2 网络营销与传统营销的区别

内容	网络营销	传统营销
信息发布	方便快捷、完整高效，锁定并掌握潜在客户	有时间与空间限制，效率较低
促销手段	费用低廉、双向、快捷、互不见面的信息传播模式，效率高	电视广告、报纸广告、人员促销等传播模式
渠道结构	只有一级分销渠道	存在多级分销渠道
成本优势	交通、通信、人力、店铺租金等成本优势	以人工处理业务为主，多种费用并存，成本较高
交流模式	主动性与互动性模式	信息单向传递
顾客服务	突破时空障碍，实现高效率、低成本	顾客服务成本高且效率低，极易受时空限制
市场调研	调研成本低、效率高	调研成本高、效率相对较低

虽然与传统营销相比，网络营销的确成本低、效率高，但存在一个不容忽视的现实问题，那就是大多数企业的网络营销并没有发挥应有的作用，从整体策划到功能、服务、信息、运营等方面都还存在很大的问题，如网站推广不力、信息更新不及时、网站技术和管理水平的限制等。另外，现阶段网上购物的安全性仍然不强，消费者的私人资料易于被截取或盗用，恶作剧

病毒或黑客攻击令人望而生畏，这些使得消费者现阶段对网络营销仍缺乏信任，网络营销平台仍需加强规范。

1.3 网络营销发展现状

《第 49 次中国互联网络发展状况统计报告》显示，截至 2021 年 12 月，我国网民规模为 10.32 亿，互联网普及率达 73.0%，较 2020 年 12 月提升 2.6 个百分点。其中，农村网民规模为 2.84 亿，占网民整体的 27.6%；手机网民规模达到 10.29 亿；网民通过台式电脑、笔记本电脑和平板电脑上网的比例分别为 35.0%、33.0% 和 27.4%；手机上网使用率达到 99.7%。此外，我国网络视频（含短视频）用户规模已达 9.75 亿，占网民整体的 94.5%；其中，短视频用户规模达 9.34 亿，占网民整体的 90.5%。随着移动上网设备的逐渐普及、网络环境的日趋完善、移动互联网应用场景的日益丰富三个因素的共同作用，手机网民规模进一步增长，网络营销场景也逐步多样化。

1.3.1 我国网络营销发展现状

2021 年以来，在人工智能、云计算、大数据等信息技术和资本力量的助推下，我国网络营销实现了较快发展。截至 2021 年 12 月，我国网络购物用户规模达 8.42 亿，较 2020 年 12 月增长 5 968 万，占网民整体的 81.6%。在我国，网络营销自 1997 年诞生以来，在短短 20 多年间逐步走向正规化的发展道路。2019 年，我国网络广告市场规模达 6 464.3 亿元，同比增长 16.8%，网络广告产业的发展逐渐呈现出三个主要特点：从平台类型来看，电商、搜索平台依然是最主流的广告渠道，其中电商平台广告收入保持较快增长；从市场竞争格局来看，部分企业广告收入迅速增长，推动行业竞争加剧；从营销模式来看，网络红人营销渐成趋势，其商业价值得到市场认可。相对于传统广告营销方式而言，网络红人营销成本较低、大众接受度较高、投放效果更为精准，越来越多的企业及其品牌通过与网络红人合作实现销量的大幅增长。

我国也是一个互联网应用大国，随着互联网知识与应用的普及，我国的网民规模已经跃居全球第一。互联网的新应用、网络营销的新模式，如网络直播、短视频等也在不断呈现。

1. 互联网各类应用的现状

2021 年，我国各类个人互联网应用的用户规模呈普遍增长态势。其中，在线医疗、在线办公的用户规模增长最为明显，较 2020 年 12 月分别增长 8 308 万、1.23 亿，增长率分别为 38.7%、35.7%；网上外卖、网约车的用户规模分别较 2020 年 12 月增长 1.25 亿、8 733 万，增长率分别为 29.9%、23.9%；在线旅行预订、互联网理财、网络直播、网络音乐等应用的用户规模增长率也均在 10% 以上。2020 年，电商直播、短视频和网络购物等应用的用户规模增长也十分显著，基础类应用如即时通信、搜索引擎，网络娱乐类应用如网络游戏、网络视频、网络文学等均保持稳健增长，增长率维持在 1%～5% 的区间。在手机互联网应用发展方面，手机网络购物用户规模增长率超过 5%。由此可见，以上应用用户规模的普遍增长为网络营销的发展奠定了良好的顾客基础。

同时，即时通信行业发展态势良好，用户规模及普及率进一步增长，即时通信产品逐渐从沟通平台向服务平台拓展，主要体现在个人用户数字化和企业用户信息化两个方面；搜索引擎行业竞争激烈，其产品和服务不断优化并丰富；移动商务类应用发展迅速，成为拉动网络经济的新增长点，但易受突发公共意外事件影响；网络支付业务稳步增长，有利于拉动消费升级，并且网络支付与科技融合程度不断加深，推动了行业效能的提升。此外，通过互联网进行理财的网民规模不断扩大，理财产品日益增多，产品用户体验持续上升，带动大众线上理财的习惯逐步养成，具体指标如表1-3所示。

表1-3　2020.12和2021.12各类互联网应用用户规模和网民使用率

应用	2020.12		2021.12		增长率 / %
	用户规模 / 万	网民使用率 / %	用户规模 / 万	网民使用率 / %	
即时通信	98 111	99.2	100 666	97.5	2.6
网络视频（含短视频）	92 677	93.7	97 471	94.5	5.2
短视频	87 335	88.3	93 415	90.5	7.0
网络支付	85 434	86.4	90 363	87.6	5.8
网络购物	78 241	79.1	84 210	81.6	7.6
搜索引擎	76 977	77.8	82 884	80.3	7.7
网络新闻	74 274	75.1	77 109	74.7	3.8
网络音乐	65 825	66.6	72 946	70.7	10.8
网络直播	61 685	62.4	70 337	68.2	14.0
网络游戏	51 793	52.4	55 354	53.6	6.9
网络文学	46 013	46.5	50 519	48.6	9.8
网上外卖	41 883	42.3	54 416	52.7	29.9
网约车	36 528	36.9	45 261	43.9	23.9
在线办公	34 560	34.9	46 884	45.4	35.7
在线旅行预订	34 244	34.6	39 710	38.5	16.0
在线医疗	21 480	21.7	29 788	28.9	38.7
互联网理财	16 988	17.2	19 427	18.8	14.4

资料来源：中国互联网信息中心. 第49次中国互联网络发展状况统计报告 [R/OL]. (2022-02-25) [2023-03-26]. https://www.cnnic.cn/n4/2022/0401/c88-1131.html.

2. 基础类应用与前沿技术融合发展，实现个性化服务

搜索引擎、网络新闻作为互联网的基础类应用，使用率均在70%以上，未来几年内，这类应用使用率提升的空间有限，但在使用深度和用户体验上会有较大突破。在搜索引擎方面，多媒体技术、自然语言识别、人工智能与机器学习、触控硬件等多种技术探索融合，内容建设继续深入发展，用户使用日趋活跃，围绕搜索产生的收入规模出现回暖趋势。2021年第一季度，百度网络营销收入同比增长27%。此外，头条搜索及微信搜一搜等以持续强化链接能力、完善搜索生态建设为发展重点，为商业化提供增长动力，如微信搜一搜加速链接小程序，推动内容、服务、品牌接入微信小程序，助力交易额快速增长。在网络新闻方面，在"算法"的支持下，新闻客户端能迅速分析用户兴趣并推送其所需信息，实现个性化、精准化推荐，提升用户体验。同时，在企业用户方面，依托云计算、人工智能等技术，即时通信在企业日常运营管

理、数据信息互通共享、团队远程协同办公等领域发挥的作用日渐凸显，成为企业在各大经营环节实现信息化转型的得力助手。因此，先进技术的加速普及应用，从整体上推进了网络营销的发展。

3. 商务交易类应用稳定发展，支付工具增长明显

商务交易类应用包括网络支付、网络购物、网上外卖、在线旅行预订等方面。网络交易类应用经过多年发展，在国内市场已经逐渐步入稳定期，虽然用户规模增速逐渐放缓，但绝对规模均较2018年年底有了不同程度的提升，其中网上支付工具的增长尤为显著。究其原因，网络购物类应用由于用户基数较大，很难再获得突破性增长；团购由于低价模式难以持续，正在尝试"去团购化"的转型；支付类工具由于移动支付技术与设备的日益完善以及"线上支付线下服务"模式的逐渐成熟，逐渐被越来越多的用户接受。

此外，在线旅行预订方面，企业不断进行数字化营销升级，寻求新的业绩增长点。在受疫情冲击的行业回暖时，旅行预订市场消费结构发生变化，企业数字化赋能营销体系，带来新的业绩增长点。全球出境游业务恢复尚难预期，旅行预订企业借助营销方式创新，深挖聚合服务精准营销价值。一是旅行预订企业以直播业务为契机，布局内容生态拓展营销渠道；二是旅行预订企业引入"盲盒"业态，获得年轻人青睐。"盲盒"机票或酒店将时间、目的地任意组合，带给消费者新奇、惊喜的体验，"不满意可退货"降低了用户参与的心理负担，因此受到众多年轻人的追捧。

4. 网络娱乐类应用整体用户规模保持稳定，娱乐内容生态逐步构建

网络娱乐类应用包括网络视频、网络直播、网络游戏等方面。数据显示，网络娱乐类应用的整体用户规模均有增长，基本保持稳定上升的趋势。在使用率方面，网络文学用户使用率有所下降，网络视频和网络游戏的使用率略有提升。截至2021年12月，我国网络视频用户规模达9.75亿，较2020年年底增长4 794万，占网民整体的94.5%。各大视频平台进一步细分内容品类，并对其进行专业化生产和运营，行业的娱乐内容生态逐渐形成；各平台以电视剧、电影、综艺、动漫等核心产品类型为基础，不断向游戏、电竞、音乐等新兴产品类型拓展，以知识产权（intellectual property，IP）为中心，通过整合平台内外资源实现联动，形成视频内容与音乐、文学、游戏、电商等领域协同的娱乐内容生态。整体而言，娱乐类应用作为网络应用中最早出现的类型，经过多年发展，用户规模和使用率已经逐渐稳定，对于新型商业模式的探索成为其发展的主要方向。

在网络视频方面，随着长、短视频平台之间的竞争进一步加剧，中视频成为重点发力方向，内容更加专业、多元。同时，微短剧市场用户关注度较高且商业模式清晰，吸引众多平台进入。未来，微短剧预计将成为继网络剧、网络综艺、网络电影和网络动画后的又一主要内容赛道，影响力进一步提升，这为网络营销的开展提供了新的思路与视角。在电商直播领域，其发展变化主要集中在直播主体、商品来源和运营规范三个方面：一是主体多元化，越来越多的中小商户将自建直播渠道作为重点；二是商品本土化，从老字号品牌到地方特色农产品商户，都通过电商直播渠道获得了良好的营销效果；三是运营规范化，《网络直播营销管理办

法（试行）》等相关政策在 2021 年陆续推出。随着规章制度的实施，电商直播监管体系得到逐渐完善，消费者权益保护力度进一步提升。目前，电商直播带货营销已经成为零售数字化、电商突围的重要渠道，网络直播也逐步将营销重点从对"商品"的销售转变成对"人"的情感运营。

5. 新业态新模式推动网络营销深度发展

在当前数字经济时代下，涌现出平台化设计、智能化制造、网络化协同、个性化定制、服务化延伸、数字化管理等新业态新模式，这有力地推动了网络营销的发展。比如在个性化定制方面，用户中心特征不断凸显，用户由被动接受标准化产品向深度参与产品研发设计等产品全生命周期过程转变。利用人工智能、云计算、大数据等技术，建立"以客户为中心"的营销服务体系，向客户推送个性化增值服务。市场可预测水平不断提升，工业互联网将异构、多样化数据转化为适用于产品全生命周期的标准化数据，对客户群体、用户行为进行深度分析，促进供给与需求的精准匹配，强化企业市场预判、精准营销能力。

1.3.2　国外网络营销发展现状

1994 年 4 月 12 日，美国亚利桑那州两位从事移民签证咨询服务的律师劳伦斯·卡特（Laurence Carter）和玛莎·西格尔（Martha Siegel）把一封"绿卡抽奖"的广告信发到他们可以发现的每个新闻组，这在当时引起轩然大波，他们的"邮件炸弹"让许多服务商的服务处于瘫痪状态。更有趣的是，他们通过花费 20 美元在互联网上发布广告信息，却吸引来 250 000 个客户，赚得 10 万美元。这就是在网络营销中赫赫有名的"律师事件"，可以说是第一个 E-mail 营销。在"律师事件"之后的半年多时间，1994 年 10 月 27 日，网络广告正式诞生，这标志着网络营销时代正式开启，而直到 1995 年 7 月，全球最著名的网上商店亚马逊才正式成立，这标志着网络开启网上销售业务范畴。

网络营销的起源和发展与互联网的出现息息相关，万维网网站的通常做法是利用计算机网络来连接客户的信息，即通过通信和信息技术的发展，促进了一对一的新沟通渠道的出现。20 世纪 90 年代，互联网开始兴起，并进入人们生活的方方面面，在此基础上还出现了电子商务，而西方国家更是充分借助互联网开展各项营销活动。其中，美国作为互联网经济大国，在网络营销的发展趋势上具有一定的导向作用，因此本节将主要以美国作为参考进行网络营销未来发展趋势分析。

1. 市场规模逐年增长，移动互联网广告逐步成为主流营销方式

2012～2018 年，全球互联网广告规模呈现出逐年上升的趋势，其中 2013 年美国的互联网广告市场规模为 428 亿美元，首度超过广播电视；2018 年美国的互联网广告市场规模超过 1 000 亿美元，同比增长 18.81%；2020 年美国互联网广告市场规模超过 1 400 亿美元，如图 1-1 所示。

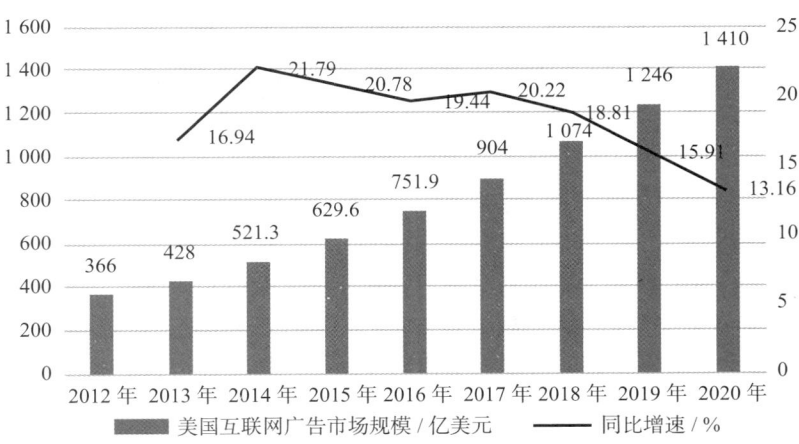

图 1-1　2012～2020 年美国互联网广告市场规模统计及增长情况

资料来源：作者根据前瞻产业研究院网络资料整理。

2. 零售业继续主导互联网广告业务，搜索营销趋于常态

2020 年，零售业继续主导互联网广告业务，占互联网广告支出的 26%。零售领域在互联网广告上的花费远超其他行业，这主要是因为在零售业，越来越多的商家选择通过搜索获取流量，对于进行零售的商家而言，产品商店、电商网站或者亚马逊站内的搜索流量均至关重要。此外，对于零售业，之前电脑端是主要的广告平台，未来则会有更多商家向移动端转型。零售业开始越来越多地利用大数据技术，在社交媒体和用户互动方面做出改变。同时，医药保健逐步成为第二大互联网广告消费领域，占比约为 19%。另外，金融服务是 2020 年互联网广告增长的主要推动力，占比达到 16%。2020 年美国互联网广告支出行业分布情况如图 1-2 所示。

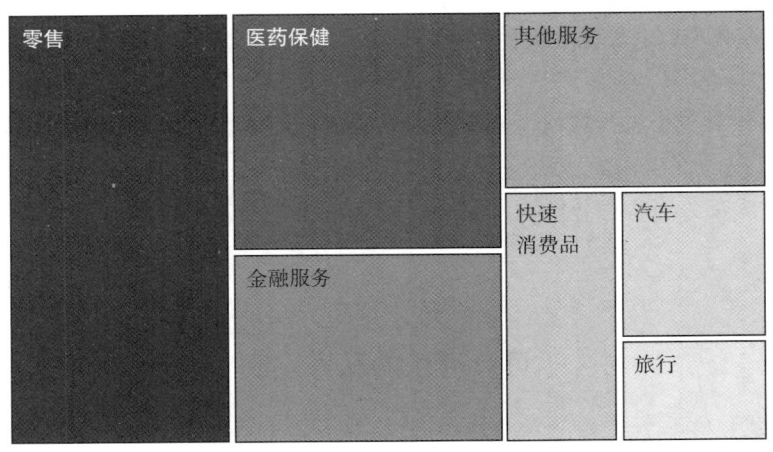

图 1-2　2020 年美国互联网广告支出行业分布情况

资料来源：作者根据前瞻产业研究院网络资料整理。

3. 亚马逊挑战谷歌、Facebook 的双寡头格局，数字营销大势所趋

美国在线零售商的广告收入在 2020 年增长了 53.3%，2021 年又增长了 53.4%。亚马逊是

这一趋势的推动者，个性化的推荐使许多消费者在亚马逊上开始搜索，如"继续购物""再次购买"和"与您查看过的商品相关"等。随着卖家争相在亚马逊平台上投放广告（据统计其广告收入约为 8 亿美元），亚马逊将继续从谷歌和 Facebook 手中抢夺更多广告市场份额。

美国强劲的经济和发展中的数字经济一直推动着大多数行业的广告支出。据 eMarketer 数据显示，在金融、制药和技术驱动下，2018 年美国数字广告达成几个重要里程碑：收入超过 1 000 亿美元，并且逼近广告总销售额的一半。同时，据 MAGNA 数据显示，2021 年的数字广告（搜索、社交、视频、横幅、数字音频）销售额增长 1 050 亿美元，达到 4 420 亿美元；数字广告销售额目前占全球广告总销售额的 62%。数字媒体消费的增长以及电子商务规模和深度的爆炸式增长促使大品牌、小企业增加数字营销活动，并加大社交和搜索广告的使用。

4. 互联网广告未来趋势

人工智能（artificial intelligence，AI）、机器学习、虚拟现实（virtual reality，VR）等技术的革新未来会成为广告行业最大的挑战，广告公司会对科技越来越重视，从数据分析到广告创意再到媒体购买，这些技术使得互联网广告营销变得更便捷、高效。这些技术或许不会完全替代人工，但势必会给营销的各个环节带来重大影响。

（1）社交媒体营销仍是增长原动力。社交媒体已经重塑了个人与个人、个人与商家的互动方式，成为创建优质内容并从中获利的主要平台。虽然美国社交平台 Facebook 的用户及广告收入增长放缓，但其仍会是数字广告增长的中坚力量之一，包括 Instagram、Snapchat 等平台，基于视频社交的不断成熟，社交媒体营销在未来仍是互联网广告营销增长的原动力。

（2）视频广告营销保持增长态势。不论是重视动态视觉的各社交媒体，还是 YouTube、Hulu 等数字视频平台，这些平台庞大的用户流量与视频消费化趋势不谋而合，视频广告在未来的支出增长不言而喻。当然，在视频越来越重要的同时也带来了一系列的挑战和难题，在垂直类视频广告领域，现有的视频内容已经无法满足品牌的需求，制作更高质量的视频内容或是未来一大挑战。

（3）程序化电视广告或是下一个引爆点。随着互联网电视的普及，电视屏幕的数字化、程序化得以实现，相对于个人计算机（personal computer，PC）、手机，互联网电视屏幕更大、更高清，互联网电视的优质内容也决定了其受众更加优质且忠诚度更高。2021 年美国 86.5% 的数字展示广告收入都来自程序化购买。未来，这些广告也会越来越多地向大屏幕市场进军。

◆ 案例分析

可口可乐的私人定制

当代社会生产力高度发达，同类商品在质量、价格等方面趋同，销售的竞争越来越激烈，差异化成为企业提高竞争力的主要战略，包括产品和服务的质量、商品的外观设计等。可口可乐公司除了产品独特的口感外，其外观包装的独特性和个性化一直吸引着消费者，如品牌商标的设计、瓶身的设计以及包装图案的设计等，都使其在激烈竞争的饮料市场中屹立不倒。

为了吸引年轻人的关注，可口可乐公司于 2011 年在澳大利亚推出了一款极具个性化的产品"Share a Coke"，并大获成功。用户在社交网站上可以制作定制化的瓶子,还能在超市购买到150个印有常见名字的可乐。如果你的名字碰巧不在这150个之列,你还可以在当地的购物中心免费定制。"'Share a Coke'项目是可口可乐创新性思考的经典",可口可乐内容和广告负责人乔纳森·米尔登霍尔(Jonathan Mildenhall)如此评价。在这项活动期间,澳大利亚可口可乐的销量提升了4%。

2013年,可口可乐公司将这项活动延伸到了中国地区,在中国首次推出"昵称瓶"一个多月后,可口可乐"昵称瓶"的定制活动达到了高潮。在五分钟内,售价20元的定制瓶的订购数攀升到900瓶,高人气使得可口可乐在新浪微博上的订购系统一度崩溃。继"昵称瓶"后,可口可乐公司又推出"歌词瓶",2015年又与优酷合作推出"台词瓶",将个性化在线上线下无缝衔接,使产品成为与消费者不断加深沟通的一种"自媒体"。

下面是有关可口可乐包装设计的"私人定制"个性化营销活动在中国的具体情况。

可口可乐的个性化包装设计的"私人定制"到现在还有巨大的影响力,由于突出"个性瓶"包装,在国内饮料行业总体景气程度下滑的大环境中,可口可乐仍然取得了不错的销售业绩。"个性瓶"方案在国内实施的过程中,并没有完全照搬国外的做法,而是采用了充满创意的"本土化"做法。中华文化背景下的人们不易直接表达自己的感受,在现实生活和网络中,他们更倾向于使用网络昵称,因此,可口可乐想出了使用快乐昵称的方法,"昵称瓶"的创意就此产生。

2013年,可口可乐公司在国内推出了印有"喵星人""高富帅""白富美""月光族"等字样的"昵称瓶",如图1-3所示,仅当年夏季可口可乐推出的"昵称瓶"就使得当季可口可乐独享装(300ml、500ml、600 ml PET 包装)的销量较2012年同期增长20%,超出10%的预期销量增长目标,并且在广告界的盛大节日——艾菲奖(EFFIE AWARDS,大中华区)颁奖中摘得全场大奖,此奖授予"昵称瓶"可谓众望所归。

2014年可口可乐延续2013年"昵称瓶"的热度,再推出印有"我和我最后的倔强""听妈妈的话"等内容的"歌词瓶",如图1-4所示。

图1-3 可口可乐的"昵称瓶"

图1-4 可口可乐的"歌词瓶"

可口可乐公司对这次"歌词瓶"的推广可谓轻车熟路,针对意见领袖进行定制化产品投放,利用明星、关键意见领袖在社交网络上的活跃度和影响力,制造信息高点,然后通过社交媒体引发活跃粉丝的跟进,进而利用社交媒体的扩散作用影响更多普通消费者。可口可乐公司从产品本身出发,让产品在货架上跟消费者产生独特的沟通,这样想来,全世界没有比可口可乐瓶身更大的户外媒介了,这进一步夯实了可口可乐在行业内坚不可摧的领头羊地位。根据可口可乐2014年上半年财报显示,在"歌词瓶"的助推下,其中国业务增长了9%,并且仅2014年6月一个月内,"歌词瓶"即在2013年同期双位数增长的基础上,为可口可乐带来10%的增幅。除了销量上的增长,"歌词瓶"同样在这个创意乏味的时代引起业界关注，不少人也对"歌词瓶"的传播津津乐道。

2015年5月，可口可乐再创新品"台词瓶"，如图1-5、图1-6所示。此次活动中，可口可乐与优酷合作，联合推出49款共计10亿量级的可口可乐"台词瓶"，印有国内外经典、流行的电影或电视剧台词，包括《甄嬛传》的"臣妾做不到啊"，《阿甘正传》的"生活就像一盒巧克力"，《乱世佳人》的"不管怎样，明天是新的一天"，《集结号》的"下辈子还做兄弟"，《万万没想到》的那句"万万没想到"等。除此之外，以往的"昵称瓶"和"歌词瓶"都是传统红色包装，但在此次可口可乐"台词瓶"营销活动中，黑色包装的零度可口可乐也首次加入这一活动。台词最终将出现在可口可乐及零度可口可乐的独享包装上，包括300ml、330ml、500ml和600ml的易拉罐及PET包装。可口可乐还在电影院、超市等公共空间推出了可以让用户专门定制的"定制台词瓶"。截至2015年7月27日，总页面浏览量（PV）超过2 000万、独立访客数（UV）超过1 300万，数百万人通过网站专题直接参与投票及点赞，互动量已近700万，近600个开拍作品分享至优酷参与活动，微博上，话题"可口可乐台词瓶"更是荣登热门话题排行榜第二名。版权、用户原创内容（UGC）、影业、自制等多方位资源的加入，让可口可乐联手优酷打造的"台词瓶"活动成为2015年夏天最经典的案例，展示了优酷希望打造的"文化娱乐生态系统"的营销实力。

图1-6 可口可乐与优酷合作的"台词瓶"的包装

从针对不同消费者群体到针对不同场合，可口可乐的个性化包装团队可以说是费尽心思，同时也取得了较好的营销效果。消费者甚至可以通过微博等媒体做到"私人订制"。从2013年开始至今，每年推出一款新的个性化包装主题似乎已经成为可口可乐公司习惯性的营销手段，而每年推出的包装主题都切合当年的时事热点，在消费者心中留下了深刻的印象，在同类产品中得以脱颖而出。猜测下一年可口可乐的包装主题也成了一件有趣的事，精彩的包装主题值得消费者拭目以待。

资料来源：个性化包装的可口可乐营销案例分析研究，https://wenku.baidu.com/view/a1180f49ce2f0066f53322ae.html。

【案例思考题】

1. 可口可乐的包装设计是如何体现个性化营销思想的？
2. 试对比分析可口可乐这几年不断推出的"昵称瓶""歌词瓶""台词瓶"的相同点与不同之处。
3. 试分析可口可乐个性化定制取得成功与网络文化的关系。
4. "如果孤立地来看可口可乐'歌词瓶'战役，它当然称得上是成功的，但如果将其与去年同期的'昵称瓶'相比，'歌词瓶'就有点弱了，它甚至根本算不上一次成功的战役。"试查询更多的相关资料，对此做出分析和解释。

图1-5 可口可乐"台词瓶"的包装

本章小结

国际互联网从最初的 ARPANET，经历了几个重要的技术创新节点得以顺利发展。在中国，1994 年实现了与互联网的全功能连接，20 多年来，中国互联网从无到有、从小到大、从大到强，经历了网络搜索阶段、Web 1.0 阶段、Web 2.0 阶段、Web 3.0 阶段，正朝着未来互联网强国的方向迈进。在此基础上，网络社会逐步形成，并具有虚拟与现实互构、用户群体阶层分化、网络舆论倾向性、媒介镜像性的基本特征，了解这些基本特征，有利于网络营销者设计出更好的营销方案。

网络营销是企业整体营销战略的一个组成部分。它主要是以互联网为手段来达到营销目的并且贯穿企业整个经营过程的营销活动。了解并掌握网络营销的八项基本职能和六项基本内容，有助于企业在网络环境下有效制定合理的网络营销策略，实现营销目标。

网络营销不能脱离或取代传统营销而独立存在，虽然它存在诸多优势，但也面临些许问题，因此，实现网络营销与传统营销的互补整合是企业的最好选择。我国网络营销发展迅速，在互联网各类应用方面表现出加速分化的特征，随着移动设备与网络环境的普及，以及移动互联网变革与"互联网＋"的融合效应，网络营销孕育着无限大的创新空间，成为助推经济发展的又一新动力。

关键词

互联网的产生与发展　　网络社会环境　　网络营销　　网络营销发展现状

综合复习题

思考题

1. 国际互联网的发展经历了哪些关键技术节点？
2. 中国互联网的发展经历了哪几个阶段？各个阶段的主要特征是什么？
3. 试比较 Web 1.0、Web 2.0、Web 3.0 的本质区别。
4. 什么是网络营销？
5. 网络营销的内涵是什么？
6. 网络营销具有哪些基本职能？
7. 试比较网络营销与传统营销的不同。
8. 试分析当前我国网络营销发展的现状。
9. 什么是网络经济？
10. 试分析我国网络营销未来的发展趋势。

讨论题

1. 试分析互联网技术的发展与网络营销之间的关系。
2. "网络营销是一种完全脱离传统营销的新营销方式"，这种说法对吗？为什么？
3. 移动网络将带来哪些变化？
4. 从网民数量、网络经济规模来看，我国已成为网络大国，试分析中国将如何从网络大国走向网络强国。
5. 实现个性化服务的前提条件是什么？
6. "互联网＋"的思想是什么？

网络实践题

1. 上网查询了解国际互联网技术的发展历程与网络营销发展之间的关系。
2. 在互联网上借助各种营销手段对自己进行营销，并撰写营销报告。
3. 上网查询有关"大数据""互联网＋""物联网"等的概念及实际含义。
4. 利用网络搜索引擎，查询任意一家企业的网络营销策略并在课堂上分享。

第 2 章
CHAPTER 2

网络营销环境

§ 本章导读

互联网已经成为面向大众的普及性网络，其无所不包的数据和信息，为用户们提供了极大的便利。网络使用者既是信息的消费者，也可能是信息的提供者，多元化的信息来源，更增强了网络本身的价值。相关的网络市场营销活动也从产品宣传及信息服务扩展到市场营销的全过程。网络营销的快速发展，离不开其成长的环境。网络营销环境是一个综合性概念，由多方面因素组成，同时，网络营销必须具备一定的安全性，能够保证消费者和使用者的数据信息安全。本章还安排了对新型网络营销模式的学习，如社会化电子商务和网络新零售。这些不仅能让学习者较充分地认识到网络营销发展机遇，而且能让学习者认识到当前网络营销发展中存在的问题，以及通过学习新型网络营销模式，还可以为学习者理解未来网络营销的发展方向提供参考。

§ 学习目标

- 了解网络营销的发展环境
- 了解网络营销发展所遇到的安全问题
- 掌握如何有效面对网络营销中的安全挑战
- 掌握网络营销中的道德与法律问题
- 了解社会化电子商务与网络新零售的发展和特征

§ 引导案例

京东"618"十一周年庆营销活动

案例背景：电商行业在重要的节庆日进行大规模的促销，早已成为日益激烈的电商大战中不可缺少的一部分。特别是"双11"作为最具代表性的狂欢日早已在消费者心目中形成了根深蒂固的印象。而京东与其店庆日——6月18日（618）之间的关联性给消费者留下的印象并不十分深刻。

不过 "618" 同样会被同行视为一个重要的时间点, 在京东店庆期间众多电商企业会抓住这一时机进行促销活动, 与京东进行竞争, 分散客流。2014 年京东在美国纳斯达克证券交易所成功上市, 本次 "618" 店庆被赋予了更重要意义, 但时间上却与世界杯发生了碰撞, 不免会分散人们的一部分注意力。

营销目标: 大范围地推广活动信息, 为店庆活动营造声势浩大的热烈氛围; 让更广泛的受众对京东 "618" 形成更深刻的印象, 知晓京东店庆活动。在京东企业发展的关键时间点, 需要迸发更为深远的社会影响力。

目标受众: 全人群覆盖。

执行时间: 2014 年 5~6 月。

创意表达: (1) 创意推导。人们对于电商大战已经有了审美疲劳, 常规的宣传已经不能有效地提起人们的兴趣。需要有突破常规的创意理念和推广方式, 强化人们对于本次营销活动的印象。(2) 创意核心。基于搜狐视频大数据平台, 广泛且精准地传播京东 11 支广告; 且借势世界杯, 在 "618" 当天以明星足球赛的事件营销将活动推向高潮。

传播策略: 前期, 娱乐强运作, 为活动赢得高关注; 中期, 活动信息广覆盖, 与消费者深沟通; 最后收官, 专业级比赛在线直播, 展现京东的行业影响力。

执行过程: ①以大范围加深沟通的方式推广 TVC。以搜狐视频大数据平台为基础, 先通过全 UV 覆盖的方式让广告信息触达更多人群, 凡来到搜狐视频的用户, 看到的第一支贴片均为京东的广告, 且每天看到的版本不尽相同, 让其保持对活动的新鲜感和好奇心; 再凭借搜狐独有的 FocuX 慧眼技术, 为每个用户打上标签, 基于人群特征进行标签分析, 精准锁定对京东广告感兴趣的目标用户进行追投, 有效提升 CTR。②打造娱乐化的专业体育赛事。前期拍摄了多支短视频作为引爆点, 邀请娱乐明星和大咖球员为活动助力, 动用搜狐的矩阵资源倾力推送, 吊足观众胃口, 引发强烈关注。而明星足球赛作为收官之夜活动更具看点, 借势世界杯的大环境, 搜狐视频采取专业体育加娱乐运作的传播理念, 派出电视台水准的节目导播团队, 12 机位多角度拍摄, 直播效果堪比中超联赛。另外, 开展转盘抽奖和门票派发等互动活动, 更广泛地扩大活动的社会影响力。

效果总结: 本次网络营销活动以让更多的人看到更多版本的京东广告为目标, 成功做到了多支 TVC 的最大化覆盖; 并从相当高的广告转化率可以看出, 通过搜狐视频精准投放技术, 大大提升了受众对广告的关注度和兴趣, 从而对京东 "618" 品牌形成了更加深刻的印象。京东 "618" 品牌推广项目在 PC 端及移动端累计覆盖 UV 快速稳定增长, 最终 32 天投放获得广告总曝光 6.3 亿次, UV 覆盖达到 2.45 亿独立用户, 相当于搜狐视频 4.55 亿网民中的 54%。PC 端最受欢迎广告的转化率达 1.31%, 移动端最受欢迎广告的转化率达 9.63%。明星足球赛则是在世界杯的大背景下, 将比赛从线下活动引向线上传播, 将一场专业比赛和娱乐盛宴献给广大网友, 充分展现了京东的活力和行业影响力。京东 "618" 明星足球赛获得广告总曝光 3.58 亿次, 总覆盖 UV2 500 万, 直播在线人数 278 万, 专题页面曝光 820 万, 互动人次 2 037 万。

资料来源: 艾瑞网, http://a.iresearch.cn/case/5047.shtml。

【案例思考题】

1. 京东此次营销活动的主要营销环境是怎样的?
2. 京东为什么要选择社会化媒体来开展营销活动?

2.1 网络营销的发展环境

网络营销的快速发展离不开其独有的发展环境。网络营销环境是指对企业的生存和发展产生影响的各种外部条件,即与企业网络营销活动有关联因素部分的集合。营销环境从来都是一个多元化的概念,由诸多因素构成。环境的变化是绝对的、永恒的。随着社会的发展,网络全球化的逐步扩大,特别是网络技术在营销中的运用,使得环境变得更加变化多端。本节将从网络营销发展的宏观环境、微观环境以及技术环境来分析其发展的条件。

2.1.1 宏观环境

1. 经济环境

全球互联网经济以及电子商务的快速发展是促进网络营销形成和不断进步的重要环境因素。目前全球电子商务市场快速发展,根据《第 46 次中国互联网络发展状况统计报告》的数据,截至 2020 年 6 月,我国网民规模达 9.40 亿,较 2020 年 3 月增长 3 625 万,互联网普及率达 67.0%,较 2020 年 3 月提升 2.5 个百分点;我国网络购物用户规模达 7.49 亿,较 2020 年 3 月增长 3 912 万,占网民整体的 79.7%;手机网络购物用户规模达 7.47 亿,较 2020 年 3 月增长 3 947 万,占手机网民的 80.1%。报告反映出,目前我国电子商务的发展为广大中小企业赋能:一是线上化转型提高企业疫情时期的经营能力。疫情防控期间,网络零售催生的"线上经济""宅经济"等新经济业态为传统企业和商家数字化转型升级提供了机遇。通过入驻电商平台、开展直播带货、经营会员微信群等数字化方式,中小企业加快线上运营,推进复工复产进程。二是平台赋能为中小微企业解难。2020 年上半年多个电商平台企业加大扶持力度,通过科技赋能、资源赋能等方式全力支持中小企业发展。最新研究预测,未来几年内,全球电商销售额将达到新高,并且会稳步上升。这使得网络营销的空间越来越大,给网络营销也创造了前所未有的发展环境。

2. 社会环境

从社会环境的角度来说,全球经济整体在迅速发展,各个国家的综合实力都在稳步提升,人均可支配收入也在逐渐增长,这也导致了大家的消费结构和消费观念正在逐渐发生改变,例如,我国 2019 年居民恩格尔系数为 28.2%,连续八年下降;乡村消费品零售总额增长 9%,增速快于城镇 1.1 个百分点;服务消费占比首次超过 50%;网上零售保持快速增长,带动全国快递业务量 635 亿件。人均可支配收入的增长,消费结构的改变,再加上互联网时代电子商务对人们消费观念的影响,给网络营销带来了巨大的发展机遇。

3. 技术环境

从互联网技术环境的发展来说,近些年前所未有的智能科技发展,也在为网络营销的发展添砖加瓦。如阿里巴巴此前公布的一项技术创新,希望为未来世界提供更方便的快递运送服务。该公司展示了一款自动驾驶送货机器人，该机器人可以将网购商品送到用户手中，配合一款带面部识别和保温功能的储物箱，可以带来更进一步的体验。智能手机的发展改变了我们的生活方式，极大地方便了衣食住行，让我们的生活与网络之间的互动更加密切。

人工智能的兴起也给我国互联网相关的行业带来了巨大的动力。目前，人工智能的关键技术日趋成熟，语音识别技术、计算机视觉等领域均取得长足发展。语音识别技术快速成熟，给互联网用户带来了更好的体验，例如，科大讯飞拥有深度全序列卷积神经网络语音识别框架，输入法的识别准确率达到 98%；搜狗语音识别支持最快 400 字 / 秒的听写；阿里巴巴人工智能实验室通过语音识别技术开发声纹购物功能。计算机视觉技术应用场景广泛，在智能家居、增强现实、虚拟现实、三维分析等方面有长足进步。这使得我国互联网用户的年龄宽度逐步增大，为我国网络营销的发展带来了巨大的载体。

4. 政治环境

从政治方面来说，我国正在大力扶持信息产业、数字化产业以及互联网产业的发展，并且构建出越来越完善的网络管理方案，营造出越来越透明的网络环境，这些都为网络营销的发展奠定了基础。如我国"互联网＋"战略的提出，代表着一种新的网络经济形态的形成。它指的是依托互联网信息技术实现互联网与传统产业的联合，通过优化生产要素、更新业务体系、重构商业模式等途径来完成经济转型和升级。"互联网＋"战略的目的在于充分发挥互联网的优势，将互联网与传统产业深度融合，以产业升级提升经济生产力，最后实现社会财富的增加。它们都为我国互联网的发展营造了良好的政治环境。

2.1.2 微观环境

1. 互联网发展环境

互联网发展环境是网络营销环境发展的一个十分重要的因素。经济环境的发展促进了网络营销，而互联网技术的发展和广泛应用奠定了网络营销的发展基础。影响网络营销发展的互联网技术环境主要包括：网络技术的发展、主要网络载体设备的发展、电子商务平台的发展。

影响网络营销发展的主要网络技术分为网络传输交换技术与网络安全技术。对于网络传输交换技术，从我国的角度来看，我国已经进入 5G 时代，移动通信在社会经济发展中的作用和地位不断提升，将成为经济高质量发展的重要引擎。4G 改变生活，5G 改变社会。5G 将开启数字经济的新篇章，推动经济社会全方位变革，为产业转型升级和经济高质量发展注入强大动力。另外，5G 更快速、更可靠、更海量服务的能力将极大地促进人与人、人与物、物与物的联结互通，推动人流、物流、资金流、信息流的统筹利用、合理分配和高效协同，有效提高全要素生产率。企业广泛使用多种互联网工具开展交流沟通、信息获取与发布、内部管理、商务服务等活动，且已有相当一部分企业将系统化、集成化的互联网工具应用于生产研发、采购销售、财务管理、客户关系、人力资源等全业务流程中。

网络安全技术是网络营销发展的基本保障，目前相关的信息安全技术与专门的电子商务安全技术比较普遍和成熟，如电子商务中常用到的安全技术有：身份认证技术、安全交易技术、数字许可技术、PKI（公钥基础设施）技术等。其中，PKI技术的发展，直接为网上交易、电子商务、数据安全等方面提供了可靠的安全服务。

关于电子商务平台的发展，随着移动终端和支付技术的进步，助推电商在网民中的渗透率提升，电商体系在中国已发展成熟，用户规模逐渐达到网民规模"天花板"。现阶段各大电商平台开始注重产品社交化布局，如纷纷进入团购、社区拼团等细分赛道，平台在社交化领域的竞争开始受到关注。电商供应链环节的日益完善，使消费者多样化的消费需求得到满足，用户对于电商购物的关注也从商品丰富度、性价比，逐渐往商品质量保障方面转移。随着电商的稳步发展，各大电商平台都努力开拓新的网络营销模式来增加消费者的欲望，例如2019年最流行的网络营销模式是直播带货和各种形式的团购。

2. 网络营销环境

网络营销是基于网络及社会关系网络连接企业、用户及公众，向用户及公众传递有价值的信息与服务，为实现顾客价值及企业营销目标所进行的规划及运营管理活动。网络营销是企业整体营销战略的一个组成部分。网络营销是为实现企业总体经营目标所进行的，以互联网为基本手段，营造网上经营环境并利用数字化的信息和网络媒体的交互性来辅助营销目标实现的一种新型的市场营销方式。由此可见，网络营销的微观环境主要体现在目前信息化的发展、客户消费观念的转变以及新型营销方式的不断发展上。

由于信息化和数字化技术的不断进步，使得网络信息与数据的重要性不断突显。网络营销作为一种信息服务，也得到了前所未有的发展。就我国来看，中国信息化有了显著的发展和进步，与发达国家的距离逐步缩小。我国信息化已走过两个阶段，正向第三阶段迈进。第三阶段被定位为新兴社会生产力，主要以物联网和云计算为代表，网络功能开始为社会各行业和社会生活提供全面应用。

由于互联网消费的便利性和安全性越来越高，这使得众多消费者慢慢都改变了对网络购物的看法，纷纷从实体端的消费，转换到互联网端的消费，这也是网络营销形成的一个重要因素。比达数据发布的《2019年上半年度中国物流快递市场研究报告》显示，中国网购用户规模持续攀升，2018年中国网络购物用户规模已达5.95亿人，占总体网民规模的73.0%。随着网购使用率逐年上升，互联网、物联网、人工智能应用更加广泛，线上线下无缝融合将是大势所趋。消费需求形成的大数据，通过高效的供应链传导到上游，协同创新、个性定制开始流行，同时消费对生产会起到巨大的引导作用，这也使得传统的网络营销环境不断改变。

另外，随着互联网的不断发展，网络营销的技术和方案也逐渐成熟，这使得网络营销环境变得越来越完善，越来越透明。如搜索引擎营销，它是目前最主要的网站推广营销手段之一，由于是免费的，因此受到众多中小网站的重视，也使这种营销方法成为网络营销方法体系的重要组成部分。主要的网络营销手段还包括关键词广告、地址栏搜索、分类目录登录、电子邮件营销与视频营销等。其中，电子邮件营销以订阅的方式将自身产业信息通过电子邮件提供给所需要的用户，以此建立与用户之间的信任关系。视频营销是通过在广泛传播的视频中植入广告或在博客网站进行创意广告征集等方式进行品牌宣传推广，一些知名公司通过发布有创意的广告宣传品牌概念，使品牌价值不断被深化。这些营销方式已成为互联网基础应用服务，它们都已经形成了十分成熟的营销体系，这也使得网络营销环境更加丰富多彩。还有2019年最热门的直播带货，也是一种新型的网络营销方式，"网红"直播帮助淘宝从人找货向货找人转变，"网红"主播、商品、消费者之间的关系更加密切，通过主播推荐，带动商品的销量，去品牌化、去平台化、去明星化在电商直播中越发明显。

2.2 网络营销的安全挑战

随着计算机技术的发展和互联网应用的普及，网络营销逐渐成为企业开展营销活动的新模式。近几年来，我国网络营销的不断发展，给企业的营销手段和人们的消费观念与方式带来了巨大的改变。根据《第46次中国互联网络发展状况统计报告》的数据，2020年上半年，国家计算机网络应急技术处理协调中心（中文简称国家互联网应急中心，英文简称CNCERT）监测发现我国境内被篡改网站数量为147 682个，较2019年同期（50 257个）增长较大。但同时，我国网民在上网过程中未遭遇过任何网络安全问题的比例进一步提升。截至2020年6月，61.6%的网民表示过去半年在上网过程中未遭遇过网络安全问题，较2020年3月提升5.2个百分点。网民遭遇各类网络安全问题的比例均有所下降。其中，遭遇网络诈骗的网民比例较2020年3月下降明显，达4.2个百分点；遭遇个人信息泄露的网民比例也较2020年3月下降2.9个百分点。

2.2.1 网络营销发展遇到的安全问题

综合来看，网络营销所面临的安全问题可以分为两方面：环境方面和技术方面。环境涉及社会文化、制度规范等方面的因素，技术主要是指网络安全技术。

1. 环境方面的安全问题

（1）网络基础设施不完善。我国互联网是近些年开始快速发展起来的，与发达国家相比相对滞后。虽然也在逐步完善，但我国在网络基础设施建设方面投入不足，使得网络基础设施的发展与电子商务开展的要求相差较远。因此，须加大投入，以尽早打破制约电子商务活动发展的瓶颈。

（2）缺乏完善健全的法律法规。互联网环境下开展的商务活动是一项复杂的系统工程，它不仅涉及参与交易的双方，而且涉及不同地区、不同国家的工商管理、海关、保险、税收、银行等部门。这就需要有统一的法律和政策框架以及强有力的跨地区、跨部门的综合协调机构。但是目前我国有关的法律并不健全，存在着诸如电子商务规则和管理、知识产权保护、信息资源与网络安全、电子合同的效力和执行等问题。目前，我国规范电子商务的相关法律法规尚在完善中。

（3）社会信用体系不健全。在商务活动的开展中，社会信用体系的建立健全是必不可少的条件之一。目前信用体系尚不完善，由于客户与电子商务企业通过计算机网络和相关信息平台进行交流，使得在互联网的环境下，电子商务贸易比传统贸易面临更大的信用风险。

2. 技术方面的安全问题

（1）信息篡改。电子交易信息在网络上传输的过程中，可能被他人非法修改、删除、插入，从而使信息失去了真实性和完整性。

（2）信息破坏。信息破坏既包括由于网络硬件和软件的问题而导致信息传递的丢失与谬误，也包括一些恶意程序导致电子商务信息遭到破坏。

（3）信息泄密。信息泄密主要包括两个方面，即交易双方进行交易的内容被第三方窃取或交易一方提供给另一方使用的文件被第三方非法使用。

（4）冒充合法用户的身份。假冒他人身份有以下几种方式：第一，假冒交易一方的身份，破坏交易，败坏被假冒一方的声誉或盗窃被假冒一方的交易成果等；第二，冒充主机欺骗合法主机及合法用户；第三，冒充网络控制程序，套取或修改使用权限、通行证、密钥等信息；第四，接管合法用户，欺骗系统，占用合法用户的资源。

（5）交易抵赖。交易的一方可不为自己的行为负责任，进行否认，相互欺诈。具体包括以下几种情况：第一，发信者事后否认发送过某信息或内容；第二，收信者事后否认收到过某信息或内容；第三，购货者下了订货单不承认；第四，商家因价格差而不承认原有的交易。

（6）电脑病毒。自电脑病毒出现以来，各种新型病毒及其变种迅速增加，互联网的出现为病毒的传播提供了最好的媒介。不少新型病毒直接利用网络作为自己的传播途径，还有众多病毒借助于网络传播得更快，动辄造成数百亿美元的经济损失。

（7）网络攻击。目前出现的各种类型的网络攻击通常分为三类：探测式攻击、访问攻击和拒绝服务（DoS）攻击。探测式攻击实际上是信息采集活动中，黑客通过这种攻击收集网络数据，用于以后进一步攻击网络。访问攻击用于发现身份认证服务、文件传输协议（FTP）功能等网络领域的漏洞，以访问电子邮件账号、数据库和其他保密信息。拒绝服务攻击可以阻止用户对于部分或者全部计算机系统的访问。

2.2.2 如何面对网络营销中的安全挑战

我国网络商务活动起步晚、发展快，以至于配套的技术及管理等相对滞后，致使这些安全问题成为我国网络营销发展的制约因素。为了更好地利用信息技术在商务活动中所带来的竞争优势，就必须采取有效的措施不断提高网络营销发展的环境。在法律层面，不断完善相关法律法规、健全信用体系；在技术层面，保障信息的保密性、完整性、不可抵赖性、有效性、审查能力以及交易者身份的确定性等，才能有效面对网络营销中的安全挑战。

1. 建立健全与网络交易相关的法律法规

在互联网上开展各项商务活动已日益深入我们的生活，人们越来越迫切地感觉到缺少一套专门的完善的法律法规来解决相关问题。网络商务活动最大的特征是存在于虚拟世界，极易产生如网上交易纠纷的仲裁、电子合同和网上契约的效力、纳税、隐私或产权的保护等问题，加之国际电子商务又涉及各国的政治制度、社会状况、经济水平、现行法律法规及文化社会传统等问题，所以建立相应的法律法规是非常重要的。

2. 建立我国完善的信用评估体系

基于网络的商务活动连接的是时间与空间相隔的买卖双方，诚信问题则显得更为突出。对于网络营销而言，诚信主要体现在公司对产品宣传方面的诚信，以及网络服务和产品质量与诚信。建立我国完善的信用评估体系是网络营销得以迅速发展的重要组成部分。因此，我国应建立一整套完善的个人信用制度。

3. 加强信息的保密性

信息的保密性是指信息在网络上传输或存储的过程中不被他人窃取，使未经授权的人或组织无法知晓数据所代表的内容。网络营销作为营销的一种方式，其信息与传统营销的信息一样，直接代表着个人和企业的商业机密，这些信息是受法律保护的。传统的贸易营销都是通过邮寄封装的信件等传统方式达到保密的目的，而网络营销活动是在一个开放、虚拟的网络环境下运行的，能否维护商业机密是网络营销能否全面推广应用的关键。保密性一般是通过加密技术来实现的。

4. 保障信息的完整性

数据输入时的意外差错、欺诈行为，数据传输过程中信息的丢失、重复等问题，可能导致贸易各方信息的不一致，所以，保障信息的准确、统一是互联网营销活动开展的另一项重要任务。要保证信息的完整性，一方面需要网络传输协议具有查错纠错的功能，保证数据传输的一致性；另一方面则需要保证信息源的准确性、真实性，防止信息输入时出现差错、欺骗等问题。

5. 保障信息的不可抵赖性和有效性

在互联网平台上所开展的营销活动直接关系到贸易双方的商业交易，除了保证信息的保密性和完整性之外，还有一些重要的任务，就是对交易双方进行确认，避免交易一方对已发出的信息进行否认，包括否认发送过信息或发送信息的时间，以及其他人或组织冒充交易一方与另一方进行交易，这是保证电子商务顺利进行的重要一环。在传统贸易中，贸易双方通过在合同、契约或贸易单据等书面文件上的手写签名或印章并注明日期来实现这项功能。在电子商务交易中，应用了与传统贸易相同的方法，即采用数字签名技术。数字签名可以对发送方进行唯一标识，并能记录时间（时间戳技术），避免发送方抵赖。

6. 提升信息的审查能力

根据保密性和完整性的要求，应对数据审查的结果进行记录，以备交易双方产生纠纷时交由第三方处理。审查能力是指每个经授权的用户活动的唯一标识和监控，以便对其所使用的操作内容进行审计和跟踪。

7. 提升交易者身份的确定性

网上交易的双方很可能互不相识、相隔千里，双方并不具备最起码的信任。要使交易成功，首先要进行身份认证，确定对方是可以信任的。身份验证主要通过 CA（certificate authority）认证中心和数字证书进行。CA 认证中心，即电子商务认证授权机构，是负责发放和管理数字证书的权威机构，作为电子商务交易中受信任的第三方，专门提供网络身份认证服务。

网络安全的维护，需要政府、企业、网民三方群策群力。当前网络安全问题已成为公共安全的重要组成部分，应大力宣扬网络安全，不断增强广大网民网络安全意识，并营造"网络安全人人有责、人人维护网络安全"的网民意识；应不断创新网络安全监管机制和管理方法，坚持依法治理、源头治理，共同努力为我国网民营造出安全、稳定、可靠、有序的网络环境。

2.3 道德与法律问题

在互联网环境下开展的电子商务活动越来越受到政府、企业及个人的重视，其安全问题所带来的威胁也逐渐成为关注的重点。电脑病毒、黑客、电信诈骗等网络公敌的猖獗对企业及公众信息安全造成了极大威胁。如某些企业为了达到一定的商业目的，利用电脑病毒或雇用电脑黑客攻击竞争对手的网站，给对手造成极大损失甚至是致命威胁。为了更好地利用信息技术在商务活动中所带来的竞争优势，就必须采取有效的措施不断提高网络营销发展的环境，在道德层面应该积极主动寻找问题的根源，并采取切实可行的措施促进网络营销道德水平的提高；在法律层面不断完善相关法律法规、健全信用体系；在技术层面，保障信息的保密性、完整性、不可抵赖性、有效性、审查能力以及交易者身份的确定性等。

2.3.1 网络营销伦理道德问题的规范

1. 网络营销伦理的概念

网络营销伦理是从社会伦理中引申出来的概念，它是一个整体概念，反映了网络企业与所有相关者之间的利益关系及各项行为规范。一方面，网络营销伦理把公平正义、公正偏私、诚信虚伪等作为评价网络营销者的营销行为准则和营销行为规范；另一方面，在虚拟的网络空间，人的社会角色和所要承担的道德责任在现实空间中有很大不同，人们可以在网上交流和真实地表达自己的想法，在网络的面具之下很容易突破传统道德规范的约束。

2. 网络营销道德的建设

由于在网络环境下表现出新的伦理道德问题，而传统伦理的规范作用已不再完全适用，并且网络营销道德水准的提高是一项长期的、系统的工程，不仅受企业的影响，还受整个社会、文化、法律等环境因素的影响，所以对于网络营销道德的建设，必须要从多方面着手。需要同时从网络营销道德的外部环境和内部环境建设入手，努力加强网络营销道德建设，使符合法律和道德要求的网络营销行为得到良好的回报，使违法的、不道德的营销行为得到限制、谴责和经济上的惩罚，从而形成良好的网络营销道德。

（1）网络营销道德的外部环境建设。从法律规范的角度来说，当前对网络营销道德的法律规范可从三个方面进行。

第一，加快电子商务立法。由于电子商务的发展时间很短，故国际上相关立法也比较少。目前除美国有比较多的相关法律外，其他国家的立法还很少。在立法过程中，我们可以借鉴美国相关方面的立法经验。我国的电子商务立法主要偏重于网络基础设施方面，而对电子交易方面的立法还没有。因此，应该加快电子商务特别是电子交易方面的立法，用法律来规范网络营销中的交易行为。

第二，进一步完善广告领域的法律法规。当前互联网已经成为继报纸、电视、广播、杂志后的又一新媒体。对于网络广告来说，传统广告业的法律法规明显不适应。因此，必须加快完善广告相关的法律法规，以规范网络信息发布中的道德问题。

第三，加快完善合同方面的法律法规。网上交易正呈方兴未艾之势，且规模不断扩大，已经成为一种重要的市场交易方式。为此，有必要对现有的合同相关的法律体系进行完善，特别是对电子合同和电子单证、电子证据有效性认可等问题进行法律规范，否则将影响电子商务的正常发展。

从舆论监督的角度来说，舆论监督对于减少营销中的不道德行为具有十分重要的意义。传统的舆论监督主要是新闻舆论监督，对此消费者是缺乏主动性和自由的。互联网给广大网络消费者带来了更多的话语权，消费者借此可以自由地发表自己的意见并且让它广泛传播，这为对网络营销中不道德行为进行舆论监督创造了条件。网络营销中的舆论监督包括三个方面。

第一，网络新闻舆论监督。网络已经成为一块新的新闻阵地，很多消费者已经习惯于从网络上获取新闻。因此，网络营销要特别注意利用好网络媒体的新闻舆论监督功能。

第二，消费者舆论监督。网络为消费者的舆论监督提供了广阔天地，如 BBS 公告栏等。当然，在利用网络发挥消费者舆论监督作用的同时，消费者也应注意自己的道德提升。

第三，行业协会监督。行业协会可以对行业内企业发挥很好的监督作用。

从强化行业协会管理的角度来说，行业协会不但已普遍成为行业信息的集散地，而且成为各种行业技术标准、游戏规则、道德规范的制定者，甚至是国家产业政策的主要参谋和建议者。为此，网络营销道德问题的规范，也必须充分发挥行业协会的监督作用。

第一，及时发现网络营销中的道德问题。行业协会凭借其信息集中的优势，可以及时地发现网络营销中一些新的道德问题，对未来的道德问题做出预测和预警，并把它作为行业道德纳入行业道德标准中。

第二，制定行业统一的职业道德标准。利用统一的职业道德标准，作为市场的标杆，以此对市场营销活动加以规范。

第三，发挥道德的教育作用。在这个教育过程中，一方面要根据社会的道德要求对受教育者进行系统的灌输，使其形成相应的道德认识；另一方面要充分调动受教育者作为道德教育过程参与者的积极性。

从完善网络营销中企业信用的社会评价体系的角度来说，监督和披露营销不道德行为。企业信用的社会评价体系是一个系统工程，是集信用征集、信用调查、信用记录、资信评价、信用担保于一体，面向全社会、跨部门的信息发布、查询、交流及共享的社会化信息管理系统。

它可以实现对企业信用的动态监督,为此需要建立统一的、面向全社会的联合资信系统。这不仅有利于防止商业欺诈,防止不良客户在各个银行间"拆东补西"、恶意拖欠或逃避债务,还使一般客户不必面对多家银行的不同信用评定。

(2)网络营销道德的内部环境建设。总的来说,在解决网络营销道德问题上,企业自律是根本。企业只有树立了正确的经营观念,将道德管理纳入企业营销战略规划之中,并通过对优秀企业文化的培育,才能真正实现营销道德升华。

第一,企业要端正经营思想,树立正确的社会营销观念。企业在经营活动中,要有正确的经营指导思想,通过正当、合法的手段获利,不能唯利是图,更不能见利忘义;要以社会营销观念为导向,营销活动不仅要满足广大消费者的需求和欲望,而且要符合消费者和社会的长远利益。正如美国学者丹尼尔曾指出的:我们必须把伦理道德置于公司战略讨论的中心位置,这是正在发生的管理变革的本质所在。

第二,不断提高企业领导者自身素质。大多数企业的经营理念和营销道德观都带有企业领导者个人意志的深刻烙印,企业领导者要充分认识到贪图短期利益的非道德营销行为也许能给企业带来短期利益,但一定会被发现或揭穿而使企业形象受损,最终损害企业的长远利益。企业领导者应注重自身道德素质的培养,树立正确的经营理念和社会营销观,并通过自身的权威、感召力和模范行为来改善企业的营销道德行为。要从源头上控制好企业的营销行为,有效避免企业的非道德营销行为,为此企业领导者要有意识地把网络营销道德融入企业文化建设之中。

第三,促进网络营销道德和企业文化相结合。网络营销的行为主体是企业及其员工,解决企业网络营销过程中的非道德问题,关键在于约束企业及其员工的营销行为。众所周知,人的思想意识、价值观念支配着人的行为,所以规范和约束企业员工的行为,仅依靠法律和法规制度的强制约束远远不够,重要的是要影响和改变员工的思想观念。企业文化在影响和改变员工思想、价值观念方面作用明显,因此企业应促进网络营销道德与文化建设相结合。

第四,建立网络营销道德规章制度。建立道德规章制度有两层含义:一是把道德纳入日常的规章制度中,并作为公司自律的保证措施之一,使企业员工进行道德自律有据可依;二是建立预防网络营销道德风险的保障制度,防范网络消费者遭遇道德风险,如国内的一些网站采用评级方法、建立交易损失保障金制度等。

在实际的管理过程中,制定了道德规章制度并不等于就有了道德,关键要看在实际行动中如何实施。企业在执行道德规章制度的过程中起着十分关键的作用,要坚决做到奖惩分明。如果企业提出了道德规范,但当具体道德行为和公司利益相冲突时,却不对道德行为予以鼓励,这实际上就是对道德规范的否定。

2.3.2 电子内容版权保护

由于互联网的隐蔽性、发展的超常规性,有关网络营销中知识产权的法律保护一直相当滞后,如版权侵权、商标权侵权、专利权侵权等问题。

版权(copyright)。数字化技术和互联网的发展使得复制与修改数字化作品、上传及下载各种带有知识产权的信息变得越来越简单。因此,一些利用互联网进行分销和促销的企业在营销过程中出现了许多侵犯所有者版权的行为。例如，有许多企业进行网络营销时不注意对版权的正式声明，甚至冒充版权所有者，严重地侵犯了版权所有者的合法权益，也违背了商业伦理道德。

商标权（trademark）。域名是确认一个因特网网站的特有名字，由于其具有一定的商业识别功能，又是独一无二的，因此也可以说是企业在互联网上的注册商标。目前，其所存在的道德问题主要体现在以下三个方面：一是直接进行网络侵占，欺诈性地注册与现有企业或竞争对手域名及商标相似的域名；二是对网络域名进行恶意抢注，恶意地抢先将其他企业的商标、商号等注册为域名，然后高价出售以获取非法商业利益；三是不正当使用标签及超级链接，以增加点击率。这些行为都违反了诚实信用的商业原则，是企业网络营销道德面临的难题。

专利权（patent）。与专利权相关的企业营销道德问题包括两个方面：一是企业的侵权行为，如有些企业对包括软件在内的用以指导企业商业活动的营销渠道和方法的商业专利进行非法使用；二是企业过分强调对专利的保护，损害了知识的共享权，忽视企业的社会责任，这不但阻碍了知识的传播与共享，还在一定程度上影响了社会的发展。

其他数字产权。随着互联网的快速发展及数字化技术的进步，企业网络营销中的道德问题开始出现于更广泛的数字化领域，包括网络特许经营权、商业秘密及数据所有权等方面。这也是企业进行网络营销所必须面对的巨大伦理挑战。

面对诸多侵权问题，我国颁布了《计算机软件保护条例》《信息网络传播权保护条例》等相关法规来保护我国公民在网络空间的权利，如《信息网络传播权保护条例》第五条就提到，"未经权利人许可，任何组织或者个人不得进行下列行为：（一）故意删除或者改变通过信息网络向公众提供的作品、表演、录音录像制品的权利管理电子信息，但由于技术上的原因无法避免删除或者改变的除外；（二）通过信息网络向公众提供明知或者应知未经权利人许可被删除或者改变权利管理电子信息的作品、表演、录音录像制品。"

目前我国对于电子版权的延长和强化，反映了这样的时代特征：创新能力已经是综合国力的一个关键成分。创新能力强的民族和国家，就能在当代社会处于领先地位。正是基于这一点，不难理解，如果创新能力符合公众的利益，保护版权也必须符合公众的利益。即使有了法律的保护，我们大家作为互联网的使用者，也应该培养自己的版权意识，无论自己是在获取还是在分享，都应该时刻提醒自己不要违反网络上的法律法规，这样才能共建一个良好的网络环境。

2.3.3 隐私权问题

在网络营销中，消费者个人信息的收集对企业而言是十分重要的，但随之而来的是非法获取消费者信息，侵犯消费者的知情权等一系列问题的产生。随着网络技术的进步和网络软件的不断升级，在未经消费者许可的情况下，消费者的个人信息，甚至包括个人银行账号、一些绝密信息在网络上都可以很容易地获取。在进行网络交易过程中，企业网站往往要求消费者提供个人信息，一些网络营销企业采用cookie、web bugs或其他技术手段在网络上暗中监视和收集消费者的浏览痕迹，再进行数据归档，使得消费者个人隐私权受到了侵害。

虽然有许多企业在获取消费者信息时所采取的途径是正当的，然而在对这些信息的处理和使用上却出现了不道德行为，存在着非法公开或使用消费者信息的问题。例如，企业网站以要求用户进行注册的方式来获取消费者的信息往往被认为是合乎情理的（以企业对消费者信息隐私的保密承诺为前提），但部分企业受利益驱使，违背承诺，私自公开或出卖消费者个人信息并以此赚钱，极大地侵犯了消费者的隐私权。甚至未经当事人同意，在互联网上公开、传播或转让他人的隐私，极大地侵犯了消费者的隐私权。

网络营销的一个重要方式是电子邮件营销，所以垃圾邮件泛滥也成为当前令人头疼的网络问题。现在泛滥的垃圾邮件，使人们对电子邮件营销产生了误解或片面的看法，也对电子邮件营销的前景产生了不好的影响。垃圾邮件已经成为一个全球性的问题。使用垃圾邮件的营销方法因侵扰了网络消费者个人的生活安宁而侵犯了消费者的隐私权。

我国在互联网如此发达的今天，对于公民网络隐私权的保护明显滞后。我国法律对隐私权的保护没有形成一个完整的体系。在我国关于隐私权的依据还寥寥可数。所以，对于隐私或产权的保护等问题，建立相应的法律法规具有重要的现实意义。

2.3.4 数字财产

1. 数字财产的定义

数字财产是以电子数据形式存在的，在日常活动中持有以备出售或处于生产过程中的非货币性资产，从狭义的角度可被解释为虚拟化、网络化、数字化的非实物的财产。数字财产同时也是数字信息技术以及加密技术高速发展的产物，如近些年比较热门的数字加密货币——比特币，这是一种昂贵的数字财产。

2. 数字财产的特征

大部分的数字财产主要依附于电子支付系统的不断发展进步，它是数字化的产品，但也具有实际的价值，基于其产生与发展的背景和基础，它主要具备五个特征。

（1）价格昂贵。大部分数字财产都是花了很大的成本开发出来的，具有很多特定功能，也结合了很多现实的创意；或者是具有巨大价值的互联网产物，所以它们大部分的价格都十分昂贵。

（2）依附性强。它必须得依附于发达的计算机和信息技术，尤其是电子支付技术，才能让其作为财产的价值变得可靠且能长久地保存于互联网上。

（3）互动性强。数字产品从开发的那一刻起就具有很强的交互性，人与人在互联网上的交互其实也是一种数字财产。

（4）数量上的无限性。由于它是一种虚拟化、数字化的财产，且过度依赖于计算机信息技术，这两点决定了它的可持续创造性、在虚拟空间的理论无限性。而有形资产由于企业的财产和存储空间的限制，总是有限的。

（5）成本递减。从经济学的角度来看，实际有形资产的生产成本与生产数量呈正比例关系递增。而数字资产的成本主要是在前期的研究开发阶段以及在销售过程中发生的销售费用和其他经营费用，且由于其数量上的无限性，其开发成本按传统财务会计的方法被分摊到产量上，因此数字产品的成本随着生产量与销售量的不断扩大，是越来越低的。

3. 限制数字财产发展的因素

数字财产虽然拥有传统财产无法比拟的便利性，但由于它具有依附性强的特点，导致它容易受到网络中的安全威胁。近些年许多交易所的失窃，导致大量的数字货币资产流失。毕马威（KPMG）报告称，自2017年以来，由于安全性薄弱或代码错误，黑客至少窃取了价值98亿美元的加密财产。网络中的数字财产的安全问题也成为关注的重点，但对于数字财产的法律保护却存在很多的限制因素。

（1）数字技术发展过快。从传统网络金融服务的完善到数字加密货币的出现再到区块链的发展，不过经历了短短几年的时间，新的数字技术层出不穷，由于法律和制约它们的条款不能赶上其发展速度，导致很多数字化产物游走在法律的边缘，不好去定义。NEO等社区吸取这方面的教训，采取了虚拟货币的形式对社区进行管理，但这种管理的有效性实际上并没有经受过真正的考验。

（2）实物资产法律保护体系与数字财产保护需求存在衔接问题。就我国来看，目前的相关法律体系的定义还是以实物资产为准，关于在互联网中的数字产品的财产权保护、交易等相关法律规定，直接去引用法律，很多方面都会有一些问题需要解释与澄清。例如，目前的加密货币——比特币，以及最近的区块链应用与之前的中心化服务器中产生的很多虚拟财产，关于它们的法律建设还没有形成一个成熟的体系，与之有重大区别的数字财产常常被简单地称为虚拟财产，实际出现的司法案件中法官们对于比特币等相关财产的认识可谓见仁见智、众说纷纭，造成数字财产的保护基本空白。

从目前的发展环境来看，数字财产的法律保护依旧是一个时代课题，应当以切实保护合法权益为原则，从守法、司法、立法各个方面妥善地应对与数字财产法律保护相关的问题。如今世界各国对于数字财产的立法都比较谨慎。如果所制定的法律不能有效地解决相应问题，则要么就可能会损害民事主体的合法权益，要么就可能使得法律失去严肃性。在确切成熟的相关法律体系还没有建立之前，我们应遵守相应的道德准则，多了解数字化相关知识，只有让法律保护与自我保护相结合，才能创造良好的发展环境。

2.4 新型网络营销模式

2.4.1 社会化电子商务

1. 社会化电子商务的定义

社会化电子商务的概念是2005年在雅虎首次出现的，随后Facebook等相继出现社会化电子商务。目前学者们对于社会化电子商务的界定还存在着一些差异，但是其大致观念一致，即社会化电子商务包括社会化媒体、人际互动、商业意图与信息流动四个基本要素。社会化电子商务以多种社交网站、社交媒体、网络媒体等为主要传播途径，通过用户之间的社交互动，自己创造内容并分享，以此带动商品购买和销售的商务模式。

2. 社会化电子商务的特征

作为一种新兴衍生的电子商务模式，社会化电子商务给用户提供交流互动的机会，在交互平台中用户参与产品的讨论、对服务的体验进行相关评价，其主要有以下特征。

（1）消费者需求较被动。消费者需求较被动是指用户在浏览商品时可能没有明确的购买目标，可能是为了暂时地放松心情、消磨时间，在这种情况下，消费者需求处于被动状态，消费者在阅读他人分享的信息时，产生了新的购买欲望，从而去购买商品。

（2）极高的用户参与。在社会化电子商务中，通过用户生成内容（UGC）、消费者分享自己的购物体验、与其他用户交流分享、对商家产品与服务进行评价等形式，吸引新用户不断参与。与此同时，商家与消费者之间的互动形成口碑营销，增加了用户黏性。与传统电子商务不同的是，社会化电子商务不仅注重商品品质本身，还加入了人的因素，注重用户间的交流分享，建立用户之间的相互联系与影响作用，依靠用户之间的不断渗透与极高的用户参与度，达到更好的传播效果。

（3）用户之间有较大影响力。社会化电子商务离不开用户的评价与分享，用户根据他人使用效果的反馈、购买体验、服务评价形成对产品的一定认知。相比于商家来说，用户与用户之间拥有较高的信任度与影响力，尤其在当今"意见领袖""粉丝经济"的流行下，社会化电子商务注重用户间社区的构建，用户的消费行为更易受到他人的影响。

3. 社会化电子商务的主要形式

目前，我国社会化电子商务正在快速发展，其主要包括以下三种形式。

（1）基于已有社交媒体的电子商务。这种社会化电子商务是在已有社交网站上进行电子商务活动，以用户社交元素为基础，带来庞大的用户流量从而不断扩大商业活动。在社交网站和平台上提供电子商务服务，增加电子商务的各种功能，拓宽营销业务的规模。以新浪微博为例，商家建立自己的官方微博号，直接在平台上放入购买链接，在产品"上新"前发布信息吸引消费者、及时发布促销信息，在与用户交流的过程中拉近与消费者的距离，达到广告宣传的效果。除此之外，微博红人利用粉丝较高的忠诚度，在微博上分享自己购买的好物，从而刺激粉丝的购买欲望，形成进一步的信息分享与传递。

（2）基于传统电子商务模式的社交化电子商务。这种社交化电子商务类型是在已有传统电子商务平台上增加用户参与度从而构建分享社区，通过吸引用户的评价与分享形成产品购物平台。商家通过提升用户之间的口碑传播与用户忠诚度，利用用户社交行为、网络主播的带货能力提高用户参与度，不断吸引消费者。例如，淘宝新增的"有好货"页面，其中包括"发现""精选""时尚馆"等选项，各个选项中包括用户的购买推荐，有助于刺激消费者购买。目前此类购物网站以典型的 C2C 模式，实现了用户与用户之间的自行交易。

（3）第三方社交化电子商务。第三方社交化电子商务具有社交分享与自我展示等功能，这类平台与淘宝、京东等购物平台合作，提供购买产品的路径，甚至开发专属于自己的购物平台以供消费者购买。用户一开始就选择自己感兴趣的内容进行关注，也可以在平台上整理、收集与分享自己的信息，利用文字、图片、视频等分享产品测评、展示产品特征、发表自己的购物体验等。这些分享涉及生活的方方面面，例如"如何拍摄好看的照片""让你一个月变白"等吸引用户的标题，在满足用户阅读兴趣的同时也让用户在短时间内搜索到相关产品信息，看到其他用户的评价，激发用户的购买欲望。这类平台让用户在分享专属于自己内容的同时进行自我展示，也实现了用户之间的交流互动，如小红书、抖音等应用程序，吸引了众多用户的使用，除了普通人之外，许多当红明星也在小红书上分享自己的"零食清单""护肤好物"等，用户对自己感兴趣的分享收藏关注，以便及时看到关注人发布与分享的新内容，在看到分享后购买。这种典型的用户生成内容方式，极大地增加了用户参与度与用户品牌依赖度。

2.4.2 网络新零售

1. 新零售的定义

新零售（new retailing）主要是以互联网和众多数字化信息技术为依托，结合营销心理学、客户消费心理学等知识，再利用先进的数字化信息技术对商品的生产、物流与销售过程进行升级改造，打破传统电子商务的营销模式，不再像传统电子商务那样，拘泥于线上销售。新零售的主要方式是对线上服务、线下体验以及现代物流进行深度融合的新兴网络销售模式。

2. 新零售形成的原因

为了不断提升消费者的消费体验以及使商家线上线下资源利用最大化，新零售这种新的营销模式逐渐被社会认可，而新零售的形成主要有两方面的原因。

（1）传统电子商务的营销模式遇到了瓶颈。经过国家政策对电子商务的扶持，以及我国物流供应链的高速发展，使得传统电子商务发展的边际增长在近几年开始大幅下滑，从国家统计局近两年发布的数据来看，2018 年，全国网上零售额为 90 065 亿元，比上年增长 23.9%；而 2019 年全国网上零售额为 106 324 亿元，比上年增长 16.5%。传统电子商务的零售增长率已经呈现出下滑的趋势，偌大的销售总额虽然标示着我国传统电子商务发展势头依旧猛烈，但也让我们看到了其发展的瓶颈，所以一种新的零售模式呼之欲出。

（2）传统电子商务中线上与线下销售模式的矛盾依旧存在。目前传统电子商务中的线上销售体验依旧与线下消费体验存在着巨大差异，有着难以弥补的短板。线下产品营销中给予顾客的可触性、可见性等直观感受，依然是传统电子商务的巨大优势。尤其是随着我国人均可支配收入的不断增长，传统电子商务的线下价格优势越来越小，这将对其造成不小的冲击。所以新零售模式的形成已经成为必然。

3. 新零售的特征

新零售模式的核心就在于推动线上线下的服务销售一体化，将传统的电商平台与线下的实体消费品真正地结合在一起，完成优化升级，以促进价格消费时代向价值消费时代的全面转型。新零售模式其实本质上也是为了更好地满足消费者的服务性需求，弥补传统电子商务所欠缺的方面。它主要拥有以下四个特征。

（1）以消费者为中心。新零售模式的出现一方面是因为随着经济社会的发展，传统的网络营销模式需要不断适应消费者的消费观念以及消费水平的改变。新零售的核心竞争力是能让消费者实现线上与线下的交互，同时更好地把握消费人群的消费习惯、生活方式及潜在消费需求。

（2）专业化的商品服务。新零售模式能让消费者享受到货物可见、库存可见、物流安全的一体化的商品销售服务。"商品+服务"是新零售的核心准则之一。

（3）线上线下一体化。实现线上与线下的真正融合，用线上的平台获取信息，降低成本；用线下的销售来提供可靠的服务保障。

（4）良好的运营生态。通过零售商之间的普遍合作实现优势互补和资源共享，从而打造和谐、共赢的商业生态。盒马鲜生的成功运营就是新零售模式的最佳实践，它通过整合线下众多的食品品牌以及物流资源，让消费者真正享受到"线上+线下+物流"一体化的购物体验。它的成功也说明了新零售的可行性以及给其他传统电商平台的转型发展提供了一条可靠的参考路径。从传统的零售模式到新零售，多的不仅是一个"新"字，而是多了新的销售场景、新的网络营销模式、新的供应链流程、新的客户体验。在给产业带来变革的同时，消费者也能从新零售中获益，享受更高效的服务、更优质的产品。

案例分析

美团的团购营销策略分析

一、案例背景

所谓团购（group purchase），就是认识的或者不认识的消费者联合起来，加大与商家的谈判能力以求得最优价格的一种购物方式。根据薄利多销、量大优价的原理，商家可以给出低于零售价格的团购折扣和单独购买得不到的优质服务。美国的Groupon模式出现之后，启动了原本平静的团购市场。国内的团购网站始于2010年，短短几个月时间就已经发展到上千家。2010年3月4日，饭否创始人王兴重出江湖创建团购网站——美团网。王兴在第一时间觉察到了"Groupon模式"的商机，在国内建立了美团网。在他看来，团购网站聚集了大量特定的用户去撬动商户，这形成了一种新的C2B模式。目前王兴对该网站的定位为：新型团购网站。最大的特点是每天只卖一件商品，折扣很大，例如原价100元的红酒品尝套餐只卖50元，但是有时间限制以及最低人数限制。美团的宗旨是：为消费者找到最值得信赖的商家，同时让消费者享受到超低折扣的优质服务。后来美团结合中国实际，由原来每天一次团购一单的团购方式变为每天一系列团购方式，增强了美团的竞争力。并且由于团购没有达到人数，就不会成交，所以消费者不需要支付任何费用和承担风险。

二、案例简介

团购的火热来源于美国的Groupon网站的成功实践，加之网络信息的快速传播，商业模式也被快速模仿，2010年春季，国内的团购如雨后春笋般兴起。并且由于电子商务进入门槛较低，团购的产品多为服务类产品。自创建以来所团购的产品以餐馆、酒店、美容、健身、SPA等服务产品为主。因此边际成本和物流成本较低，业务团队具有极高的议价能力，能提供极大的折扣。团购网站受欢迎的原因可以从三方面进行说明：

（1）对于消费者来说，选择简单，无法抵抗折扣的诱惑，面对商品具有紧迫感和新鲜感。通过团购，消费者可以获得比单独购买更低的价格。这些团购网站提供的折扣普遍都超低,一般可达到5折甚至更低,对于消费者来说无疑具有巨大的吸引力。而且限时购买的策略可以给消费者造成一种购买的紧迫感,有助于促成购买决策。当然,要团购到超值的精品也不容易,消费者还需要具备高超的谈判能力和资源整合能力。

(2)对于商家来说,他们提供更简单的选择,商品自身的特点,还有就是免费的广告宣传。虽然是以超低价出售产品和服务,但是薄利多销,卖家只需从利润中分出一部分作为佣金付给团购网站,互惠互利。而且能在短时间内积聚大量人气,增加销售渠道,吸引和获得更多消费者,这是单独销售无法比拟的优势。同时,在团购团销的模式下,卖家可以节省相当数额的交易和营销推广成本,产品积压的情况减少,库存周转速度加快,可以大大增加现金流。

(3)对于企业自身来说,市场门槛比较低(同时也是缺点),商业模式简单。团购网站较易建立,技术壁垒及进入门槛较低。利用互联网传播信息速度快捷,推广费用较低。通过拉朋友式的团购,为企业带来了更多的利润,并且提高了企业的知名度。简单的商业模式通过提供信息平台收取广告费,通过提供网关服务收取服务费,通过提供配送服务收取配送费。也就是说美团充当的角色是团购中介商,赚取的是团购过程中的成交费。

三、美团的发展现状

(1)产品:美团现在主要的产品类型有美食、电影、酒店、外卖、娱乐、火车票、机票、生活服务、丽人服务等。在生活服务与丽人服务上,美团还有适当的延伸扩展,产品囊括生活的方方面面。美团会预先对商家设定严格的审核程序,偏向于选择知名度高的商家。另外,由于美团上入驻商家的数量之大,美团产品覆盖范围之广,美团现在已不仅仅是团购消费网站,更是消费者在网络经济时代获取信息的重要途径。

(2)价格:团购的目的是获取最大程度的价格优惠。美团坚持低价策略,正好迎合了消费者偏重同质价低的心理。再者,美团定期推出限时抢购的打折活动,吸引消费者注意,推广商品以及优惠套餐,形成规模经济效应。

(3)功能:美团的App运营趋向于成熟。整个App使用过程流畅,App功能完善。其中,创新的"猜你喜欢"功能,根据消费者平日的浏览记录,系统自动匹配相应地址以及浏览产品分类,在首页进行系统的自动推荐。这一功能的推出,极大地满足了消费者的消费信息需求。另外,美团还开发了其他周边功能,如晒图评论赢积分、邀请返利、美食排行以及特价秒杀等。

资料来源:百度文库,https://wenku.baidu.com/view/02e061264a2fb4daa58da0116c175f0e7cd11991.html。

【案例思考题】

1. 美团的团购营销优势是什么?
2. 网络营销的哪些环境因素影响着美团的发展?
3. 结合目前的网络营销环境,试分析美团成功的要素。

本章小结

本章介绍了网络营销的发展环境是指对企业的生存和发展产生影响的各种外部条件,即与企业网络营销活动有关联因素的部分集合,它是一个综合的概念,由多方面的因素组成,有的将网络营销的环境分为宏观环境与微观环境,还有其技术环境。本文除了发展环境之外,还详细介绍了网络营销安全、网络营销的伦理道德问题,并且拓展了社会化电子商务以及网络新零售两个方面的内容,以对网络营销的环境做进一步的说明。

在电子商务安全方面，可以分为两大部分，即环境方面和技术方面。环境涉及社会文化、制度规范等方面的因素，技术是指网络安全技术。对应电子商务安全问题，其基本要求包括：环境方面要求不断完善法律法规、健全信用体系；技术方面要求信息的保密性、完整性、不可抵赖性等。在网络营销伦理道德方面，针对网络营销中所存在的不道德行为，需要同时从网络营销道德的外部环境和内部环境建设入手，努力加强网络营销道德建设。对于近些年新出现的概念，社会化电子商务以及新零售都提倡打破传统的电子商务模式，增加电子商务给用户提供交流互动的机会，以此来突破传统电子商务发展所遇到的瓶颈，本章也分别从其形成、特征以及未来的发展方向做了阐述。

◆ 关键词

网络营销环境　　网络营销安全　　网络营销伦理道德　　数字财产
社会化电子商务　　新零售

◆ 综合复习题

思考题

1. 网络营销的发展环境主要分为哪几个方面？
2. 网络营销安全面临着哪些挑战？
3. 如何面对网络营销中的安全挑战？
4. 如何进行网络营销道德建设？
5. 什么是数字财产？
6. 社会化电子商务有哪些特征？
7. 简述新零售的特征。

讨论题

1. 从宏观和微观视角来探讨当前的网络营销环境。
2. 讨论目前经常使用的身份认证技术。
3. 试讨论如何解决电子商务环境方面的安全问题。
4. 试讨论如何解决电子商务技术方面的安全问题。
5. 试讨论出现网络营销不道德行为的原因。
6. 社会化电子商务的出现对传统电子商务的影响有哪些？

网络实践题

1. 探索传统的版权保护与网络中的版权保护之间的异同点。
2. 上网查询有关网络营销伦理学的相关概念。
3. 寻找一些与网络营销不道德行为有关的实际案例进行讨论。
4. 以我国几大互联网公司为例，选其中一家分析其数字财产的组成。

第 3 章
CHAPTER 3

网络营销理论基础

§ **本章导读**

在互联网环境下,市场的时间和空间范围发生了深刻的变化,生产者与消费者、消费者与消费者之间可以随时随地进行交流,社会网络的影响变得更加明显。消费者的需求更趋于个性化和多样化,生产者对市场细分的需求得到进一步加深。生产者需要精准定位消费者的需求并及时给予满足,培养消费者忠诚度,进而提高企业的竞争力。

目前,网络市场中表现出许多不同于传统市场的特征,使得传统营销理论不能对网络营销进行有效的指导,但是网络营销仍然属于市场营销的范畴,市场营销理论仍然是网络营销的基础。基于此,本章首先对网络社会的发展与演化、网络环境下信息传递和经济规律、社会化媒体进行介绍,然后对传统营销理论进行梳理,并在此基础上将传统营销理论引入网络环境中,以发挥其指导营销的作用。

§ **学习目标**

- 掌握网络社会的发展与演化
- 掌握社会网络的基本结构
- 了解网络信息传播的基本规律
- 掌握网络经济的特征和规律
- 掌握网络营销的其他相关理论,如整合营销理论、直复营销理论、关系营销理论、服务营销理论以及高科技营销理论等
- 了解网络环境下的消费者行为理论

§ **引导案例**

天猫营销案例

天猫是一个综合性购物网站。2012 年 1 月 11 日,淘宝商城正式宣布更名为"天猫"。

2012年3月29日，天猫发布全新的logo形象。2012年11月11日，天猫大赚了一笔，宣称13小时卖了100亿元，创世界纪录。天猫是阿里巴巴全新打造的B2C（business to consumer）平台。其整合数千家品牌商、生产商，为商家和消费者提供一站式解决方案；提供有品质保证的商品、7天无理由退换货的售后服务，以及购物积分返现等优质服务。2014年2月19日，阿里集团宣布天猫国际正式上线，为国内消费者直供原装进口商品。

天猫的主要营销模式如下。

（1）培育购物习惯和文化并形成新的入口价值。例如，天猫首创的"双11"购物促销活动，通过限时和限量的饥饿营销让消费者在潜意识里对促销优惠力度和时间印象很深，不断刺激消费者购物的欲望，进而提高消费者参与购物的积极性。天猫引入消费者敏感的词汇促销（如7天无理由退换货、低价促销等），达到更好地吸引消费者的目的，体现营销效果；并且天猫以自身的市场定位和品牌优势参与，让广大消费群体获取同行不具备的竞争优势，让自己的营销成果更加显著。

（2）用户个性化的电子商务模式。天猫一直利用大数据技术，以去中心化的消费者视角为主，关注用户想买什么、怎么买、怎么分享的问题，而是不以自己主观推荐为主。天猫将用户的浏览、点击赋予权重，精细化判断用户喜好以及价格区间定位。对于用户来说，天猫更多的是定制化、去中心化的，即每个用户在天猫呈现出来的是基于个人的喜好与定位。以消费者视角的推荐流程一直是其平台的一个特色，这也应了乔布斯那句："有时候人们并不知道自己需要什么，直到你展现出来为止。"

（3）精准的营销组合。多样化的商品，从营销的角度分析，能够被消费者认可且进行消费，以及让消费者将具有使用价值或满足某种需要的东西视为商品，其中甚至包含商品的售后服务、后期维修等组合。数量庞大的天猫商家几乎涵盖各类行业，因而促使天猫的营销活动能够大大满足消费者的需求。

（4）核心卖点的突出准确。天猫拥有我国最为全面的网购消费数据，所以懂得在哪个地方发力，自然就清楚营销的核心卖点。要想做好商品研究，消费者的需求及消费心理才是关键。消费者最关心的第一要素就是价格的高低，低价营销往往能对消费者产生极大的吸引力。将促销与低价绑定起来营销往往事半功倍，大大促进消费者的购买欲望。再者通过限时抢购来刺激消费者的购买冲动，或许会使消费者在不理性的情况下购买商品。搭配合理的优惠券，也能促使消费者早下订单。

（5）宣传执行的力度大。天猫"双11"活动分为三个阶段：预热期、升温期、互动期。在这三个阶段天猫通过各种渠道和媒体海量的宣传，首页持续不断地更新宣传广告，甚至在电视媒体、新浪微博等社交媒体上大力宣传，如此大范围、大规模的宣传使消费者无论在何时何地都能了解到。

（6）快递企业的密切合作。越来越多的快递公司宣布与天猫达成战略合作关系（如顺丰、申通、韵达、百世、EMS、中通、圆通等），天猫也开通了许多"次日达"的城市之间线路和全国"1～3日限时达"承诺服务。这无疑大大减少了消费者对物流服务的顾虑，使得消费者更加安心愉快地进行网络购物。

资料来源：天猫的"超级品牌效应"，其实是未来品牌营销的趋势，https://www.sohu.com/a/319427404_120065410。

【案例思考题】
1. 试分析天猫的网络营销过程采用了哪些网络营销理论。
2. 试从消费者行为理论中分析天猫的营销策略有哪些优点。

3.1 网络社会的发展与演化

互联网是 20 世纪人类文明进程中的重大成果，经过几十年的发展，互联网对现实社会产生了深远影响，改变了全球人类的生活方式。网络社会（network society）是在以计算机和互联网技术为代表的信息技术的推动下产生的新的社会形态，是一个由网络社会资源、网络社会群体和相关网络社会环境组成并相互作用，以达到动态平衡的巨大复杂系统。作为一种与现实社会既相互区别又紧密联系的新的社会形态，网络社会的客观存在已经成为共识。同时，与传统社会相比，网络社会在发展的不同阶段表现出一些不同的特质，并深刻影响着网络营销的应用及发展。

3.1.1 网络社会的发展阶段

根据波普尔"三个世界"理论，我们将网络社会发展分为三个阶段：网络社会的原始形态，即网络社会的初步发育时期；网络社会的发展中形态，即实现"三个世界"之间的贯通；网络社会的未来发展形态，即实现现实社会与网络社会的"自由切换"。

1. 网络社会的原始形态：网络社会的初步发育时期

这一阶段从 20 世纪 70 年代开始到 20 世纪 80 年代末期结束。互联网最早起源于美国国防部高级研究计划局建立的 ARPANET，该网于 1969 年投入使用，由于网络在当时仅仅用于军事目的，并没有成为人们交往的媒介和平台，这一时期只能看作网络通信的开端，并不是网络社会的开端。

从社会学的视角来看，社会不是一个个人的聚积或简单相加，它还包括人们的联系或关系，是人们相互交往的产物，是全部社会关系的总和。因此，作为一种社会形态，网络社会开始于人们利用网络进行社会交往。1971 年，美国马萨诸塞州剑桥的 BBN 科技公司的工程师雷·汤姆林森开发出了电子邮件，使网络终于可以成为人类进行社会交往的技术平台，此后 ARPANET 的技术开始向大学等研究机构普及，因此这一事件可以作为网络社会诞生的标志。

1983 年，美国加州大学洛杉矶分校的学生文顿·瑟夫等人开发了具有扩展性的 TCP/IP，ARPANET 宣布将把过去的 NCP（网络控制协议）向新的 TCP/IP（传输控制协议/互联网协议）过渡。1988 年美国伊利诺伊大学的学生史蒂夫·多尔纳开发了电子邮件软件 Eudora，作为一种最为快捷的通信方式，电子邮件从大学、研究机构开始向社会普及。

作为网络社会的开端，此时的网络仅仅被用来传递数据信息，电子邮件成为网络社会原始阶段人们交往的最基本形式。网络社会成员也主要以研究人员和学者、部分大学生为主，主要存在于像美国这样的发达国家，发展中国家进入这个社会还要稍晚一些，在网络社会的原始阶段，其社会扩展范围较小，但是作为客观意义上的观念世界，"世界3"的技术基础条件已经具备。

2. 网络社会的发展中形态：实现"三个世界"之间的贯通

从20世纪90年代后期开始到现在是网络社会的发展中形态。首先是20世纪80年代，美国国家科学基金会研制和建立的NSFNET于1990年6月彻底取代了ARPANET而成为互联网的主干网，并且向全社会开放。

1991年，欧洲核子研究组织的科学家蒂姆·伯纳斯－李开发出了万维网和极其简单的浏览器，此后互联网开始向社会大众普及。

1993年，伊利诺伊大学的国家超级计算机应用中心的学生马克·安德里森等人开发出了真正的浏览器Mosaic。该软件后来被作为Netscape Navigator推向市场，互联网开始得以爆炸性普及。

从1995年5月开始，美国国家科学基金会把NSFNET的经营权转交给美国三家最大的私营电信公司——Sprint、MCI和ANS，这是互联网发展史上的重大转折，从此利用互联网开展的业务与应用逐步增多。

1994年4月，我国部分地区的教育与科研示范网络工程进入互联网，实现与互联网的TCP/IP连接，中国被国际上正式承认为拥有互联网的国家，互联网开始进入国民生活。

世界互联网统计中心（Internet World Stats）的数据显示，2014年全球网民数量已经突破30亿大关。根据CNNIC报告，截至2022年12月，我国网民规模达10.67亿，较2021年12月增长3 549万，互联网普及率达75.6%。

互联网成为继报刊、广播和电视等传统媒体之后的"第四媒体"，由此进入网络社会的发展中形态。网络社会的发展中形态主要是对现实社会的模拟，"虚拟国家"是对现实国家特征的模仿，网络社会规范是对现实社会制度规范的模拟。互联网上的应用其实是现实社会的延续，E-mail是书信的延续，将即时通信等同于视音频电话，而网络媒体更多的是传统媒体形态在网络上的发布。现实社会中存在的文化、法律和职业道德以及各种社会隐性规则等，也逐渐延续到网络社会中。

基于上述对网络社会本质的认识，我们可以看到网络社会的发展形态实现了波普尔所提出的"三个世界"①之间的高度契合，网络基础的迅速发展则是实现这"三个世界"之间贯通的技术基础条件。

3. 网络社会的未来发展形态：实现现实社会与网络社会的"自由切换"

随着全球互联网用户的不断增加以及相关技术的高速发展，网络社会正进入高度发达的社会形态，人类正朝着网络"无处不在"的社会前进。

1994年研制出的互联网通信协议第6版（IPv6）可以提供43亿的4次方个、近乎无限多

---

① 哲学家波普尔把世界上所有现象，根据共存方式划分为三大类别，即三个世界。"世界1"，又称第一世界，是物理世界；"世界2"，又称第二世界，是人精神的或心理的世界；"世界3"，又称第三世界，是思想内容的世界。

的地址，极大地丰富了 IP 资源，每个电视机终端都将获得独立的 IP 地址进行管理，使广电网具备了和互联网完全整合的技术基础。不仅所有的人，而且几乎所有的重要物品都可根据需要"置身"于网络之中，相互联系，从而出现一个信息网络"无处不在"的社会。家庭网络化即将成为现实，网络冰箱、网络微波炉、网络洗衣机将逐渐普及，"网络家电"可以使外出的人们利用手机上网对家里的各种电器进行连接和控制，网络家电之间也可保持相互连接而形成统一的系统，家庭网络化会大大改变人们的生活方式。

现实社会网络化也可以表述为全面网络化的现实社会，网络化在社会的各个层面、各个行业展开，包括政府、企业、教育、媒体、医疗、物流等社会的各个领域。网络服务的领域已经涉及政治、经济、生活等社会的各个方面。在人类社会高度发展的环境下，网络社会将用极短的时间完成类似人类社会的历史演变，并实现对人类社会形态的超越，最终带动人类社会的变迁。

网络社会现实化的出现，使得网络社会不再仅仅是现实社会生活的模拟，而是人的虚拟化存在方式。随着网络社会高度发达阶段的到来，免费的网络服务会越来越多，网络应用将普及每一个人和每一个家庭，网络社会的高度发达形态，将最终弥合"数字鸿沟"，网络成为人类生活中不可缺少的一个组成部分，几乎可以实现所有人的随时在线，每个人一出生就可以被分配一个 IP 地址。网络将形成一个真正的社会，而不仅仅是一种新媒体、新商务和新的交流方式。未来每一个社会成员，除了在现实社会中的自己外，在网络上也有一个自己的代表，如同现在几乎每个人都有手机号码一样，网络个人编码代号也会成为人的重要存在方式，每一个社会成员成为互联网的一个节点，从而实现网络社会的现实化。

基于现实社会网络化和网络社会现实化的发展趋势，我们有理由认为网络社会的迅速发展将使人类实现现实社会与网络社会之间的"自由切换"。高度发达的网络社会的到来，现实社会的网络化和网络社会的现实化最终会实现网络社会与现实社会的高度重叠，"世界 1"和"世界 3"之间的界限逐渐模糊，这会导致国家的存在方式不得不面对网络社会高度发达所导致的深度全球化的挑战，国际组织对网络社会的管理与协调作用将进一步加强，传统国家主权理论也将随着网络社会与现实社会的高度重叠而不得不重新加以诠释。

3.1.2 网络社会演化理论

随着网络社会的不断发展，网络社会中的各要素相互联系、相互制约而自发形成一种具有经济性的复杂系统。各组成要素包括人的要素、网络基础资源要素、技术要素、能量流动、信息传递和技术交流、文化传播、制度约束等，它们相互联系、相互制约，从而形成具有自调节、自适应功能的复合体，并构成了网络社会生态系统。

网络社会中各个主体，如网民、虚拟企业等，都同生物有机体参与生物生态系统一样，是网络社会生态系统有机体的一部分，使得网络社会生态系统具备同生物系统一样的自组织的可能性。网络社会生态系统演化是指自互联网形成以来，构成网络社会生态系统的基本要素不断交互地进行变化和更替。网络社会生态系统演化所包含的内容主要表现在网络社会中各主体的自我发展和自我完善，资源、群体、环境等要素之间的独立演化和相互之间的协同演化。网络社会生态系统演化是各要素相互依存、相互作用带来系统的自发秩序的过程，这一过程往往是自组织的。

自组织理论是在对系统内涵认识的基础上，从系统自组织的前提条件入手，深入分析系统演化的动力机制及偶然因素在系统演化中的作用，对系统演化的循环发展模式、系统演化多样性及系统组织的相似性进行描述，从而揭示出系统从无序到有序、再从一般有序到高级有序的演化发展全过程。自组织理论以自组织系统为研究对象。所谓自组织系统，即能自行演化或改进其组织行为结构的一类系统。在一般系统论中，自组织系统最广泛的含义是指：该系统能在与环境相互作用的条件下，通过自身的演化而形成新的结构和功能，如图3-1所示。网络社会生态系统就是这样的一个复杂自组织系统。自组织理论是由耗散结构理论、协同学、超循环理论、混沌学等理论分支构成的理论群的统称，还没有形成一个严密、统一的理论体系，这些理论相互联系而统一为自组织理论。

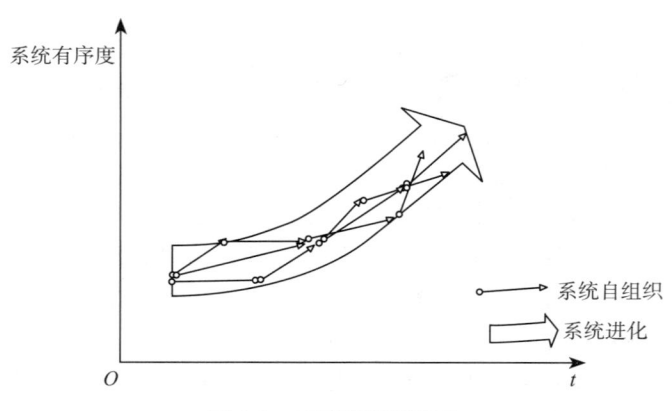

图3-1　系统自组织演化

在系统科学中，系统的演化是系统的一种主要行为，组织属于一类特殊的演化过程。组织的形式有自组织和他组织两种。对于他组织必须有一个系统以外的组织者，通常事前设定一个目标和预定的计划、方案等，组织者组织整个系统按照事前确定的计划、方案活动变化，达到预定目标。对于网络社会生态系统的演化过程基本上是没有外部控制者的，比如电子商务生态链的形成、虚拟社区群落的形成都是没有政府或部门的控制的，也没有预定的目标和方案，是在特定的外部环境条件下，在系统内部各要素的相互作用下由系统自发演化而成的。所以，网络社会生态系统的演化过程具有自组织的特点。

网络社会生态系统的自组织是网络群体通过自发的、自主的结构和有序程度增强的方向演化的过程与结果。自组织是生态系统的本质属性，生态系统就是一种天然的典型自组织系统，能自主地利用从外界摄取的物质和能量组成自身的具有复杂功能的有机体，并且在一定程度上能自动修复缺损和排除故障，以恢复正常的结构和功能。网络社会生态系统既具有社会系统的属性，又具有生态系统的属性。网络社会中的各种群体就像生物有机体参与生物生态系统一样，是网络社会生态系统有机体的一部分，说明网络社会生态系统具备与生物生态系统一样的形成自组织的可能性，类似于生物生态系统一样是复杂而庞大的自组织系统，比如每当遇到各种网络生态危机时系统可以通过自发形成的调节手段来维持其有序结构。

由于网络社会生态系统的演化过程是靠其他组织的控制手段解释不了的，并且网络社会生态系统具有自组织的特点,所以用自组织理论来研究网络社会生态系统的演化机制是符合实际情况的,是更全面、系统地分析网络社会生态系统演化的合理理论基础。

3.1.3 社会网络的基本结构

社会网络理论视角关注的主要对象是社会网络结构及其对社会行为的影响模式,该视角也为理解社会网络营销的发展提供了较好的理论基础。

1. 社会网络的基本概念及结构

社会网络是指社会个体成员之间因为互动而形成的相对稳定的关系体系,社会网络关注的是人们的互动和联系,社会互动会影响人们的社会行为。今天社会网络的概念已超越了个人间的范畴,一个网络的行动者也可以是社团行动者,如公司、民族或国家,关系既包括把行动者连接起来的联系(不限于个人间的关系),也包括公司之间的交易关系,如金钱、组织信息和群体成员的流动等。

社会网络的结构由两个基本要素构成:点和关系。点,即网络行动者,它可以是任意的社会单元或实体,如一个公司、某个个体、某个学校,也可以是一个国家、一座城市或一个村落;关系,即行动者之间的联系,它有多种表现,行动者之间有着复杂多变的关系类型,如上下级、朋友,也可能是国与国间的贸易关系等。此外,关系主体之间也可能是多元关系。

2. 社会网络的主要理论

网络结构观。该观点的主要思想是把人与人、组织与组织之间的纽带关系看成一种客观存在的社会结构,分析这些纽带关系对人或组织的影响。任何主体(人或组织)与其他主体的关系都会对主体的行为产生影响。

平衡理论。1958年,心理学家海德(Heider)提出了"平衡理论"。海德认为,人类普遍具有一种平衡、和谐的需要。人们喜欢平衡的关系,而不喜欢不平衡的关系,当人们认识到不平衡或不和谐时,在心理上就会产生焦虑,从而其认知结构向平衡与和谐的方向转化。平衡理论也表明,出于对平衡关系的偏好,人们倾向于形成小集团。

市场结构理论。1981年,美国的哈里森·怀特(Harrison White)提出了"市场来源于社会网络发展"的观点。在一个社会网络中,生产经营者之间相互接触、观察与影响彼此的行动,建立信任关系,并提出市场秩序是生产经营者网络内部相互交往产生的暗示、信任和规则的反映(White,1981)。

弱关系假设理论。1973年,美国社会学家马克·格兰诺维特(Mark Granovetter)发表了一篇名为《弱关系的力量》的论文,提出了重要的"弱关系假设"理论。他首次提出了关系的强弱之分,认为强弱关系在人与人、组织与组织、个体与社会系统之间发挥着根本不同的作用。因为群体内部相似度较高的个体所了解的事物、事件经常是相同的,所以通过强关系获得的信息往往重复性很高。而弱关系是在群体之间发生的,且弱关系的分布范围较广,比强关系更能跨越社会界限、获得关键信息和资源。

嵌入性概念。格兰诺维特提出嵌入是经济的社会嵌入，包括经济活动在社会网络、文化、政治和宗教中的嵌入。经济交换往往发生于相识者之间，而不是发生于完全陌生的人之间。相比弱关系假设，嵌入性概念强调的是信任而不是信息，而信任依赖于交易双方长期的接触、交流和了解。实际上，嵌入性概念隐含了强关系的重要性，一些学者认为格兰诺维特的弱关系力量假设和嵌入性概念存在矛盾。

社会资本理论。法国社会学家皮埃尔·布尔迪厄（Pierre Bourdieu）于1980年提出"社会资本"的概念，他将其看作一种可以为个人带来利益的资源。美国社会学家科尔曼也认为社会生产资料是个人所拥有的，表现为社会结构资源的财产。它们由构成社会结构的要素组成，存在于社会团体的关系网络中，只能通过成员身份和网络联系获得回报。

结构洞理论。美国社会学家罗纳德·伯特（Ronald Burt）在《结构洞》一书中提出了"结构洞"理论，是指两个关系人之间的非重复关系。伯特将社交网络中的对象分为两种：一种是重复关系人，即你和其他人都认识的人；另一种是非重复关系人，即你不认识而其他人认识的人。如果存在第二种现象，则这个社交网络就是"有洞"结构。

3.2 网络社会化媒体

网络营销中的社会化媒体（social media）主要是指具有网络性质的综合站点，其主要特点是网站内容大多由用户自愿提供，而用户与站点之间不存在直接的雇佣关系。社会化媒体也称为社交媒体、社会性媒体，它是允许人们撰写、分享、评价、讨论、相互沟通的网站和技术。所谓社交媒体，是大批网民自发贡献、提取、创造新闻资讯，然后传播的过程。社会化媒体的产生依赖的是 Web 2.0 的发展。网络分析者认为，整个社会是由一个相互交错或平行的网络所构成的大系统。社会网络的结构及其对社会行为的影响模式是社会化网络的研究对象。社会化网络研究深层的社会结构，即隐藏在社会系统的复杂表象之下的固定网络模式。网络分析者强调了研究网络结构性质的重要性，集中研究某一网络中的联系模式如何提供机会与限制。其分析以联结一个社会系统中各个交叉点的社会关系网络为基础。网络分析者将社会系统视为一种依赖性的联系网络，社会成员按照联系点有差别地占有稀缺资源和结构性地分配这些资源。所以我们如果要学习社会化媒体，就得了解信息传播的基本规律，以及网络经济的发展规律。

3.2.1 网络信息传播的基本规律

网络信息传播的基本规律是客观的，我们了解网络信息传播规律，是为了了解网络信息传播的内在机理，进一步理解社会化媒体的运行机制，并且掌握网络信息传播的方法，指导网络信息传播的行为，提高网络信息传播的效率，保障网络信息传播的健康和个性化发展。目前，网络信息传播规律主要有以下三点。

（1）信息相对价值规律。信息是事物属性的反映，能够表现事物的运动状态，是信息的固有本质和普遍价值之所在。在网络上传播信息，是为了实现信息传递者的意图，达到预期的传播效果。所以对于信息传递者来说，他们所传递的信息都是有价值的，而网络信息传播的过程也就是实现信息价值的过程。

信息的存在是客观的，但用户们对信息的选择是自由的，这种自由在网络环境中得到最大限度的发挥。因为主体的差异性，以及信息选择和信息理解的主观性，用户们对信息意义及其使用价值的判断和理解也必然产生差异。因此，信息价值也就具有相对性。对信息传递者来说有价值的信息，对于用户来说，不一定就是有价值的信息；面对同一信息，这名用户认为很有价值，而另一名用户则可能认为毫无价值；相对于同一名用户来说，同一信息在此时很有价值，而在彼时则有可能失去价值。因此，在网络信息传播过程中，信息的价值是相对的。

（2）信息梯度转移规律。信息的传播可以看作是信息的流动，而任何一种流动，必须有势差才行。在网络信息传播中，这种势差也必然存在。在网络信息传播的两端之间，这种势差的存在是客观的，因为只有信息传递者和用户之间存在某种差异，网络信息才能顺畅完成传播。也正因为有这种差异的存在，才有进行信息选择的必要，才有信息传播需要的产生。与此同时，在网络环境下，信息的生产、布局和利用过程中普遍存在马太效应，这就决定了网络信息的传播方向：从优势一方流向劣势一方。又因为网络的自由度增加，众多用户可以同时存在，而这些用户之间也必然都存在差异，所以就决定了网络信息传播的层次性。在网络信息传播过程中，网络信息是按一定的方向和层次循序进行传递的，这就是信息梯度转移规律。

（3）信息循环规律。信息是可以共享的，它可以被多次重复利用。信息传递者在传递信息以后，不会对自身造成损耗，其信息量不会随"信息实体"的离开而减少，而是始终保持不变。也就是说，在某种程度上，信息一经掌握，就可以永远守恒。也正因为这种信息守恒，信息传播才得以进行，信息共享才得以实现。在网络信息传播过程中，传播的都是数字化信息。数字化信息一经产生，就由某种特定的符号所代替，信息的传播实质上就成为某种符号的传播。在一定的社会历史条件下，这种符号不受任何外力的影响，是永恒不变的。在网络环境下，这种符号是易于复制的。当一个信息传播过程完成后，信息传播并未终结，而是开始了下一个信息传播过程。也就是说，在网络信息传播过程中，人们只是在不断地传递这种符号，而这种符号所代表的意义是永恒不变的，只是随着传播产生了位移的变化。信息守恒，加上"符号"永恒，这就是信息循环规律，网络信息传播就是在这种循环往复的过程中进行的。

3.2.2　网络经济规律

网络经济是一种建立在计算机网络基础之上，以现代信息技术为核心的新的经济形态。它不仅是指以计算机为核心的信息技术产业的兴起和快速增长，也包括以现代计算机技术为基础的整个高新技术产业的崛起和迅猛发展，更包括由于高新技术的推广和运用所引起的传统产业、传统经济部门的深刻的变化和飞跃性发展。网络经济有两个基本要素：经济行为主体的"集"和经济链的"集"。网络经济与其说是由经济行为主体构成的，还不如说是由经济行为主体之间的特殊经济联系组成的。经济行为主体及其之间的联系链可以是同质的，也可以是异质的。换言之，经济行为主体及其之间的联系链可以是同行业的，也可以是不同行业的。

网络经济是知识经济的一种具体形态，这种新的经济形态正以极快的速度影响着社会经济与人们的生活。与传统经济相比,网络经济具有以下显著的特征。

(1)快捷性。消除时空差距是互联网使世界发生的根本性变化之一。首先,互联网突破了传统的国家、地区界限,使它们被网络连为一体,使整个世界紧密联系起来,把地球变成一个"村落"。在网络上,不分种族、民族、国家、职业和社会地位,人们可以自由地交流、漫游,以此来沟通信息,人们对空间的依附性大大减小。其次,网络突破了时间的约束,使人们的信息传输、经济往来可以在更小的时间跨度上进行。网络经济可以24小时不间断运行,经济活动更少受到时间因素制约。再次,网络经济是一种速度型经济。现代信息网络可用光速传输信息,网络经济以接近于实时的速度收集、处理和应用信息,节奏大大加快了。如果说20世纪80年代是注重质量的年代,90年代是注重再设计的年代,那么21世纪的头10年就是注重速度的时代。因此,网络经济的发展趋势应是对市场变化发展高度灵敏的"即时经济"或"实时运作经济"。最后,网络经济从本质上讲是一种全球化经济。

(2)高渗透性。迅速发展的信息技术、网络技术,具有极高的渗透性功能,使得信息服务业迅速地向第一、第二产业扩张,使三大产业之间的界限模糊,出现了第一、第二和第三产业相互融合的趋势。三大产业分类法也受到了挑战。为此,学术界提出了"第四产业"的概念,用以涵盖广义的信息产业。美国著名经济学家波拉特在1977年发表的《信息经济:定义和测量》中,第一次采用四分法把产业部门分为农业、工业、服务业、信息业,并把信息业按其产品或服务是否在市场上直接出售,划分为第一信息部门和第二信息部门。第一信息部门包括现在市场中生产和销售信息机械或信息服务的全部产业,诸如计算机制造、印刷、大众传播、广告宣传、会计、教育等。第二信息部门包括公共、官方机构的大部分和私人企业中的管理部门。除此之外,非信息部门的企业在内部生产并由内部消费的各种信息服务,也属于第二信息部门。从以上产业分类可以看出,作为网络经济的重要组成部分,信息产业已经广泛渗透到传统产业中。对于诸如商业、银行业、传媒业、制造业等传统产业来说,迅速利用信息技术、网络技术,实现产业内部的升级改造,以迎接网络经济带来的机遇和挑战,是一种必然选择。

不仅如此,信息技术的高渗透性还催生了一些新兴的"边缘产业",如光学电子产业、医疗电子器械产业、航空电子产业、汽车电子产业等。以汽车电子产业为例,汽车电子装置在20世纪60年代出现,70年代中后期发展速度明显加快,80年代已经形成了统称为汽车电子化的高技术产业。可以说,在网络信息技术的推动下,产业间的相互结合和发展新产业的速度大大提高。

(3)自我膨胀性。网络经济的自我膨胀性主要受到四大互联网经济定律的影响。

一是摩尔定律(Moore's law)。这一定律是以英特尔公司创始人之一的戈登·摩尔命名的。1965年,摩尔预测到单片硅芯片的运算处理能力每18个月就会翻一番,而与此同时,价格则减半。实践证明,50多年来,这一预测一直比较准确,预计在未来仍有较长时间的适用性。并且随着目前半导体技术的高速发展,中国IT专业媒体上出现了"新摩尔定律"的提法,指的是中国互联网的联网主机数和上网用户人数的递增速度,大约每半年就翻一番。而且专家们预言,这一趋势在未来若干年内仍将保持下去。

二是梅特卡夫定律(Metcalfe's law)。按照此法则,网络经济的价值等于网络节点数的平方,这说明网络产生和带来的效益将随着网络用户的增加而呈指数形式增长。这种爆炸性的持续增长必然会带来网络价值的飞涨。梅特卡夫定律是基于每一个新上网的用户都因为别人的联网而获得了更多的信息交流机会,指出了网络具有极强的外部性和正反馈性:联网的用户越多,网络的价值越大，联网的需求也就越大。这样，我们可以看出梅特卡夫定律指出了从总体上看消费方面存在效用递增，即需求创造了新的需求。20世纪90年代到现在的21世纪20年代，互联网不仅呈现了这种超乎寻常的指数增长趋势，而且向经济和社会各个领域进行广泛的渗透和扩张，足以证明计算机网络的数目越多，它对经济和社会的影响就越大。

三是马太效应（Matthew effect）。在网络经济中，由于人们的心理反应和行为惯性，在一定条件下，优势或劣势一旦出现并达到一定程度，就会导致不断加剧而自行强化，出现"强者更强，弱者更弱"的垄断局面。马太效应反映了网络经济时代企业竞争中的一个重要因素——主流化。"非摩擦的基本规律其实很简单——你占领的市场份额越大，你获利就越多，也就是说，富者越富。"Compuserve和AOL是美国的两家联机服务供应商，1995年之前，Compuserve占有较大的市场份额，在相互竞争中占有优势。而从1995年开始，AOL采取主流化策略，向消费者赠送数百万份PC机桌面软件，"闪电般地占领了市场"，迅速赶超了Compuserve公司。

四是吉尔德定律（Gilder's law）。据美国激进的技术理论家乔治·吉尔德预测：在可预见的未来，通信系统的总带宽将以每年3倍的速度增长。随着通信能力的不断提高，吉尔德断言，每比特传输价格朝着免费的方向下跌，费用的走势呈现出"渐进曲线"的规律，价格点无限接近于零。

网络经济的四大定律不仅展示了网络经济自我膨胀的规模与速度，而且揭示了其内在的规律。

（4）边际效益递增性。边际效益随着生产规模的扩大会显现出不同的增减趋势。在工业社会物质产品生产过程中，边际效益递减是普遍规律，因为传统的生产要素——土地、资本、劳动都具有边际成本递增和边际效益递减的特征。与此相反，网络经济却显现出明显的边际效益递增性。

（5）外部经济性。一般的市场交易是买卖双方根据各自独立的决策缔结的一种契约，这种契约只对缔约双方有约束力而并不涉及市场主体的利益。但在某些情况下，契约履行产生的后果往往会影响到缔约双方以外的第三方（个体或群体）。这些与契约无关却又受到影响的经济主体，可统称为外部，它们所受到的影响就被称为外部效应。契约履行所产生的外部效应可好可坏，分别称为外部经济性和外部非经济性。通常情况下，工业经济带来的主要是外部非经济性，如工业"三废"，而网络经济则主要表现为外部经济性。正如凯文·凯利提出的"级数比加法重要"的法则一样，网络形成的是自我增强的虚拟循环。增加了成员就增加了价值，反过来又吸引更多的成员，形成优势。"一个电话系统的总价值属于各个电话公司及其资产的内部总价值之和，属于外部更大的电话网络本身"，网络成为"特别有效的外部价值资源"。

（6）可持续性。网络经济是一种特定信息网络经济或信息网络经济学，它与信息经济或信息经济学有着密切关系，这种关系是特殊与一般、局部与整体的关系，从这种意义上讲，网络经济是知识经济的一种具体形态，知识、信息同样是支撑网络经济的主要资源。美国未来学家托夫勒指出："知识已成为所有创造财富所必需的资源中最为宝贵的要素，知识正在成为一切有形资源的最终替代"，正是知识与信息的特性使网络经济具有了可持续性。信息与知识具有可分享性，这一特点与实物显然不同。一般实物商品交易后，出售者就失去了实物，而信息、知识交易后，出售信息的人并没有失去信息，而是形成出售者和购买者共享信息与知识的局面。现在，特别是在录音、录像、电子计算机、网络传统技术迅速发展的情况下，信息的再生能力很强，这就为信息资源的共享创造了更便利的条件。更为重要的是，在知识产品的生产过程中，作为主要资源的知识与信息具有零消耗的特点，正如托夫勒指出的："土地、劳动、原材料，或许还有资本，可以看作是有限资源，而知识实际上是不可穷尽的"。"新信息技术把产品多样化的成本推向最低，并且降低了曾经至关重要的规模经济的重要性。"网络经济在很大程度上能有效杜绝传统工业生产对有形资源、能源的过度消耗，造成环境污染、生态恶化等危害，实现了社会经济的可持续发展。

（7）直接性。随着网络的发展，经济组织结构趋向扁平化，处于网络端点的生产者与消费者可直接联系，而降低了传统的中间商层次存在的必要性，从而显著降低了交易成本，提高了经济效益。为解释网络经济带来的诸多传统经济理论不能解释的经济现象，姜奇平先生提出了"直接经济"理论。他认为，如果说物物交换是最原始的直接经济，那么，当今的新经济则是建立在网络上的更高层次的直接经济，从经济发展的历史来看，它是经济形态的一次回归，即农业经济（直接经济）–工业经济（迂回经济）–网络经济（直接经济）。直接经济理论主张网络经济应将工业经济中迂回曲折的各种路径重新拉直，缩短中间环节。信息网络化在发展过程中会不断突破传统流程模式，逐步完成对经济存量的重新分割和增量分配原则的初步构建，并对信息流、物流、资本流之间的关系进行历史性重构，压缩甚至取消不必要的中间环节。

3.2.3 智能时代的网络社会化媒体

从蒸汽机时代到电力时代，再到信息时代，历次科技革命都催生新的产业格局，造就出一个时代的新兴产业。今天已经进入以智能产业为主导的新经济发展时期，智能技术无疑将成为经济增长的新动能、产业发展的新蓝海、高质量发展的新引擎。近年来，中国科技的飞速进步举世瞩目，由过去的跟跑为主逐步转向多领域并跑与领跑。在中国进入历史新方位的今天，智能时代也成为摆在全世界面前的一个新起点。当前大众传播时代将迈向智能传播时代，进入21世纪20年代，智能传播范式将形成它的基本框架，在这场全新的技术革命驱动下，我们的传播模式和日常行为将彻底地被改变，网络社会化媒体也将迎来新的改革。目前在智能时代下，我国的社会化媒体的生态格局出现了很多新的特征。

（1）复合媒体的出现。随着社会化功能在各种互联网平台中的深度普及，大多数的中国互联网媒体已经可以被称为社会化媒体。而其中复合了众多功能的中国特有平台（如微信、QQ、微博）的产生为品牌创造了诸多接触点，体验创造及销售机会。

（2）数据维度的增加。移动互联网时期智能推荐的数据维度更加丰富，不仅对用户刻画的维度从 IP 层次提升到 ID 层次，还可以加入使用场景、社交关系等多维数据。

（3）交互方式的多元化。在移动互联网时期，用户接触内容的场景更加丰富、内容消费时间更长，可以更好地记录与刻画用户的内容偏好。因此，由于用户内容消费数据的丰富，以"今日头条"为代表的智能推荐集合了网络编辑分发、搜索引擎分发、社交分发等分发方式的优点，可以更好地满足用户的个性化和个人化需求，从而增强用户对智能推荐平台的黏性，使得智能推荐成为主流的内容分发方式。

（4）圈层营销的发展。为了尽可能获取更多目标用户，品牌"传单式"的推广已不再适用。中国即将迈入"圈层营销时代"。"圈层"概念被频繁抛出，但缺乏量化标准定义。圈层是拥有同样兴趣或职业的人，不同的圈层间存在重叠和包含的关系。目前，研究者们通过研究圈层的生命周期，分析圈层中不同用户类型的偏好，洞察针对不同圈层生命周期用户的最佳营销策略，为社交媒体营销提供了新思路。这些新概念也让我们了解到在智能化的网络环境下，社会化媒体的新兴发展方向，以及发展现状。

3.3 网络营销战略理论

网络营销的优势在于能够以最快、最准确的方式获取顾客信息，并能将产品说明、广告、公共关系、顾客服务等各种营销活动与互联网的传播优势整合在一起，进行一对一的沟通，不受时间和地域的影响，达到营销组合所追求的综合效益。网络营销是企业以现代营销理论为基础，利用互联网技术和功能，最大限度地满足客户需求，以达到开拓市场、增加盈利目标的经营过程。

3.3.1 三大竞争性战略

被誉为"竞争战略之父"的美国学者迈克尔·波特（Michael E.Porter）于1980年在其出版的《竞争战略》（*Competitive Strategy*）一书中提出"竞争战略"，它属于企业战略的一种，是指企业在同一使用价值的竞争上采取进攻或防守的长期行为。波特为商界人士提供了三种卓有成效的竞争战略，分别是总成本领先战略、差别化战略和专一化战略。

总成本领先战略要求尽最大努力地降低成本，通过低成本降低商品价格，保持竞争优势。要做到成本领先，就必须在管理方面对成本严格控制，尽可能将降低费用的指标落实在人头上，处于低成本地位的公司可以获得高于产业平均水平的利润。在与竞争对手进行竞争时，由于企业成本低，竞争对手没有利润可图时，企业还可以获得利润。此时，该企业采取主动，就是胜利者。

差别化战略是将公司提供的产品或服务差别化，树立起一些全产业范围内具有独特性的东西。实现差别化战略可以有许多方式：设计名牌形象、技术上的独特、性能特点、顾客服务、商业网络及其他方面的独特性。最理想的情况是公司在几个方面都有其差别化特点。

专一化战略又称集中化战略、目标集中战略、目标聚集战略，是主攻某个特殊的顾客群、某产品线的一个细分区段或某一地区市场。与差别化战略一样，专一化战略可以具有许多形式。虽然成本领先与差别化战略都要在全产业范围内实现其目标，但专一化战略的整体是围绕着很好地为某一特殊目标服务这一中心建立的，它所开发推行的每一项职能化方针都要考虑这一中心思想。

3.3.2 市场细分理论

市场细分（market segmentation）的概念是美国市场学家温德尔·史密斯（Wendell R.Smith）于20世纪50年代中期提出来的。市场细分是指根据消费者购买行为的差异性，把一个总体市场划分成若干个具有共同特征的子市场的过程。这一理论已被广泛地用于指导企业的市场营销活动，在加强企业市场竞争力方面起到重要的作用。随着经济和网络技术的飞速发展，市场细分理论在指导实践的同时自身也得到了极大的补充和发展，目前出现了一个极端的发展方向——超市场细分理论。超市场细分理论认为，为满足消费者个性化消费的需要，现有的许多细分市场应该进一步细分。这一理论发挥到极致就是市场细分到个人，也就是定制营销（一对一营销）。每个顾客都有着不同的需要，因而通过市场细分将一群顾客划归为有着共同需求的细分市场的传统做法，已不能满足每个顾客的特殊需要，而现代数据库技术和统计分析方法已能准确地记录并预测每个顾客的具体需求，并为每个顾客提供个性化的服务，从而增加每个顾客的忠诚度。在此基础上，企业可以进行超市场细分，对每个细分市场进行个性化的营销。超市场细分理论建立的基础主要有以下几个方面。

（1）目标客户是有价值的。超市场细分后的每一个目标客户都必须是有价值的，也就是说，这个目标客户为企业带来的利润应该大于企业的期望利润，最低限度下，目标客户带来的利润应该大于企业为其服务所消耗的生产成本和销售成本的总和，否则，这个客户是没有价值的。

（2）数据库是动态更新的。超市场细分的基础是数据库数据的可靠性，所以，数据库的数据必须是真实的、最新的、能反映顾客真实需求的。

（3）企业的产品必须具有高附加值。进行超市场细分需要付出较大的生产成本、营销成本、管理成本，企业的产品必须是高附加值的，并且这个附加值必须大于企业进行超市场细分所增加的成本，只有这样，企业的超市场细分才有价值。

（4）营销人员的营销技能是全面的。超市场细分不仅需要营销人员具备良好的服务理念和可靠的专业技能，而且要求营销人员必须具备良好的信息搜集能力和处理能力，具有良好的沟通能力和协调能力。

3.3.3　营销管理 4P 理论及网络营销 5C 理论

4P 营销理论实际上是从管理决策的角度来研究市场营销问题的。从管理决策的角度看，影响企业市场营销活动的各种因素（变数）可以分为两大类：一是不可控因素，即营销者本身不可控制的市场营销环境，包括微观环境和宏观环境；二是可控因素，即营销者自己可以控制的产品、商标、品牌、价格、广告、渠道等，而 4P 就是对各种可控因素的归纳。

一是产品策略（product strategy），主要是指企业以向目标市场提供各种适合消费者需求的有形和无形产品的方式来实现其营销目标。其中包括对与产品有关的品种、规格、式样、质量、包装、特色、商标、品牌以及各种服务措施等可控因素的组合和运用。

二是定价策略（pricing strategy），主要是指企业以按照市场规律制定价格和调整价格等方式来实现其营销目标，其中包括对与定价有关的基本价格、折扣价格、补贴、付款期限、商业信用以及各种定价方法和定价技巧等可控因素的组合与运用。

三是渠道策略（placing strategy），主要是指企业以合理地选择分销渠道和组织商品实体流通的方式来实现其营销目标，其中包括对与分销有关的渠道覆盖面、商品流转环节、中间商、网点设置以及储存运输等可控因素的组合和运用。

四是促销策略（promoting strategy），主要是指企业以利用各种信息传播手段刺激消费者购买欲望，促进产品销售的方式来实现其营销目标，其中包括对与促销有关的广告、人员推销、营业推广、公共关系等可控因素的组合和运用。

5C 网络营销理论是以网民需求为导向，重新设定了网络时代营销组合的五个基本元素。

由于网络的虚拟性和开放性特征，参与者信用的不确定性会危及本身信用，必须调整营销策略，建立企业信用信息公示体系。5C 网络营销可以提升企业自身的品牌及运营效率，有效地缩小时间与空间的差距。

5C 分别指 customer（顾客）、cost（成本）、convenience（便利）、communication（沟通）和 certification（认证）。

顾客是指瞄准消费者需求，即需要了解、研究、分析消费者的需求，而不是先考虑企业能生产什么产品。

成本是指消费者所愿意支付的成本，即要了解消费者为满足需求愿意付出多少钱，而不是先给产品定价，向消费者要多少钱。

便利是指消费者的便利性，即产品应考虑到如何方便消费者使用。

沟通是指与消费者沟通，即以消费者为中心实施营销沟通是十分重要的，通过互动、沟通等方式，将企业内外营销不断进行整合，把顾客和企业双方的利益无形地整合在一起。

认证是指认证显示，即建立企业信用信息公示体系是十分必要的，通过互联网融合线下线上信息、展示企业资质、彰显品牌价值、查询品牌真伪。

3.3.4 消费者行为理论

消费者行为理论又被称作效用理论，是指研究消费者如何在各种商品和劳务之间分配他们的收入，以达到满足程度的最大化。商品的需求来源于消费者，他们被假定为以理性经济行为追求自身利益的当事人。理性消费者的经济行为表现为，在外在环境既定的条件下，根据自身目标和有限资源做出最优的选择。

传统的消费者行为模式简称为"AIDMA"，认为消费者在整个购买过程中的行为可以划分为五个阶段，分别为：引起关注（attention）、激发兴趣（interest）、产生欲望（desire）、留下记忆（memory）、促成行动或购买（action）。在这一过程中，消费者会受到两种相反力量的激励和制约：一方面，为了自身的满足，尽可能多地消费或拥有商品；另一方面，消费者的收入或者获取收入的手段是有限的。因此，消费者的最优选择就是要把有限的收入合理地用于不同的商品，以便从消费商品中获取的"利益"最大化。所以，对消费者最优行为的理论考察要分析消费者获取商品的动机、收入约束及实现目标的条件。

消费者行为研究最早可追溯至 19 世纪中叶，它的研究发展大致可分为两个阶段，第一阶段是在 20 世纪 30 年代。在凯恩斯主义理论中，消费成为决定就业和收入水平的主要因素之一。因此，有关消费函数的理论和实证分析成为西方经济学特别是主流经济学关注的主要研究课题。库兹涅茨、弗里德曼、托宾和莫迪利安尼等人都因研究消费函数取得卓越成果而成为诺贝尔经济学奖得主，研究方法主要是基于新古典经济学的边际分析。随着营销理念的出现和行为科学知识体系的成熟，人们越来越认识到消费者导向的观念和行为科学的知识体系对研究一般性经济活动与商业实践具有非常重大的意义。紧接着第二阶段发生在 20 世纪 80 年代，得益于行为科学、心理学以及社会学等研究方法，消费者行为研究开始突破主流经济学藩篱，逐渐发展成为一门独立的应用经济学新学科。20 世纪 90 年代以来，消费者行为研究视角更加多样化。行为经济学、行为金融学以及行为营销学等相继出现，引发了消费者行为学研究观念范式、理论范式和操作范式的变革。消费者行为研究借鉴了经济学、个性心理学、社会学、文化人类学等学科理论，并应用阐释主义研究方法论，重点关注消费者的需要、动机、生活形态、自我信条、象征主义等消费者个性心理与消费购买行为之间的关系，在消费决策理论、消费动机与消费模式以及跨文化消费研究方面都取得了新进展，形成了完整的理论体系。消费者行为学作为一门独立的学科也逐步走向成熟。

3.3.5 其他营销理论

1. 整合营销理论

整合营销的思想是欧洲和美国 20 世纪 90 年代以消费者为导向的营销思想在传播宣传领域的具体体现。整合营销是为了解决人们不看、不信、不记忆广告的问题而进行的突破传统营销的一次革命，它与传统营销理论不同，整合营销理论的倡导者、美国的唐·舒尔茨教授用了一句话来说明这种理论：过去的座右铭是"消费者请注意"，现在则是"请注意消费者"。

因此，本书认为，所谓整合营销就是把各个独立的营销综合成一个整体，以产生协同效应。这些独立的营销工作包括广告、直接营销、销售促进、人员推销、包装、事件、赞助和客户服务等。因此，整合营销就是企业通过对各种营销工具和手段的系统化结合，对品牌进行一系列计划实施和监督的营销工作，使得双方在交互过程中实现价值增值，最终达到建立、维护、传播品牌以及加强客户关系的目的。

基于整合营销的概念，可以将整合营销的特征总结如下。

（1）消费者处于核心地位。企业对产品的生产、销售及各种营销活动均以消费者为中心，以实现消费者的价值为目的。

（2）对消费者深刻全面的了解，是以建立数据库为基础的。建立一个有效的消费者数据库，无论是售前服务还是售后服务，数据库都将是企业极为重要的营销宝库，同时，消费者数据库的建立需要长期坚持不懈的努力。

（3）培养真正的"消费者价值观"。与那些最有价值的消费者保持长期的紧密联系，正如管理学上提出的帕累托法则，企业 80% 的利润是由 20% 的消费者提供的。

（4）以信息的一致性为支撑点。企业不管利用什么媒体，其产品或服务的信息一定得清楚一致。

（5）整合运用各种传播媒介进行传播。凡是能够将品牌、产品类别和任何与市场相关的信息传递给消费者或潜在消费者的过程与经验，均被视为可以利用的传播媒介。

（6）建立在互联网基础上的整合营销，被称为整合网络营销。整合网络营销就是在深入研究互联网资源、熟悉网络营销方法的基础上，从企业的实际出发，根据不同的网络营销产品的利弊，整合多种网络营销方法，为企业提供解决方案。

2. 直复营销理论

根据美国直复营销协会（ADMA）为直复营销下的定义，直复营销是一种为了在任何地方产生可度量的反应或达成交易而使用一种或多种广告媒体的相互作用的市场营销体系。直复营销的"直"来自英文的"direct",即直接的意思,是指不通过中间分销渠道而直接通过媒体连接企业和消费者;直复营销中的"复"来自英文的"response",即"回复"的意思,是指企业与顾客之间的交互,顾客对这种营销能够有一个明确的回复,企业可以统计到这种明确回复的数据,由此可以对以往的营销效果进行评价。"回复"是直复营销与直接销售的最大区别。

从直复营销的定义来看,网络营销所包含的这一系列活动完全符合直复营销的理念,并成为典型的直复营销活动。互联网作为一种交互式的可以双向沟通的渠道和媒体,为企业与客户之间架起了方便的互动的桥梁,通过互联网,顾客可以直接参与从产品设计、定价到订货、付款的生产和交易的全过程。企业可以直接获得市场需求情况,开发产品,接收订单,安排生产并直接将产品送交顾客。网络营销作为一种有效的直复营销策略,源于网络营销活动的效果是可测试、可度量和可评价的。互联网信息处理高效率、低成本的特点,使企业可以及时了解消费者需求变化的情况,细分目标市场,提高营销活动效率。有了及时的营销效果评价,企业还可以及时改进以往的营销工作,从而获得更满意的营销执行结果。

网络直复营销是指企业通过网络直接分销渠道,直接销售产品。网络直复营销活动中,强调在任何地点和时间,用户与企业都可进行信息的双向交流。网络直复营销理论的内容主要包括以下几个方面。

(1)借助互联网,企业与顾客之间可以实现直接的一对一的信息交流和沟通。从网上销售的角度来讲,网络营销是一种典型的直复营销。

(2)互联网的方便、快捷使得顾客可以方便地通过互联网直接向企业提出建议和购买需求,也可以直接通过互联网获得售后服务。

(3)企业可以从顾客的建议、需求和要求的服务中,找出企业的不足,按照顾客的需求进行经营管理,减少营销费用。

(4)直复营销的一个最重要的特性,就是营销活动的效果是可测量的。网络营销是可测试、可度量、可评价的。

3. 关系营销理论

关系营销是把营销活动看成一个企业与消费者、供应商、分销商、竞争者、政府机构及其他公众发生互动作用的过程,其核心是建立和发展与这些公众的良好关系。1985年,美国著名学者巴巴拉·本德·杰克逊提出了关系营销的概念,使人们对市场营销理论的研究又迈上了一个新的台阶。菲利普·科特勒评价说:"杰克逊的贡献在于,他使我们了解到关系营销将使公司获得较交易营销中更多的东西。"

而"网络关系"营销是指企业借助互联网技术更好地实现企业与消费者、供应商、分销商、竞争者、政府机构及其他公众等双向沟通,建立良好的关系,并提高顾客的忠诚度及合作共赢。网络关系营销将更加强调个性化的营销方式,适应定制化时代的要求;它具有极强的互动性,是实现企业全程营销的理想方法。

关系营销的特征主要表现为以下几点。

(1)双向沟通。在关系营销中,沟通应该是双向而非单向的,而互联网技术是双向沟通更有效的工具。只有广泛的信息交流和信息共享,才可能使企业赢得各个利益相关者的支持与合作。

（2）合作双赢。一般而言，关系的基本状态有对立和合作两种。只有通过合作才能实现协同，因此合作是双赢的基础。

（3）情感亲密。情感因素在关系的稳定发展中起着重要作用。关系营销不仅是要实现物质上的互惠，还需要参与各方都能从关系中获得情感的需求满足。

（4）控制。关系营销要求建立专门的部门，对参与者的态度行为进行跟踪，由此了解关系的动态变化，及时采取措施消除关系中的不稳定因素和不利于关系各方利益共同增长的因素。

4. 服务营销理论

服务营销是企业在充分认识满足消费者需求的前提下，在营销过程中所采取的一系列活动。传统营销方式下，消费者购买了产品意味着一桩买卖的完成，虽然它也有产品的售后服务，但那只是一种解决产品售后维修的职能。在服务营销中，企业营销的是服务，消费者购买了产品仅仅意味着销售工作的开始而不是结束，企业关心的不仅是产品的成功售出，更注重消费者使用产品所提供服务的全过程感受。

20世纪90年代，由于生产专业化的快速发展，产品的服务需求也日益增长。同时，市场经济的充分发展使得市场由卖方市场转向买方市场，消费者的主导地位日渐凸显，消费者的需求层次相应提高，同时需求内容向多样化发展，这就要求企业特别要重视服务这一营销组合要素。

服务营销学来源于市场营销学，并在自己的空间得以茁壮发展。20世纪60年代以来，服务营销学的发展大致上可以分为以下三个阶段。

第一阶段（20世纪60年代～70年代），服务营销学的脱胎阶段，该阶段主要研究服务与有形实物产品的异同、服务的特征以及服务营销学和市场营销学研究角度的差异。

第二阶段（20世纪80年代初期～80年代中期），服务营销的理论探索阶段，该阶段主要探讨服务的特征如何影响消费者购买行为，尤其集中于消费者对服务的特质、优缺点以及对潜在的购买风险的评估。

第三阶段（20世纪80年代后期至今），理论突破及实践阶段，该阶段主要是研究在传统的4P理论不能有效推动服务营销实践的情况下，应该增加哪些新的变量来解决问题。例如，1981年布姆斯（Booms）和比特纳（Bitner）在传统市场营销理论4P的基础上增加了三个服务性的"P"，即人（people）、物质环境（physical environment）、过程（process），构成7P组合。

网络服务营销是借助互联网技术为顾客提供服务营销，其更加突出适应顾客的个性化需求发展需要，满足更高层次的需求，提高顾客满意程度，培养顾客对企业的忠诚度。对网络服务营销一般可以划分为网上产品服务营销和服务产品营销。网上产品服务营销主要是针对纯有形产品的较少服务、伴随服务的有形产品，服务是产品营销的一个有机组成部分，可以划分为销售前的服务、销售中的服务和销售后的服务。服务产品营销主要针对无形产品，是可以直接通过互联网进行传输和消费的服务产品的营销活动，对于服务产品营销需要同时关注服务销售过程的服务和针对服务产品特点开展的营销活动。相对于传统服务营销来说，网络服务营销表现出如下的一些特点。

（1）增强了顾客对服务的感性认识。服务的最大局限在于服务的无形和不可触摸性，因此，在进行营销服务时，对服务进行有形化，有利于增强顾客的体验和感受。

（2）突破时空局限。顾客为寻求服务，往往需要花费大量时间和精力去等待与奔波，基于互联网的远程服务，如远程医疗、远程教育、远程培训、远程订票等，则可以突破服务的时空限制。

（3）提供更深层次的服务。顾客可以通过互联网了解更多的产品信息，甚至可以直接参与产品的设计、制造、配送等过程，最大限度地满足顾客的个人需求。

（4）顾客寻求服务的主动性增强。顾客通过互联网可以直接向企业提出要求，企业必须针对顾客的要求提供特定的一对一服务，企业可以借助互联网低成本地满足顾客需求。

（5）服务效益提高。一方面，企业通过互联网实现远程服务，扩大服务市场范围，创造新的市场机构；另一方面，企业通过互联网可以增强企业与顾客之间的关系，培养顾客忠诚度，减少企业的营销成本。因此，许多企业将网络营销服务作为企业在市场竞争中的重要手段。

5. 高科技营销理论

随着知识和技术的进步，高科技产业也开始迅猛发展。21 世纪，高科技产品与人们的生活息息相关，而企业的发展也越来越离不开高科技产业的发展。在美国，高科技产业对 GDP 的贡献巨大，并成为美国经济持续发展最为重要的推动力之一。著名经济学家詹姆斯·保尔森（James Paulsen）说："高科技产业在今天的重要性就如同汽车工业在 20 世纪五六十年代所发挥的作用。"

所谓高科技产品是指用于商业目的并且采用高科技手段生产的知识密集且技术含量大的高附加值创新产品。与传统产业相比，高科技产品具有高技术、高风险、高收益的"三高"特点，其产品的生命周期、市场特性均有别于传统产品。具体到产品营销策略上，应当根据高科技产品的"三高"特点所带来的新的市场特点，制订针对高科技产品的营销策略。

（1）分级定价。分级定价就是企业对商品采取价格歧视的方式，针对不同的需求时间和需求内容制定不同的价格。极低的边际成本使某些高科技产品可以采取与传统产品不同的定价策略。传统产品供求基本平衡，而高科技产品一方面实际供应小于需求，另一方面供应能力又大于需求。一味地扩大实际供应会导致产品价格的大幅下降，限制供应又会浪费潜在的资源。在这种情况下，可采取分级定价的营销方式。

（2）联合开发。联合开发多发生在上下游厂商之间，由于高科技产品的高投入性，使得企业在产品开发的过程中需要充分利用内外部的各种资源，与上下游厂商合作研发，分散开发风险。同时，高科技产品的高收益性是企业上下游厂商能够通力合作的动力。

（3）产品赠送。由于高科技产品的延续性和继承性很强，消费者的后续购买行为对企业的影响举足轻重，如软件、通信系统等。企业在初始阶段赠送产品给消费者的成本远远低于消费者后续购买给企业带来的利润。因此，企业采用产品赠送的策略不仅能够给消费者留下良好的印象，而且能产生忠诚的消费需求，从而给企业带来丰厚的收益。

（4）技术培训。由于高科技产品的复杂性和知识性，消费者在使用过程中难免会遇到困难，这就需要企业对消费者进行相关的技术培训。技术培训是企业向消费者展示其产品和经营理念的桥梁，使消费者在充分了解产品性能和技术的同时潜移默化地认同企业的经营理念，从而在更高程度上提高消费者的忠诚度。

6. 全球营销理论

全球营销理论的概念最早是由李维特（Levitt）于 1988 年发表的题为《市场全球化》的学术论文中提出的。全球营销理论的产生主要源于四个因素：产业的全球化、市场的全球化、顾客的全球化、竞争的全球化。全球营销可细分为初级阶段和高级阶段。初级阶段的全球营销往往只在个别职能上实现了全球化，如采购或生产等方面；而高级阶段的全球营销则几乎在所有可能产生竞争优势的环节都实现了全球化，建立了全球网络，在全世界范围内进行采购、生产、研究开发、信息扫描、人力资源等重要职能的分工，各自相对专业化，但彼此之间又相互高度依赖。

全球营销中最常面对的问题之一是在多大程度上选择标准化和差异化政策。毕竟，各国消费者需求之间虽有很多共同点，但也存在着不小的差异。全球营销者通常都更重视各国消费者需求的共性，而非差异性。他们尽管也会根据市场的差异将针对全球的标准化营销组合做一些调整，但却不会为了适应而适应，只有在能够切实增加顾客利益的地方才进行修改。而且，全球营销公司总会要求在部分营销组合要素上保持绝对统一。全球营销的中心任务不再是对国别的特定的市场营销活动的个别优化，而是更多地优先考虑不同国家的商业利益如何隶属于企业的全球性战略目标。企业在确定全球任务时，应以战略的眼光看待全球市场的选择与进展，注重全球市场规模的整体优化。全球营销战略作为世界经济全球化和一体化应运而生的产物，与一般的国际市场营销有着显著的差别，其主要特征如下。

（1）全球营销战略完全突破了国界的概念，从某种意义上讲完全抛弃了本国企业与外国企业、本国市场与外国市场的概念，把世界市场作为一个统一的经济单元来看待。

（2）全球营销战略强调的是在把握世界某一国家或某一区域市场机会的同时，更加需要衡量与测度该市场是否有利于实现整体目标。并且更多地注重该市场对实现全球目标的战略性盈利潜力的贡献。

（3）全球营销战略是在全世界范围内考虑选择市场机会，制订营销计划和分配营销资源的。其选择的基础是公司的长期目标和长期利益。例如，美国通用食品公司和雀巢公司就是全球市场范围内的竞争对手。

（4）全球营销战略把世界市场看成由少数几个标准化的市场群组成，而不是许多风格各异的国别市场组成的。

（5）全球营销战略强调营销效益的国际比较，通过组织，实现全球资源配置的最优化，提高企业的整体效益。

3.4　网络环境下的消费者行为理论

3.4.1　网络消费者偏好

网络消费者偏好是指在目前网络高速发展的背景下消费者对于所购买或消费的商品或服务的喜好胜过其他商品或服务，又称"消费者嗜好"，消费者偏好会受到文化因素、经济因素、社会因素等多种因素的影响。它是对商品或服务的优劣性所产生的主观的感觉或评价。常见的消费者偏好主要有以下几种。

（1）习惯性。由于消费者行为方式的定型化，经常消费某种商品或经常采取某种消费方式，就会使消费者心理产生一种定向的结果，这就是习惯。这种动机几乎每个消费者都有，只是习惯的方面及稳定程度不同。

（2）方便性。方便是消费者把方便与否作为选择消费品和服务以及消费方式的第一标准，以求在消费活动中尽可能地节约时间。

（3）求名需求。求名是消费者把消费品的名气作为选择消费品和服务的前提条件。购买活动中，首先要求商品是名牌。只要是名牌，投入再多货币也情愿。求名偏好多是基于消费者对名牌商品质量的信任，有时也受消费者情感动机的影响，但是，这一偏好受收入和产品价格的约束。

在目前的环境下，影响消费者偏好的因素主要分为以下三种。

（1）生活方式。生活方式不同，偏好也不同，并且生活方式随着时间的推移而变化。

（2）生产者的劝说。也许消费者原本没有把某种商品作为目标，或者对某种新产品一无所知，但制造商和经销商大肆地进行广告宣传，不知不觉打动了消费者，使消费者产生了某种偏好。

（3）消费风气。有些人的消费行为不是根据本身需要，而是看别人购买什么，自己就购买什么，即"示范效应"。

3.4.2 网络中的消费者行为模式

由于传统的市场是单向的，缺乏互动与沟通，因而传统的消费者行为模式的形成也具备单向特点。随着网络的飞速发展，网络购物环境的演变为消费者的购物行为提供了极大的便利，由此网络消费者的行为模式也发生了新的变化。在网络环境下，消费者的行为模式已逐渐演变为 AISAS 模式，即引起关注（attention）、激发兴趣（interest）、自主搜索（search）、购买行动（action）、分享体验（share），如图 3-2 所示。

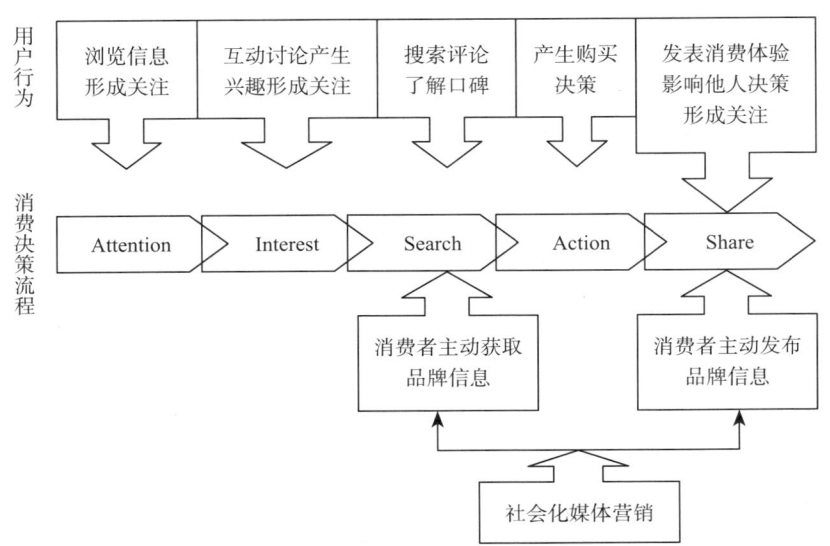

图 3-2　AISAS 模式

网络消费者行为模式的改变主要在于自主搜索和分享体验两个环节，这两个环节的出现也体现了网络时代的消费市场与传统市场之间的差别。网络时代，传统的广告模式已经很难再引起消费者的兴趣，只有将信息放在消费者看得到的地方才能引起关注。因而互联网平台上的品牌信息传播对于网络消费者的消费行为产生了较大的影响，可用以帮助消费者进行自主搜索了解品牌，从而产生购买需求。在购买之后的体验分享环节，由于网络消费者对于口碑有着较大的信赖度，因而这一环节也成为网络消费者在消费之后完善购买过程的重要环节。

企业不能再将眼光局限地放在传统营销平台之上，更应该将长久的发展策略随着消费者心理与行为的转变而重新定位，这样才能从注意力经济中寻得一席之地。这就需要企业在网络时代更加注重互动与讨论所带来的经济效益，以帮助自身定制合理的营销策略，找到突围之路。总而言之，网络时代消费者心理与行为特征已趋于主动化、互动性，不再适用单向市场的营销策略，双向沟通的网络平台更能满足网络消费者需求。

3.4.3 "网红经济"中的消费者行为

随着互联网的不断发展，越来越多的互联网新兴事物开始出现，"网红"作为新的社会群体，以网民对自身的关注度为途径，给自己带来经济效益，"网红"也可以说是当代的一种新兴职业。随着互联网经济的不断发展，"网红"数量的不断增加，粉丝群体的不断壮大，当产生的经济效益达到一定的可观程度时，便形成了"网红经济"模式。在"网红经济"的背景下，传统的消费者行为便会受到一些影响，来适应新的环境以及新的模式。"网红经济"主要有以下四个特征。

（1）对自媒体营销依赖度高。绝大多数的"网红"都是通过自媒体平台，为自己找到"人设"，投其所好，找到网民的关注点。他们迎来了大数据，于是他们共同形成了"网红经济"。他们起源于自媒体，也更加依赖于自媒体的发展。如微博和淘宝出现的"网红"直播带货和整点秒杀等活动，"网红"和自媒体已经形成了相互依赖的局面。自媒体时代彻底颠覆了传统媒体的话语霸权，这既是机遇又是挑战，每一个人都可以利用各种自媒体的表现形式拥有自己的媒体。

（2）运营成本低。"网红"大多都依赖于自媒体，而大多数自媒体都是免费的，所以对于"网红经济"来说，他们的运营成本都不是很高。

（3）顾客忠诚度高。"网红电商"的顾客大多是其粉丝，利用"网红"自身的影响力，将这些粉丝转换成顾客的概率要远远大于陌生人。如果在商品可靠的情况下，粉丝的忠诚度高，重复购买率会远超其他顾客。

（4）产品针对性强。因为"网红电商"的受众群体比较特殊，不同于一般的顾客，可以利用"网红"对于顾客的影响力，所以其商铺可以及时获取粉丝回馈，快速抓住粉丝的需求，提高其所营销产品的针对性。

"网红经济"的背景下，其对消费者行为的影响主要有以下三点。

（1）对消费者价值观的影响。粉丝对于"网红"本身就有一些崇拜的个人情感，现在的网红不但做广告，还会直接引导消费者的价值观，在消费者对该领域一知半解的情况下，消费者的行为可能直接被"网红"影响。

（2）利用消费者的消费心理。在网络上，凭借着庞大的粉丝基数，利用消费者的从众心理，改变消费者的行为轨迹。对于粉丝这一消费人群，"网红"卖给他们的通常不是物质上的产品，而是精神上的产品。粉丝喜欢"网红"，主要原因是"网红"满足了他们精神上的需求。

（3）利用网络时代的营销方式。在互联网时代，由于庞大的网络用户数量以及网络购物受众群体的影响，传统广告的作用明显下降。人们经常通过互联网接触各种各样的广告，这也使得在线营销的发展越来越快，各行各业都在寻找在线营销的热点。互联网没有传统广告的强制性和耗时的特点。任何能接触互联网的人都可能会看到你的营销信息，这是传统广告远远达不到的。例如，"网红"的直播视频在各大 App 上进行推荐，即使许多不看直播的人，也会经常在推荐首页上看到"网红"，以及"网红"相关的产品推荐，这就给大家留下了既定印象，在购买产品时，人们往往会选择购买自己有印象的产品。这样一来"网红"就成功实现了销售目标。

21 世纪发展起来的"网红经济"抓住了互联网发展的便利，成功为自身带来了经济效益。作为消费者，我们也应当理性、全面地看待"网红经济"。

案例分析

58 同城的网络营销

58 同城是一个本地城市资讯网络平台，由从万网辞职的姚劲波成立于 2005 年 12 月 12 日。58 同城曾获得过软银亚洲赛富基金、DCM 等机构的多轮风险投资，总额高达 2 500 万美元。2010 年 12 月，58 同城价值 6 000 万美元的第三轮融资到位，此次融资由华平投资领投，58 同城 CEO 姚劲波个人跟投 500 万美元。58 同城新增用户以 5 万人/日的速度迅速增加，每位用户平均浏览页面约为 10 个，每日发帖量达到 100 万。58 同城流量一度跃升生活服务类网站第一名，访问人数和页面访问量也曾在行业内遥遥领先。

作为中国最大的分类信息网站，本地化、自主且免费、真实高效是 58 同城的三大特色。其服务覆盖生活的各个领域，提供房屋租售、餐饮娱乐、招聘求职、二手买卖、汽车租售、旅游服务、交友征婚、兼职服务等多种生活信息，覆盖中国所有大中城市。本地用户可以在 58 同城上了解商品及服务的详细信息，并且如果是自己想要的，可以通过 58 同城直接与卖方联系，真正做到方便快捷。其中，个人可以在 58 同城上免费发布信息，这也诠释了 58 同城"通过互联网让人们生活更方便"的使命。

产品服务

58 同城作为中国大型的服务性分类信息网站，主要面对个人用户，用户可以在其平台上免费发布自己的信息。同时，需求方也可以及时了解到对自己有用的信息，使自己的需求尽快得到满足。不仅为个人用户提供了资源丰富、信用度高、交互性强的分类信息平台，同时开通了酷车网、团购网，为用户提供更多的服务；并为商家建立了以网站为主体、辅以直投杂志《生活圈》、杂志展架、LED 广告屏"社区快告"等多项服务的全方位的市场营销解决方案。

此外，58 同城也展开移动互联网战略布局，开通了 WAP 网站，让手机用户可以随时随地使用分类信息。用户可以进入 58 同城首页进行分地区、分类别浏览，也可以按照关键词搜索要找的分类信息，并且用户能直接与信息提供者取得联系。用户也可将分类广告发布到58同城上,当网民检索或者通过分类目录进行浏览时即可看到发布者的广告。发布者可以留下电话、E-mail、QQ以及联系人等信息,有意向的用户可以在短时间内与发布者达成交易。

经营策略

58同城属于一种"近联网"的模式。"近联网"这种商业模式使整个城市就像一个大社区,城市中的每个人都可以利用网上提供的免费服务,完成就近交易。"近联网"模式不仅服务个人,还能为所有具有地域性服务特点的中小企业提供信息发布与广告平台,在这方面,"近联网"具有巨大的优势。它强调的是一种地域性的交易,很自然地减少了电子交易的风险性问题。

58同城就是采用了"近联网"的模式,在天津、上海、广州、深圳、武汉、哈尔滨、青岛、石家庄、大连、苏州、沈阳、成都、重庆、长沙、南京、郑州等20多个城市成立了分公司,目前已经在376个城市开通分站。使当地用户可以在本地区的58同城网站上搜索自己需要的商品和服务,以减少在网上异地购物的风险。同时,58同城的品牌定位是"身边的生活帮手",因此它一直在不断完善自己的"近联网"经营模式,以更好地实现自己的品牌定位。并且在58同城上发布信息是免费的,因此吸引了大量用户注册登录,这也为网站带来了巨大的流量,同时也使自己的网站获得了大量的免费推广。

案例点评

在商业模式上,"近联网"属于一种成熟而且较为成功的模式,但这种成熟又成功的模式在中国却没有一个好的盈利方向,经营很模糊,这也是大多数分类信息网站的通病。本地化、自主且免费、真实高效是58同城网的三大特色,在这三大特色的基础上58同城正在探索既符合分类信息网站特征又具有自己特殊竞争力的经营及推广模式。在盈利模式上,现在其盈利模式主要通过广告收入、用户增值服务付费和建立在产品基础上的商家付费等多种盈利方式。多种盈利方式相结合,可以分散在经营过程中的风险,从而使企业可以在激烈的竞争中不至于大起大落,实现稳步发展,这对企业的长期发展壮大至关重要。

资料来源:百度文库,https://wenku.baidu.com/view/e56f6eb8960590c69ec3764d.html?fr=search-1-wk_sea_es-income3-psrec1&fixfr=saMrLigDetXRb63dzZax7w%3D%3D。

【案例思考题】
1. 试分析该案例中58同城运用了哪些网络营销的思想。
2. 利用自己所学的知识,尝试为58同城设计一个网络营销方案。

本章小结

在网络环境下,产生了新的社会形态——网络社会,它是一种与现实社会既相区别又紧密联系的新的社会形态,网络社会的客观存在已经成为共识。社会网络则从另一个视角来探讨社会个体成员之间互动而形成的相对稳定的关系,其包含两个基本构成要素:节点和关系。

在网络信息传播规则方面,网络充当了重要信息传播媒介,并使信息传播表现出与传统传播方式不同的规律,如信息相对价值规律、信息梯度转移规律、信息循环规律。

网络经济是一种建立在计算机网络基础之上,以现代信息技术为核心的新的经济形态。它受到网络的基本规律(如摩尔定律、梅特卡夫定律、吉尔德定律)的影响,同时表现出了自己的特征,如高渗透性、外部经济性、可持续性、直接性等。

在信息高速膨胀的今天,注意力经济成

为网络经济环境中最重要的资源,注意力经济论者认为,现在世界上的信息量是无限的,而注意力是有限的,有限的注意力在无限的信息量中会产生巨大的商业价值。

在网络消费的主体方面,互联网环境下,网络主体表现出许多不同的心理特征,并形成了不同的行为。

虽然网络营销表现出了许多不同特点,但营销的本质没有变,网络营销的理论基础应该建立在传统营销理论基础之上。本章最后探讨了"网红经济"背景下的消费者行为。

关键词

网络社会　　　社会网络　　　三大竞争性战略　　　网络营销理论
网络消费者偏好　　网红经济

综合复习题

思考题

1. 试描述网络社会发展的三个阶段。
2. 试阐述社会网络的相关理论。
3. 网络信息传播的基本规律是什么?用实例进行解释说明。
4. 试描述网络经济的概念及基本规律。
5. 试描述三大竞争性战略。
6. 什么是超市场细分理论?
7. 网络营销理论中的 4P、5C 分别指什么?
8. 阐述网络环境下的消费者行为理论,以及在此环境下消费者有哪些特征。
9. 网络服务营销的概念及特点是什么?
10. 网红经济模式是从哪些方面影响消费者行为的?

讨论题

1. 简述网络社会的发展趋势。
2. 试分析系统自组织演化为什么正方向增强。
3. 分析网络经济的发展规律。
4. 网络直复营销理论的内容主要包括哪些?
5. "网红经济"所形成的群体会逐渐壮大吗?

网络实践题

1. 上网查询更多有关网络营销的相关理论,并和同学探讨。
2. 上网查询相关实例来说明网络信息传递的基本规律,并进行讨论。
3. 上网查询有关 4P、5C 理论的相关信息并比较它们的不同。
4. 试分析当自己身处"网红"的网络营销下,自身的消费行为将从哪些方面被影响。

第 4 章
CHAPTER 4

网络营销战略

§ 本章导读

网络营销战略是企业在现代网络营销观念下，为实现其经营目标，对一定时期内网络营销发展的总体设想和规划。在激烈的市场竞争中，网络营销战略中的差异化战略值得重点关注，而差异化战略的制定需要对网络营销市场进行深入细致的分析，以形成网络营销战略规划制定的基础。本章对网络营销战略规划的主要内容进行介绍，从战略规划层面介绍网络市场细分的主要工作，在分析网络营销战略规划活动所必需的基础知识和关键步骤的基础上，提出网络营销战略规划的制定需要注重的基本原则。本章还对网络营销战略的实施工作进行系统性设计，为学生实践网络营销战略管理工作提供决策支撑和方法指导。

§ 学习目标

- 掌握网络营销战略定位的核心作用
- 了解网络营销战略中的差异化战略
- 掌握网络营销战略规划的主要步骤
- 了解网络营销战略规划的基本原则
- 掌握网络营销战略规划实施的具体内容

§ 引导案例

散户狂欢：互联网时代华尔街的一次滑铁卢

现代社会，几乎每个人都有这样的童年经历，被父母牵着走进一家琳琅满目的玩具店，放眼望去，梦寐以求的玩具铺天盖地，每一件都好看，每一件都想要，每一件都想拆开来玩一玩。那种兴奋感和满足感，在幼小的心灵中凝聚成一种情结，在我们对世界的好奇心和审美能力形成的过程中推波助澜。可以说玩具店里寄托着孩子们对童年的美好回忆。

全世界最大的玩具店开在美国。一家名叫游戏驿站的商业集团，是目前全球规模最大的电视游戏和娱乐软件零售业巨头。游戏驿站虽然是一家美国公司，但在全世界有5 000多家连锁店面。然而，近年来，受到电子商务发展的影响，和许多其他领域的零售实体店面一样，游戏驿站也受到冲击，店面数量逐年被迫减少。2020年，游戏驿站在全球的线下店面数量为5 122家，比2019年同期减少602家。2020年的新冠疫情对游戏驿站而言更是雪上加霜式的打击，再加上疫情期间美国爆发各类抗议活动，使得游戏驿站的经营业绩一路走低。其发展不被市场看好，又被华尔街的精英做空，一路跌成"垃圾股"。然而，这只被投资者抛弃的股票却在2021年的开年逆势而上，成为一只表现抢眼的明星股票，吸引了全世界的目光。

1. 趁火打劫的金融"大佬"

电子商务的发展重构着现实中的商业逻辑，让一部分新兴的互联网企业迅速崛起，也让一些传统的商业模式日薄西山。随着消费者对于网络购物的依赖逐步增强，传统的线下商业日渐凋零。进行业务发展模式的转型对于传统企业而言无疑是在数字时代生存下去的必由之路。游戏驿站也不得不积极探求线上运营之路。

到了2021年1月中上旬，游戏驿站痛定思痛，推出了一系列改革举措：任命三个新董事，规划了电子商务运营的渠道，并且向市场发布了要加大线上运营的消息。果然不出意料，其股价大涨了一波。然而，华尔街的一些机构显然并不买账，依然对游戏驿站看跌，并且试图通过做空游戏驿站来赚取高额利润。

在金融业，做空是一种常见的投资运作模式。做空时，投资者先借入目标资产，然后再将其卖出获得现金；过一段时间之后，资产的价格下降了，再支出现金买入目标资产归还欠账，以赚取中间的差额。总结起来，就是先借了卖出，然后再买了归还。可见，做空得以成立的前提是预期目标资产的市场价格会下跌，下跌得越多，投资者能够赚的差额就越多。

以华尔街金融"大佬"们敏锐的市场嗅觉、娴熟的操盘经验，以及强大的资本实力，他们的意图和行动对于市场的变化有着深远的影响。一家企业的股票若是被华尔街的做空机构盯上，其命运恐怕难以乐观。实体店走向衰落是数字时代发展背景下的集体共识，而反映在股票价格中的投资者信心，在很大程度上产生于企业经营的前景。平心而论，如果不对传统的经营模式进行深入彻底的改革，华尔街"大佬"们对于游戏驿站的判断是有道理和依据的。

游戏驿站这家曾经承载着少年儿童美好记忆的实体店，在互联网崛起的当下，深刻地感受到了时代变迁的寒意，以及逐利资本家的理性。

2. 被挽救的童年记忆

游戏驿站在风雨中飘摇，即将成为华尔街金融"大佬"的囊中之物。这个时候，奇迹发生了。拯救游戏驿站的不是披着红色披肩的超人，也不是戴着红色面罩的蜘蛛侠，而是那些通常被低估和轻视的，甚至被戏称为"韭菜"的普通散户。在股票市场中，普通散户由于缺乏资金和信息优势，通常只能成为游戏规则的接受者，因而极易被"大佬"们引诱和利用。然而，这次情况不同了，游戏驿站所拥有的一种特殊资源开始发挥作用，让众多普通散户一起形成合力帮助它暂时摆脱了困境。这种特殊资源由以下几个要素构成。

一是根植于人们内心的情结。游戏驿站的玩具店承载着无数年轻人童年时的美好回忆，这些美好的回忆成为一种情结，许多人甚至认为只要游戏驿站在，自己的童年就不会消逝。

二是社交网络中的集体动员。游戏驿站的困境受到了美国散户的线上大本营、Reddit论坛旗下的"华尔街赌注"（Wall Street Bets）板块的散户们的关注。他们开始号召大家以实际行动抵制华尔街金融"大佬"们对于游戏驿站的做空围剿，团结起来购买游戏驿站的股票，还在网络中对华尔街金融"大佬"们展开攻击，以制造舆论压力。

三是集体情绪的传染与蔓延。挑战权威、反对精英的情绪，借助社交网络强大的传播力在散户间迅速扩散。基于财经观察家诺沃格拉茨对Reddit网站的观察，他在NBC网站发表观点："美国的代际冲突蔓延到了股市。昨晚我在Reddit论坛待了一小时，看到一种情绪，我在国会暴乱中看到过这种情绪，在'黑人的命也是命'的抗议活动中看到过。"

3. 因为喜欢，所以任性吗

在散户们的合力下，游戏驿站的股价开始疯涨，从不到3美元的"垃圾股"涨到483美元的历史新高。逆势而涨的股票，给华尔街的金融精英机构造成了致命打击，多支主力基金严重亏损，有的甚至面临破产。2021年1月28日，忍无可忍的华尔街进行了回击，他们的手段极其简单粗暴，试图关掉散户论坛，并严禁买入散户集中拉抬的股票。于是，当天的对决以散户抱团股暴跌告终。然而，华尔街精英机构还没缓过神来，1月29日开盘后，散户抱团股又重新启动了暴涨模式。

游戏驿站的拯救者千千万万，其中有一位关键意见领袖（KOL）——基斯·吉尔（Keith Gill），他是Reddit的用户，同时也是YouTube上的主播。在这次事件中，他成为许多散户网民眼中的英雄。他制作并发布的视频推动了游戏驿站股价上涨。视频中的吉尔坐着红色的游戏椅，身后还贴着一张海报，上面有一只小猫。吉尔反复向他社交网络中的粉丝表达购买游戏驿站股票的原因。他的原因很简单，他说："我喜欢这只股票。"这句短语已成为Reddit上的集结口号。

对于散户个体而言，购买经营业绩下滑、不被精英投资者看好的股票，无疑是非理性的选择。可这个事件就神奇在，众多的非理性选择汇集起来后，让每一位进行了非理性选择的普通散户因此而受益。还有媒体观察者发现，有人在Reddit上声称要将游戏驿站的股票拉到1 000美元以上，居然获得了6 000多条支持者的响应回复。也有人怀疑有幕后操纵者在对散户进行"带节奏"式的诱导。但Reddit的首席执行官史蒂夫·霍夫曼（Steve Huffman）公开表示没有任何证据表明社交网络受到操纵。

4. 尾声：华尔街会让位于网民狂欢吗

在散户的狂欢中，华尔街的金融精英们无疑感受到了阵痛，开始动作变形。先是触及底线，居然试图关闭Reddit，让散户无法在网络空间中集结，这显然无法得逞，散户们一天之后便又开始聚集，并发起更为猛烈的进攻。后有部分金融精英开始抛弃传统优势业务，退出散户聚集的领域。这些都让我们看到了散户狂欢的力量。网络有利于观点的汇集，从而为狂欢这种特殊的集体行动的产生提供了适宜的环境。

互联网自诞生以来就存在对精英和权威的消解性，在诸如百科知识生产、内容制作、开源软件开发等领域，我们都能观察到基于网络的集体价值共创对传统专业人士功能的替代。那么，世界金融枢纽华尔街会就此让位于散户狂欢吗？

资料来源：陈曦，吴茂茂，赵书虹，等. 散户狂欢：互联网时代华尔街的一次滑铁卢 [EB/OL]．（2021-12-07）[2023-06-03]．http://www.cmcc-dlut.cn/Cases/Detail/5749.

【案例思考题】
1. 在做空游戏驿站的过程中，华尔街的金融精英们为什么遭遇了巨大亏损？
2. 华尔街金融精英们对于游戏驿站长期发展趋势的判断是错误的吗？
3. 在 Reddit 上，为何迅速聚集起大量散户，并且大家迅速就达成了共识？
4. 类似游戏驿站逆袭的案例是否还会在未来得到复制？作为金融枢纽的华尔街会渐渐失去对投资市场的控制，让位给网民狂欢吗？

4.1 战略规划

战略（strategy）的概念最早源于战争的实践，是筹划和指导战争全局的方略。强调站在宏观全局的角度，客观地分析内外环境，审视当前的形势，在充分掌握自身优劣信息的基础上，制定出指导参与全局作战的方略。企业战略是指企业为了适应未来环境的变化而寻找长期生存和稳定发展的途径，为实现这一途径优化配置企业资源，并制定长远和总体性的谋划与方略。随着互联网的快速发展，企业从有形市场转向网络市场，企业的目标市场、企业组织、用户关系、营销手段及竞争形态等发生了变化，企业既面临着全新的挑战，也面临着无限的市场机遇。因此，在网络时代，企业必须确立相应的战略，提供比竞争者更有价值的产品、更有效率的服务，扩大市场规模，以实现企业的经营目标。

规划，即进行比较全面的、长远的发展计划，是对未来整体性、长期性、基本性问题的思考和考量，以及设计未来整套行动的方案。战略与规划既有区别又有联系，一般来说，战略强调方向，规划强调步骤，但有时人们会把战略和规划混用。例如，"蓝海战略""红海战略"又称为"蓝海计划""红海计划"，"军事战略"又称为"军事规划"。规划是为战略服务的，是战略的具体实施和操作，有什么样的发展战略，就应该有什么样的发展规划与之相匹配。战略规划既强调未来发展的方向，又关注达到未来战略目标的具体策略。战略、规划与战略规划的关系，如图 4-1 所示。

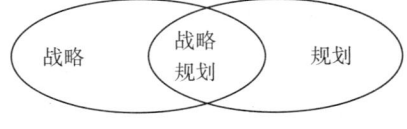

图 4-1 战略、规划与战略规划的关系

4.1.1 战略规划的基本定义

战略规划是指对重大的、全局性的、基本的、未来的目标、方针、任务的谋划。战略事关政党、国家、社会组织、集团的重大问题，属于大政方针的制定。它所规划的范围涉及大方向、总目标及其主要步骤、重大措施等方面，这就要求在战略规划的制定中必须注意以下几点。

（1）要用总揽全局的战略眼光，全面把握事物发展的大方向、总目标。立足全局，着眼未来，从宏观上考虑问题。

（2）规划长远目标与确定近期任务紧密结合。

（3）增强战略规划的预见性。

4.1.2 信息化战略

依据波特和明茨伯格等管理学家的理论，公司信息化战略应与公司总战略相提并论，总体层面的信息化战略可在组织设计、资源分配、改善管理等方面保障企业绩效目标的实现。

1. 信息化战略实施过程

以国有企业为例，企业自身已经拥有成熟的管理模式和相关管理制度以及经营模式。因此企业实施信息化管理的首要任务就是将信息技术融入当前已经成熟的管理模式中，实行企业管理与经营模式的变革，从而真正意义上实现企业信息化管理。

确定首要任务之后，需要进一步推动首要任务的执行。为了从实际上推动企业管理变革，首先要确定企业管理变革的方向，在此基础上具体细化实施步骤。确定企业管理变革的方向，需要企业进行自我定位，将自身所在行业、内部组织结构及经营管理模式等梳理清晰，再在信息时代的大背景下，找到符合自身发展的变革方向。只有在此基础上进行具体的操作，才能保证企业在进行信息化管理变革的过程中不会迷失方向。

另外，需要注意的是，企业在具体进行信息化管理的过程中，需要建立完整而科学的信息系统。对于国有企业而言，内部资源众多，组织结构庞杂，经营环节繁复，只有建立完整科学的信息系统，才能发挥信息化管理的最大优势。从宏观上看，信息系统需要囊括三个板块的内容：企业入口、电子商务以及网络服务。这三个板块基本能够涵盖一个国有企业经营管理中的方方面面。三个板块内部的具体细化则需要根据企业的具体情况而定，不同企业内部的组织结构、经营环节等都各有不同，因此需要具体情况具体分析，建立专属于自身的信息系统。

2. 各行业信息化战略举例

（1）土木工程行业。目前，我国的土木工程实施信息化，需要主要实现以下四个战略目标。第一，利用现代网络技术开展信息公开、网络办公以及远程政务等工作，建立一套高效、廉洁以及清晰的政府监管体系，从而有效提升我国各级建设行政管理部门的管理质量以及决策水平，更好地为我国人民群众服务，构建公平、公正的建设市场。第二，利用现代互联网技术改善土木工程，使其与时俱进，尤其是要实现各种信息的共享、互通以及互联，使我国建设产业的结构更加合理，从而能够优化各种资源配置。这样就可以建立完善的土木工程信息化新产业，改进土木工程的工作模式以及思维方式，有效增强土木工程施工效率，保证其社会价值，提升其工作质量。第三，土木工程行业作为我国现在的支柱产业之一，通过土木工程信息化，可以很好地推动我国土木工程行业的发展与进步，还能够促进相关产业的进步，获取更多的经济增长点，更好地建设我国的社会经济。第四，土木工程应用信息技术能够使相关企业的核心竞争力以及综合实力都获得显著的提升。特别是在我国加入 WTO 之后，我国企业不仅要和本国企业竞争，还需要走出国门与世界上其他企业进行竞争，而土木工程信息化将使我国相关企业更好地与国际接轨。

（2）教育行业。教育信息化战略规划又称为教育信息化规划、教育信息化发展规划、教育信息化发展战略等。教育信息化战略规划是关于教育信息化如何发展的全局性的总体发展计划，其主要内容包括教育信息化发展的战略目标、战略措施及实现战略目标所需要完成的具体战略部署等。教育信息化战略规划可以看作是一个研制规划或政策的过程，其结果是形成教育信息化发展规划或教育信息化政策。教育信息化是一个宏观概念，与教育技术、信息技术教育、远程教育和教育现代化密切相关。教育技术、信息技术教育和远程教育为教育信息化发展提供支持，最终实现教育现代化。因而教育技术政策、信息技术教育政策、远程教育政策都可以看作是教育信息化的子政策，都属于教育信息化战略规划的内容。

（3）炼化企业。炼化企业的信息化是服务于炼化企业的发展目标与经营战略的信息化建设和发展的整体思路与指导体系。从多年来炼化企业信息化建设的实践来看，由于炼化企业业务流程较复杂，员工较多，从事信息化的人员以信息技术人员居多，多侧重于技术，与企业的管理人员沟通不够，对炼化企业信息化的需求认识还有待提高，因此在进行炼化企业信息化战略制定时，要充分做好企业的需求分析和调研工作，以保证企业的信息化战略服从和服务于企业的发展战略，在企业战略指导下，综合分析制定炼化企业的信息化战略。

炼化企业信息化战略应有明确的信息化发展目标、发展愿景和信息政策等内容，并针对信息基础设施的现状，进行有效的需求分析和综合管理调研，找出信息化在炼化企业成功的关键因素，确定炼化企业信息化建设需要解决的关键问题。通过对战略需求的分析，从炼化企业发展的高度把握信息化建设的方向。炼化企业信息化战略的制定过程是在对企业战略充分理解的基础上进行的，这就要求制定信息化战略的人员不仅要具有战略规划能力，还要具有炼化企业信息化体系构造的能力。炼化企业信息化战略的制定主要分为三个方面，即炼化企业战略研究和现有信息化资源研究、炼化企业信息化战略框架的制定、炼化企业信息化战略实施体系。

4.1.3 "互联网＋"战略

2015年3月5日，时任国务院总理李克强在第十二届全国人民代表大会第三次会议上作政府工作报告，其中提出制定"互联网＋"行动计划。"新兴产业和新兴业态是竞争高地。要实施高端装备、信息网络、集成电路、新能源、新材料、生物医药、航空发动机、燃气轮机等重大项目，把一批新兴产业培育成主导产业。制定"互联网＋"行动计划，推动移动互联网、云计算、大数据、物联网等与现代制造业结合，促进电子商务、工业互联网和互联网金融健康发展，引导互联网企业拓展国际市场。国家已设立400亿元新兴产业创业投资引导基金，要整合筹措更多资金，为产业创新加油助力。"

作为互联网科技产业的一线代表，全国人大代表、腾讯公司董事会主席兼首席执行官马化腾在2020年两会期间建议，从顶层设计层面制定国家的"互联网＋"发展战略，推动"互联网＋"健康发展的指导意见尽快出台，促进互联网与各产业融合创新，在技术、标准、政策等多个方面实现互联网与传统行业的充分对接，并加强互联网相关基础设施的建设。

4.2 网络营销战略

4.2.1 网络营销的战略定位

网络营销战略定位是网络营销推广策略中最重要的一个策略,因为所有的活动做好了定位,有了准确的受众对象,网络营销推广工作后面的内容实施才有意义,就像你要做漂亮的裙子的营销,结果把对象锁定错了,那么后面的步骤也会跟着出错,更别说营销效果了。那么,怎么做好网络营销的战略定位呢?

1. 网络营销战略定位的内容

战略定位的核心作用是帮助企业找到正确的经营战略目标,包含两个层面的意思:一是企业对自身的经营方略,以及目标用户群体有较为明确的定位;二是在企业战略锁定的目标用户群体中树立企业的形象和产品的形象。定位(positioning)是明确目标、树立形象的过程。企业想要在市场竞争中获得成功,不仅要使企业本身和所经营的产品具备一定的竞争优势,还要在公众口碑中确立自身声誉地位,培养细分市场。企业的战略定位可以从产品品牌、企业形象、服务质量、技术优势等方面着手打造。

基于定位战略的营销沟通能使用户按照企业所期待的方式来对产品和服务品牌产生认知,执行和实施定位战略也是企业塑造自身在用户心目中产品和品牌形象的过程。企业通过对自身产品和品牌形象的引导、构建与塑造,以形成自身区别于竞争对手的差异化竞争优势。在互联网时代,特别是在企业的网络营销中,信息在企业与用户之间的及时沟通反馈尤为重要,甚至可以说,企业产品进行网络营销的过程,就是向用户传递信息,并塑造用户心目中品牌形象的过程。定位战略直接服务于企业的市场策略,为企业产品带来差异化的竞争优势,从而在用户心目中完成产品形象的塑造与构建。一般来说,网络营销战略定位的对象包括以下几类。

(1)产品特性定位。特性是指产品或服务具备某种优势的性质,如外观、成分构成、性能等。有些企业在网络营销中使用独有的营销卖点或功能,比如亚马逊的"一键式结账功能"就是在产品使用功能方面的特性定位。

(2)技术定位。技术定位表示企业在网络营销中采用的某种技术具备某种领先优势。技术定位带来的优势对于网络经营企业尤为重要。

(3)利益定位。利益定位是企业产品对于用户需求的把握和反应,即该特性对用户有什么用。例如,荷兰美素佳儿奶粉的网站会定期向父母们提供育儿方面的建议和咨询,向父母传递有价值的信息,使网站与父母们建立起联系。

(4)用户类别定位。用户类别定位指的是企业产品满足特殊用户群体需求而产生黏性。如果企业产品对于某个群体的黏性比其他群体更强,那么这个定位便成功了。雅虎公司的Groups网站可以让用户根据自己的兴趣爱好组成若干社区,用户可以和其他有相同兴趣爱好的人交流;人人网是针对在校大学生的社交媒体类网站,其用户群体基本是在校大学生。

(5)综合定位。综合定位指的是企业将自身产品和服务定位于能够向用户提供满足存在关联性的所有需求,以塑造强势的品牌形象,提高用户的认可度,类似于某一领域的综合提供商。综合定位战略类似于为消费者提供便利的一站式购物方式。例如，携程网在提供机票预订服务的同时也提供各地的宾馆酒店预订服务，将自身定位为差旅综合服务提供商。

2. 网络营销竞争力分析

企业想要获利，不仅要依靠企业的内部活动，还依赖于企业所处的竞争环境。要了解竞争力如何给网络企业带来战略优势，以及在一定的竞争格局下，企业应该如何选择竞争战略，就必须分析网络营销给组织业务所带来的机遇，以及挑战和威胁。

针对企业竞争力的分析，波特教授提出了一个"五力"框架，指出企业在市场竞争中所需要面对的五种力量（见图 4-2），勾画出企业获取价值能力的主要因素，决定着企业从行业中获利的最终潜力。这五种力量包括：行业内现有竞争者之间的竞争、新进入者带来的威胁、替代产品或替代服务的威胁、购买者的议价能力和供应商的议价能力。

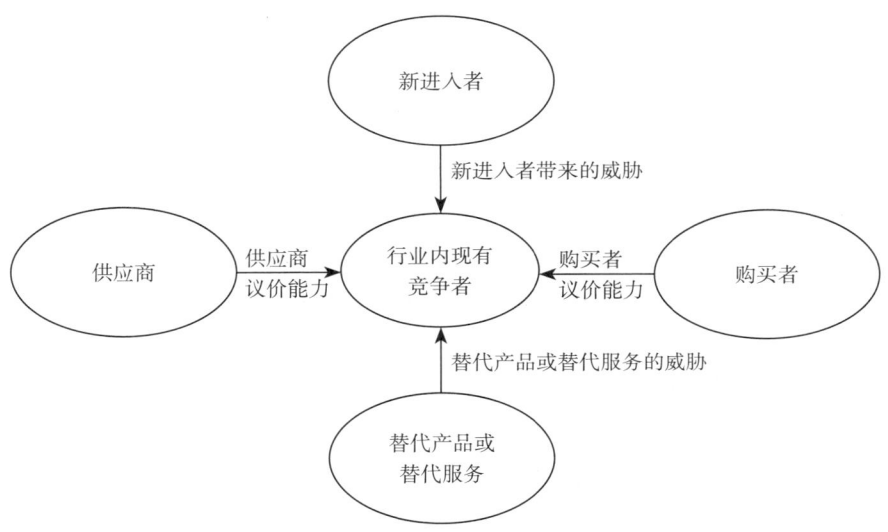

图 4-2 波特的五种竞争力模型

（1）行业内现有竞争者之间的竞争。行业内竞争反映行业内市场竞争的激烈程度，通常与以下六个因素有关：一是行业内竞争者的数量；二是固定成本的高低；三是行业内企业市场战略的相关性；四是企业提供产品和服务的同质性；五是行业总体的增长率；六是是否具备超额能力，即来自外部的扩大投资机会。

（2）新进入者带来的威胁。进入壁垒决定潜在进入者进入市场参与竞争的可能性，如果一个行业有较高的进入门槛，则潜在进入者的威胁就会降低。一个行业内，新企业进入门槛的高低可以从以下五个方面进行判断：一是高的固定成本；二是顾客对产品的信任度和品牌忠诚度；三是行业内经验、知识和技能的积累；四是高转换成本和强网络外部性带来高的用户黏着度；五是核心技术知识产权的保护力度。

（3）替代产品或替代服务的威胁。行业内产品的雷同度高，替代产品实用性强，质量较高，则行业获得的利润就会开始下降。互联网降低了信息成本，增加了用户可得的产品种类，因此增加了来自替代品的压力。

（4）购买者的议价能力和供应商的议价能力。购买者和供应商是两股既对立又统一的力量，类似于一个硬币的两面。购买者的议价能力高（供应商的议价能力低），大致是由于以下几种情况：一是购买者高度集中，通过联合增强议价能力；二是供应商各自分裂，难以建立联合竞价机制；三是市场透明度高，用户可以进行比较选择；四是产品差异化低，同质竞争；五是低转换成本和弱网络效应，购买者很容易转换供应商。

3. 网络营销的差异化策略

差异化的本质在于提供与竞争者不同的产品和服务。在企业的网络营销中，可以从五个方面实现市场定位的差异化，分别是产品、服务、人力成本、渠道和形象。

（1）产品差异化。在网络环境中，类似于现实中的方法，企业通过赋予产品特殊性，来进行差异化运作。例如：在搜索引擎市场，谷歌之所以能在与雅虎和必应的竞争中胜出，在于谷歌公司使用强大的计算程序来提高搜索结果的相关性，并且用简洁的方式展示信息。

（2）服务差异化。基于互联网，企业的网络营销可以从多个方面实现服务差异化：一是实时反馈，可以及时接受用户的咨询，并给予反馈，提高用户服务质量；二是及时配送，对在线订购的商品立刻配送；三是业务延伸，在线服务（如网上银行业务和网络证券交易）已经越来越普及，有些服务虽然目前只是对传统离线服务的补充，但随着现实世界的功能越来越多地被整合到互联网中，网络取代现实世界功能的趋势将会越来越明显。

（3）人力成本差异化。现实世界中的用户服务强调个性化，强调与用户一对一的关系构建，但这需要耗费大量的人力资源。在网络营销中，企业可以利用互联网，通过低成本的渠道递送产品和服务，使总成本大幅降低，也使得企业能以较低的价格提高服务质量，形成差异化优势。例如，淘宝和京东商城的网站都有在线聊天的功能，可以实时地帮助用户解决购物中遇到的问题。

（4）渠道差异化。相对于传统的实体商店，互联网是跨时空的配送渠道和沟通渠道，用户可以随时订购产品，企业可以把货物送交用户。网络经营中的渠道差异化可以体现在多个层面：一是信息优势，利用互联网作为沟通渠道的企业无疑具备了低成本的信息优势；二是实现服务差异化，网络营销可以利用互联网打造高效的交易和配送渠道；三是形成数字产品的理想的配送渠道，网络营销有利于企业提供数字产品，例如苹果公司、微软公司等企业都提供音乐和软件的下载服务。

（5）形象差异化。在网络营销中，企业可以创造独特的用户体验以获得竞争优势。通过形象差异化，企业可以维系用户，锁定高端用户，提高在线经营的盈利能力。例如，邀请用户在线参与创造或体验，类似于离线环境的体验营销。许多网站都邀请用户上传音频、视频内容，或者对网站内容进行评价，这些都有助于网站形成自己的竞争优势。

4.2.2　几种竞争性战略的具体案例介绍

1. 小米：成本领先战略案例

小米公司（简称"小米"）正式成立于2010年，是一家专注于高端智能手机、互联网电视自主研发的创新型科技企业。其主要由曾经供职于谷歌、微软、摩托罗拉、金山等知名公司的顶尖人才组建。

小米手机、MIUI、米聊、小米盒子、小米电视和小米路由器是小米的核心业务。"为发烧而生"是小米的产品理念。小米首创了用互联网模式开发手机操作系统的模式,将小米手机打造成全球首个互联网手机品牌,并通过互联网开发、营销和销售小米的产品。小米在机顶盒、互联网电视和路由器等领域也颠覆了传统市场。同时,小米也在积极打造小米生态链体系,力争全行业、全产业链都能达到共赢。

2011 年 12 月 18 日,小米手机第一次正式网络售卖,5 分钟内售完 30 万部。2013 年 8 月 23 日,小米已完成新一轮融资,估值达 100 亿美元。这意味着小米已成为中国第四大互联网公司,仅次于阿里巴巴、腾讯、百度。2014 年 12 月 14 日晚,美的集团发出公告称,已与小米公司签署战略合作协议,小米以 12.7 亿元入股美的集团。2015 年 1 月 19 日,金山发布公告称,小米将通过其全资附属公司,以 5.27 亿港元(当时约合人民币 4.23 亿元)的价格从腾讯手中收购金山股份共 3 529 万股,占金山总股本的 2.98%。

(1)小米具有运营成本低的优势。小米营销模式特殊化创造了运营成本低的巨大优势。小米主要通过饥饿营销、微博营销、网络社区营销及口碑营销等模式,以较低的宣传成本实现了最大的收益,建立了较好的品牌效应。小米手机的销售与传统手机销售不同,规避了各级经销商的加价,这样就使手机的营销成本降低。小米的饥饿营销模式创造了其低价格优势,具有较大的市场竞争力。

(2)小米具有供应链溢价的优势。小米产品是通过网络订购销售的,这种销售模式使小米提前拿到了预付款,持有大额的预付款不仅可以与供应链上游企业谈判,降低产品生产的价格,而且不会出现产品压货的现象。这种营销模式在获取可观利润的同时,随着时间的推移,小米产品的生产原料价格会下降,这再一次降低了小米产品的成本。

2. 拼多多:差异化战略案例

随着阿里巴巴战略放弃低端市场,低端市场留出了一个巨大的市场空白。收入不高或者价格敏感的淘宝客户迫切需要一个更好的电商平台来满足其需求,这就给拼多多提供了进入机会。拼多多追求差异化战略有如下的原因。

(1)低端市场的空白。还有一部分人群之前从未在网上购物。他们在智能手机普及之后开始上网,只抢过微信红包,从未安装下载过支付宝和淘宝。这部分人群也成为拼多多的初始客户。

(2)薄利多销是零售行业的演进方向。从零售行业的发展历史来看,薄利多销一直是行业持续演进的方向。过去四代零售模式分别是百货商店、连锁超市、会员制仓储超市和电商平台,演进方向一直就是毛利率越来越低,周转率越来越高。

(3)绝大多数消费者都喜欢便宜实惠。为什么拼多多能够有如此快的增长,并且不断地向中高端人群渗透呢?因为绝大多数消费者都喜欢便宜实惠,只是每个人对便宜实惠的看法是不一样的。刚开始,拼多多只能提供质量一般但是价格极低的商品,因此在低端市场受到了欢迎。随着拼多多逐步开始提供品质更好、价格便宜的商品,主流市场的客户也逐渐感受到了便宜实惠,纷纷开始使用拼多多。

3. 饿了么：目标集聚战略案例

饿了么创建于2008年，是全国目前最大的O2O餐饮平台之一。2017年8月24日，饿了么收购了百度外卖，饿了么、美团外卖、百度外卖三足鼎立的局面将变成两强争霸的局面。饿了么、美团外卖作为第一阵营的超级品牌分别占据了41.7%和41%的市场份额。从宿舍五个人的大学生创业项目发展到如今的50亿～60亿估值，饿了么App究竟在营销中做了什么呢？

（1）开通App的官方微博和微信公众号。当产品上线后，潜在用户了解到饿了么App的词条就可以很容易地通过公众号的关注和微博的动态来进行互动及信息反馈。而且饿了么营造好的公众号内容和微博引起用户转发且扩大宣传。这两个社交平台成为饿了么后期做营销活动推广的重要渠道，因为这里可以培养出一批又一批的忠实粉丝和忠实用户，而且这往往是优质用户的来源地。

（2）建立百度、搜狗等百科词条，进行知识问答。在饿了么App刚上线初期，网上关于饿了么的描述基本上是一片空白，建立完善的饿了么百科信息，成为了解饿了么产品的一个重要渠道。与此同时，后期通过品牌营销吸引了更多的潜在用户群，并且图文并茂地告诉用户，饿了么用了哪些功能满足不同用户在不同场景下的需求。

（3）登录各大应用市场首页。饿了么申请与各大应用商城的开发者建立联系，因为许多应用商店对新上线的App设有新品推荐栏目，所以饿了么在满足其条件后，就逐一登上各个应用市场的首页推荐，积累了不少用户并开发了一批新用户。

4.3 网络市场细分战略

网络市场细分是指企业在调查研究的基础上，依据网络消费者的购买欲望、购买动机与习惯偏好的差异性，把网络营销市场划分成不同类型的群体，每个消费者群体构成企业的一个细分市场。网络市场细分是企业网络营销战略制定的重要环节，体现着企业网络营销战略在网络消费者群体中的布局。下面从网络市场细分战略内容、网络市场细分的要素和变量以及个性化网络营销三个方面进行介绍。

4.3.1 网络市场细分战略内容

一项完整的网络营销计划涉及两个层面：一是战略规划层面，网络营销战略包括市场细分、选择目标市场、市场定位以及差异化；二是执行策略层面，包括4P（产品、价格、促销、渠道）和客户关系管理。

细分市场有大有小，小到仅有一个人，大到由数百万、上千万人组成。网络营销技术使企业能够很容易地制定符合个体目标市场的营销组合。另外值得一提的是，只有当不同的细分市场之间存在的差异比各细分市场内部的差异明显时，才值得进行分类。选择目标市场是指选择对企业最具吸引力，并且与企业的产品或服务最具适配性的细分市场的过程。有些企业会采用一些标准以确定目标市场，这些标准包括可行性、盈利性、增长性、持续性等。

企业确定目标市场需要以大量的数据以及调研为基础，大致过程如图4-3所示。

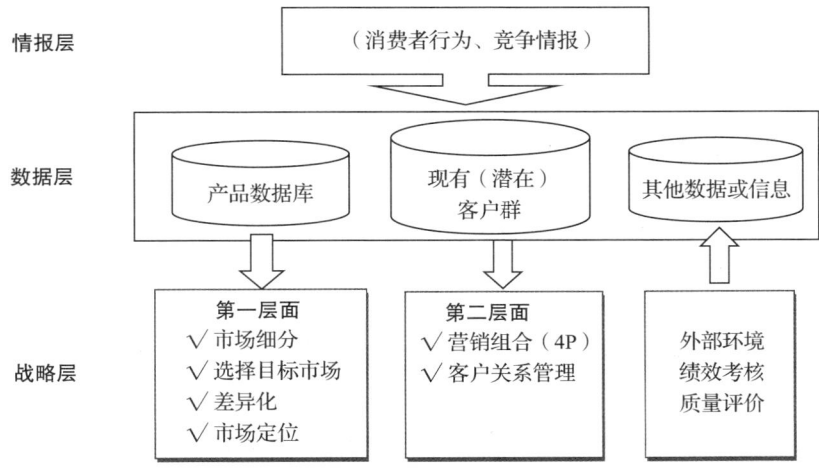

图 4-3 目标市场细分的数据采集、汇总过程示意

4.3.2 网络市场细分的要素和变量

对消费者市场进行细分，一般需要考虑三个要素，即地理位置、人口统计特征、心理和行为特征。在每个要素中，又有许多细分变量，如表 4-1 所示。

表 4-1 网络市场细分的要素和相关变量举例

要素	地理位置	人口统计特征	心理和行为特征	
变量	国家 地区 省 市 县	年龄 收入 性别 职业和所处行业 受教育程度 种族或民族	行为 兴趣 观念 性格 价值观	适用程度 品牌忠诚度 社会地位

确定细分市场时可以将多个要素结合在一起，形成某一市场细分的大类，例如地理人口统计特征（地理位置加上人口统计特征）。将各种变量相互组合，确立某一特定的细分市场。网络企业还可以根据不同变量选择目标市场，这有助于识别用户，了解用户，采用更为恰当的方式服务用户。

1. 地理细分市场

网络打破了地理位置的限制。基于地理位置的细分市场，对许多企业而言依然是一个重要的考虑因素。地理上的区分，并不仅仅局限于地理位置。一个地区的自然环境、文化传统，以及居民的生活习俗都与地理位置密切相关。同时，地理位置区分出了行政区划，不同行政区划内执行的政策也会有所区别。因此，即使是规模巨大的跨国公司通常也要根据地理特征来制定多重细分市场的策略，例如产品的分销策略对地理细分就是重要的驱动力。

2. 人口统计细分市场

目前，互联网已逐步深入渗透到我国各类人群中，民众对互联网的依赖性呈现逐年增强的趋势。

（1）儿童市场。目前，16 岁以下儿童上网的人数正在不断增长。艾瑞咨询 2015 年的一项调查显示，中国 3～15 周岁儿童中有超过 92% 的儿童会接触到数码产品，而 76% 的儿童会使用数码产品上网。超过 56% 的儿童在 5 岁前就已接触互联网。中国教育报的一项调查显示，儿童网民上网目的呈多样性，休闲娱乐占比最高，但超过 62% 的儿童网民会上网查找学习资料。有 39.32% 的家长认为使用互联网的利弊相当，有 28.26% 的家长认为相对而言弊大于利，有 47.58% 的家长认为沉迷于网络已经在我国未成年人中成为一个严重的问题。父母会有意识地规范孩子的上网行为，但碍于自身互联网技术能力的缺乏而未能实现全面的指导。调查结果显示，有 52.41% 的家长规定了孩子的上网时间长度，并且有 74.17% 的家长对孩子上网内容有所要求，但有 77.38% 的父母对孩子的上网情况没有任何监控。许多父母对儿童上网非常担忧，但是他们无法阻止这样一个有巨大潜力的新市场形成，他们能做的就是替他们的孩子进行网页内容的筛选。

（2）大学生市场。正在高校就读的年轻人是一个重要的细分市场，且高校网络设施齐全。他们中有 90% 以上的人使用互联网，是伴随互联网成长的一代人。他们享受数字化生活，能够快速获取信息，在短时间内学会使用各种网络技能。他们有在网上购物的习惯，会使用多种媒体渠道，如手机短信、电子邮件、P2P 社交网络等。他们中的一些人使用游戏机，时常沉迷于虚拟世界。他们挑选网络产品服务时，非常在意来自他人的评价。

（3）年轻上班族女性。据 QuestMobile 数据显示，截至 2022 年 1 月，移动互联网女性用户活跃规模达到 5.82 亿，同比增长 2.3%，新增用户主要来自下沉市场、银发群体；而特卖类、直播类电商 App 深受下沉女性用户的偏爱。与此同时，女性用户月人均使用时长突破 170 小时，App 使用个数达 25.6 个，分别提升 3.1%、2.6%。总体来说，女性用户对于移动互联网使用程度不断加深，在缩小女性用户地域差异的同时，也持续助力"她经济"效应不断增强。

（4）网络意见领袖。意见领袖又叫舆论领袖，是从传播学中引入的概念，在消费者行为研究中，指的是较其他消费者了解更多的信息并且为他们提供信息，从而在更大程度上影响他人的购买决策的人。在网络传播环境下，意见领袖在消费导向中发挥着比传统环境下更加重要的作用。网络意见领袖可以在互联网环境下通过各种方式施加影响力于其他行为人。意见领袖的这种影响力，有些是归于其特殊的才能或领导能力，但更多的是归于兴趣，只要一个人对某一领域有足够的兴趣并积极参与该领域的活动，别人就会更多地向他征求意见或者更愿意采纳他的意见。目前，我国的网络意见领袖大致可以分为四类：一是社会名人，一些著名学者、社会名人、大众明星等，将现实中的影响力带到网上，他们通过网络发表言论和观点，引导网民的消费行为；二是网络名人，比如"带货一哥""带货一姐"等网络红人，通过关注度来制造影响力。三是网络群体负责人，包括站点站长、版主等；四是草根领袖，比如受过良好教育的网络写手，以及经常在网络上发言的知名 ID。

3. 用户心理和行为细分市场

用户心理和行为特征包括个性、价值观、生活方式、活动、兴趣以及观念。其中，个性是指诸如他人评价、自我取向、生活习惯等特点；价值观是指内在的信念，比如宗教信仰等；观念是指人们所持有的态度，比如有些人认为上网是在浪费时间，而有些人认为离开了 Wi-Fi 信号就几乎无法生活。互联网把具有相同兴趣和目的的人聚集到一起。通过不同的网络社区，用户可以在自己的兴趣小组中发表评论，建立信息档案，上传信息与他人分享。

另外，将用户的消费行为作为要素来对市场进行细分，比如可以分为使用目的和使用习惯两个变量。

（1）使用目的型细分市场。使用目的型细分市场指企业根据消费者希望从产品中获得的利益来划分消费者群体。企业根据用户在网络上寻求的利益构建细分市场，通过设计产品或服务来满足这些需求。与简单地按人口统计特征细分市场相比，按使用目的细分市场的方法通常比较实用，例如，知乎网站分析用户需要什么样的专业知识和建议。尽管互联网企业可以使用各种市场细分要素来定义、评价和确定目标市场，但是对利益的追逐是制定营销组合策略的关键因素。互联网企业可以通过评估用户的在线活动，分析用户在线的目的以及所获得的效用，来分析用户的网络使用习惯，从而对用户所追求的效益进行判断。

（2）使用习惯型细分市场。使用习惯型细分市场指的是根据消费者对产品使用的习惯和行为模式进行市场细分。例如，许多互联网企业依据消费者对产品使用的多少（少、一般、多）加以细分。互联网企业也可以根据用户使用技术的特征（如使用 PDA 还是 PC 机上网，以及他们用了哪些浏览器）来对其进行市场细分。

4.3.3 个性化网络营销

1. 个性化网络营销的特点

近年来随着移动互联网的迅猛发展，智能化、多媒体的终端设备得到普及，移动互联网的发展不是移动设备与互联网技术的单纯结合，而是在意识形态、人文理念、技术构造、传播需求上的深度融合。传播形式的改变推动受众群体消费行为和需求的改变，人们越来越注重自身个性化的表达，并将这种个性化的消费需求投射到消费行为中，从而进一步促进市场细分。与传统营销模式相比，网络营销具有覆盖范围广、交互性强、信息多元化等特点，传统营销模式的传播依托于传统媒体的单项传播形式，在市场信息的来源上主要依赖于市场调研，信息常常缺乏客观性并且成本较高。网络营销模式下，一方面互联网的高覆盖面为企业营销提供了庞大的受众群体，消费者开始越来越多地表达自身对于产品的体验，并积极参与产品设计，实现个性化定制，品牌的附加价值开始不断提高；另一方面依托于大数据挖掘技术，企业获得市场信息的渠道向低成本、高效率方向发展，信息来源更加全面准确。进入"互联网+"时代，网络营销更为成熟化、集约化、现代化，管理运营模式更加适用于不断细分的市场需求，大数据、云计算等信息新技术的应用，推动着生产领域的异质化。越来越多的电商企业开始着手构建差异化数据平台，利用大数据挖掘技术获得潜在客户的精准定位、判断行为倾向，并以此为依据进行个性化推荐，与客户建立深度连接。互联网背景下的网络营销实质是以客户体验为中心的大数据营销，是针对异质化市场需求，利用大数据技术降低边际成本、提高营销效率、最终促使消费行为实现的创新式营销模式。互联网背景下的网络营销是传统网络营销模式的全面升级，在用户细分更加精确、传播渠道更加丰富的环境下，企业将获得更大的利润空间。

2. 个性化网络营销的发展趋势

用户定位精准化。传统营销模式下,企业获得市场信息的渠道依赖于统计调研,并投入大量成本对原始数据进行分析,以获得企业市场定位的基本依据。由于覆盖面积、市场动态等客观因素的局限性,企业很难获得较为客观、实时的动态信息。网络技术的发展带动了新媒体的崛起,企业利用大数据挖掘技术,从电商平台、搜索引擎、社交媒体等平台掌握大量的关键词、图片、声音等信息,并通过大数据分析平台进行差异化分类处理,对潜在客户信息进行精准定位,以此为依据进行产品的市场投放传播和营销模式的选择。企业甚至能够通过云共享技术获得用户一段时期内在各个社交平台、群组的活动轨迹,以此为依据勾勒出完整的客户动态形象进行整合营销。网络营销模式下的品牌传播主要以新媒体投放为主,在市场细分的前提下,企业需要进一步掌握分众群体的市场需求,才能做出准确的判断。从新媒体等渠道获得的数据信息涉及客户的心理定位、地理定位、喜好定位,甚至是行为定位。一方面将分众需求传达给生产领域,完善产品的市场定位;另一方面在品牌形象构建和营销方式选择上,提供动态客观的依据,同时为企业的深度营销提供了可能。

4.4 网络营销战略规划及实施

网络营销战略规划是制定企业网络营销长期目标并将其付诸实施的过程,是一个正式的过程和仪式。需要在对企业所处内外部环境有充分了解的基础上,结合企业网络营销工作的具体安排按照一定的程序进行规划及实施。具体包括两方面:一是战略规划的制定及影响因素;二是网络营销战略实施的保障。

4.4.1 战略规划的制定及影响因素

企业网络营销战略是企业外部环境、企业内部实力与企业网络营销目标三者的动态平衡,是合理分配企业网络营销资源,指导企业网络营销活动的纲领。网络营销战略规划(internet marketing strategy planning)则是指企业以市场需求为导向,在激烈的市场竞争中,为充分利用市场机会,避免环境威胁,求得企业持续、稳定、健康、高效发展,在对企业内外营销环境分析的基础上,对企业网络营销的任务、目标及实现目标的方案、步骤与措施做出总体和长远的谋划,并实施与控制的过程。网络营销与传统营销的根本区别在于网络本身的特性和网络用户需要的个性化。因此,网络营销必须以新的营销理念为指导,在传统营销战略理念的基础上,从网络特征和消费者需求变化的角度实现战略观念的创新。网络营销战略观念不是对传统营销战略观念的否定,而是在现代市场营销理论范畴内的进一步深化和发展。

1. 网络营销战略规划的过程

实施网络营销战略规划,需要根据战略规划的管理程序,做好程序中每一步骤的工作。网络营销战略规划的过程包括以下步骤。

（1）分析网络营销机会。战略环境分析是实施网络营销战略规划过程的第一阶段。这一阶段的任务是为企业制定网络营销战略规划提供依据。一方面，通过对企业外部环境，如市场发展态势、竞争形势、国家政策、社会文化、科学技术等因素的分析，企业应充分认识面临的威胁，特别是要在分析外部环境的基础上发现可供企业利用的市场机会。另一方面，通过对企业内部条件，如企业营销能力、生产技术水平、企业可控资源等的分析和预测，企业应明确自身的优势和劣势，为制订企业如何利用市场机会的行动方案提供支持。在这一阶段，企业常用 SWOT 分析框架，结合定性与定量的方式对网络营销的内外部环境进行分析，以摸清内外部环境的基本情况。

（2）明确网络营销任务。在充分认识网络营销环境的基础上明确任务是网络营销战略规划的第二个步骤。企业应在分析营销机会的基础上，根据自身的条件和特点确定网络营销活动的任务。在此过程中，企业应做到以下几点：首先，网络营销活动的开展，以及网络营销活动的任务目标应符合企业总体的发展方向，有助于企业总体目标的实现；其次，企业要根据自身的优势及特点，选择合理的网络营销管理模式；最后，企业要明确为开展网络营销活动而投入的费用和因此而带来的效益。

（3）明确目标细分市场。在充分了解企业所处外部环境，以及自身竞争优势、产品特点、资源匹配情况的基础上，明确企业及产品经营所面对的目标客户群体，并对细分市场及目标客户群体的特质进行描述。

（4）确定网络营销目标。企业的网络营销任务确定以后，还要将这些任务具体化为网络营销各部门、各环节的一系列目标，形成一套完整的目标体系。网络营销各级作业环节都应对自己的目标有明确的认识，并对其目标的实现完全负责。目标的作用有两个：一是指明网络营销活动预期要达到的结果；二是可以作为网络企业各级完成目标情况的评价标准。

（5）明确网络产品定位。在了解了竞争环境之后，企业需要判断如何将自身产品与竞争对手的产品区分开来。在对自身产品进行差异化分析之后，对产品进行合理的定位。通过定位，对产品进行规划、设计、包装；通过定位，以及对定位的描述，将自身产品和竞争对手的产品区别开来；通过定位，完成企业产品的品牌形象建设。

（6）技术规划与管理控制。开展网络营销很重要的一点是要有强大的技术投入和支持，因此，确定网络营销目标之后，要对实现目标所需要的资金投入和系统购买安装及人员培训等做出统筹的计划和安排。企业运用网络技术开展网络营销，将会给企业在经营管理的诸多方面带来深刻的变化。这种变化除了体现在企业员工理念和认识的变化上，还突出地体现在对传统企业组织形式和业务流程的冲击上。这种变化和冲击要求企业的组织形式必须从传统的金字塔形状的组织结构转化为网状、相互沟通、相互学习的组织结构。这些变化的出现也要求企业在实施网络营销之初，就应该对企业组织可能受到的影响和结构变化有比较成熟的考虑，并采取相应的措施。组织结构发生变化后，企业中随之而来的是管理的变化。企业的管理必须从传统企业管理的模式转变为适应网络营销需要的模式，如对企业网络营销中 24 小时全天候用户服务的管理、使用后台数据库的管理等。

2. 网络营销战略规划必须考虑的问题

网络是企业整体营销战略的前沿，根据网络的特点结合企业产品属性制定相应的网络营销策略是网络营销成功的前提。

（1）面临的外部环境。企业进行网络营销战略规划需要对所处的外部宏观和微观环境进行全面的分析和考量，网络营销战略规划的制定需要与企业所处的外部环境相匹配。

（2）产品性质。产品性质决定企业网络推广方向。针对不同的产品性质，企业应适当地选择目标用户群集中的网络平台实施网络营销战略。

（3）网络特性。目前网络上商业流量最高的网站，其内容都以丰富的信息为基础，因此企业在实施网络营销之前就必须先了解目前哪些专业的商业型网站对企业网络营销的帮助最大、效果最直接。

（4）整体营销的考虑。积极的网络营销策划除需要系统的网络营销运行外，更需要整合各类网络资源，共同运行才能发挥最大的整体效益。

（5）企业的竞争优势。网络营销战略规划需要进一步打造企业的核心竞争力，突出企业的竞争优势，以求在市场竞争中赢得先机。

4.4.2 网络营销战略实施的保障

网络营销战略实施是一项系统工程，首先，应加强对规划执行情况的评估，判定是否充分发挥此战略的竞争优势和有无改进余地；其次，是对执行规划时的问题应及时识别并加以改进；最后，对技术评估和采用。采用新技术可能改变原有的组织和管理规划，因此对技术进行控制也是网络营销中的一个显著特点。下面探讨如何保证网络营销战略的顺利实施。

1. 正确选择战略思想

一般来说，做战略规划是为了市场竞争，结合波特的战略理论，企业的三种竞争性战略分别是总成本领先、差异化、目标聚集。所以，网络营销战略规划的指导思想可以依据竞争的战略原则来选择，也可以采取以下制胜战略中的一种或几种作为指导思想。

（1）创新制胜，即企业应根据网络市场需求不断地开发出适销对路的新产品，以赢得市场竞争的胜利。采取这种战略的企业应该具备强大的产品研发团队，跟踪市场需求动态。

（2）优质制胜，即企业向网络市场提供的产品在质量上优于竞争对手，以赢得网络市场竞争的胜利。

（3）廉价制胜，即企业对于同类、同档次产品比竞争对手更便宜，以赢得市场竞争的胜利。

（4）技术制胜，即企业致力于发展高新技术，实现技术领先，以赢得网络市场竞争的胜利。采用这种战略的网络营销企业应当密切关注技术的发展动向，及时引进新技术。

（5）服务制胜，即企业提供比竞争者更完善的售前、售中和售后服务，以赢得网络市场竞争的胜利。

（6）速度制胜，即企业以比竞争对手更快的速度推出新产品和新的营销战略，抢先占领网络市场，赢得网络市场竞争的胜利。

（7）营销制胜，即企业应用网上和网下的广告、公共关系、人员推销和销售促进等方式大力宣传企业与产品，提高知名度，树立企业和产品形象，以赢得市场竞争的胜利。

2. 制定整体营销战略

根据企业的战略思想制定相应的整体战略。网络营销的实施不是简单的某一个技术方面的问题或某一个网站建设的问题，它还需要从整个营销战略方面、营销部门管理和规划方面，以及营销策略制定和实施方面进行调整。

3. 巩固企业现有竞争优势

利用网络营销的优势可以对现有顾客的要求和潜在需求有较深入的了解，对公司潜在用户的需求也有一定的了解，制定的营销策略和营销计划有一定的针对性与科学性，便于实施和控制，能顺利完成营销目标。例如，美国计算机销售企业 Dell 公司，通过网上直销与顾客进行交互，在为顾客提供产品和服务的同时，还建立自己的顾客和竞争对手的顾客的数据库。数据库中包含有顾客的购买能力、购买要求和购买习惯等信息。根据信息，Dell 公司将顾客分成四大类：摇摆型的大用户、转移型的大用户、交易型的中等用户和忠诚型的小用户。企业通过对数据库的分析，针对不同类型用户制定销售策略，对于第一类型占企业收入 50% 的大用户，加强与用户的直接沟通，利用互联网提供特定服务，并有针对性地定期邮寄有关资料，争取失去的顾客并且赢得回头客；对于第二类型占企业收入 20% 的大用户，可以争取，通过与他们加强沟通并增强销售部门力量，使其建立对企业和品牌的忠诚度；对于第三类型占企业收入 20% 的中等用户，可以采取传统的邮寄和电话营销方式以增强其与企业的关系与联系；对于最后一种类型占企业收入 10% 的小用户，只需采取偶尔邮寄的方式来加强其忠诚度。

4. 加强与顾客的沟通

网络营销以顾客为中心，其网络数据库中存储了大量现在消费者和潜在消费者的相关数据资料，企业可以根据顾客需求提供特定的产品和服务，具有很强的针对性和时效性，可极大地满足顾客需求。同时，借助网络数据库可以对目前销售的产品满意度和购买情况做分析调查，及时发现问题、解决问题，确保顾客满意，建立顾客的忠诚度。

5. 为竞争者设置障碍

虽然信息技术使用成本日渐下降，但设计和建立一个完善且有效的网络营销系统是一个长期的系统工程，需要投入大量的人力、物力和财力。因此，一旦某个企业已经实行了有效的网络营销，竞争者就很难进入企业的目标市场。因为竞争者要用相当高的成本建立一个类似的数据库，几乎是不可能的。从某种意义上说，网络营销系统是企业难以模仿的核心竞争力和可以获得收益的无形资产。这也正是技术力量非常雄厚的 Compaq 公司没有建立起类似 Dell 公司的网上直销系统的原因之一。建立完善的网络营销系统需要企业从组织管理和生产上进行整体配合。

此外，还应当尽可能地给竞争者获得信息制造障碍。大数据时代，各种数据工具非常强大，竞争对手完全可以通过网络爬虫获得产品定价体系、交付方式等各方面的信息，可以通过提供工具帮助用户快速迁移（例如，从新浪微博迁至搜狐微博，从携程迁至艺龙）。成也网络，败也网络，如何解决好竞争对手快速模仿、批量抢夺的问题也是不容忽视的。

6. 提高新产品开发和服务能力

企业开展网络营销，可以从与顾客的交互过程中了解顾客需求，甚至由顾客直接提出要求，因此很容易确定顾客要求的特征、功能、应用、特点和收益。在许多工业产品市场中，最成功的新产品往往是由那些与企业相联系的潜在用户提出的。对于现有产品，通过网络营销容易获得顾客对产品的评价和意见，从而确定需要改进的产品和换代产品的特征。

7. 稳定与供应商的关系

供应商是向企业及其竞争者提供产品和服务的企业或个人。企业在选择供应商时必须考虑三方面的因素：第一，考虑生产的需要；第二，考虑时间的需要，即计划供应量要依据市场的需求，将满足要求的供应品在恰当的时机送到指定地点进行生产，以最大限度地节约成本和控制质量；第三，企业还可以了解竞争者的需求量，制订合理的采购计划，在供应紧缺时能预先订购，确保竞争优势。美国的大型零售商沃尔玛公司通过网络将采购计划立即送交供应商，供应商必须适时送货到指定零售店。供应商不能供货过早，应为企业实行零库存管理；同时也不能供货过晚，否则会影响零售店的正常销售。在零售业竞争日益白热化的情况下，企业凭借其与供应商稳定协调的关系，使其库存成本降到最低，供应商也因企业销售额的稳定增长而受益匪浅。

◆ 案例分析

途牛网四大法则：巨头阴影下的生存术

途牛网于 2014 年 5 月赴美上市后，股价在两个月内从发行价的 9 美元涨到了 18 美元，市值翻番。纵观途牛的发展过程，会发现它始存在于在线旅游行业巨头的竞争压力下，但一直围绕休闲旅游这个核心业务，并把行业巨头不善于做的跟团游做到了极致。这种极致在某种程度上帮助途牛在激烈的竞争中存活壮大，不过也制约了其业务的横向创新，使它成为一家规模相对较小的公司。

如今看来，滑动鼠标就可以在网上轻松预订旅游线路是一件理所当然的事情。但在八年前，这是无人问津的一片蓝海。仅仅依靠休闲旅游发展起来的途牛网于 2014 年 5 月赴美上市，成为继携程、艺龙、去哪儿之后，第四家在纳斯达克上市的中国在线旅游公司。

中国的在线旅游市场更像是如今国内互联网市场的缩影，携程、艺龙和去哪儿三分天下，几乎把持着国内在线旅游市场。携程是中国最早一批发展的互联网公司，从酒店预订起家，如今已经发展成为拥有机票、酒店、用车、门票、旅游及攻略等多种业务的综合性旅游平台；艺龙被携程步步逼退，主攻酒店；后起之秀去哪儿从比价搜索起家，在百度投资之后成为能够与携程正面对抗的等量级平台。

途牛是在三大行业巨头的夹缝中成长起来的公司。相比于其他三家公司的规模，它依旧只是一家小公司，按上市的发行价计算，途牛上市时的市值是携程市值的 1/20，是去哪儿市值的 1/7。除了上述三大行业巨头，驴妈妈、同程网、穷游等在线旅游公司层出不穷，途牛从这批定位于细分旅游市场的创新公司中最先脱颖而出。

在"中概股"公司接二连三的上市中，途牛网的 CFO 杨嘉宏始终战战兢兢。一方面，在美国的资本市场并没有与途牛类似的模式，难以套用美国的商业模式打动投资者；另一方面,途牛当时尚未盈利。其招股说明书显示,2012～2013年途牛一共净亏损1.868亿元,2013年净亏损7 963万元,毛利率仅为5%。

然而,上市后不到两个月,途牛如同从天而降的一匹黑马,其股价从发行价的9美元涨到了18美元,市值翻番。如今的中国互联网格局越来越呈现出巨头"一家独大"的形势。那么,如何在巨头的压力下创业,并在激烈的竞争格局中胜出呢?

法则一:找准定位做减法

如果要给途牛的成功总结一条经验,最重要的是找准定位,精确到极其细分的市场。途牛网创始人兼CEO于敦德并没有丰富的大公司背景,而是先后供职于先声网、博客中国、育儿网等创业公司。早在他打算创建途牛时,机票和酒店等服务已经可以很方便地在携程、艺龙等平台上预订,但休闲旅游的线上业务几乎是空白。

随着互联网的兴起,越来越多的人会通过互联网查询旅游攻略和旅游线路,进入网站查询线路是最早期的流量来源。于敦德开始做起了休闲旅游的旅游攻略社区和景点介绍,类似于今天的马蜂窝。但此模式并不能产生收益,于是途牛转型做旅行社的预订平台。这相当于在线上给旅行社一个展示的平台,从为旅行社销售出的产品中抽取佣金。随着更多的旅行社把旅游业务搬到线上,途牛的订单量快速增长。

在大公司的压力之下,于敦德选择了携程并没有切入的业务——休闲度假旅游。如果说携程是把供应商提供的机票、酒店服务放到网络平台销售,那么途牛则是帮助线下旅行社和供货商将产品进行打包、整合后再通过网络分销,赚取差价。此外,携程会利用机票、酒店预订业务的优势发展自由行,而途牛则把主要精力放在跟团游上,这样就形成了双方的差异化竞争。

直到今天,跟团游依然是途牛的主营业务。途牛网最新财报显示,2013年,跟团游、自助游的营业收入分别是19亿元和11亿元,分别占总营业收入的63%和37%。幸运的是,与酒店、机票业务相比,跟团游要复杂很多,这需要向消费者提供海量的选择:在不同线路、往返时间和酒店的自由组合中都有很多细分机会。如今,途牛的旅游产品已经有20万种,即使这样,途牛依然认为需要丰富产品来满足消费者的多样化需求,多样化的选择已经在与行业巨头的竞争中筑起了壁垒。

事实上,途牛在发展中并不乏其他机会。早在2010年,途牛网COO严海锋发现门票业务是一个可以互联网化的产品,于是开始去尝试,快速增长的门票业务与他最初的设想趋于一致。但最终,途牛网还是缩小了门票业务的规模——继续投入就意味着要投入大量的人力资源。同样,严海锋曾发现预付酒店业务也会大有商机,但最终没有选择进入,他说:"我们一直都坚持一个观点,要做减法,尽可能做少,就像我们在创业之初专注于做旅游度假,没有做酒店、机票。如果做得多反而没有办法做起来。"

2013年在线旅游度假市场中,通过携程网产生的旅游度假业务全年交易额约占在线旅游度假市场总交易额的23.3%,位居第一;途牛网占比约为9.8%,排名第二;紧随其后的是驴妈妈和同程。与携程不同的是,途牛更加专注于跟团游和境外游,其中境外游占途牛业务收入的70%以上,而携程早期并没有进入境外市场。

对于这几年的经历,于敦德称:"大部分企业家太想把公司做好了,所有事情都做,才会出现问题。我们一直克制想要做多的欲望,只做线上旅游,不能做机票、不能做商旅。"

法则二:寻找规模效应

与行业巨头竞争的另一大法则是把细分

市场做深、做大。在线旅游电商与零售业的本质高度相似，这最终是一个需要规模效应胜出的行业：途牛能帮供应商卖出的量越多，议价能力就越强。如果途牛规模扩大，可以承诺卖出1/3的座位，供应商也就有实力去包机，因此规模越大，资源和库存的控制能力就越强。

无论是应对规模扩张的要求还是消费者对服务的需求，于敦德的另一个重大决策是线下服务中心的成立。要建立线下服务中心并不是一个简单的决定。一方面，对于旅游需求旺盛的"北上广深"来说，在线下租套房子建立服务中心需要花费大约100万元的成本。但是，线下服务中心也可以快速扩张，增加销售、市场等人员以增加本地供货商的供给。在休闲旅游的产品组合中，用户往往需要选择出发地，如果能多添加一些当地的供应商，可以大大扩展消费人群。

另一方面，这也是途牛建立线下服务体系的好机会。出境游的单价较高，两人的马尔代夫游可能会花费5万元，很多人倾向于去实体店做咨询来确认途牛并不是皮包公司。而欧洲、日本、美国等地区和国家还面临办理签证的复杂问题，线下服务中心使得签证和咨询都更加便捷。

从2009年到2010年，线下服务中心已经扩张到北京、上海、南京、杭州、苏州、无锡。截至上市时，途牛已经拥有了15家线下分公司，严海锋透露："今年不出意外应该能到40个分公司。""早期的话比较简单粗暴，就是看人口、看GDP，哪儿有钱、哪儿人多就去哪儿。"于敦德这样阐述线下服务中心的选址方法。快速扩张的另一个方法就是品牌广告。途牛是第一个在地铁站打广告的互联网公司，而占领二三线城市的方式是在央视和地方卫视打广告。

上市前夕，途牛重金签下当时备受追捧的明星作为代言人，于敦德认为："这对接下来在二三线城市的扩展起到非常大的帮助，以前我们在一线城市里面的知名度还是比较高的，但是二三线城市数量太多了，全国性媒体投放对品牌本地化提升有很大帮助。"

途牛上市之后的重心是向二三线城市扩张。除了对最基础的人口和GDP的考量，于敦德还会根据后台数据决定将要扩张的城市。2011～2012年，于敦德的主要工作是梳理内部流程和提升内部效率。如今，在途牛的后台，每天都可以看见现阶段的订单量、订阅IP、转化率等一系列指标。同时于敦德也会通过分析在同一个城市的产品与同行之间的差异来选择扩张方式，如销售预期、产品丰富程度、及时确认率、价格竞争力。

传统供应商在采购了机票以后通常不愿意做自由行，因为旅行团到境外买东西、吃饭，旅行社往往可以赚取更高的返点费用。但严海锋发现，自由行越来越成为消费者的旅行趋势，于是他们开始自主研发产品，直接跟航空公司与酒店合作。杨嘉宏称，在一线城市中，自由行成为风潮，这个群体正在逐步扩大。

除了顺应趋势研发一些自由行产品，途牛也在充分发挥自己擅长的方面——重点把市场下沉到二三线城市继续深入跟团游业务，并预计随着二三线城市人群的加入，未来跟团游的数量还会有所提升。

法则三：好服务是根基

服务也是与行业巨头形成差异化的重要环节，因为服务的好坏与企业规模关系并不大，但是好的服务却可以极大程度上留住客户，并为企业品牌积累口碑。旅游是非常不标准的产品，途牛并不具有旅游产品的生产能力，如何控制服务质量成为一个大问题。伴随着快速扩张，更多的问题也渐渐暴露出来。尤其是消费者的投诉开始增多，比如途牛并不直接提供产品和导游，难以控制供应商的服务，如消费者对酒店不满意、航班晚点等带来行程改变。

旅游类产品分为淡季和旺季，当供应商在淡季难以卖出产品时，就希望途牛可以帮忙分担销售压力。一个供应商与航空公司签订一年期协议，一年包下300架飞机和10 000个航空公司的座位，如果卖不掉会有很大压力，因此希望可以让途牛帮忙做分销。但如果遇到旺季，旅行社对途牛平台上的客户并没有对自己的客户上心，因此也频频出现消费者投诉的现象。

好服务的重要性正是在一次次游客投诉中意识到的。2008年是途牛网最困难的一年。当时途牛网的订单量渐渐有了起色，并且建立了一个小型的呼叫中心。由于资金缺乏，于敦德用开源系统，买了一些硬件，花了不到10万元建了一个不成熟的呼叫中心。10个电话放在一张桌子上，客服们互相递来递去，但由于系统不稳定，经常会出现接通电话以后听不到声音或者有回音的情况，导致消费者常常怀疑这个网站的真实性而不敢下单。他们想尽各种方法解决这个问题，但在不大力增加成本的情况下始终无法解决回音问题。

那时，途牛唯一的发展资金是天使投资的几百万元人民币，直到于敦德找到戈壁的A轮投资以后，花费一两百万元才彻底解决呼叫中心的问题，用户体验由此大幅提升，订单量提升了20%以上。

从2011年开始，于敦德把主要精力放在流程梳理和指标体系建立中，通过流程梳理提高内部效率，比如把1 000元以下低客单价的产品全部自动化，实现手机端和PC端的无线预订，以提高人均产能效率；指标体系的建立则是为了给用户提供更好的服务。建立指标体系的一个重要环节是抽象产品的标准。比如马尔代夫的酒店经常会有老鼠和蟑螂，这就需要途牛内部给不同的产品定级，低于二级则不可以售卖。

为了解决游客与供货商之间的分歧，途牛还建立了一套实物电商搭建点评体系，如果产品的好评率低于75%，将被迫下架。出于对产品销量的考虑，旅行社都非常看重用户的点评，这就逼迫旅行社不得不提高质量。再者，途牛网也设立了质量控制师进入供应商的公司中，根据用户的投诉来改变他们的产品和服务。

为了形成与其他行业巨头相互区别的竞争壁垒，途牛组建了一支400人规模的产品咨询团队，用户可以随时随地打电话咨询旅游线路并解决旅游中遇到的麻烦，这大大提高了用户体验。一支通晓各国旅游线路的产品顾问团队还可以根据消费者的需求设计旅游产品，并随时接受来电咨询，这对只把跟团游当成副业的三大行业巨头来说略显奢侈。形成旅游服务的标准，这就给想要境外游的消费者留下了一个印象，途牛的休闲旅游是最专业的。

法则四：与行业巨头共舞，资本绑定利益

途牛上市的一个重大利好消息是携程的入股。在途牛网的发展历史中，从未接入过携程的任何产品。从两家的合作态度可以看出，在激烈的竞争中，双方始终互存戒备心。上市前夕，杨嘉宏发现几乎所有投资人都会问到关于与携程的竞争问题。投资人始终担心已经拥有流量入口的携程如果发力在线旅游，途牛该如何应对。也就是说，途牛的上市需要携程的入股增加投资者信心。

对于携程来说，如果途牛上市融资迅速壮大，也会成为携程在细分市场的隐患；投资一家上市公司对携程来说也有利无害。再者，在线旅游公司为了争夺市场不得不通过价格战拉低毛利率，各家已经对这种恶性竞争渐渐疲惫。途牛与携程双方也正在相互抛橄榄枝。就在纽约路演前夕，严海锋接到一条短信称，携程有兴趣与途牛合作。于敦德与杨嘉宏在香港的一家酒店与携程高层见面，做了两个约定：一是双方不再打价格战；二是双方考虑在资源方面争取更多合作。

入股之后，携程会把独家代理的酒店业务接入途牛，同时途牛也会帮助携程销售产品以缓解其库存压力。这意味着，携程变成了途牛的供应商之一。上市前两周，携程宣布认购 1 500 万美元途牛的股票，并获得途牛董事会的一个席位。不难发现，1 500 万美元的金额并不算大，象征意义大于整合意义。

背靠大树站定阵营以后，双方都可以结束不必要的价格战，专心发展自己的业务。虽然上市是途牛扩张和发展新业务的一个重要起点，但是它依然需要面对巨额亏损和低毛利率的难题。财报显示，途牛毛利率一度低至 4%，停止价格战以及规模扩张或许能让毛利率有所好转。于敦德称，接下来的主要工作是进入二三线城市以及如何围绕休闲旅游产品进行创新，比如途牛推出类似于唯品会的"尾品打折"；于敦德发现在国外上网资费很高，推出了 20 天不限流量的上网硬件产品。

反观途牛的发展过程，你会发现它始终活在在线旅游三大巨头的压力之下，但却一直围绕休闲旅游这个核心，并把行业巨头不善于做的跟团游做到极致。这种极致某种程度上帮助途牛在激烈竞争中存活壮大，也同样制约了其业务的横向创新，使它成为一家相对较小的公司。如果要问途牛上市以后有什么遗憾，严海锋说："多拿钱，把规模做大。"

资料来源：刘泓君.途牛网式竞争法则：巨头阴影下的生存术[EB/OL]. (2014-07-15) [2022-12-01]. https://www.tmtpost.com/122208.html.

【案例思考题】
1. 途牛网如何打造与其他旅游网站的差异化竞争优势？
2. 途牛网后台的网络营销信息系统是如何支持其发展战略的？

本章小结

网络营销战略是企业在现代网络营销观念下，为实现其经营目标，对一定时期内网络营销发展的总体设想和规划。网络营销战略规划是企业以市场需求为导向，在激烈的市场竞争中，为充分利用市场机会，避免环境威胁，求得企业持续、稳定、健康、高效发展，在对企业内外部营销环境分析的基础上，对企业网络营销的任务、目标以及实现目标的方案、步骤与措施做出总体和长远的谋划，并实施与控制的过程。

战略定位的核心作用是帮助企业找到正确的经营战略目标，包含两个层面的意思：一是企业对自身的经营方略，以及目标用户群体有较为明确的定位；二是在企业战略锁定的目标用户群体中树立企业的形象和产品的形象。基于定位战略的营销沟通能使用户按照企业所期待的方式对产品和服务品牌产生认知，执行和实施定位战略也是企业塑造自身在用户心目中产品和品牌形象的过程。企业通过对自身产品和品牌形象的引导、构建与塑造，以形成自身区别于竞争对手的差异化竞争优势。

网络营销战略中差异化策略需要重点关注。差异化（differentiation）的本质在于提供与竞争者不同的产品和服务。产品差异化与市场定位差异化是不同的，产品差异化着眼于产品，而市场定位差异化则致力于影响用户的感知。在企业的网络营销中，可以从五个方面实现产品差异化，分别是产品、服务、人力成本、渠道和形象。

网络市场细分是企业制定网络营销战略的重要工作步骤，一项完整的网络营销计划涉及两个层面。一是战略规划层面，网络营销战略包括市场细分、选择目标市场、市场定位以及差异化；二是执行策略层面，包括 4P（产品、价格、促销、渠道）和客户关系管理。市场细分是指集合有相似特征（产品或服务的使用习惯、消费量和利益）的个人或企业的一个过程。市场细分的结果是形成若干个用户群，又称为细分市场。选择目标市场是指选择对企业最具吸引力，并且与企业的产品或服务最具适配性的细分市场的过程。消费者市场细分的三个要素分别是有关产品的地理位置、人口统计特征、心理和行为特征。每个要素可进一步划分出多个细分变量。

网络营销战略规划的制定需要注重四个基本原则。第一，可适应性原则，网络营销战略规划要适应经济外部环境，适合企业内部条件。第二，需求导向原则，网络营销战略规划要围绕网上市场需求进行，体现现代营销理念。第三，可持续性原则，网络营销战略规划要建立可持续发展的技术平台，贯穿到建设与运营的全过程。第四，可整合性原则，网络营销战略规划要重新整合业务流程，处理好线上业务和线下业务的协同关系。网络营销战略规划的具体内容可以概括为明形势、定位置、设目标、立框架、树形象、配资源、制方案、抓控制。

网络营销战略实施是一项系统工程：首先，应加强对规划执行情况的评估，判定是否充分发挥此战略的竞争优势和有无改进余地；其次，对执行规划时的问题应及时识别并加以改进；最后，对技术评估和采用。实施网络营销战略规划，需要根据战略规划的管理程序，做好程序中每一步骤的工作。网络营销战略规划的过程包括以下步骤：分析网络营销机会、明确网络营销任务、明确目标细分市场、确定网络营销目标、明确网络产品定位、技术规划与管理控制。

◆ 关键词

网络营销战略　　网络营销战略规划　　市场细分　　差异化　　竞争优势　　战略实施

◆ 综合复习题

思考题

1. 差异化和定位有什么不同？
2. 战略定位对网络营销而言有哪些意义和价值？
3. 什么样的企业需要考虑网络营销的战略定位？
4. 网络营销的竞争环境分析应该包括哪些要素？可以采用哪些手段？
5. 网络营销消费者市场的细分需要考虑哪些变量？
6. 网络产品品牌建设要考虑哪些关键性因素？
7. 网络营销战略定位和网络市场细分需要随着哪些因素适时调整？
8. 使用目的型细分市场和使用习惯型细分市场分别适用于哪些网络产品？
9. 针对青少年市场的网络营销策略应该有哪些注意事项？

讨论题

1. 为什么在网络营销中，差异化战略具有尤其重要的意义？
2. 不同的竞争性战略分别适用于哪些类型的网络产品？为什么？
3. 在网络营销中，面对竞争对手，赢得竞争优势的关键有哪些？
4. 网络营销战略规划是否应该在一定时期内保持稳定？如何才能够根据市场的变化适时调整？
5. 网络营销战略的制定应该有哪些人员的参与？
6. 如何识别互联网企业的核心竞争力，并在网络市场竞争中加以保持？

网络实践题

1. 搜集数据和资料,比较国内几个主要大型 B2C 型网站的竞争格局,以及它们各自所具备的竞争优势。
2. 假设你是网上书城亚马逊的营销管理人员,现在要进行一个市场调查,而你们班同学就是被抽取出来的目标客户样本。请针对这些同学设计一个市场细分的方案,说明细分的原则、变量,并对每一个细分市场进行描述。
3. 以你自己的微信朋友圈为对象,根据朋友圈成员发布消息内容及行为特征,对他们进行分类,并描述每一类的主要特征。
4. 寻找一家你熟悉的本地企业,为该企业制定网络营销战略规划。

第 5 章
CHAPTER 5

网络商业模式

§ 本章导读

本章对网络商业模式的类型、发展演变、基本特点,以及技术基础进行了总结。网络商业模式是指以互联网为媒介,整合传统商业类型,连接各种商业渠道,具有高创新性、高价值、高盈利、高风险的全新商业运作和组织构架模式。互联网商业规律更新迅速,新的商业模式层出不穷,基于网络的商业模式并不固定,一直处于发展变化之中,但其核心是不变的,即只要能给顾客提供长期价值,就是有效的模式。本章对传统网络商业模式、移动互联网商业模式,以及新型互联网商业模式进行了介绍,进而梳理了构建网络商业模式的技术基础。通过对本章的学习,学生可以对网络商业模式的类型、发展和技术基础有基本的了解。

§ 学习目标

- 了解经典的网络商业模式
- 了解如何运用大数据进行商业模式创新
- 了解如何基于云计算进行商业模式创新
- 掌握人工智能技术在网络商业模式创新中的应用
- 了解智能技术如何运用于网络商业分析

§ 引导案例

奇虎 360 的企业价值创造

奇虎 360 成立于 2005 年 9 月,主营网络安全产品,2011 年 3 月正式在美国纽约证券交易所挂牌上市,2016 年 7 月完成私有化,成功退市,并于 2017 年 11 月借壳"江南嘉捷"回归 A 股。奇虎 360 致力于为用户提供免费的网络安全产品,主营以 360 安全卫士、360 免费杀毒、360 手机卫士为代表的免费网络安全产品,主要通过在线广告和互联网增值服务获取收入。通过提供免费网络安全产品，奇虎360拥有海量的用户资源，截至2015年12月31日，PC端月活跃用户量达到5.23亿，移动端智能手机用户达到8.68亿，既是中国第一PC互联网安全产品提供者，又是中国第一移动安全产品提供商。

奇虎360于2006年7月推出免费360安全卫士，以反流氓软件为切入口进入互联网市场，与卡巴斯基合作推广免费杀毒并销售杀毒软件。2009年10月推出了永久免费的360杀毒，一举成为国内杀毒软件市场占有率第一名。从2011年开始，奇虎360借助网络安全平台拓展业务线，进入网站导航、软件下载、手机安全等众多领域，并推出影视、团购、购物、360安全桌面等多个开放平台，同时为网络游戏公司、电子商务网站、软件及应用等合作者提供服务。梳理奇虎360的发展历程，可将其商业模式演进分为两个阶段：Freemium商业模式探索阶段和Freemium商业模式成熟阶段。

1. 2005～2009年（Freemium商业模式探索阶段）

在此阶段，奇虎360虽然推出了免费的网络安全产品，如360安全卫士及360浏览器等，但公司50%以上的盈利仍然来源于销售第三方软件，而以免费形式吸引的用户量不及当前的10%，以用户为基础的增值服务业务模式和盈利模式尚不成熟，处于Freemium商业模式中的探索期，这一时期在积累一定用户基础的同时，也为其日后的免费商业模式积累了经验。

2. 2009～2015年（Freemium商业模式成熟阶段）

2009年10月奇虎360推出了永久免费的杀毒软件——360杀毒，公司踏上商业模式转型之路。这一关键事件不仅是360发展的转折点，也是其Freemium商业模式发展的转折点。永久免费为奇虎360瞬间吸引了海量用户，竞争对手卡巴斯基、江民、瑞星杀毒的用户纷纷转而使用360杀毒，于是奇虎360迅速占领网络安全市场，拥有庞大的用户基础。伴随用户规模的扩张，其增值服务也趋于成熟，增值服务逐渐成为奇虎360主要的收入来源。在收入实现形式方面，奇虎360以免费和安全的杀毒服务作为推广手段，快速获取用户并逐渐培养用户忠诚度，再将海量360杀毒服务用户转换为其互联网平台360浏览器的用户，通过占领互联网的入口实现将用户流量变现的盈利目标。其实现过程可划分为四层结构。

第一层为免费层。免费核心产品服务主要有360安全卫士、360杀毒、360手机卫士，这些产品为其带来庞大的用户群。

第二层为平台层。两大基础平台，即360浏览器平台与应用开放平台，通过免费使用将核心产品层用户顺势导入这两大平台。

第三层为细分服务层。在两大平台基础上，提供网址导航（hao-360.cn）、团购导航（tuan.360.cn）、游戏导航、应用商店等服务。

第四层为变现层，变现方式主要有两种。其一，获取广告收入。海量用户吸引第三方广告商在网址导航（hao-360.cn）、团购导航（tuan.360.cn）等产品中购买广告位，奇虎360通过竞价排名的方式为广告商定价，然后以广告位的有效点击量、有效交易额为基础收费，从而形成在线广告变现渠道。其二，获取增值服务收入。主要来源于游戏增值服务收入，细分服务层中的游戏导航可供用户免费享受各种游戏的基础服务，但是在海量用户中，必有部分玩家有更高一层的需求，如购买高级的游戏装备或道具等，高级玩家可以通过购买游戏币来享受更好的服务，奇虎 360 以销售游戏币的方式变现。

<small>资料来源：王东升，朱兆慧，代亚梦。Freemium 商业模式如何实现企业价值创造？：基于奇虎 360 科技有限公司的案例分析 [J]. 会计之友，2020, (11): 19-26。</small>

【案例思考题】
1. Freemium 商业模式是如何实现企业价值创造的？
2. Freemium 商业模式经历过哪些主要阶段？

5.1 网络商业模式

5.1.1 网络商业模式概述

商业模式在当代企业竞争中的作用日趋显著，理论界对商业模式的研究也逐渐成为企业管理与市场竞争研究的热点。目前相关研究对商业模式尚未有统一的明确定义，但有一些影响力较大的概念阐述。

蒂默尔斯（Timmers）认为商业模式是产品、服务和信息流的架构，并且描述了不同的商务参与者及其角色以及这些参与者潜在的利益和收益流来源。霍金斯（Hawkins）提出商业模式是企业和其向市场提供的产品或服务之间的商业关系，是不同的成本和收入的结构形式。彼得罗维奇（Petrovic）等人认为商业模式是一个通过一系列业务过程创造价值的商业系统。皮尼厄（Pigneur）认为商业模式是公司及其伙伴网络向一个或几个细分市场的顾客创造与交付的价值和关系资本，以此产生可盈利的和可持续的收益流的体系。切萨布鲁夫（Chesbrough）提出业务模式应该具有六个功能：价值主张、市场分割、定义公司内部的价值链结构、评估生产产品的成本结构和利润潜力、制定竞争策略、获得和保持竞争优势。阿富埃（Afuah）等人认为商务模式是公司运行的秩序，是公司建立、使用资源、为客户提供价值并获利的依据，是公司获得持久竞争优势的关键，包括公司向客户提供的价值、目标客户群、产品或服务的范围、定价机制、增值活动及相应能力、实现途径等。

刘亮（2012）对近年来的主要研究进行了梳理和分析，把其中对商业模式的定义分成体系论、价值论、盈利论和整合论四类。体系论认为商业模式应包含战略目标、价值主张、收入来源、关键成功因素和核心竞争力这几大要素；在价值论中，商业模式则包含定价模式、收入模式、渠道模式、商业流程模式、基于互联网的商业关系、组织架构以及价值主张这几大要素；盈利论认为商业模式是解决应为顾客提供什么样的价值、应为哪些顾客提供价值、如何为该价值定价、谁应为该价值付费、为提供该价值应该采取什么战略、如何提供该价值、怎样保持优势等问题的一揽子方案；整合论则认为商业模式应包含产品、顾客界面、基础设施管理和财务四大要素。

基于以上解释，本书认为从宏观意义上讲，企业与企业之间、企业的部门之间以及企业与顾客和渠道之间都存在各种各样的交易关系与联结方式即称为商业模式。从微观角度来看，商业模式指的是客户价值、企业资源和能力、企业盈利模式这三要素及其之间的相互关系。

以下是几种经典的网络商业模式的概念及特点。

1. B2C

（1）概念。B2C 电子商务一般是指企业针对个人开展的电子商务活动总称。B2C 电子商务以电子化、网络化、信息化的形式进行商务活动。随着科学技术的发展，电子商务已经进入人们的视野，通过互联网，人们可以跨越空间、时间上的阻隔，随时随地共享、传播各类信息，在此过程中，传统的商业观念逐渐被淘汰，传统的贸易形式也受到了严重打击。与传统贸易形式相比，B2C 电子商务能够大规模地采集信息，减少流通环节，降低交易成本，有效解决农产品市场发展中存在的问题。

（2）与实体店相比，B2C 的特点有：

1）用户群体大；

2）交易涉及的支付或转账金额较少；

3）涉及账号和操作金额等个人隐私信息；

4）经营主体范围广、覆盖范围大、自由程度比较高、发展前景好。

2. C2C

（1）概念。C2C，即 customer（consumer）to customer（consumer）。由第三方经营网络交易平台，供个人之间在网上进行实物和服务交易。第三方负责对网络交易进行服务和管理，但并不参与交易。

（2）与实体店相比，C2C 的特点有：

1）较低的交易成本；

2）经营规模不受限制；

3）便捷的信息收集；

4）加大的销售范围和销售力度。

3. B2B

（1）概念。美国营销协会将 B2B 企业定义为，将产品销售给其他企业的企业，与将产品直接销售给个人的 B2C 企业形成对比。

（2）与 B2C 相比，B2B 的特点有：

1）发生在企业和企业之间，而不是发生在企业和消费者之间；

2）B2B 的客户数量少于 B2C 的客户数量；

3）B2B 的行业收入总额高于 B2C 的行业收入总额；

4）B2B 一般采取直销的方式，而 B2C 一般会让中间商或代理商进行销售。

4. O2O

（1）概念。O2O 模式通过在线集中和展示信息，物流和业务统一线下分配来促进资金流动，然后鼓励用户和商家通过在线推广参与。在整合大数据的信息流和资金流背景下，将线下的实体店与互联网在线交易模型相结合，可以实现销售产品和服务的一体化。快速循环的资金流,快速变现的商品,这些优势都是这一新的运作模式可以实现的,同时可以使商家资金运营效率获得最大化。

(2)与实体店相比,O2O 的特点有:

1)通过互联网的便捷,以及线下实体店的购物体验补充,可以在更大程度上满足消费者需求。

2)依赖于云计算和大数据的运用。

5.1.2 网络营销的盈利模式

网络营销是以现代营销理论为基础,借助网络、通信和数字媒体技术实现营销目标的商务活动,由科技进步、顾客价值变革、市场竞争等综合因素促成,是信息化社会的必然产物。网络营销根据其实现方式有广义和狭义之分,广义的网络营销指企业利用一切计算机网络进行营销活动;而狭义的网络营销专指国际互联网营销。

1. 整合的网络营销盈利模式

此模式是将传统营销活动与在线营销活动结合以实现价值的一种网络营销盈利模式。它经历了非中间化和再中间化的过程,与网络的兴起、泡沫破灭、重新发展的历程相一致,体现了人们对网络运用和影响的认识由非理性到理性以及认识的逐步成熟。整合的网络营销盈利模式主要表现为"企业网站+在线销售、订购产品或服务"。该模式又分为两种情况。

(1)传统制造业公司建立网站,辅助或直接销售自己的产品,既包括提供在线订购服务、客户定制个性化产品或服务、也包括通过在线的营销工作促使顾客离线购买。例如海尔,顾客可以在其网站上按照自己的要求定制个性化的冰箱,也可以在线搜索产品信息,并比较、分析和选择。

(2)公司以渠道商的角色出现,建立自己的网站,让消费者通过网上订购来销售别人的产品。例如亚马逊,需要指出的是亚马逊的离线营销工作力度(如户外广告牌、物流体系的建立和维护)甚至远远超过了在线营销活动,这也是把亚马逊划为整合的盈利模式的根据之一。在线销售的盈利模式从电子商务的角度看既有 B2B、B2C 模式,也有 C2C 模式。前者如阿里巴巴、亚马逊等,后者如淘宝、易趣等。

2. 综合门户网站的跨平台、多元业务盈利模式

现阶段,网络的应用大致可以分成三种平台:交互平台,主要包括通信、交友和娱乐三个方面;媒体平台,主要是信息发布;商务平台,支持在线交易,既有 B2B,也有 C2C。综合门户网站的跨平台和多元业务盈利模式先后经历了几个阶段,具体发展过程大致如下:

(1)网站+广告。广告收费是早期阶段网站主要的盈利方式。新浪、搜狐、网易等作为国内的三大门户网站,其综合性和提供的海量信息,使其拥有大量较为忠诚的用户,保证了很高的点击率,并遥遥领先,因此,广告收费成为其销售收入的主要来源之一。点击率是广告的主要计费依据,各综合网站为提高点击率,不断增加各类信息,从社会、政治新闻、历史文化、财经到娱乐，应有尽有，而且不断更新，否则将面临点击率下降的风险，这也对该模式如何保持丰富的信息内容以及降低成本提出了要求。对于其他网站，该模式难以效仿。

（2）网站+广告+付费会员制。早期阶段，点击率换成的广告收入，还不能弥补综合网站的运营成本及维护成本，远远不能满足盈利的要求，这一点可以从当时各大网站的广告收入与占全部收入的比例及亏损状态看出。新浪、搜狐、网易三大门户网站的主营收入均来自网络广告。盈利的压力迫使各网站纷纷推出各种差异化的会员服务，如收费邮箱和社区会员付费制，收费邮箱针对商务客户（VIP）和企业，在功能和容量上都优于免费邮箱；社区会员付费制为有各种需要的会员提供差异化的特色服务。

（3）网站+广告+付费会员制+搜索引擎。在网站点击率稳定在一定的峰值以及会员规模稳定的情况下，使用搜索引擎竞价排名成为综合网站的又一种收入来源，搜索引擎的出现实际上是由网络自己产生的需要，网站太多、信息量太大，迫使人们思考如何更方便地搜索信息，于是便有了该模式。今天所看到的三大门户网站基本上都可算是该模式。

3. 专业的或细分的基于不同应用平台的盈利模式

根据网络营销利用的平台或以网站为基础提供的不同专业服务，可以将该模式分为以下几种。

（1）在线交易的盈利模式。该模式利用网络的商务平台作用，支持交易、收取费用，是收入来源。代表性的公司有阿里巴巴、淘宝及易趣等。前者是B2B，后两者是C2C。通过支持企业或消费者的在线贸易并对各企业和个人用户进行信用评级，该类网站提供了一个很好的商务平台。以阿里巴巴为例，作为全球最大的网上贸易平台，阿里巴巴在一定程度上推动了中国商业信用的建立，并对广大的中小企业在激烈的国际竞争中立足提供了一定的支持。

（2）网络游戏、娱乐模式。该模式利用的是网络的交互平台。代表性的公司有盛大、网易，采用时间点卡收费或道具增值服务计费。

（3）付费的在线专门（业）服务。主要有在线教育类，如提供线上培训的新东方；招聘类，收取企业会员费，如中国人才热线、智联招聘以及其他各类大大小小的招聘网站；提供数据和专业信息服务的各类研究网、期刊网，如万方期刊网等，以及作为学习交流平台的各类管理咨询网。当然，后两种服务类型的网站既发布信息，同时也收取会员费，可以看作会员制营销。

（4）专业的搜索引擎盈利模式。代表有百度、谷歌。竞价排名、搜索营销是收入的主要来源，实质是做推广，作用类似于广告。

（5）新的衍生盈利模式。主要是新兴的网络中间商，如虚拟商场、虚拟评估机构以及智能代理。

5.1.3 社交媒体商业模式

1. 社交媒体商业模式的定义

社交媒体商业模式是指基于对企业既有商业模式与内外部经营环境充分认知，形成"社交媒体商业化"运营方案；达成消费者分析与洞察；产生链接高价值用户的创意与内容；实施精准高效的运营执行、监测、反馈及跟进；打造企业专属社群经济生态圈；完成基于社交媒体的商业化闭环运营；最终推动企业"社交媒体商业化"目标达成。

2. 社交媒体商业模式的三个阶段

阶段一：以社交媒体帮助企业实现基础性商业诉求。社交媒体商业化的第一步是要帮助企业形成对社交媒体的有效利用，产生专有价值。有效整合社交媒体资源，高效对话并维系忠诚用户，提高用户转化率，实现既定商业目标，是第一阶段的核心挑战。

阶段二：以社交媒体商业化专能，推动企业成就数字化时代新商业模式。通过社交媒体专业运营构建起企业有效"社群经济"基础，接下来则是要推动企业将社交媒体价值渗透到企业经营各环节中，进而影响商业模式和组织架构，从而形成基于社交媒体的"商业闭环"。

阶段三：以新商业模式为驱动，推动企业创新性发展。以社交媒体为核心的新数字化商业模式的形成必将为企业既有商业模式注入新生力量，带来全面创新转型契机。如何把握市场趋势，深度整合企业现有内外部资源，将新商业模式中的优势辐射至既有商业运营环境中，以实现更好的消费者体验、更高的运营效率以及更快的创新进程，最终形成企业新的商业价值增长点与核心竞争力，是这一阶段的核心目标。

3. 主要的价值实现方式

（1）提供在线广告服务。社交媒体的广告业务已不限于条幅式广告和宣传片广告，而是融合了科技创新的精准营销和社会化营销。在应用科技的参与下，社交媒体的营销形式繁多，包括开屏广告、垂直广告、嵌入式广告、视频广告和广告直销等。以美国社交媒体Snapchat为例，我们着重探讨其为降低广告排斥效应和提升广告转化率所做出的创新。在制作模式上，Snapchat采用纵向视频和全屏播放，使展示空间更大并且不需要横向翻转手机。在展示方式上，Snapchat会为商家设置专门频道且收费高昂，其基于"阅后即焚"的瞬时记忆理念多次为知名品牌举行新品发布会并获得成功。瞬时记忆理念契合了人类大脑的遗忘特性，有助于减轻人们的社交顾虑。同时，此举还通过饥饿营销增加了用户的好奇感，其在美国年轻人中的流行性超过Facebook。在用户体验上，Snapchat不再采用前置广告，而是采用后置有声广告，广告的音频特色也被视为用户体验的重要部分，用户还可跳过广告直接观看视频。这些创新都尊重了用户的选择权和自主权，既改善了用户体验，也不会减少广告接触和连接客户的机会。这些独具特色的价值传递活动是社交媒体特有的新功能。

（2）提供电子支付服务。社交媒体网站的电子支付功能既有免费应用模式，也有收费应用模式：免费应用模式主要体现社交媒体的社会价值，并且也是社交媒体的主要获客方式；收费应用模式主要是对用户的提现申请收取一定费用。目前，中国的微信和俄罗斯的VKontakte都有嵌入在线支付应用程序。其中，微信为每个身份证注册用户提供1 000元的免费提现额度，为注册商家提供100万元的免费提现额度，超过部分收取0.1%的手续费。由于小商户和个人用户普遍青睐微信转账与收付款业务，因此微信的提现业务具有经常性和可持续性，其社会价值和商业价值都相当可观。从银联卡支付到网银支付，再到小额移动支付，这些细节的改变见证了商业的进步，促进了金融的优化，并且支持了媒体和用户间的关系建立与深化，是一次意义深远的支付变革。

（3）创设网络金融应用。尽管还在早期阶段，但社交媒体的在线金融创新业务将来可能成为其主要盈利方式之一。以微信为例，金融服务已经涵盖生活缴费、手机充值、信用卡还款、投资理财和保险服务等多个方面。这场由社交媒体发起的，从支付和生活缴费等边缘服务开始的变革，是媒体与金融跨界融合的开始。通过 Fan 等人（2002）对美国的观察，知名媒体彭博社（Bloomberg）曾经创建 Tradebook 电子交易系统用于构建在线股票交易，以参与解决当时纽约证券交易所由场内专家主导的人工密集型股票交易机制的低效问题和纳斯达克证券交易所由做市商主导的场外交易系统混乱问题。中国资本市场的后发优势决定了互联网媒体不大可能有参与重构资本市场交易机制的机会，但不排除国内社交媒体特别是微信和微博同其他金融领域进行跨界融合的可能。这些机会将广泛存在于保险、理财、信托等尚在起步阶段的新金融中介领域。

（4）创设其他增值服务。社交媒体的增值服务与它对现实世界中的真实生活的替代性有关。典型运用有腾讯的 Q 币和人大经济论坛的金币，两者都属于媒体运营者为开展在线业务创建的代币。另一个流行的增值服务是贴图。以日本社交媒体 Line 为例，其以贴图服务为核心的知识产权衍生品系列在 2016 年的销售收入达到 8.6 亿日元，占当年总收入的 61.1%。Line 还为贴图服务发展了表情商店，用户可以付款购买表情贴图作为礼物或者用于聊天。截至 2018 年，Line 已形成拥有 262 万个表情的创造者市场，还会发行特殊活动限量版纪念贴纸集，并将代表性贴图与平台业务融合，以及建立贴图形象立体化矩阵和拟人化特质，这些举措都夯实了 Line 的品牌战略。其他增值服务的典型运用有 VKontakte 的音乐点播、Snapchat 的寻宝游戏等，这些基于用户心理需求的虚拟产品和享乐服务，都为社交媒体贡献了商业价值。而另一些重要的增值服务，譬如微信的定位服务和在线会议服务等，往往采用免费使用模式，可以理解为社交媒体用于保留用户和提升用户满意度的成本项目。

（5）社会化电子商务平台。社会化电子商务是指将社会化因素（点赞、评论、转发等）融入电子商务平台，通过社交互动和用户自主行为去推介商品的营销活动。典型的运用平台有小红书、微博、淘宝和京东等。在互联网情境下，商业领域的市场组织发生了革命性变化，商场、超市、专卖店和零售店等线下实体店无一例外地都在向线上转移。在早期阶段，发挥主导作用的是线上交易平台和线上自营商城。在社交媒体兴起后，市场的组织形态就从单一的电子商务发展到了社会化阶段。

5.1.4 网红经济商业模式

1. 网红经济的定义

网红经济是移动互联网"孵化"出的一种新型经济模式，是指通过大量聚集社会关注度，依托互联网传播及其社交平台推广，围绕网红 IP 形成的一个产业经济链条。

2. 网红经济的本质

网红经济的核心在于内容变现与流量变现，其本质则是网红价值观与受众注意力资源的货币化。

（1）网红经济是网红价值观的货币化。社会的发展带来了消费的升级，使得消费具有双重属性：一是围绕产品功能或服务所形成的自然属性；二是文化属性，即蕴含在商品中的品位、个性和文化，归结为价值观。网红传播在很大程度上取消了先前高级文化和大众文化或商业文化间的界限，表明大众媒介的话语权发生某种程度的转移，即开始与大众文化汇流，进而形成了一种新的话语结构，具有鲜明的后现代主义文化的特征。它在内容上契合了以80后、90后群体为代表的网民群体的价值观取向。虽然这一群体曾一度被贴了无数标签，而现在却逐渐成为社会的中坚力量。他们不仅愿意为产品的功能付费，还愿意为价值观认同而付费，即内容的变现。它反映的是价值观的货币化。

（2）网红经济也是受众注意力资源的货币化。我们当前所处的信息社会，与极大丰富的信息相比，相对稀缺的则是人们的注意力。因此，如果说农业社会的核心资源是土地、工业社会的核心资源是能源，那么信息社会的核心资源便是注意力。从产业价值链的角度看，现代意义上的媒体扮演着唯一规模化导入消费者入口的角色，各类产品和服务需要通过媒体快速、大规模地吸引消费者的注意，而网红群体通过聚集粉丝所获得的有效流量，即粉丝的有效注意力，正是商家梦寐以求的资源。因此，以广告、销售等营销服务为代表的流量变现方式，实现了众多粉丝群体有限的主观注意力资源与相对无限的客观商业信息资源的相互匹配，反映的是受众注意力资源的货币化。

3. 网红经济的产业链构成及其商业模式解析

拥有清晰的产业链条和盈利模式是任何一个产业经济的必备条件。网红经济的产业链在其构成上，包括网红群体专业服务机构、内容供应方、传播平台、用户、软硬件服务商以及第三方咨询机构等，产业链各环节通过提供内容资源、服务，实现用户流量的变现。

一是前端服务环节。其中网红群体专业服务机构作为"网红供应方"，主要通过为网红群体提供培训、包装以及代理等服务，获取服务费和网红群体的收入分成。软硬件服务商主要通过向产业链各方提供设备、带宽以及软件开发服务等获得收益。第三方咨询机构与各类资本机构通过向产业提供市场咨询、内容创意设计与制作、投资、融资等服务获得收益。

二是内容供应方与传播平台之间的内容生产环节。在内容供应方中，网红群体通过提供内容，吸引大量粉丝，提升平台流量，以获得平台的收入分成；第三方媒介等内容制作部门则通过向平台提供内容、出售版权等一系列方式，获得平台方的付费收入；商家出于借助平台对其商品进行推广的需要，也是内容供应方的重要构成之一，主要提供产品、服务及其相关信息。

三是传播平台与用户（个人用户与商家）之间的内容传播和消费环节。在传播平台中，综合性平台主要是指各类大型门户网站、社交软件以及论坛站点，如腾讯、网易、微博、微信等，提供从文本、图片到直播等多类型的传播服务；专业直播平台则是将直播领域进行横向化细分，由直播网站与直播App等构成，如"斗鱼""映客""花椒"等。此外，电商平台则以"销售渠道＋网红传播"的形式，向用户提供垂直化的产品展示和销售服务，如京东、淘宝等。在具体收费形式上，传播平台主要通过提供内容，以内容付费、打赏等方式向个人用户收费，同时以广告费与销售分成等方式向商家用户收费。

5.2 互联网金融商业模式

随着互联网和大数据的发展,互联网金融企业崛起对传统金融业的多个领域形成冲击,并向金融业的核心领域拓展。互联网金融是依托于支付、云计算、社交网络以及搜索引擎等互联网工具而产生的一种新兴金融模式。互联网金融因具有资源开放化、成本集约化、选择市场化、渠道自主化、用户行为价值化等优点,对传统银行业务带来巨大冲击。互联网金融为传统金融机构及新兴金融机构带来了巨大的机遇与挑战。

1. 互联网金融的概念

从广义的金融角度来看,互联网金融包括但不限于第三方支付、在线理财产品的销售、信用评价审核、金融中介、金融电子商务等模式。从狭义的金融角度来看,互联网金融涉及货币的信用化流通支付的相关层面,也就是资金融通依托互联网来实现的方式方法都可以称为互联网金融。

当前互联网金融格局由传统金融机构和非金融机构组成。传统金融机构的互联网金融主要包括传统金融业务的网上银行创新以及电商化技术创新等。非金融机构的互联网金融主要由凭借商业性互联网技术进行资金运作的电商企业、P2P模式的网络借贷平台、众筹模式的网络投资平台、理财类的手机理财App以及第三方支付平台等组成,是以互联网体系与思维去打造类金融业务,运用互联网的特性去完成金融的渠道、借贷、信息、销售、客户管理等工作。

2. 互联网金融的特点

(1)成本低。互联网金融模式下,资金供求双方可以通过网络平台自行完成信息甄别、匹配、定价和交易,无传统中介、无交易成本、无垄断利润。一方面,金融机构可以避免开设营业网点的资金投入和运营成本;另一方面,消费者可以在开放透明的平台上快速找到适合自己的金融产品,削弱了信息不对称程度,更省时省力。

(2)效率高。互联网金融业务主要由计算机处理,操作流程完全标准化,客户不需要排队等候,业务处理速度更快,用户体验更好。例如,阿里小贷依托电商积累的信用数据库,经过数据挖掘和分析,引入风险分析和资信调查模型,商户从申请贷款到发放只需要几秒钟,日均可以完成贷款1万笔,成为真正的"信贷工厂"。

(3)覆盖广。互联网金融模式下,客户能够突破时间和地域的约束,在互联网上寻找需要的金融资源,金融服务更直接,客户基础更广泛。此外,互联网金融的客户以小微企业为主,覆盖了部分传统金融业的金融服务盲区,有利于提升资源配置效率,促进实体经济发展。

(4)发展快。依托于大数据和电子商务的发展,互联网金融得到了快速增长。以余额宝为例,余额宝上线18天,累计用户数达到250多万,累计转入资金达到66亿元。据报道,余额宝规模500亿元,成为规模最大的公募基金。

(5)管理弱。一是风控弱。互联网金融还没有接入人民银行征信系统,也不存在信用信息共享机制,不具备类似银行的风控、合规和清收机制,容易发生各类风险问题,已有众贷网、网赢天下等P2P网贷平台宣布破产或停止服务。二是监管弱。互联网金融在中国处于起步阶段，还没有完备的监管和法律约束，缺乏准入门槛和行业规范，整个行业面临诸多政策和法律风险。

（6）风险大。一是信用风险大。现阶段中国信用体系尚不完善，互联网金融的相关法律还有待配套，互联网金融违约成本较低，容易诱发恶意骗贷、"卷款跑路"等风险问题。特别是P2P网贷平台由于准入门槛低和缺乏监管，成为不法分子从事非法集资和诈骗等犯罪活动的温床。2014年以来，淘金贷、优易网、安泰卓越等P2P网贷平台先后曝出"跑路"事件。二是网络安全风险大。中国互联网安全问题突出，网络金融犯罪问题不容忽视。一旦遭遇黑客攻击，互联网金融的正常运作会受到影响，危及消费者的资金安全和个人信息安全。

3. 互联网金融的主要模式

目前，互联网金融的主要业态为第三方支付、网络信贷（P2P）、"众筹"融资模式、虚拟货币以及其他网络金融服务平台。

（1）第三方支付。第三方支付就是与产品所在国家以及国内外各大银行签约，由具备一定实力和信誉保障的第三方独立机构提供的交易支持平台。在通过第三方支付平台的交易中，买方选购商品后，使用第三方平台提供的账户进行货款支付，由第三方平台通知卖家货款到达、进行发货；买方检验物品后，就可以通知第三方平台付款给卖家，第三方平台再将款项转至卖家账户。

第三方支付是随着电子商务的快速发展而逐步兴起的。欧美国家发展电子商务较早，国内第三方互联网支付发展起步较晚，近年来随着国内网民数的增加和电子商务的高速发展，中国第三方互联网支付市场取得了较为快速的发展。

2015年2月12日，中国人民银行发布的《2014年支付体系运行总体情况》显示，电子支付业务保持增长态势，移动支付业务快速增长；2014年，全国电子支付业务金额1 404.65万亿元，同比增长30.65%。中国国内的第三方支付平台主要有支付宝、拉卡拉、财付通、微信支付等。

（2）P2P网络信贷。P2P（peer to peer 或 person to person）网络信贷，2005年起源于英国，是一种全新的信贷模式。该模式指拥有资金并且有投资意愿的个人，通过第三方建立的网络融资平台牵线搭桥，以信用贷款的方式将资金贷给其他有借款需求的人。由于具有收益率高、门槛低等优势，P2P网络信贷迅速在全球范围内兴起。

欧美发达国家中几个较为典型的P2P平台有英国的Zopa，美国的Prosper、Lending Club。2006年4月，中国首家以P2P网络平台形式从事小额信贷的公司在北京成立。此后，中国P2P发展速度加快，据不完全统计，在中国以P2P模式运营的网络平台有2 000多家，融资规模超过百亿。P2P融资平台大致可以划分成三类：一是单纯中介型，在借贷过程中只提供平台而不参与交易；二是复合中介型，除了提供交易平台，还承担担保人、联合追款人、利率制定人等职能；三是非营利公益型，不以营利为目的。图5-1是拍拍贷的运行流程。

（3）"众筹"融资模式。莫利克（Mollick，2012）对"众筹"给出的定义为，融资者借助于互联网上的"众筹"融资平台为其项目向众多投资者融资，每位投资者通过少量的投资金额从融资者那里获得实物（如预计产出的产品）或股权回报。2012年4月，美国通过JOBS法案，允许小企业通过"众筹"融资获得股权资本，这使"众筹"融资替代部分传统证券业务成为可能。

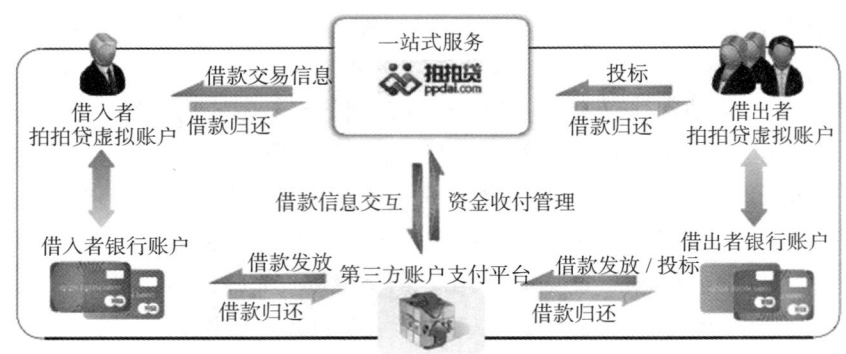

图 5-1　拍拍贷的运行流程

资料来源：作者根据网络资料整理。

近年来，全球"众筹"融资模式发展非常迅速。其中，美国的"众筹"融资占据了全球"众筹"融资的主要份额。Kickstarter 是目前全球最大的"众筹"融资平台。它成立于 2009 年，在短短几年内，Kickstarter 获得了巨大的成功。截至 2013 年 6 月末，Kickstarter 一共为 44 762 个项目融资 6.01 亿美元，项目涵盖 13 个类别。

中国的"众筹"融资模式在 2011 年才出现，目前有一定规模的"众筹"网站已经不下十家。其中，点名时间于 2011 年 7 月上线，是上线最早的"众筹"平台，也是国内最大、发展最成熟的"众筹"网络平台。相对于美国，我国法律对非法集资的定义、对知识产权的保护薄弱以及投资者保护立法空白等制约了"众筹"融资模式在国内的发展。

（4）虚拟货币。国外早期的互联网虚拟货币都是由某个网络社区发行和管理的，只能在自己的网络社区使用。最为著名的是林登实验室在其网络社区"第二人生"中推出的林登币。值得一提的是林登币可以与现实货币兑换，林登实验室在 2005 年 10 月正式推出林登币与美元兑换的交易平台"林登指数"。

比特币的创造打破了互联网虚拟货币只能在某个特定网络社区使用的限制。比特币不依赖于特定的中央发行机构，使用遍布整个 P2P 网络节点的分布式数据库来记录货币的交易，并使用密码学的设计来确保货币流通各个环节的安全性。自从 2009 年问世以来，比特币已成为目前最著名的虚拟货币，此前，比特币一直被在线商户使用，但近期有越来越多的小型实体商户也开始接受比特币支付的方式。目前国外较为知名的互联网虚拟货币还包括 Litecoin、Freicoin、Ripple、Amazon Coins 等。

国内互联网虚拟货币是近几年发展起来的，但其发展速度之快，丝毫不逊色于国外。当前国内虚拟货币已有十几种，例如 Q 币、百度币、新浪 U 币等。与国外相比，国内目前的互联网虚拟货币还仅限于某个特定网络社区使用，而且无法与现实货币进行双向兑换。

（5）互联网保险。互联网保险服务平台在国外有多年发展历史。成立于 1999 年的 eCoverage 是美国第一家所有业务活动均通过互联网进行的公司。Ineas 是欧洲第一个完全通过互联网销售自己产品的保险公司。1999 年 7 月，日本出现首家完全通过互联网推销保险业务的保险公司，这家保险公司由总部位于美国的 AFLAC 公司与日本电信共同投资设立和管理。韩国在 2000 年出现了网络汽车保险公司。在国内，众安在线的成立引发业界的热议，其完全通过互联网进行销售和理赔是中国保险业在互联网新金融创新上的一次突破。

4. 互联网金融对现有金融体系的影响

（1）互联网虚拟货币对货币政策的影响。一是互联网虚拟货币对现实通货的替代作用会使中央银行的资产负债表的规模萎缩，削弱其在公开市场操作大规模对冲外汇市场波动或者对商业银行进行大规模紧急流动性援助的能力。二是互联网虚拟货币的出现和发展会导致基础货币、M1增速以及社会融资规模等货币政策中介指标失真，从而影响货币政策的针对性、有效性。

（2）互联网金融对金融稳定及金融监管的影响。从短期来看，由于互联网金融的准入门槛较低，导致大量非金融机构介入金融业务，但是这些非金融机构不具备传统金融完善的公司治理结构和合规机制，在风险控制方面缺乏经验，这可能给金融稳定带来隐患。但是从长期来看，互联网金融的发展将降低系统性风险。一方面，互联网金融的发展替代和补充了传统金融业务，使传统金融机构的特殊性及其在整个金融体系的重要性降低，使破产的代价降低、危机产生的负外部性变小。另一方面，信息技术的创新创造出了能够对风险进行分类计价以及重新分配的金融工具，并可以对其进行估值和交易，扩大了风险管理的范围。

伴随着非金融机构，如电信、互联网企业的进入，以及传统金融机构的业务创新，金融机构的类型界限将模糊化，传统的机构监管的模式将难以有效覆盖到互联网金融领域。未来，金融监管模式将逐步从机构监管向行为监管、金融消费者保护转变。

（3）互联网金融对消费者保护的影响。互联网金融更加民主和普惠的特性使更广泛的金融消费者受益，特别是有利于缓解中小企业融资难问题，但是也为金融消费者保护带来新的挑战。首先，互联网金融涉及的交易都是通过互联网进行的，虽然目前加密、认证技术已经很发达，但是交易数据被截获或者被篡改的风险仍然存在。其次，互联网金融在大的环境下的资金安全面临着重大的挑战。随着云服务的推出，很多互联网企业都把一些敏感的数据放在互联网的云端，这给个人金融信息安全以及资金安全带来更大的挑战。最后，互联网金融的消费者权益维护存在法律漏洞。由于立法的不完善，互联网金融业务一旦发生经济纠纷，投资者将缺乏相应的法律依据维护自身权益。

5.3 基于大数据的商业模式创新

5.3.1 大数据的概念

1. 大数据的定义

在维克托·迈尔-舍恩伯格及肯尼思·库克耶编写的《大数据时代》中，大数据指不用随机分析法（抽样调查）这样的捷径，而是采用所有数据进行分析处理。

在维基百科中，关于大数据的定义为，大数据是指利用常用软件工具来获取、管理和处理数据所耗时间超过可容忍时间的数据集。

IDC 对大数据的定义是：大数据一般会涉及两种或两种以上数据形式，它要收集超过 100 TB 的数据，并且是高速实时数据流，或者是从小数据开始，但数据每年会增长 60% 以上。

而研究机构 Gartner 给出了这样的定义：大数据是需要经过新处理模式才能具有更强的决

策力、洞察发现力和流程优化能力的海量、高增长率和多样化的信息资产。

2. 大数据的特点

根据《大数据时代》里的描述，大数据有着"4V"特点，即大量（volume）、高速（velocity）、多样（variety）、价值（value）。

（1）数据量大。大数据聚合在一起的数量是非常大的，根据 IDC 的定义至少要有超过 100 TB 的可供分析的数据，数据量大是大数据的基本属性。导致数据规模激增的原因有很多，首先，随着互联网的广泛应用，使用网络的人、企业、机构增多，数据获取、分享变得相对容易；其次，随着各种传感器数据获取能力的大幅提高，使得人们获取的数据越来越接近原始事物本身，描述同一事物的数据量激增；最后，数据量大还体现在人们处理数据的方法和理念发生了根本的改变。

（2）数据处理速度快。要求数据的快速处理，是大数据区别于传统海量数据处理的重要特性之一。随着数据的产生、发布越来越容易，产生数据的途径增多，个人甚至成为数据产生的主体之一，数据呈爆炸的形式快速增长，新数据不断涌现，快速增长的数据量要求数据处理的速度也要相应提升，才能使得大量的数据得到有效的利用，否则不断激增的数据不但不能为解决问题带来优势，反而成了快速解决问题的负担。同时，数据在互联网中不断流动，且通常这样的数据的价值是随着时间的推移而迅速降低的，如果数据尚未得到有效的处理，就失去了价值，大量的数据就没有意义。此外，在许多应用中要求能够实时处理新增的大量数据，比如大量在线交互的电子商务应用就具有很强的时效性。

（3）数据类型多样。数据类型繁多、复杂多变是大数据的重要特性。以往的数据尽管数量庞大，但通常是事先定义好的结构化数据。而随着互联网与传感器的飞速发展，非结构化数据大量涌现。非结构化数据没有统一的结构属性，难以用表格结构来表示，在记录数据数值的同时还需要存储数据的结构，增加了数据存储、处理的难度。在数据激增的同时，新的数据类型层出不穷，已经很难用一种或几种规定的模式来表征日趋复杂多样的数据形式，这样的数据已经不能用传统的数据库表格来整齐地排列、表示。大数据正是在这样的背景下产生的，大数据与传统数据处理最大的不同就是重点关注非结构化信息。

（4）数据价值密度低。数据价值密度低是大数据关注的非结构化数据的重要属性。传统的结构化数据依据特定的应用，对事物进行了相应的抽象，每一条数据都包含该应用需要考量的信息，而大数据为了获取事物的全部细节，不对事物进行抽象、归纳等处理，直接采用原始的数据，保留了数据的原貌，且通常不对数据进行采样，直接采用全体数据，由于减少了采样和抽象，呈现所有数据和全部细节信息，可以分析更多的信息，但也引入了大量没有意义的信息，甚至是错误的信息，因此相对于特定的应用，大数据关注的非结构化数据的价值密度偏低。

5.3.2　大数据支撑的商业运营

2015 年 9 月，国务院印发《促进大数据发展行动纲要》（以下简称《纲要》），系统部署大数据发展工作。《纲要》明确，推动大数据发展和应用，在未来 5 至 10 年打造精准治理、多方协作的社会治理新模式，建立运行平稳、安全高效的经济运行新机制，构建以人为本、惠及全民的民生服务新体系，开启大众创业、万众创新的创新驱动新格局，培育高端智能、新兴繁荣的产业发展新生态。

《纲要》部署三方面主要任务。一要加快政府数据开放共享，推动资源整合，提升治理能力。大力推动政府部门数据共享，稳步推动公共数据资源开放，统筹规划大数据基础设施建设，支持宏观调控科学化，推动政府治理精准化，推进商事服务便捷化，促进安全保障高效化，加快民生服务普惠化。二要推动产业创新发展，培育新兴业态，助力经济转型。发展大数据在工业、新兴产业、农业农村等行业领域应用，推动大数据发展与科研创新有机结合，推进基础研究和核心技术攻关，形成大数据产品体系，完善大数据产业链。三要强化安全保障，提高管理水平，促进健康发展。健全大数据安全保障体系，强化安全支撑。

目前大数据应用的领域主要集中在互联网、金融、电信、零售等数据密集型行业。

1）在互联网行业，对大数据的分析可以为商家制定更加精准有效的营销策略提供决策支持。互联网行业的主要特征之一是各种类型的信息和数据都呈现爆炸式增长，同时用户行为和网络中的社会群体变得更加多样化、复杂化。Facebook 通过对海量社交网络数据与在线交易数据进行分析和挖掘，从而提供点对点的个性化广告投放策略。百度通过搜集整理网络玩家的搜索需求与热点，将用户人群细分，并对网络游戏的搜索行为数据加以提炼，建立用户行为数据库销售给网络游戏运营商，创造了以数据销售为主、广告服务为辅的双轨模式。

2）在金融行业，对大数据的分析可以为金融机构实现快速科学决策与服务创新提供支撑。金融行业的信息化程度高，数据量非常庞大，并且数据管理集中化，为大数据的分析与利用提供了良好的基础。中信银行信用卡中心通过部署大数据分析系统，实现了近似实时的商业智能和秒级营销，运营效率得到全面提升，每次营销活动配置平均时间从 2 周缩短到 2～3 天，交易量增加了 65%，不良贷款比率同比减少了 0.76%。

3）在电信行业，对大数据的分析可以使营销策略和产品设计更加精准，帮助运营商从数据流量中获益、向智能轨道转型。近些年由于无线上网和智能手机的普及，导致电信行业数据量呈现爆炸式增长。同时电信业面临着市场饱和度高、产品服务同质化明显、从快速增长的数据流量业务中获利有限等业务挑战，迫切需要通过新的技术手段改变现状。中国联通通过部署大数据组织与管理系统，使得用户记录可在 10 分钟内查询到，并使其在几千亿条记录当中的检索时间缩短到一秒钟之内，提高了对客户投诉的反馈效率和质量，提高了客户服务满意度。

4）在零售行业，对大数据的分析可以使零售商实时掌握市场动态并迅速做出反应。由于零售行业同类产品的差异小，可替代性强，销售收入的提高离不开出色的购物体验和客户服务，也离不开高效的商品流转率，需要实现精准营销和快速营销。沃尔玛已经开始利用各个连锁店不断产生的海量销售数据，并结合天气数据、经济学、人口统计学进行分析，从而在特定的连锁店中选择安排合适的上架产品，并据此判定商品减价的时机。农夫山泉通过大数据分析技术使销售额提升了大约 30%，并使库存周转从 5 天缩短到 3 天，同时其数据中心的能耗降低了约 80%。

5.3.3 大数据带来的商业变革

大数据的出现，无论是对企业运营还是市场营销，均产生了影响。

1. 大数据给企业运营带来的变革

（1）大数据可以提高企业的商业智能化程度。企业要想提高商业智能化程度，首先，应打好信息化这个基础，信息化并不仅仅是在企业内部实现办公自动化、无纸化管理，更为重要的是要培养组织成员的信息意识和数据质量意识，让每个信息系统的用户意识到数据是系统的生命，高质量的、真实的、高可靠性的数据是一个信息系统成功的关键；其次，企业应重视数据挖掘人才的培养与引进，商业智能是由数据仓库、联机分析处理以及数据挖掘组成的，这三方面都需要大量的数据挖掘人才；最后，企业应提高知识管理的水平，因为商业智能是构筑在企业业务系统基础上，以知识获取和共享为目的的解决方案。

（2）大数据让决策者意识到数据的商业价值。大数据时代是一个以数据为王的时代，企业的决策者应该意识到数据的商业价值：一是将数据与企业的决策相关联，发挥数据的潜在价值；二是沟通，即在企业实行商业智能化的过程中经常与决策者进行沟通，使决策者从不关心数据到关心数据，再到提出需求，当单一系统的数据分析不能满足企业需求的时候，大规模的数据分析系统的建设就顺理成章了。

（3）大数据环境帮助利益相关者正确认识决策主体。在传统的管理模式中，企业的中高层管理者、领导者以及一些著名的商业精英和咨询公司被认为是决策的主体，而随着社会化媒体的出现以及社交网络的普及，这种传统的决策机制降低了企业决策的正确性与合理性。应树立以社会公众为决策主体的观念，将决策的理念由狭隘的企业高层转移到广泛的社会公众，通过社会媒体、社交网络等平台广泛地收集社会公众的意见和建议。大量的非结构化数据，使得原材料、生产设备和市场等因素越来越没有固定的定义，产业边界也变得模糊，根据 Gartner 的预测，未来 5 年中，企业数据将增长 8 倍，其中 80% 是非结构化数据，因此，大数据增加了企业决策的不确定性和不可预测性，所以企业更应该重视和发展以社会公众为主体的决策模式。

（4）大数据环境下将培养出首席数据官。在大数据时代下，对数据的处理和分析不再属于同一个领域，它需要同时具有信息技术知识、市场营销知识、运营管理知识等综合素质的人才来掌控，首席数据官（chief data officer，CDO）由此诞生，数据归业务部门，应用归 IT 部门，这一概念已经被广泛接受，然而现在到了该挑战这一理念的时候了，在多数组织机构中，业务部门并不想拥有数据，它们也不是为管理数据而配备的。首席数据官的主要职能是利用数据推进企业与社会的对话，挖掘信息化过程中更为潜在的价值。他们视数据为资产，负责其运营，通过分析来自传感器、社会网络评论、网络流量等各方面的数据，为企业的决策提供参考。

（5）大数据环境下将更重视员工的社交网络。传统的组织架构中，很少去关注员工的社交网络，因而导致这些网络出现零零碎碎的局面，使得员工在管理实践过程中处于分裂的状态。这里所说的社交网络不仅指员工在企业内部所建立的关系网络，还包括与组织以外的其他人员的联系、员工在各个在线社交网络平台上的好友等，这是一个庞大的社会关系网络。企业如果能够很好地利用这一网络，将会大大提高企业的效益。因为社交网络在跨部门的流程改善、联合和合并中提供了黏合剂的作用，对新产品开发也有着不可忽视的推动效果，其也是员工保持工作满意度的重要因素。

2. 大数据给市场营销带来的变革

（1）大数据趋势下产生的营销转变。首先，在大数据的整体发展趋势之下，移动设备与人进行捆绑，进而促进了整个互联网生态结构的转变。这就意味着移动式的互联业务，促进了数据体量的增长，而传统的互联网营销策略也应该有所转变，从原先只针对电子计算机台式设备的营销模式，转变为更加关注移动电子信息设备的重要影响。特别是社交聊天类型，资讯阅读以及便携的实用工具应用，都成为移动电子信息设备的重要热点。通过移动的互联网以及移动设备所产生出来的数据越来越丰富和巨大，这就意味着移动设备已经成为人们难以分割的一部分，并且已经成为一个庞大的营销市场对象。

其次，随着数据流量不断地增长，网络数据分析成为营销的导向。随着搜索引擎使用的普及化，每一天都会有数以亿计的搜索引擎使用次数，这样的数据信息流动是异常庞大的。传统的结构化数据已经不再是数据和信息体量当中的最大构成元素，而是转为非结构化的数据，广泛存在于各种社交途径、网页的浏览和点击、手机的呼叫、邮件和在线文件的传输中，这些非结构化的数据已经成为大数据时代的主流。网络用户行为的转变，网络使用时间的不断延长，都会增加数据的体量，网络服务的载体从文字形式之中解放出来，转化成为图片、影音等形式，也促进了数据量的增多，这些都成为市场营销的一个重要方向。

最后，用户行为分析成为营销的一种新的基点。前面简要分析了大数据的发展以及所产生的影响，而用户行为的转变，也进一步促进了大数据的形成和流动。因此，用户行为对于非结构化的数据的产生有着直接的影响，这一点也成为市场营销应该关注的一个重要变化。因此，对用户行为的分析，就成为传统营销要开始转型的一个重要方向。

（2）大数据趋势下对营销所产生的价值。第一，大数据趋势能够更高地提升数据的广泛可获取程度，以及高度的透明度。一些相关的电子信息的制造商，更愿意试图去集合多种不同系统下的数据，甚至是从外部的网络供应商以及客户处去获得这些数据，以此来开发新产品。对于新产品的研究和开发不再是局限于区域的用户行为或用户偏好，而是能够关注到在更广泛范围内的使用者或潜在使用者的使用偏好。

第二，大数据趋势对于决策的验证能够促使营销更具备竞争力。大数据的产生以及流动，可以让企业在开展市场营销行为的时候，就能够进行市场营销领域的可控制变量以及可控制风险的实验，这种市场营销的实验能够更好地验证公司的决策，进而在分析实验结果的条件下，对投资的决策进行运作或改变。

第三，大数据趋势对于用户实时的定制也会有影响。企业的产品研发都是需要面向使用者或潜在使用者进行的，大数据能够让用户更好地实现定制，而且这种实时的定制可以促进使用者的个人体验上升，可以更好地享受实时的个性化。新一代的网络营销商更关注互联网热点以及互联网的点击数据流量，以此来跟踪市场用户的走向，修正对于用户偏好的设置，进而实时模仿用户的使用偏好。

5.3.4　大数据与商业模式创新

1. 商业模式创新的内涵和特点

市场、企业、客户以及盈利模式是现代商业模式的四个构成要素。商业模式是企业经营发展的策略方针，企业必须要与时俱进，不断创新，从以上四个维度构造出适用于企业和社会发展需求的创新型商业模式。所谓商业模式创新，就是为提升企业效益价值而不断改进的企业生存和发展的思维逻辑。

在当今经济发展的形势之下，企业创新商业模式更加需要以客户需求和体验为重，设身处地从客户角度出发，设计出能够为客户创造更多价值的产品和服务，加强与客户的联系，从而促进企业经济效益的提高。另外，商业模式的创新往往来自构成要素的多种变化，以企业发展为根本，在纵向和横向两个维度上进行商业模式的更新变革。最后，商业模式创新很可能会为企业创造长期的盈利能力和竞争优势，为企业的持久发展提供充足动力。

2. 大数据时代下商业模式创新的策略

（1）企业应培养大数据思维。大数据的应用能够为企业商业模式的创新发展创造经济价值、运营成本、市场差异化等层面的竞争优势。但是，许多企业现有的商业模式十分缺乏创新数据思维，一些企业在更新自身商业模式或者制定新的发展方针时，甚至没有意识到要从数据的角度深入分析形势。创新数据思维的缺乏，必然会制约企业产品和服务的更新换代，影响企业的经济效益和长远发展。只有具备一定创新数据思维的企业领导者，才会前瞻性地主动开发利用大数据，提升企业的创新能力。因此，企业应当尽快培养起大数据思维，重视客户资料维护分析以及通过对信息技术的应用，推动企业商业模式进行变革。例如，企业应当向具备优秀数据管理能力的大企业观摩学习；企业领导人主动学习相关数据管理专业知识理论，结合企业自身发展经营状况，提升自身能力以领导企业商业模式的变革。

（2）企业应创新业务流程。具备了大数据思维，企业便可以不断优化业务操作流程，降低成本，为企业创造更多的经济效益。比如，随着互联网技术的普及，企业应当转换营销思维、创新营销方式，采用互联网营销模式，以适应人们新的消费方式，跟上时代潮流，这不仅能有效提高企业销售效率，还能大量节约销售成本。另外，企业应当利用销售数据，尝试设置企业自身的物流配送部门，提高产品运输和配送效率。最后，企业应加强对销售、配送等基本业务流程的监督和指导，及时发现企业经营过程中出现的问题，防患于未然。创新企业业务流程，是创新商业模式的重要内容，将会对企业经营和发展产生极大的促进作用。

（3）企业应重视客户资料处理。在大数据时代，企业应当重视客户资料的价值，及时完善客户资料处理系统。对于客户来说，使用方便、查询结果精确的客户端能够节省大量时间与精力，客户对产品与服务的满意度和好感度会大大增加，进而培养出对企业品牌的依赖度；对企业来说，完善的客户信息系统有助于管理者快速查询出客户信息、分析出客户偏好习惯，以此不断改进产品和服务的品质，赢得更多的客户青睐，提升企业经济效益。

5.4 基于云计算的商业模式

5.4.1 云计算的概念与商业模式演化

2006年8月9日，谷歌时任首席执行官埃里克·施密特（Eric Schmidt）在搜索引擎大会（SES San Jose 2006）上首次提出"云计算"（cloud computing）的概念，通常涉及通过互联网来提供动态、易扩展的软硬件资源。

1. 云计算的概念

狭义的云计算是指 IT 基础设施的交付和使用模式，指通过网络以按需、易扩展的方式获得所需的资源（硬件、平台、软件）。提供资源的网络被称为"云"。"云"中的资源在使用者看来是可以无限扩展的，并且可以随时获取、按需使用、随时扩展、按使用付费。

广义的云计算是指服务的交付和使用模式，指通过网络以按需、易扩展的方式获得所需的服务。这种服务可以是 IT 和软件、与互联网相关的，也可以是其他任意的服务。

对于云计算的确切定义，不同的学者、机构或企业对其有不同的描述。例如，中国云计算专家咨询委员会副主任、秘书长刘鹏教授给出的定义为：云计算是通过网络提供可伸缩的廉价的分布式计算能力。而美国国家标准与技术研究院（NIST）的定义为：云计算是一种按使用量付费的模式，这种模式提供可用的、便捷的、按需的网络访问，进入可配置的计算资源共享池（资源包括网络、服务器、存储、应用软件、服务），这些资源能够被快速地提供，只需投入很少的管理工作，或与服务供应商进行很少的交互。

云计算的定义常与网格计算、效用计算、自主计算相混淆。一般情况下，网格计算被认为是分布式计算的一种，是由一些松散耦合的计算机组成的超级虚拟计算机，常用来执行一些大型任务；效用计算是 IT 资源的一种打包和计费方式，比如按照计算、存储分别计量费用，像传统的电力等公共设施一样；而自主计算是具有自我管理功能的计算机系统。事实上，许多云计算部署依赖于计算机集群，也吸收了效用计算和自主计算的特点。

2. 云计算的特点

（1）超大规模。"云"具有相当的规模。谷歌云计算现已拥有 100 多万台服务器，亚马逊、IBM、微软、雅虎等的"云"均拥有几十万台服务器。企业私有云一般拥有成百上千台服务器。"云"能赋予用户前所未有的计算能力。

（2）虚拟化。云计算支持用户在任意位置、使用各种终端获取应用服务。所请求的资源来自"云"，而不是固定的有形的实体。应用在"云"中某处运行，但实际上用户无须了解，也不用担心应用运行的具体位置。只需要一台笔记本或一部手机，就可以通过网络服务来满足我们需要的一切，甚至包括超级计算这样的任务。

（3）通用性。云计算不针对特定的应用，在"云"的支撑下可以构造出千变万化的应用，同一个"云"可以同时支撑不同的应用运行。

（4）高可扩展性。"云"的规模可以动态伸缩，满足应用和用户规模增长的需要。

（5）按需服务。"云"是一个庞大的资源池，可按需购买。云可以像自来水、电、煤气那样计费。

（6）极其廉价。由于"云"的特殊容错措施可以采用极其廉价的节点来构成"云"，"云"的自动化集中式管理使大量企业无须负担日益高昂的数据中心管理成本，"云"的通用性使资源的利用率较传统系统大幅提升，因此用户可以充分享受"云"的低成本优势，通常只要花费几百美元、几天时间就能完成以前需要数万美元、数月时间才能完成的任务。

（7）潜在的危险性。云计算服务除了提供计算服务外，还必然提供存储服务。但是云计算服务当前垄断在私人机构（企业）中，而它们仅仅能够提供商业信用。政府机构、商业机构（特别像银行这样持有敏感数据的商业机构）对于选择云计算服务应保持足够的警惕。一旦商业用户大规模使用私人机构提供的云计算服务，无论其技术优势有多强，都不可避免地让这些私人机构以"数据（信息）"的重要性"控制"整个社会。对于信息社会而言，"信息"是至关重要的。

另外，云计算中的数据对于数据所有者以外的其他云计算用户是保密的，但是对于提供云计算的商业机构而言确实毫无秘密可言。所有这些潜在的危险，是商业机构和政府机构选择云计算服务特别是国外机构提供的云计算服务时，不得不考虑的一个重要因素。

3. 云计算的服务形式

云计算一般包括以下几个层次的服务：基础设施即服务（IaaS）、平台即服务（PaaS）和软件即服务（SaaS）。

（1）IaaS（infrastructure-as-a-service）：基础设施即服务。消费者通过互联网可以从完善的计算机基础设施中获得服务。

（2）PaaS（platform-as-a-service）：平台即服务。PaaS 实际上是指将软件研发的平台作为一种服务，以 SaaS 的模式提交给用户。因此，PaaS 也是 SaaS 模式的一种应用。但是，PaaS 的出现可以加快 SaaS 的发展，尤其是加快 SaaS 应用的开发速度。例如，软件的个性化定制开发。

（3）SaaS（software-as-a-service）：软件即服务。它是一种通过互联网提供软件的模式，用户无须购买软件，而是向提供商租用基于 Web 的软件来管理企业的经营活动。

4. 主流的云计算

（1）微软云计算。微软推出的首批软件，即服务产品，包括：Dynamics CRM Online、Exchange Online、Office Communications Online 以及 Share Point Online。每种产品都具有多客户共享版本，其主要服务对象是中小型企业。单客户版本的授权费用在 5 000 美元以上。针对普通用户，微软的在线服务还包括：Windows Live、Office Live 和 Xbox Live 等。

（2）IBM 云计算。IBM 是最早进入中国的云计算服务提供商。在中文服务方面做得比较理想，对于中国的用户应是一个不错的选择。2007 年，IBM 公司发布了"蓝云"（Blue Cloud）计划，这套产品将通过分布式的全球化资源让企业的数据中心能像互联网一样运行。以后 IBM 的云计算将可能涵盖它所有的业务和产品线。

（3）亚马逊云计算。亚马逊作为首批进军云计算新兴市场的厂商之一，为尝试进入该领域的企业开创了良好的开端。亚马逊的云名为亚马逊网络服务（Amazon web service，AWS），目前主要由四块核心服务组成：简单存储服务（simple storage service，S3）；弹性计算云（elastic compute cloud，EC2）；简单排列服务（Simple Queuing Service，SQS）以及尚处于测试阶段的 Simple DB。换句话说，亚马逊现在提供的是可以通过网络访问的存储、计算机处理、信息排队和数据库管理系统接入式服务。

（4）谷歌云计算。谷歌以应用托管、企业搜索以及其他更多形式向企业开放了"云"。谷歌推出了谷歌应用软件引擎（Google App Engine，GAE），这种服务让开发人员可以编译基于 Python 的应用程序，并可免费使用谷歌的基础设施来进行托管（最高存储空间达 500 MB）。对于超过此上限的存储空间，谷歌按每 CPU 内核·小时 10～12 美分及 1GB 空间 15～18 美分的标准进行收费。除此之外，谷歌还公布了提供可由企业自定义的托管企业搜索服务计划。

（5）红帽云计算。红帽提供的是类似于亚马逊弹性云技术的纯软件云计算平台。它的云计算基础架构平台选用的是自己的操作系统和虚拟化技术，可以搭建在各种硬件工业标准服务器（惠普、IBM、戴尔等）和各种存储（EMC、戴尔、IBM、NetApp 等）与网络环境之中。表现为与硬件平台完全无关的特性，给客户带来灵活和可变的综合硬件价格优势。

在云计算下，网络商业运营模式的改进将主要围绕客户关系管理、网络营销等方面展开。

5. 商业模式演化

（1）第一阶段。2000～2004 年间，百度各年涉及价值定义信息频次比例均在 61% 之上，高于价值实现维和价值创造与传递维；1999～2001 年间，腾讯价值定义事件的信息汇总频次比例为 62.5%，每年的频次比例占据绝对优势；同样，淘宝在 2003～2005 年间，金山在 1997～2000 年间，奇虎 360 在 2006～2008 年间，关于价值定义的商业模式事件表现最频繁。

（2）第二阶段。2004～2007 年间，百度关于价值定义的信息频次快速下降，涉及价值实现的信息频次明显上升，超过 40%。腾讯、淘宝、金山和奇虎 360 的信息数据也表现出同样的频次比例演化特性，时间区间分别为 2001～2006 年、2005～2008 年、2000～2006 年、2008～2010 年。

（3）第三阶段。从 2007 年开始，百度涉及价值创造与传递的新闻文献迅速增加，频次比率基本超过 50%。同样，腾讯、淘宝、金山和奇虎 360 分别从 2007 年、2009 年、2006 年和 2011 年开始，价值创造与传递事件成为企业的行为主导，相关新闻报道频率明显高于其他两维。

5.4.2 云计算下的客户分析

随着知识经济与网络经济的快速发展，企业的经营模式和环境发生了巨大的变革，面临着客户需求日益多样化和个性化、产品的生命周期缩短、任意批量订单生产与大规模定制等诸多挑战。企业在激烈的市场竞争中，需要能适应各种变化，并能采取创新性的行动，才能保持竞争优势。而企业要想保持这种竞争优势，就必须充分了解并运用信息技术来改变传统的经营理念和经营模式，从流程和战略上均做到能快速适应环境的变化，成为敏捷的竞争者，能在激烈的竞争中生存和发展。在如今快速变化的市场中，一个企业的敏捷化程度直接决定了企业的存亡，因此企业提高敏捷性以应对动态复杂化的经营环境就显得尤为重要。敏捷性是企业未来的发展方向，也是将来企业在全球化、网络化经济中立足的根本。随着云计算的出现，一方面按需付费的特征将企业高额的一次性信息化投入转变为小额的运营费用支出，有效地降低了企业的信息化成本；另一方面，云计算的弹性、可扩展性以及共享环境等特征使得企业的架构更为灵活，可以轻易地应对服务需求的变化、实现应用的快速部署以及促进数据共享和应用对接，从而激发企业在业务层面和战略层面上的敏捷性，在激烈动态变化的市场环境中生存和发展。

最有效的潜在客户挖掘思路是通过云计算与大数据支撑下的免费营销与体验式营销系统来实现的，免费营销与体验式营销是吸引潜在客户的有效手段。通过大数据算法进行客户挖掘，识别潜在客户，配合云平台里相对应的金融服务和产品对潜在客户进行免费营销与体验式营销，对潜在客户进行挖掘并转化，这是一个大数据营销概念，免费营销与体验式营销的前提是通过数据挖掘识别潜在客户群体。

由于新客户在银行没有详细的历史数据，需要通过大数据算法大胆预测新客户需求，实时通过金融创新云平台智能为新客户推荐满意的业务、产品与服务。新客户通常很难打动，症结在于银行并不知道什么才是其最满意的方案，因此在这个过程中要能不断地调整自己的服务策略，以使自己的服务能不断跟上客户的变化，对于需求预测以及智能推荐的机制要求就更高了。

对于老客户，通过搭建智能服务云、客户价值管理云与金融创新云，为老客户的保有价值提升提供了丰富的资源。大数据技术对老客户进行分类梳理，将老客户分为金字塔式的客户类别，老客户保有价值提升的体现就是老客户从金字塔底层向塔尖的高端客户提升。

对流失客户最有效的挽回思路是通过云计算与大数据支撑下的行为分析和流失预警来实现的。通过实时智能系统感知客户状态，及时感知客户是否满意、是否忠诚，及时采取补救措施，将负面情绪客户转化为满意客户；对流失客户进行预警，及时挽回。挽回流失客户的核心策略在于行为分析与流失预警，并且能实时动态地追踪客户情绪。

5.4.3　IaaS：基础设施即服务

IaaS 是云计算的三种服务模型之一，它将硬件（服务器、存储器及网络）和相关软件（操作系统、虚拟技术、文件系统）作为服务交付给用户使用。它是一个主机模式，包括网络存取、路由服务及存储。IaaS 供应商通常为用户提供硬件和管理所需存储的应用程序及运行应用程序的平台服务，包括带宽、内存和存储的调整，具有基于动态服务的价格优势。IaaS 供应商为用户提供服务器、存储空间和网络组件以满足他们的计算需求，用户负责部署、管理软件服务。在一个 IaaS 环境中，用户可以运行任何软件，控制操作系统、Web 服务器、防火墙等。它具有快速供应、可扩展、量入为出、自动化管理等优点。亚马逊的 EC2 和 S3 是 IaaS 产品的典型。

IaaS 为用户创建虚拟机并提供运行所需的云计算环境。使用这一技术的前提是创建虚拟机，装载初始创建所需的软件和最终运行于云中的软件，包括用户定制软件和正版软件。创建虚拟机后，将它上传到 IaaS 供应商的托管环境，此时配置 IaaS 供应商提供的存储器。配置完成后，虚拟机可以自动寻找并部署可运行于该虚拟机上的硬件，然后开始运行。一旦虚拟机开始运行，IaaS 供应商要确保该虚拟机以一个整体健康的状态持续。运行所需的应用程序的原始存储归 IaaS 供应商所有、维护，监控所有的用户定制软件和正版软件以确保它们的正常运行是用户的责任。对于没有时间改写应用程序代码的用户，IaaS 是一个将应用程序迁移到"云"的、灵活的、最好的选择。由于实现 IaaS 的核心是实现 IT 设备尤其是服务器的虚拟化，而目前开展 IaaS 服务所需的虚拟化技术和运营技术相对成熟，因此，IaaS 被公认为是部署云计算服务的最佳切入点。

5.4.4 SaaS：软件即服务

作为云计算三种服务模式之一的 SaaS 获得了越来越广泛的应用。SaaS 不同于传统的软件购买和使用方式，而是采用租用软件的方式。大量的用户以共享的方式通过互联网远程使用特定的软件产品。SaaS 运营商则通过在云计算中心建立应用实例为不同的租户提供计算和存储服务，并提供软件的运维、升级服务以及数据隔离和隐私安全保障。虽然 SaaS 模式有利于服务运营商和租户降低软硬件成本，并提供可靠的运行环境，但是由于用户数据存储于"云"中，租户数据的隐私只能由 SaaS 运营商来保证。这种服务模式在用户的隐私安全性上存在很大的风险，因为服务运营商是不完全可信的，系统运维人员可能会私下通过提取或导出数据而泄露租户数据隐私，进行非法营利。因此，租户数据隐私泄露问题成为 SaaS 模式首先要解决的关键问题。如果这个问题不能得到有效的解决，将失去用户对 SaaS 模式的信任，严重制约 SaaS 模式的推广和应用。

5.5 基于人工智能技术的商业模式

5.5.1 人工智能技术的概念与特点

1. 人工智能技术的概念

人工智能技术的发展主要由谷歌、Facebook、IBM、百度等互联网公司推动，人工智能的核心技术主要有数据挖掘与学习、知识和数据智能处理、人机交互等。如今，在图像识别、语音识别、艺术创作、游戏博弈方面，人工智能已经可以媲美人类。随着人工智能技术与大数据、云计算、机器人、物联网等的深度融合，人工智能已经在现代产业和生活中扮演着举足轻重的角色，并已在新闻业、金融业等服务业占据核心地位。

2. 人工智能技术的特点

（1）深度学习。人工智能的首要特征当属深度学习。一提到深度学习，大家会联想到 2016 年 Alpha Go 打败世界围棋冠军李世石的事件。其实，深度学习是通过机器学习的方式让其模拟出人类大脑中的各种神经结构，来帮助计算机具备人的智慧。利用层次化的架构可以习得对象在不同层次上的表达，从而可以进一步解决更加复杂抽象的问题，让其变得精确化。

（2）跨界融合。跨界融合是人工智能的第二大特征。十九大报告指出："加快建设制造强国，加快发展先进制造业，推动互联网、大数据、人工智能和实体经济深度融合。"国务院发布的《新一代人工智能发展规划》提到，我国经济发展进入新常态，必须加快人工智能深度应用，教育与人工智能的融合是至关重要的。

（3）人机协同。人工智能的第三大特征为人机协同。人机协同简单来说就是让机器和人分别致力于自己更擅长的领域。我们可以从花旗银行与牛津大学联合公布的一组数据看到，中国将在2040年前后，大约有将近77%的工作岗位要被淘汰，或者可以被智能机器替代。这里包含了从事流水线工作的工人，一些在我们看来是比较高端的职位如会计、律师、记者等都是在淘汰范围内的。我们所熟知的大量工作岗位都会在20年内陆陆续续地被替代掉。

5.5.2 智能时代的基本特征

1. 供需模式"三维化"

智能时代的商业模式，线上线下高度融合，用户通过功能各异的"终端平台"与制造厂商连接：通过移动商城、智能商店，用户可以选择自己所需的产品或服务；通过互联工厂、众包众设平台，用户可以定制个性化的产品或服务；通过智能服务平台，商家可以提供产品全生命周期的服务。随着智能平台模式的发展，现有的中介、渠道、分销等中间环节将会逐步消失，最终将形成"厂家 – 终端 – 消费者"的三维模式。在三维模式下，O2O（online to offline）商业模式将成为主流。

2. 价值创造"大众化"

基于网络平台的众包众设商业模式，利用互联网消除了"时空约束"，以全球人才为基础，通过大众网络或虚拟社区，以自由自愿的方式让大众参与企业生产过程，使其成为价值创造的参与者。其中，"网络社区"作为价值创造"大众化"的一种重要组织方式，已经成为职业场所和居住场所之外的虚拟的"第三空间"。众包众设商业模式是基于开放的集市模式，让大众参与价值创造，而得到迅速成长的商业模式。该种模式可以聚集众人的力量在很短的时间内完成指定任务。

3. 数据能力"商品化"

网络平台通过双边或多边聚合的正反馈效应，聚集数量庞大的商家和客户，不仅降低了搜索成本和交易成本，而且创造了新的交易量，体现了价值创造功能。根据聚合对象的不同，平台模式可分为商家平台、客户平台、数据平台、技术平台、三边或多边平台等。这些平台汇集了大量交易数据资源，逐渐形成了相应的数据能力，并使之"商品化"。

4. 跨界经营"常规化"

智能技术的进步，使得原本为自身服务的大数据得到更深层次的挖掘和应用，从而使得自身积累的数据资源辐射范围得到扩张。这种大数据资源和能力的"价值溢出"，使得网络企业跨界经营"常规化"成为可能，从而使企业数据资源更具范围经济和规模经济。

所谓跨界经营，是指企业利用从平台获取的海量数据和自身的互联网技术优势，进入传统行业，用"互联网思维"改造传统行业中的低效率环节或占领高价值创造环节。

5.5.3 智能技术的商业模式演化

1. 纵向集成的商业模式

2013年，德国工业4.0战略提出了纵向集成（vertical integration）的概念，即未来智能工厂通过互联网平台把信息向上集成到集团和行业业务层面，而不是前后节点之间的信息传输，从而实现全流程的信息打通。所有节点都能与平台直接交互，可以处理过去单个部门或业务主体无法处理或完成的整个信息流和任务流信息，实现通常所说的去中心化。从商业模式创新视角来看，纵向集成商业模式创新以企业内部信息集成为核心，具有生产模式"远尾化"、生产设备"分散化"、运行状态"透明化"和工作方式"虚拟化"等特征。

（1）生产模式"远尾化"。生产模式"远尾化"，是指基于智能生产技术，将人机互动、3D打印等先进技术应用于整个工业生产过程，从而形成高度灵活、个性化、网络化的生产制造产业链。所谓"远尾"，是相对于"长尾"而言的。长尾理论，是指互联网降低了小众商品的交易成本，使海量消费者几乎零成本地搜索到个性化的小众商品，从而实现小众商品的规模经济。而"远尾"客户则是指，"长尾"客户中对产品需求度不高，为产品出价意愿非常低，同时要求客户体验非常高的数量庞大的群体。因此，如果不能满足他们精准的个性化需求，或者用户体验不佳，这些数量庞大的客户将马上流失。由于规模相当庞大，虽然从每个人身上获取的利润不多，但累计起来就是巨大的营收规模。

（2）生产设备"分散化"。生产设备"分散化"主要体现为网络化分布式生产模式（distributed network architecture），它是对传统设备集中化的制造模式的改造与创新。分布式网络结构与中央控制式网络结构相对应，是通过将分布在不同地点的多终端设备节点连接形成分布式网络来进行生产的一种生产方式。它没有中心，因此不会因为某一部分的破坏而导致整体性的生产瘫痪。网络化分布式生产系统借助于CPS平台，可以将现有的分布在不同地理位置的生产设备与人员协同交互，以提高零散生产资源的利用效率，实现生产设备的资源共享，以及环境的和谐友好。例如，工业互联网中，数控生产设备智能化的交互连接作为智能工厂的核心，将不同接口、不同控制系统、不同通信协议的生产设备连接在一起，并接入网络分布式管理系统，实现所有生产设备的实时动态监控，以及工业大数据的云端存储与智能分析，实现生产设备从物理集中化向分布式网络化智能生产系统的升级。

（3）运行状态"透明化"。制造环节运行状态的透明化是通过传感器和监控设备对生产制造中各个环节的大数据进行提取、存储和管理，以实现生产组织能够动态地估计、分析和预测生产设备的不可见状态，以达到降低维修成本、提高运行效率、改进产品质量的目的。麦克尼等学者指出，信息的透明化是"大数据"带来的新的竞争优势之一。

（4）工作方式"虚拟化"。未来，随着现实与虚拟的深度融合，工作将以与工厂分离、移动虚拟的方式开展。在智能工厂中，以社交网络的方式重塑传统制造模式中的人与机器的关系：从单向的"控制-反应"关系转变为双向互动关系。智能生产所涉及的制造设备、原材料和零部件，通过植入智能终端芯片，实现信息和行为的动态交互，以及生产制造的个性化管理。

2. 横向集成的商业模式

未来是智能化环境下"生态对生态"的竞争时代，要求企业将目标从企业内部信息集成转向产业链信息集成，从企业内部协同研发体系转向企业间协同研发网络体系，从企业内部供应链管理转向企业间供应链管理，从企业内部的价值链重构转向产业价值链重构。其中，企业的产业链信息集成及企业间协同研发网络体系，即横向集成，是企业从内部信息集成向外部供应商、经销商、用户信息集成的延伸。它打破了企业的边界，形成了以某一产业链为基本单位的智能化网络系统。

（1）制造环节"无差异化"。以生产为核心的企业，如果不能参与到价值链前端的产品研发与设计环节，以及后端的品牌与渠道环节，那么该企业就无法在产业链中获取较大的价值份额。价值分配"微笑曲线"是专业化分工和流水线生产的结果，使生产制造类工厂趋于"无差异化"。这使得处于生产制造环节的企业对产业价值链上下游没有议价能力，既无法降低供应链上游的进货价格，也无法提高供应链下游的出厂价格。例如，苹果公司牢牢控制着 iPhone 手机终端价值链上的前端设计和研发环节、后端品牌维护和线上与线下销售环节，因此，为苹果公司代工的富士康等生产制造企业在产业价值链上只能分得很小比例的价值。

（2）产业链信息"集成化"。在智能化时代，数字化、网络化的装备和生产模式将提升产业价值链的信息集成能力。产业链上各环节的信息通过互联网向云端集成，一是便于拥有主导地位的企业获得后端供应链环节的信息，使这些信息与智能生产环节高度匹配，缩短生产周期，提高生产效率和改善产品质量。二是主导企业可以借助于横向信息集成，向产业链前端延伸，覆盖销售渠道环节和服务环节。在制造业横向信息集成的生产模式中，供应链信息集成、研发与设计信息集成、生产制造信息集成、渠道与服务信息集成，共同组成了产业链云端数据平台，可以实现与其他产业数据平台的信息共享，塑造跨界商业模式。

（3）数据资源"共享化"。产业链的横向信息集成，将形成产业层面的大数据平台，通过共享数据平台可以为目标客户提供更多增值服务，即所谓的制造业服务化。例如，通用电气 Predix 工业云平台就是基于航空发动机领域积累的数据，为航空公司提供预测性维护服务的。通用电气利用设备上的传感器收集数据并传到云端，实现全球大数据服务中心的数据资源共享，提前对发动机的运行状态做出维修决策，降低飞机在飞行中发生故障的概率。

（4）创新平台"开放化"。在工业 4.0（智能化）的环境下，制造企业将跨越企业的边界进行价值创造，这要求企业以更加开放的战略实现价值创造。在开放战略下，企业把关键资源能力以收费或免费的方式对其他企业开放，推动利益相关者参与到新价值的创造中。企业采取这种开放战略的目的是创造适合自己核心产品或服务创新的生态环境，从而促使以自身为核心生态的竞争优势的形成。

5.5.4 智能技术在网络营销中的应用

1. 数据挖掘在网络营销中的应用

（1）提供个性化服务。网络营销的企业竞争是一种以顾客为核心的竞争形式。在竞争日益激烈的今天，如何争取新顾客、留住老顾客、扩大潜在顾客群体已成为网络营销的首要任务。这就要求企业必须快速准确地找到客户的需要，为不同客户提供不同的服务。

用户在访问 Web 页面时，一般是连续访问多个 Web 页面，这些 Web 页面实际上表明了用户当前的兴趣。Web 站点的设计一般遵循分类结构，即页面的组织是根据子页面的类别来安排的。这种结构反映了用户的兴趣。假设一个页面中有 N 个链接，一个用户对该页面中的这些链接进行访问，如果首先访问第 I 个，那么代表了他对该链接所达的页面的兴趣要大于其他链接所达页面的兴趣。因此用户对 Web 站点的访问存在某种有序关系，这种有序关系反映的是用户的一种访问兴趣，对先访问的页面具有较大的访问兴趣。采用数据挖掘技术将这种有序的关系挖掘出来，就可以了解用户的喜好、购买模式，据此可以设计出满足不同客户需要的个性化网站，还可以开展有针对性的信息服务，以及对特定的客户群体开展个性化的营销服务活动，及时为用户提供他所关心的产品或服务的信息，从而达到促销的目的。

（2）挖掘潜在客户群体。对于网络营销来说，了解、关注在册客户群体非常重要，但从众多的访问者中发现潜在客户群体也同样非常关键。如果发现某些客户为潜在客户群体，就可以对这类客户实施一定的策略，使他们尽快成为在册客户。对于网络营销企业来说，这也许就意味着订单数量的增多和效益的增加。挖掘潜在客户群体可以根据 Web 服务器日志来分析访问者在一段时间内对 URL 的访问情况，挖掘访问者的兴趣，从而分析访问者是否为潜在客户群体。对于潜在客户群体，企业可采取一定的营销策略将其发展为在册客户群体。

（3）交叉销售分析。交叉销售通常是发现一个现有客户的多种需求，并通过满足其需求而实现销售多种相关的产品或服务的销售方式，其实质是用户资源在各产品及服务间的共享，是在拥有一定市场资源的情况下向客户或合作伙伴的客户进行的一种业务推广手段。利用数据挖掘，可以了解客户在网上购买商品或接受服务时的选取习惯、链接习惯以及商品组合习惯等，找出其中的规律；也可以根据客户行为及客户消费情况对客户进行类型分析，从中找出客户的潜在消费倾向，据此来指导企业的营销策略，比如捆绑销售等，从而提高交叉销售效果，给企业带来更大的利益。

（4）客户需求预测。在网络营销中，每一个消费者不仅仅是网络上的个人购买者，同时也扮演着社会消费者的角色，起着引导社会消费的作用。如果网络营销人员想在互联网上行销成功，那么他所构思的营销计划不仅需要参考传统市场中顾客的需求，而且必须考虑网络消费者的需求，采用多种行销方式，激发网络消费者的消费意识，唤起他们的购买欲望。利用数据挖掘中的聚类和分类技术，可将顾客依据其年龄、性别、职业、收入、购物习惯等各种属性加以分类，同一类别的顾客具有相似的特性，通过分析各个群体的消费情况，确定滞销、畅销产品，预测顾客的消费需求，从而针对该客户群进行最有效率的营销，用最低的营销成本来达成最佳的营销收益。

2. 大数据在网络营销中的应用

（1）产品关联精准营销。从产品关联精准营销角度来说，也就是针对消费者消费需求情况，将部分消费关联产品放置在一起。例如，大部分商场在结构分布上，往往在一楼设置大量的化妆品和电子产品柜台，也就是结合男女消费群体的消费需求，把化妆品和电子产品进行结合，以此达到两种产品的营销目的。这是因为在消费群体的消费过程中，主要以男女一起消费为主，女性通常会购买化妆品，而男性对化妆品的认识和需求相对较少，为了满足男性消费者的要求，通常会在化妆品柜台周围安置电子产品柜台。这样便于不同消费群体消费，借助关联营销方式来提升销售量。

（2）引擎精准营销。随着大数据时代的来临，采用引擎营销方式能够降低消费者查找所需产品的时间和成本。而推荐引擎往往构建在海量数据分析基础上的互联网技术中。在引擎营销方式的作用下，可以结合消费者采购需求推送对应的产品，或者向已经购买产品的消费者推送其他类似产品。在给消费者提供良好的体验之后，可以达到快速推荐和营销的目的。例如，某购物网站在消费者采购一些产品之后，将会推送一些相似或同种类型的产品页面等。

（3）社交网络精准营销。社交网络营销是指通过社交平台实现产品推送和营销，例如微信、微博等。社交网络消费群体之间存在一定的关联性，通过对网络连锁反应的挖掘，能够让营销效果更具合理性和规范性。例如，通过微博营销，借助粉丝经济效应实现产品推送。利用明星效应，将部分产品推送给微博用户，以此获取理想的营销效果。此外，可以通过建设品牌粉丝经济体系，提升消费群体黏性，调动消费群体的再次购买意愿。

（4）提升网络营销广告传播精准性。在传统网络营销过程中，大部分企业一般采用较为粗放的网络营销方式，例如海投广告，这种方式往往不能从根本上给企业创造理想的效益。所以，需要借助大数据技术，提升网络营销广告传播的时效性和精准性。一方面，结合客户所在情景，推送对应广告。消费情景对客户消费有着直接影响，决定消费者的采购行为。假设在消费者采购部分产品之后，企业会根据消费者前一次的产品搜索情况，在消费者再次采购时推送各种产品信息，这会让消费者产生一定的反感心理，影响其采购行为。因此，企业需要对消费者的消费需求和情景进行分析，并以此推送更为精准的广告信息。另一方面，提升客户选择广告的自由性。在传统网络营销模式中，一般采用弹射广告窗的方式来吸引消费者，从而引发消费者不满。在这种情况下，可以借助大数据技术创新网络广告推送方式，提升推送的精准性。

（5）加强网络营销市场定位。首先，加强客户数据分析，明确市场定位。在进行大量数据采集的同时，建立客户数据库。在此环节中，需要注意确保各项数据收集的真实性，借助多种方式和渠道，实现客户信息的收集与整合。利用数据挖掘技术，对客户基本信息加以综合分析，掌握客户属性，并且把营销产品属性和客户属性进行对比，对产品在营销市场中的占比和份额进行初步评估。其次，借助消费市场对市场定位精准性加以评估。要想将产品快速地营销到市场中，可以应用大数据技术在初步定位以后，利用消费市场对定位方案加以综合评估。假设根据产品定位对其营销，可以获取较为理想的营销效果，则预示着企业营销产品在市场定位设定中较为精准，可以继续采取此营销方案。反之，需要对产品定位方案进行适当修整。最后，编制专业的客户反馈体系。编制客户反馈体系的目的有两点：第一，在营销产品初步定位过程中，经过市场考证，企业可以借助客户反馈体系对客户消费需求进行采集，尤其是产品营销的部分意见，根据客户情况对产品营销方案进行修整；第二，假设产品营销定位没有经过市场考证，企业可以利用客户反馈信息总结失败因素，给后续产品精准定位奠定基础。

（6）提高网络营销服务的个性化程度。为了从根本上提升网络营销服务个性化水平，企业不仅可以借助大数据技术对客户个性化需求进行总结，同时还能为其提供针对性服务。一方面，利用大数据技术掌握客户个性化需求。随着互联网技术的全面普及，企业可以借助网络实现对客户基本信息的采集。但是在此过程中，因为当前的网络管理水平有待提升，诸多信息的真实性和精准性无法保证，甚至部分信息之间冲突较大。所以，企业需要借助大数据技术对客户需求进行了解，确保采集的各项信息具备真实性，并且企业需要从采集的数据中挑取重要信息，以此降低数据分析成本。另一方面，加强个性化服务设计。要想合理设计个性化服务，企业应该从两个方面入手。第一，受到现实因素的影响，企业无法逐一对客户个性化需求进行核查和满足，这就要求企业对客户个性化需求的相同之处有所认识，结合共同性提供个性化服务。第二，假设根据客户个性化需求提供相应的服务，企业服务成本必将会随之提高。所以，企业需要对客户个性化需求加以具体分析，这就要求企业在给客户提供个性化服务的同时，也要确保不会给企业经济方面带来影响。

案例分析

腾讯商业模式的演化

一、创业期

腾讯在创业期的商业模式发生演化的诱因是：①新竞争者的进入催生即时通信业务，同类产品的缺陷推动自身产品的优化。1998年11月，马化腾与张志东等人合作创立腾讯。当时该公司主要是为其他公司制作网页，承接一些系统集成项目，既没有核心业务，更无价值主张。后来ICQ风靡美国并传入中国，马化腾和张志东等人才模仿ICQ开发出OICQ，并优化改善ICQ的一些缺陷，后来OICQ由于一场诉讼，改名为现在的QQ。②客户需求使创业者转换经营思维，寻求新的商业模式。刚开发出的OICQ由于缺乏推广资金，马化腾欲以100万元卖掉QQ，不料竟无人问津，无奈之下才将其放到网上，却发现下载量达几十万，这坚定了他们对QQ的信心，萌发了在QQ里嵌入广告获取收益的商业模式，结果获得初步成功。③行业融合发展，合作伙伴拓展新的产品应用助推公司突破发展"瓶颈"。2000年6月，中国移动推出"移动梦网"，于是腾讯开发出手机QQ，与中国移动合作开展移动增值业务，由此获得了丰厚收入，使腾讯成为中国首家盈利的互联网公司。

腾讯在创业期的商业模式以QQ业务为核心，延伸出三种收费业务：提供QQ广告服务——收取广告费；提供QQ会员服务——收取会员费；开展移动QQ业务——收取无线增值费，无线增值收入通过与通信运营商的利润分成实现，每月从通信运营商处领取收入（见图5-2）。

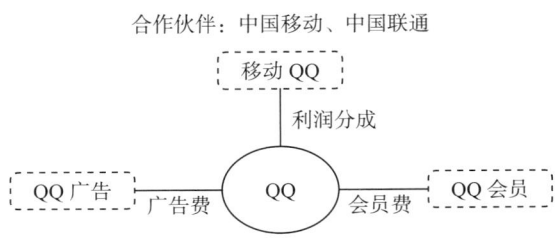

图5-2 腾讯在创业期的商业模式

腾讯在创业期的商业模式的主要特征是：①具有一定的前瞻性。公司敏锐地抓住消费需求的"空穴"，由承接系统集成等软件外包服务转变为自主开发即时通信业务这一未来有巨大增值潜力、能够黏住客户的"明星"业务，使商业模式的经营逻辑发生了彻底变革，这是创业期商业模式的价值所在。②独特性差，较容易被模仿，抗风险能力较弱。由于80%的收入来自与通信运营商的利润分成，没有稳固的网络关系和多元收入模式，自我防护的隔绝机制薄弱，竞争能力不高。

二、成长期

腾讯在成长期商业模式发生演化的诱因是：①互联网行业的快速发展推动腾讯进入新业务领域，竞争的白热化使其寻求差异化经营。腾讯是伴随着互联网行业的爆发式增长而成长的，门户网站、网络游戏、C2C搜索等新兴业务的崛起很快吸引众多公司进入这些领域，由于每个领域都有强劲的竞争对手，腾讯的新业务必须进行差异化定位才能拔得头筹。如腾讯门户网站定位为青年门户网站；C2C拍拍网提倡"沟通达成交易"的理念，避免同质化竞争。②挖掘提升现有资源价值，满足用户多元化、多层次的需求，整合协同业务体系。腾讯的业务架构策略以QQ庞大的用户基础为核心，搭建"一站式"在线生活平台的业务布局。③通过重塑灵活的组织架构和高效的运营体系，支撑商业模式稳健运作。腾讯从2005年第四季度开始，根据新业务拓展的需要，对公司组织结构及薪酬绩效体系进行了变革，将公司结构重新归类细分为八大单元：根据业务体系划分出四个业务系统——无线业务、互联网业务、互动娱乐业务、网络媒体业务；根据公司日常运转划分出四个支持系统——运营支持、平台研发、职能系统、企业发展系统。薪酬绩效更注重业绩和创新，使组织结构、绩效体系与战略、商业模式相匹配。

马化腾将公司成长期的商业模式划分为六大业务体系（见图5-3）：即时通信、互联网增值、无线增值、互联网、互动娱乐和网络媒体。商业模式由创业期后期的IM与门户在两个维度上叠加的"一横一竖"的业务模式，拓展为以即时通信为第一核心、以互联网增值为第二核心，以"一横一竖"为骨架，以无线增值、网络媒体、互联网、互动娱乐为结点的菱形结构。该商业模式以QQ为核心，借助QQ的庞大用户基础，采取在QQ界面上捆绑推送（弹出页面、设置链接入口）新业务的方法，迅速增加各业务的流量。互联网增值业务如QQ会员、QQ秀、QQ宠物等均是建立在QQ的基础上，以发行虚拟货币（Q币）的方法获取收入的。无线增值业务同样是以QQ为基础平台，通过与中国移动、中国联通的合作，在手机卡中内置手机QQ等软件，以月费或年费为收入源，从运营商处获得利润分成。网络媒体业务（门户、论坛等）和互联网业务（拍拍网、搜搜等）从QQ面板的接入按钮获得主要的用户流量。网络媒体业务主要与各大影视、杂志等机构达成战略合作，共享新闻资讯，以广告获取收益；拍拍网和搜搜等互联网业务推出后几年内都是培育期，无法盈利，其中，拍拍网推出的"财付通"是腾讯对构建自主金融体系的一种有益尝试。互动娱乐业务则是一个"明星"业务，通过发售游戏点卡、道具盈利。大型网络游戏需另外注册账号，它也已经与QQ有效衔接。

腾讯在成长期的商业模式的主要特征是：①具有一定的独特性。"菱形"商业模式已基本实现了各业务体系的相互协同，"一站式在线生活平台"基本搭建成型。②具有前瞻性。业务的迅速发展和顾客量的爆发式增长证明商业模式顺应了互联网行业的发展趋势，具有前瞻性，但仍有进一步挖掘盈利的潜力。③资源整合度不高，竞争力亟待提高。各业务体系虽然实现了相互衔接、初步协同，但仍不能充分抵御外部诸多竞争者的进攻，未实现信息流、收益流等的高效传递。

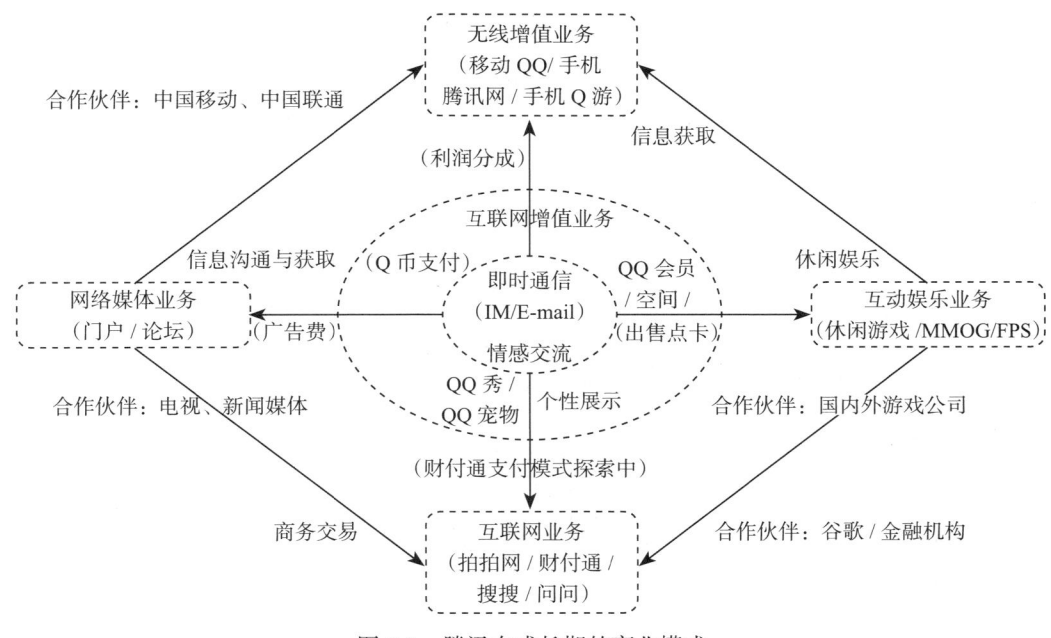

图 5-3 腾讯在成长期的商业模式

三、成熟期

腾讯在成熟期商业模式发生演化的诱因是：①适应需求多元化、个性化的趋势，以用户价值为依归，持续改善用户体验。2010年腾讯QQ同时在线用户数突破1亿人。②在实力逐渐雄厚、资金充足的条件下，通过资本运作迅速整合行业资源，升级公司的商业模式。持续整合业务，以实现业务信息流、价值流的共融与对接，增强商业模式的综合实力。2010年腾讯先后向俄罗斯互联网巨头DST、韩国7家网游公司进行战略投资，2011年又制定"开放式平台"战略，设立超100亿元的产业投资基金，加大对行业资源整合的力度，扩大企业边界，完善价值网络，加快提升商业模式的竞争力。

腾讯面向移动互联网的战略步骤如下。第一步：抢占市场。通过短时间内推出众多业务，抢占移动端市场，积累用户资源。第二步：嫁接业务。伴随着移动终端的迅速发展，手机平台越来越多（如Symbian、Android等），腾讯研发的手机软件都能支持这些操作系统，便于产品的自由嫁接和迅速推广。第三步：自立门户。开发自有手机操作系统，未来拟推出自主品牌手机，逐步巩固移动互联网版图。Web端面向的是在线服务，客户端则是以桌面软件为载体提供网络服务。

腾讯在成熟期的商业模式（见图5-4）的主要特征是：①独特性高，业务布局较完善。无线端、网络端和客户端完成了业务的搭建，构建了独特的商业模式结构。②支撑体系完善，盈利水平较高。构建了四大支撑体系：会员体系、账号体系、金融体系、免费基础服务。四大体系依然是以QQ平台为基础，以会员体系、账号体系增强用户黏性、整合业务资源，以金融体系完善收入模式，稳固利益链，以免费基础服务培育资产型用户。四大体系成为由七大业务模式构成的"一站式在线生活平台"的稳固支撑和强大保障。③业务资源整合度高，综合竞争力较强。目前，腾讯的产品线已经渗入互联网的多个应用领域，众多的产品线基本实现了相互协同，构建起"一站式在线生活平台"商业模式，为其建立"互联网帝国"的愿景构筑了较高的防御壁垒。

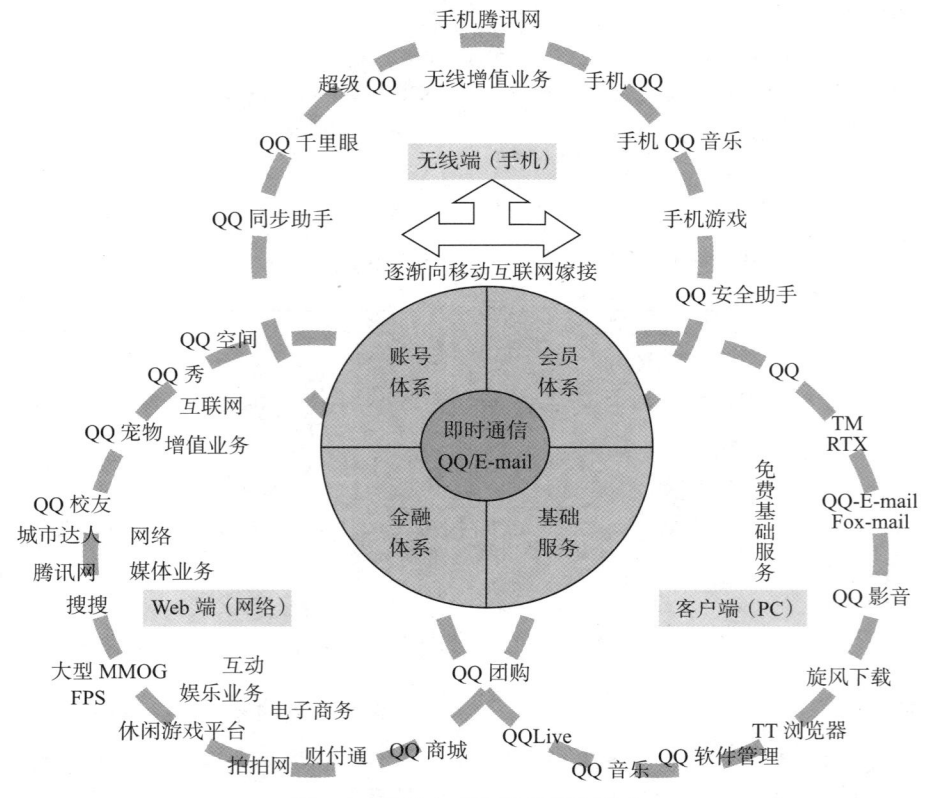

图 5-4 腾讯在成熟期的商业模式

资料来源：罗小鹏，刘莉．互联网企业发展过程中商业模式的演变：基于腾讯的案例研究 [J]．经济管理，2012，34（2）：183-192．

【案例思考题】

1. 从以上案例中，我们可以得出商业模式对腾讯的不同发展阶段有何种影响？

2. 腾讯在不同时期采取的不同商业模式对其他互联网企业有多大的借鉴价值？

本章小结

互联网的出现给传统市场带来了前所未有的冲击，出现了一系列的全新商业模式。从交易的对象来看，我们可以将最常见的电子商务模式划分为 B2B、B2C 和 C2C。而近些年被广泛关注的 O2O 市场竞争也十分激烈。

随着新营销模式的出现，例如，以微信、微博为代表的社交媒体，以及以 P2P、众筹为代表的互联网金融的出现，为传统和互联网企业带来全新的盈利模式。当然，技术的发展也在时刻改变着企业的运营和管理模式。大数据、云计算等已成为未来互联网发展的重要方向，如何充分利用新概念、新技术，抢占新市场的制高点，成为各企业需要认真研究的新课题。企业应该积极利用新兴信息技术对商业模式进行创新。

关键词

网络商业模式　　网络营销盈利模式　　社交媒体　　大数据　　云计算

综合复习题

思考题

1. 网络商业模式有哪些？各具有什么特点？
2. 什么是互联网金融？互联网金融有何特点？
3. 互联网金融的主要模式有哪些？
4. 简述大数据在主要行业的运用情况。
5. 大数据给企业运营带来哪些变革？
6. 大数据给市场营销带来哪些变革？
7. 什么是云计算？有何特点？
8. 云计算下客户关系管理发展的机遇有哪些？
9. 云计算下客户关系管理的步骤有哪些？

讨论题

1. 互联网金融对现有金融体系有何影响？
2. 云计算下客户关系管理的优势有哪些？
3. 云计算下客户关系管理发展存在的问题有哪些？
4. 企业选购云计算下的客户关系管理系统应注意哪些问题？

网络实践题

1. 浏览苏宁易购的网站，以及对附近的苏宁电器实体店进行调研，分析如果要实现O2O的成功，应该具备哪些要素。
2. 使用某一种虚拟货币（如Q币）进行在线交易，分析虚拟货币的优缺点。
3. 登录优酷、腾讯视频等视频网站，分析在未来的发展中，借助视频或微电影如何进行网络营销。

第 6 章
CHAPTER 6

网络市场调研

§ 本章导读

市场调研是企业了解市场、开拓市场的有效方法，是企业进行市场预测和经营决策的基础，受到企业普遍重视。随着信息传播媒体的不断变化，市场调研工具也在不断地发生变化，传统的调研渠道有报纸、杂志、邮件、电话、电视等。随着互联网的出现，一种崭新的调研方式——网络调研（internet survey，IS）应运而生。它为现代企业进行市场竞争提供了一种强有力的武器。

互联网上的海量信息资源以及众多搜索引擎的免费使用，极大地丰富了市场调研的资料来源，拓展了传统的市场调研方法。网络市场调研有利于制定科学的网络营销规划，优化网络营销组合以及开拓新的市场，给企业带来新的机会和挑战。网络市场调研的方法包括直接调研法和间接调研法。对于一手资料，网络市场调研可以使用观察法、专题讨论法、在线问卷法、访谈调研法和实验法等方法。对于二手资料，可以借助搜索引擎、公共网站、网络数据库、痕迹抓取、内容分析等多种方法开展调研。

§ 学习目标

- 掌握网络市场调研的含义
- 掌握网络市场调研的特点
- 了解网络市场调研与传统市场调研的差异
- 掌握网络市场调研的一般步骤
- 掌握网络市场调研的方法
- 掌握网络市场调研的常用工具

§ 引导案例

哈根达斯天猫旗舰店提升客户转化率

哈根达斯在同类企业中，总是走在电子商务的最前沿。作为第一批开通天猫商城官方旗舰店（简称"天猫旗舰店"）的国际知名企业之一，它在天猫商城的运营过程中也遇到了不少问题。店铺开张之初，引来了大批的流量，但是实际的转化率却不高。

通过初步的用户调查，哈根达斯发现，绝大部分访客对哈根达斯的品牌都非常喜爱，并且很多都是慕名而来，大部分是为了看看哈根达斯的天猫旗舰店，每日的独立访客（unique visitor，UV）量甚至超过了一万，但实际的转化率并不理想，于是哈根达斯便借助在线自助调研软件平台——调研宝，对客户的行为和态度展开了研究。

通过调研宝的在线调查，哈根达斯发现，页面中大量使用了二维码，而对于消费者，没有给予充分的解释，使消费者感到迷惑，这正是转化率低的罪魁祸首。

由于冰激凌不便于通过常规渠道运送，故哈根达斯采取了二维码的形式来发货，通过彩信或者邮件的形式，将二维码发送至访客的手机上，访客凭借手机中的二维码到实体店中兑换冰激凌。虽然这从一定程度上给访客带来了便利，但由于缺乏充分的沟通和说明，引起了消费者的困惑，使得店铺的转化率低。

调研宝的调查数据显示，二维码的问题最为突出，是用户转化率低的最主要问题，其次是价格和优惠活动问题，这是影响用户转化率和决策的重要因素，如图6-1所示。

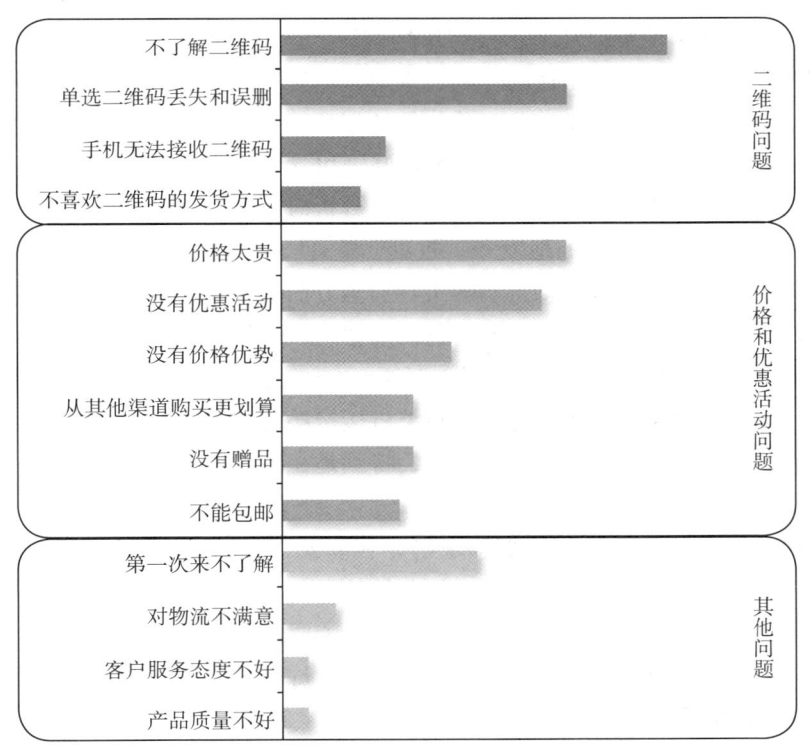

图6-1 哈根达斯天猫旗舰店转化率低的原因分析（单位：%）

根据调查结果，哈根达斯制订了有针对性的解决方案以提升客户转化率：
1. 在天猫旗舰店首页增加详细的二维码说明；
2. 开展仅限网购的促销活动；
3. 突出二维码购物"送亲友"概念。

改进后，哈根达斯天猫旗舰店的用户转化率提升了 0.3%（店铺每日 UV ≥ 10 000）。
备注：为了保护客户隐私，该案例中的所有数据有所调整，并非实际数据。

资料来源：作者根据网络资料整理。

【案例思考题】
1. 总结此次市场调研对哈根达斯网店的作用。
2. 思考网络市场调研的主要工具和方法。

6.1 网络市场调研概述

网络市场调研是不同于传统调研方法的一种全新的调研方式，与传统调研方法相比，网络市场调研具有不同的特点，同时，开展网络市场调研需要遵循一定的步骤。

6.1.1 网络市场调研的含义

市场调研是营销链中的重要环节，没有市场调研，就把握不了市场。互联网作为 21 世纪新的信息传播媒介，它的高效、快速与开放，推动市场营销产生了全新的调研方式——网络市场调研。这一新兴调研方式正在迅速改变着传统的市场营销方式乃至整个经济的面貌。互联网上的海量信息、搜索引擎的免费使用对传统市场调研和营销策略均产生了重大影响。

网络市场调研与传统市场调研在调研的目的、分析研究的内容等方面没有根本的区别，都是以科学的方法，系统地、有目的地发布、收集、整理、分析和研究所有与市场有关的信息，重点把握有关消费者的需求、购买动机和购买行为等方面的信息，从而把握市场现状和发展态势，有针对性地制定营销策略，取得良好的营销效益。两者最大的区别在于采用的调研技术不同，即网络市场调研主要借助于互联网来完成市场调研的任务，而传统市场调研在调研中主要采用传统的发放问卷、面对面访谈等与调研对象直接接触的方式进行。互联网大大丰富了市场调研的资料来源，扩展了传统的市场调研方法，特别是在在线调查、定性调查和二手资料调查方面具有无可比拟的优势。

网络市场调研就是利用互联网发掘和了解顾客需要、市场机会、竞争对手、分销渠道以及战略合作伙伴等方面的情况，并系统地进行营销信息的发布、收集、整理、分析和研究的过程。网络市场调研探索的问题与传统市场调研一样，主要包括市场可行性分析、不同地区的销售机会和潜力分析、竞争分析、产品研究、包装测试、价格研究、广告监测与效果研究、企业形象研究、消费者研究和市场动态分析等。

6.1.2 网络市场调研的特点及其与传统市场调研的比较

1. 网络市场调研的特点

网络市场调研可以充分利用互联网的开放性、交互性、无时空和地域限制等特点来开展调研工作。与传统市场调研相比，网络市场调研具有以下特点。

（1）及时性和开放性。网络的传输速度非常快，网络信息能迅速传递给连接上网的任何用户。网络调研是开放的，任何网民都可以参加投票和查看结果，这保证了网络信息的及时性和开放性。网上投票信息经过统计分析软件初步处理后，可以及时地看到阶段性结果，而传统市场调研得出结论需要经过很长一段时间，公布结果则需花费更长时间。如人口抽样调查统计分析需要 3 个月的时间，而 CNNIC 在对互联网进行调查时，从设计问卷到实施网络调查，再到发布统计结果，只要 1 个月的时间。

（2）便捷性和低成本。网络市场调研可节省传统市场调研中所耗费的大量人力和物力。在网络上进行调研，只需要一台能上网的计算机或手机即可。调查者在网站或者公众号上发出电子调查问卷，网民自愿填写，然后通过统计分析软件对访问者反馈回来的信息进行整理和分析。网络市场调研在收集过程中不需要派出调查人员，不受天气和距离的限制，不需要印刷调查问卷，调查过程中最繁重、最关键的信息收集和录入工作将分布到众多网络用户的终端上完成。网上调查可以无人值守和不间断地接受调查填表，信息检验和信息处理工作均由计算机自动完成。

（3）交互性和充分性。网络的最大优势是交互性。这种交互性在网络市场调研中体现在：在网上调查时，被访问者可以及时就问卷相关的问题提出自己的看法和建议，可以减少因问卷设计不合理而导致的调查结论出现偏差等问题。同时，网络调查多采用匿名方式，被访问者可以自由地在网上发表自己的看法，没有时间限制。传统市场调研是不可能做到这些的，例如，面谈法中的路上拦截调查，它的调查时间较短，一般不超过 10 分钟，否则被调查者会产生厌烦情绪，因而传统市场调研对访问调查员的能力要求非常高。

（4）调研结果的可靠性和客观性。由于企业站点与公众号的访问者一般都对企业产品有一定的兴趣，所以这种基于顾客和潜在顾客的市场调研结果是客观和真实的，它在很大程度上反映了消费者的消费心态和市场发展的趋势。被调查者在完全自愿的原则下参与的调查，针对性更强，而传统市场调研中的路上拦截调查，实质上带有一定的"强制性"。网络调查问卷的填写是自愿甚至匿名的，不是传统调查中"强迫式"的，填写者一般对调查内容有一定的兴趣，回答问题相对认真，所以问卷填写可靠性高。网络市场调研可以避免传统市场调研中的人为因素所导致的调查结论偏差，被调查者在完全独立思考的环境中接受调查，能最大限度地保证调研结果的客观性。

（5）无时空和地域限制。网络市场调研可以 24 小时全天候进行，这与受区域和时间制约的传统市场调研方式有很大不同。例如，某家电企业利用传统市场调研方式在全国范围内进行市场调研，需要各个区域代理商的密切配合。

（6）可检验性和可控制性。利用互联网进行网上调研并收集信息，可以有效地对采集信息的质量实施系统的检验和控制。网络市场调查问卷可以附加全面规范的指标解释，这有利于消除因对指标理解不清或调查员解释口径不一而造成的调查偏差。问卷的复核检验由计算机依据设定的检验条件和控制措施自动实施，这可以有效地保证对调查问卷进行 100% 的复核检验，并保证检验与控制的客观公正性。针对被调查者的身份验证技术可以有效地防止信息采集过程中的舞弊行为。

2. 网络市场调研与传统市场调研的比较

与传统市场调研相比，网络市场调研有着诸多优点，例如可以缩短调研周期、节约调研费用、不受时空限制,但也存在调研对象代表性有限、调研过程较难监控、调查样本的数量难以保证等不足,具体差异如表 6-1 所示。

表 6-1 网络市场调研与传统市场调研的比较

比较项目	网络市场调研	传统市场调研
调研费用	低,主要包括设计费和数据处理费,每份问卷所要支付的费用几乎为零	高,主要包括问卷设计、印刷、发放、回收、聘请和培训访问员、录入调查结果、由专业公司对问卷进行统计分析等多方面的费用
调研范围	广,全国乃至全世界,样本数量庞大	有限,受成本限制,调查地区和样本的数量均有限
调研的时效性	全天候进行	不同的被调查者可进行访问的时间不同
运作速度	快,只需搭建平台或利用第三方平台,数据库可以自动生成,几天就可以得出结论	慢,需要 2～6 个月才能得出结论
被调查者的便利性	便利,被调查者可以自由决定时间、地点回答问卷	不方便,一般要跨越空间障碍,才能到达访问地点
调研结果的可信性	相对真实可信	一般由督导对问卷进行审核,措施严格,可信度高
适用性	适合长期的大样本调查,适合需要迅速得出结论的调查	适合面对面地深度访谈,食品类等需要对受访者进行感官测试

6.1.3 网络市场调研的一般步骤

网络市场调研与传统市场调研一样,需要遵循一定的方法与步骤,以保证调研过程的质量。网络市场调研一般包括以下几个步骤。

1. 明确调研问题与目标

明确调研问题与目标是网络市场调研的首要任务,将决定未来营销调研的方向,即首先要明确调研什么问题,为什么调研,要达到怎样的调研目标,然后才能根据这个目标来制订详细的调研计划。

调研人员在接受调研任务时,首先要明确营销管理的问题所在。例如,问题症状或市场机会迹象,导致问题或机会产生的原因,所涉及的公司、部门或领导,可能的解决方法和预期结果,等等。调研问题有了清晰的设定以后,调研人员就需要确定调研目标,帮助管理者解决营销管理问题。可以设定的调研目标包括:什么样的顾客最有可能购买企业所提供的产品或服务?这些顾客或潜在顾客是否会上网查询企业的产品或服务?企业的网络顾客群体是否有足够大的规模,是否具有代表性?同类型的行业竞争者是否开展了网络业务?客户对企业竞争者的印象如何?新进入者的威胁和来自替代品的压力如何?在公司日常的运作中,可能要受哪些法律法规的约束?

2. 确定调研对象

网络市场调研的对象,主要分为企业的消费者、企业的竞争者、企业的合作者和行业内的中立者及公众四类。市场营销人员在调研过程中,应该同时兼顾这四类对象并有所侧重。

（1）企业的消费者。消费者在网上购物必然要访问企业的站点或推送平台，利用企业首页或推送平台页面所提供的分类、目录或搜索引擎工具，浏览商品的介绍、价格、支付、配送与售后服务等信息。企业市场营销调研人员可以通过网络追踪消费者，了解他们对企业产品或服务的意见和建议。

（2）企业的竞争者。行业的竞争力主要源于现有企业之间的竞争、新竞争者的加入以及替代品的出现，它们之间相互影响、相互制约。市场营销与调研人员应重点关注企业竞争者的动态信息，准确地把握行业竞争态势，不因循守旧，积极采纳新技术、应用新模式，促进企业与行业的技术进步和转型升级。通过对行业竞争力的分析可以了解本企业在行业中所处的地位、所具有的竞争优势与不足，以便企业适时制定应对各种竞争力量的对策，保持行业竞争地位。

（3）企业的合作者和行业内的中立者。市场营销与调研人员应该经常关注企业合作者和行业内中立者的站点，它们有可能会提供一些具有价值的信息和评估分析报告。

（4）公众。企业形象的树立往往依靠的是公众的口口相传，企业可以从公众处获取一些有价值的市场信息甚至是竞争对手的信息，也可以从侧面获得一些企业产品或服务的改进意见，因此，网络市场调研的对象也应包括公众。

3. 制订调研计划

确定调研对象后，根据调研目标制订可行的网络调研计划。具体来说，需要确定资料来源、调研方法、调研手段、抽样方案和联系方法。

（1）资料来源。确定收集的是二手资料还是一手资料（原始资料）。

（2）调研方法。对于一手资料，网络市场调研可以使用观察法、专题讨论法、在线问卷法、访谈调研法和实验法。对于二手资料，可以借助搜索引擎、公共网站、网络数据库、痕迹抓取、内容分析等多种方法开展调研。

（3）调研手段。网络调研主要通过在线问卷和软件系统等手段或工具展开。在线问卷，其特点是制作简单、分发迅速、回收方便，但要注意问卷的设计水平。软件系统有两种。一是交互式计算机辅助电话访谈系统，指利用一种软件程序在计算机辅助电话访谈系统上设计问卷结构并在网上传输；互联网服务器直接与数据库连接，对收集到的被访者数据直接进行储存。二是网络调研软件系统，它是专门为网络调研设计的问卷链接及传输软件，包括整体问卷设计、网络服务器、数据库和数据传输程序；问卷一般由可视问卷编辑器生成，自动传送到网络服务器，使用者通过网站交互作答，并可以对数据进行整体或图表统计。

（4）抽样方案。确定抽样单位、样本规模和抽样程序。确定抽样单位就是确定抽样的目标总体。样本规模大小会影响调查结果的可靠性，比如样本是否覆盖了各区域的典型消费者，样本量是否足够多，因此需要包括目标总体范围内所发现的各类足够的样本数量。

（5）联系方法。网络市场调研主要采取网上交流的形式，如发送电子邮件问卷、参加网上论坛等。

4. 选择调研样本

网络市场调研的样本数量众多，如何进行样本选择关系到网络调研的准确性、真实性和可靠性。一般来说，样本选择可以分为随机抽样和非随机抽样。

（1）随机抽样。包括简单随机抽样、分层抽样、整群（分群）抽样、等距（系统）抽样。

1）简单随机抽样，是指总体中的每个基本单位（子体）都有相等的被选中的机会，也即对总体不经任何分组、排列，完全客观地从中抽取调查单位。具体包括抽签法和随机号码表法。

2）分层抽样，又称分类或类型抽样，就是先将总体按一定的标准分层（分类），然后在各层（类）中采用简单随机抽样，最后综合成一个调查样本。具体可分成分层比例抽样和分层最佳抽样。

3）整群（分群）抽样，就是依据总体特征，将其按一定标准分成若干不同的群（组），然后对抽中的群（组）中的单位进行调查的方法。

4）等距（系统）抽样，就是将总体各单位按一定标志排列起来，然后按照固定和一定间隔抽取样本单位的方法。

上述四种方法各自有其独特的地方，其共同点是事先能够计算抽样误差，不致出现倾向性偏差。例如，网站自身发展的需求调研，可以采用随机抽样，以所有网民的注册地址为样本进行总体随机抽样，以保证网站经营者可以了解来自各方面的关于网站的需求详情。

（2）非随机抽样。包括任意抽样和判断抽样。网上进行的关于产品或服务等方面的调研常常用到非随机抽样。

1）任意抽样，即在偶然的机会或方便的情况下，由调查者根据自身的需要或兴趣任意选取样本。例如，许多企业设立了电子公告栏（BBS）以供访问者对企业产品进行讨论，或者访问者也可以参与某些专题新闻组的讨论，以便更深入地获取有关资料。如果调查部门对某个用户的问题或观点有兴趣，就可以随时联系该用户进行个案调查。虽然电子公告栏和专题新闻组的信息不够规范，需要专业人员进行整理和归纳，但由于是用户自发的感受和体会，因此传达的信息也是最接近市场和最客观的，有助于企业获取一些问卷调查无法发现的信息，要特别引起注意。

2）判断抽样，是根据调查者的主观判断来抽取样本的。适用的情况：总体范围较小，总体各单位之间差异较小；当项目处于起始阶段，调研人员对问题掌握的情况较少时，多采用非正式的探索性研究，为后续的问卷设计、正式抽样调查等打下基础。

5. 收集信息

网络通信技术的突飞猛进使得资料收集的方法得以简化。互联网没有时空的限制，因此网络市场调研可以在全国甚至全球进行。同时，收集信息的方法也很简单，直接在网上递交或下载即可。这与传统市场调研收集资料的方式有很大的区别。如某公司要了解各国对某一国际品牌的看法，只需要在一些著名的全球性广告站点或社交媒体发布广告，把链接指向公司的调查表即可，无须像传统市场调研那样，在各国找不同的代理分别实施。诸如此类的调查如果利用传统的方式调研，其困难是无法想象的。

在线问卷回答中，访问者经常会有意无意地漏掉一些信息，这可以通过在页面中嵌入脚本或 CGI 程序进行实时监控。如果访问者遗漏了问卷上的一些内容，其程序会拒绝递交调查表，或者验证后重发给访问者要求补填。最终，访问者会收到证实问卷已完成的公告。在线问卷的缺点之一是无法保证问卷上所填信息的真实性。

6. 整理与分析信息

收集信息后要做的是整理与分析信息，这一步非常关键。调查人员如何从数据中提炼出与调查目标相关的信息，直接影响最终的结果。这一阶段需要调查人员耐心细致，善于归纳总结，去粗取精、去伪存真，并且要掌握相关的数据分析技术、借助先进的统计分析工具，从海量的大数据中获取有效信息进行分析。常见的数据分析技术包括交叉列表分析技术、概括技术、综合指标分析技术和动态分析技术等。目前国际上较为通用的统计分析软件有 R、SPSS、SAS、Stata 等。网络信息的一大特征是即时呈现，而且很多竞争者还可能从一些知名的商业网站上看到同样的信息，因此分析信息的能力相当重要，它能使调查人员在动态的变化中捕捉到商机。

7. 撰写调研报告

调研报告的撰写是整个调研活动的最后一个阶段。报告不是数据和资料的简单堆砌，调研人员不能把大量的数字和复杂的统计技术扔到管理人员面前，这样就失去了调研的价值。正确的做法是把与市场营销策略和关键决策有关的主要调查结果清晰明了地呈现出来，图文并茂、辅以数据支撑；同时应具备正规的调查报告结构，一般包括标题、引言、主体和结论等部分，其中主体部分是对调研的主要说明，如调研目的、调研方法和调研数据统计分析等。

作为对填表者的一种激励或奖赏，网络市场调研应尽可能地把调查报告的全部结果反馈给填表者或广大读者。如果限定为填表者，只需要分配给填表者一个进入密码。对一些"举手之劳"式的简单调查，可以以互动的形式公布统计结果，这样效果更佳。

6.2 网络市场调研的方法

网络市场调研的方法有很多，总体上分为网络市场直接调研法和网络市场间接调研法，这两种方法的应用场景都有各自的特点，也可以同时利用传统市场调研方法来辅助完成网络市场调研。

6.2.1 网络市场直接调研的方法

网络市场直接调研是指为当前特定的目的在互联网上收集一手资料或原始信息的过程。直接调研的方法有：观察法、专题讨论法、在线问卷法、访谈调研法和实验法。网上使用最多的是专题讨论法和在线问卷法。调研过程中具体应采用哪一种方法，要根据实际调查的目的和需要而定。但是需要注意的是，无论采用哪种调研方法，都应该遵循网络规范和礼仪。下面重点介绍应用最多的专题讨论法、在线问卷法、访谈调研法和实验法。

1. 专题讨论法

专题讨论法是指专门邀请一部分人员，在一个有经验的主持人的引导下，用几个小时讨论一种产品、一项服务、一个组织或其他市场营销话题的一种调研方法，试图从少数参与者中收集比较深层次的信息。通常，营销调研人员会在设计调查问卷前通过专题讨论法预先了解一些重要的消费者对于产品或服务的体验和行为，以便后续改进调查问卷。在网络市场调研中，专题讨论法可以通过新闻组、公告栏或邮件列表讨论组进行，其步骤如下：

（1）确定要调查的目标市场；

（2）识别目标市场中要加以调查的讨论组；

（3）确定可以讨论或准备讨论的具体话题；

（4）登录相应的讨论组，通过过滤系统发现有用的信息，或者创建新的话题，让大家讨论，从而获得有用的信息。

具体地说，目标市场可以根据新闻组、公告栏或邮件列表讨论组的分层话题进行选择，也可以向讨论组的参与者查询其他相关名录。同时，应注意查阅讨论组上的FAQs（常见问题），以便确定能否根据名录进行市场调研。

需要注意的是，网络上的专题讨论法由于无法确认参与者的年龄、性别、职业等用户的身份信息，因此，有时讨论的内容可能无法按照原来的预想进行，这就需要相关组织人员能够及时引导参与者的讨论行为和话题。

2. 在线问卷法

在线问卷法是常用的市场调研方法之一，可以委托专业的调查公司进行。在线问卷法通过请求浏览网站的用户参与调查，不仅在数量上可以达到预期的成果，而且有时间短的特点。在线问卷法还可以直接用网络系统进行统计分析，这样不仅节省了人力，也为调研工作带来了更多的便利条件，尤其是对于一些没有具体的统计分析知识的人员，在线问卷法可以提供更多便利，也会为工作的开展带来更多的成果。目前较为知名和常用的服务网站有问卷星（https://www.wjx.cn）、调查派（www.diaochapai.com）、问卷网（www.wenjuan.com）、腾讯问卷（https://wj.qq.com）等。

值得注意的是，在线问卷的设计尤为重要，问卷题项的跳转设置要合理，问卷不能过于繁杂，否则会使被调查者产生厌烦心理，最终影响问卷的反馈质量。为了提高被调查者的积极性，可采取一定的激励措施，如抽奖送礼、微信红包、免费提供小礼品等。

3. 访谈调研法

访谈调研法，简称为访谈（interview）法，是指通过访谈员与受访人面对面地交谈来了解受访人的心理和行为以收集口头资料的一种调查方法。它是社会调查中最传统、最常用的方法之一。访谈通常是在面对面的形式下进行的，由调查人员（也称为访谈员）接触调查对象并提出所要调查的问题，调查对象对问题做出回答，访谈员将回答内容及交谈时观察到的动作行为及印象详细地记录下来。因研究问题的性质、目的或对象的不同，访谈调研法具有不同的形式。根据访谈进程的标准化程度，可将它分为结构式访谈和非结构式访谈。结构式访谈是把研究问题标准化为具体访题，且访题之间有严谨的逻辑结构的访谈，如问卷调查，访谈结果易于进行定量统计分析。非结构式访谈是有主题，却没有可操作化为具体问题的访谈，访谈者和访谈对象围绕主题范围自由交谈，弹性大，能充分发挥访谈双方的积极性、灵活性和创造性，但访谈结果不宜用于定量分析。

伴随互联网的发展，网络访谈应运而生。网络专题访谈小组由一群同意成为营销调查对象的人组成，参与者通常需要完成大量的相对简短的调查问卷，以方便企业提高回复率、全面了解参与者的特征与行为。市场调研人员通常利用网络专题访谈小组的形式来解决抽样问题及回复率不足的问题。如果是大规模的网络专题访谈小组，可以将众多消费者根据其行为和人口统计特征分类成数组不同的小型目标市场。

网络专题访谈小组运用面广，能够简单而迅速地收集多方面的工作分析资料，因而深受人们的青睐。但不可避免地，访谈调研法也存在一些局限。一是与传统的抽样调查相比，成本更高。二是由于一些调查公司在招募网络专题访谈小组成员时方法不够科学，导致最终调研结果难以普适化。如果回复者的规模足够大，回复率足够高，也可以抵消这种问题的影响。三是由于参与者在完成调查后才能获得报酬，所以常常会出现草率回答或说谎的情况。

4. 实验法

实验法是指针对某一研究问题，根据相应的理论与假设，从影响调研对象的若干因素中选出一个或几个因素作为实验因素，在其余诸因素均不发生变化的条件下，了解实验因素的变化对调研对象的影响程度，用以决定企业市场策略的一种方法。实验法通过选择多个可比的主体组，分别赋予不同的实验方案，控制外部变量，并检查所观察到的差异是否具有统计上的显著性。实验的目的是要确定和度量给定条件下变量之间的因果关系，关键在于通过实验设计控制实验环境和实验对象，避免和减少各类实验误差。实验法的最突出特点在于它的实践性和探索性，这也是实验法的本质特点。

实验条件对市场调研结果的影响很大，根据其所处环境的不同，分为人工条件实验和实际条件实验两大类。人工条件实验，也称实验室实验，是指希望在一个不同于行为正常发生的环境条件下引导出某种行为并进行测试的实验。例如，一家生产饮品的企业为了把握消费者对自己产品口味的评价，可以邀请部分消费者到企业的产品开发部试饮，饮品没有任何信息只标注代号，然后请他们做出评价，这就是人工条件实验。企业也可以把产品直接投放在商店中，通过设置不同的现场陈列和广告方案、实施不同的定价策略，然后根据实际销售业绩来评判不同方案的优劣，这就是实际条件实验，也称为现场实验。多数实验条件都是介于完全的实验室实验和现场实验之间的。

在互联网上开展的实验研究通常被称为基于互联网的实验，简称网基实验。网基实验通常用于验证实验室实验和现场实验的结果，也可开展一些只能在网上进行的实验。例如，通过网基实验测试网络广告投放效果：设计几种不同的广告内容和形式在网页或者新闻组上发布；广告的效果可以通过服务器端的访问统计软件随时监测，也可以利用查看客户的反馈信息量的大小来判断，还可借助专门的广告评估机构来评定；对比广告投放前后产品销量的差异，最终评价广告投放效果。网基实验的材料也可以在传统的实验室情境下使用。基于网络的实验设计能够廉价地收集到较大范围地区和人口的数据资料，逐渐受到研究者的喜爱，在认知心理学和社会心理学领域已经有比较广泛的应用。相比实验室实验，网基实验的不足在于对实验条件的控制更弱。比如，无法确定被试报告的有关年龄、种族和性别等方面的特征，以及他们是否认真参与实验。因此，基于网络的实验需要严格遵循相关标准和原则，应用有效技术并提前设计预防措施。

6.2.2 网络市场间接调研的方法

网络市场间接调研，是指在网上进行二手资料的收集。二手资料的来源有很多，如政府出版物、公共图书馆、大学图书馆、贸易协会、市场调查公司、广告代理公司和媒体、专业团体、企业情报室等。其中许多单位和机构都已在互联网上建立了自己的网站，或者在社交平台上设有自己的公众号，各种各样的信息都可通过访问其网站或社交平台提供的统计功能直接获得，这些数据有助于将本企业的指标与竞争对手的指标比较后采取相应的改进措施。再加上众多综合型互联网内容提供商（internet content provider，ICP）、专业型互联网内容提供商，以及成千上万个搜索引擎网站，从而使互联网上二手资料的收集非常方便。

互联网上虽有海量的二手资料，但要找到自己需要的信息也要借助于相关工具。首先是必须熟悉搜索引擎的使用；其次是要掌握专题型网络信息资源的分布；最后可以借助爬虫类数据抓取工具从大数据中挖掘有价值的信息。下面分析网上收集二手资料的主要方法。

1. 利用搜索引擎查找资料

搜索引擎是在网络上查找和收集二手资料的重要手段。搜索引擎使用自动索引技术发现、收集并标引网页，建立数据库，以网页形式将检索界面提供给用户，用户只需要输入关键词、词组或短语等检索项就可以查询，使用简单、方便、快捷，因此搜索引擎成为在互联网上查找资料的方法中最突出的应用。

搜索引擎调研也可以直接获取一些指标，例如百度基于自己的搜索引擎，建立了以海量网民行为数据为基础的"百度指数"，可以获取某关键词在某段时间内的热度；需求图谱基于语义挖掘技术，向用户呈现关键词隐藏的关注焦点与消费欲望；获得基于关键词访问者的人群画像，等等。阿里指数根据阿里巴巴网站每日运营的基本数据（每天的浏览量、每天浏览的人次、每天新增供求产品数、新增公司数和产品数）指标统计计算得出，可以直接获取市场行情、行业与产业信息。

2. 访问公共网站收集资料

如果知道某一专题的信息主要集中在哪些网站，可以直接访问这些网站，获得所需的资料。例如，中国农业信息网（http://www.agri.cn）"一站通"农村供求信息覆盖全国各地，每日更新全国农产品批发市场价格信息和行情动态；慧聪网（http://www.hc360.com）提供了包括汽车行业、机械电子行业、化工行业、钢铁行业等多个行业的产品供求信息；以及相关行业的动态信息；环球资源网（http://www.globalsources.com）提供了多个行业的信息以及最新的展会信息。此外，相关政府部门的网站也都提供了有关本行业的统计信息以及最新动态。例如，工业和信息化部网站（http://www.miit.gov.cn）、农业农村部网站（http://www.moa.gov.cn/）

都会定期公布最新的统计数据。访问各国政府的人口情报中心或人口调查局网站的数据库，可以获得该国人口统计资料。这些网站都是获得权威资料信息的重要途径。

3. 利用相关网络数据库查找资料

网络数据库有付费和免费两种。在国外，市场调查用的商情数据库一般都是付费的。国外知名的商情数据库检索系统主要有 DIALOG 系统（www.dialog.com），CA、MEDLINE、MATHSCI、BA 等都加入了 DIALOG 系统，可以检索 SCI、EI、ISTP、SSCI，还包括 ProQuest 等；ESA-IRS 系统；STN 系统；FIZ Technik 系统；Dun & Bradstreet 系统；DJN/RS 系统；CALIS 系统，等等。

我国的数据库也有了较大的发展，近几年出现了若干个 web 版的数据库，其中文献信息型的数据库居多，如中国知网（https://www.cnki.net）主要提供文献检索、在线阅读和下载服务；国务院发展研究中心信息网（http://www.drcnet.com.cn）提供了教育版、党政版和金融版等不同版本的资料信息，为全面了解我国乃至世界经济的发展提供了权威的资料来源。

4. 痕迹抓取

痕迹证据，是指人类的社会活动所留下的痕迹以及这些痕迹形成的社会人为事实。将众多的痕迹证据数字化，并汇集在一起，用以证明或证伪事物之间的关系模式，这时痕迹证据就成了痕迹数据。大数据研究是为了把握事物之间的关系模式。获得大数据可以采取与数据拥有机构合作的方式，也可以利用网络爬虫等工具；研究者可以使用一个时间节点的全数据，也可以使用一个时间节点的抽样数据。

网络爬虫是一个自动提取网页的程序，它为搜索引擎从万维网上下载网页数据。爬虫采集的网络数据是非传统数据源，例如通过抓取搜索引擎获得的不同形式的数据。网络数据也可以是从数据聚合商或搜索引擎网站购买的数据，用于改善目标营销。这种类型的数据可以是结构化的，也可以是非结构化的（更有可能的），可以由网络链接、文本数据、数据表、图像、视频等组成。

目前主流的 Python 爬虫框架主要分为调度器、URL 管理器、网页下载器、网页解析器、应用程序（爬取的有价值数据）。调度器主要用来调度管理器、下载器和解析器；URL 管理器主要负责对爬虫的 URL 进行管理，防止重复抓取或者循环抓取等；网页下载器用于下载网页，并转换成字符串；网页解析器用于解析下载下来的字符串，目前主要以 DOM 树来解析，也可以根据 XML、HTML 进行解析。爬虫框架已经帮我们完成了 80% 的工作，后续主要关注三个步骤：如何能得到目标网站的数据；如何从解析器中截取我们想要的数据；得到数据后进行解析、清理、处理，最后将关键数据展现给客户。

5. 基于社交媒体的内容分析

内容分析法主要用来观察文本信息和图片信息，目的是评价网络用户沟通交流的内容。市场调研人员可以用这种方法了解消费者沟通的环境、既往的情况、未来趋势、促进方式等，也可以通过文本挖掘计算出现的词语数量，提供定量分析的结果。

网络社会化媒体上海量的沟通信息为市场调研创造了诸多机遇。对社会化媒体上的内容进行分析，可以获取一些有价值的信息。例如，新浪微博的微指数是对提及量、阅读量、互动量加权所得出的一个综合指数，体现关键词在微博上的热度，分析网民关注点（关注的产品是什么？关注的产品功能有哪些？是否关注售后服务？关注服务的哪个环节？），通过实时监测微博上的内容可以及时捕捉当前社会热点事件与话题，分析网络舆论的评论比率，快速响应甚至引导舆论走向，为舆情研究提供重要的数据支持。

社交媒体调研的优点在于可以将定量和定性方法结合在一起，提供空间广阔的洞察力。通常，我们需要付出大量的时间和预算才能获得广阔的定量方法需要的数据量，而现在如果采用正确的工具和技术，我们就可以利用社交媒体获得的广泛数据支撑对假设进行调查和验证。定性方法通过面对面的互动，可以获得更深层次的理解。同样，在社交媒体上，我们通过了解特定人群的在线对话或互动沟通，可以深层次地发掘人群的特征与喜好。

社交媒体调研是以低成本收集销售线索的最佳渠道之一，通过了解特定人群的在线对话与发布内容，调查他们与品牌的联系，了解消费者的兴趣、期望和未被满足的需求，并找到合适的方法进一步了解这些言论背后的驱动力，比如是什么导致消费者的负面情绪，竞争对手的产品占有多少声量，他们是如何做到的。最终赢得消费者的信任及其对品牌的忠诚度。比如，通过社交媒体结合客户关系管理软件可以了解品牌目标用户属性，根据标签设定来划分和判定用户喜好，帮助品牌快速抓住用户特点，对这些目标用户进行有针对性的营销活动，进而增加用户对品牌的认同感。同时，还可以利用社交媒体收集到更多潜在销售线索，为今后销售转化打好基础。

6.2.3 传统市场调研方法对网络市场调研的辅助作用

虽然网络市场调研发展很快，以互联网为唯一调查媒介的网络市场调研公司应运而生，并且取得了引人注目的成绩，但传统市场调研方法仍是不可或缺的，特别是在一些经济技术不发达的国家和地区。即便在发达国家和地区，传统市场调研方法仍可以对网络市场调研起到重要的辅助作用。

1. 定点测试

在测试网站目标受访者集中的区域，如面向消费者的网站可以在社区或商场里；面向职业人员的网站可以在设有计算机的办公区；装载测试网站和竞争网站，邀请符合条件的受访者参加访问。可以让受访者根据要求一边浏览网站一边发表意见，或者让受访者在完全自由的情况下选择不同的网站，并记录其浏览情况和评价意见。这种方法可以记录受访者的浏览行为和基本变量（如年龄、性别等）的关系，从而为网站的测试提供有针对性的意见。一般情况下，每个城市选择3～5个测试地点，并由委托方提供计算机和软件设备。

2. 入户调查

传统的入户调查统计结果具有统计推断意义，可以用于不需要浏览网站的研究，如网站品牌研究、市场定位、新网站开发等。目前，一种入户调查的改进方法是访问员持移动计算机或智能手机进行入户访问，对被访者进行现场演示，这是进行网站测试具有代表性的方法。其缺点是需要准备较多的移动计算机或智能手机等设备、配备有丰富计算机经验的访问员，且所需费用也较高。

3. 计算机辅助电话调查

计算机辅助电话调查是中心控制电话调查的"计算机化"形式，是利用软件语言程序在计算机辅助电话调查上设计问卷结构并在网上进行传输的一种调查方式。应用这种方式进行调研时，每一位访问员都会坐在一台计算机终端或个人计算机前，同时他们都有一部电话，总台可以通过电话对其随时进行监控。当被调查者的电话接通并甄别合格后，访问员即开始按照计算机屏幕出现的问题提问被调查者，最后由访问员读出问题和答案，并输入被调查者回答的答案。一道问题问答完毕后，计算机会自动显示恰当的下一道问题。计算机辅助电话调查的优点在于其目标总体有效，涵盖在家上网的网民总体，调查结果具有统计意义，并且可以低成本、快速地获得被调查者的信息。其局限性在于访问时间和调查内容会受到限制。

6.3 调研与分析工具介绍

本节介绍一些常用的网络调研与分析工具，如在线问卷调查、百度指数与阿里指数。

6.3.1 在线问卷调查

在线问卷调查是最常用的在线市场调研方法之一。本节以问卷星网站为例，对在线市场调研进行介绍。

问卷星是一个专业的在线问卷调查、测评、投票平台，行业扎根十多年，拥有庞大的用户量，整体的功能和题型较丰富，专注于为用户提供功能强大且人性化的在线设计问卷、采集数据、自定义报表、调查结果分析等系列服务。2019年8月，有才天下猎聘斥8.27亿元收购问卷星。

与传统调查方式和其他调查网站或调查系统相比，问卷星具有快捷、易用、低成本的明显优势，已经被大量企业和个人广泛使用，典型应用包括：①企业方面，客户满意度调查、市场调查、员工满意度调查、企业内训、需求登记、人才测评、培训管理；②高校方面，学术调研、社会调查、在线报名、在线投票、信息采集、在线考试；③个人方面，讨论投票、公益调查、博客调查、趣味测试。

1. 问卷设计

进入问卷星首页，注册成功后单击右上方"进入管理后台"按钮，进入问卷管理页面，然后创建和编辑调研问卷，可选题型包括填空题、矩阵题、评分题与高级题型，也可以直接导入问卷文本。

问卷"完成编辑"后进入设计向导页面，可以进行问卷设置、问卷外观设置和红包及奖品设置，企业版的用户可以进行质量控制，尊享版的用户可以进行流程引擎设置。

（1）红包及奖品设置。为了吸引更多人参与问卷调查，问卷星提供了添加红包等奖品的功能,但微信红包、即时开奖和定时开奖三种抽奖方式同时只能使用一种,即时开奖和定时开奖目前只限企业版用户使用。

(2)质量控制。虽然可以添加筛选规则来控制问卷质量,但目前筛选规则只对企业版用户提供。筛选规则包括以下内容。

1)省份、城市、填写时间规则,例如,填写时间少于 30 秒的,判为无效。

2)单题规则,可以设置填写者填写的问卷中具体的某一个题目,选择了某个选项,以此判断答卷为无效答卷。例如,设置筛选规则为男性,这时所有男性的答卷将被标记为无效问卷。

3)双题规则,可以设置填写者填写的问卷中的两个题目是否互相冲突,以此来判断这份问卷是否为有效答卷。例如,选择了女性且 18 岁以下的答卷,判断为无效。

2. 问卷发布与回收

问卷设计完成后,可以发布,生成问卷链接与二维码,复制链接地址或下载二维码后可以分享到微信、QQ、新浪微博。可以自定义来源和自定义链接参数,也可以填写样本服务需求,快速邀请符合目标人群要求的问卷星样本库成员填写问卷,样本服务是付费服务。

问卷分享方式可以选择微信发送、邮件发送和短信发送。微信发送可以进行相关分享设置和功能设置,邮件发送和短信发送目前只限于企业版服务。在被调查者提交问卷答案后,调查者可以到"分析&下载"里查看默认报告,在"查看下载答卷"中可下载原始数据。

3. 数据统计与分析

(1)分类统计。使用网站中的"分类统计"功能可以以问卷中的任何一道或多道选择题的选项、填写者 IP 所在省份或城市、答卷来源渠道为依据进行分类,从而得到每一类答卷的统计报告。

(2)交叉分析。使用交叉分析功能可以设定一个或多个自变量和因变量,从而得到自变量取不同值时因变量的数据,并以数据表格或折线图、柱状图等方式呈现。例如,以年龄为自变量、以是否愿意推荐的程度为因变量进行交叉分析,可以得到各年龄段是否愿意推荐该网站或商家的程度交叉分析表。

(3)频数分析。使用频数分析可直观地呈现某单一选项的简单频数。

6.3.2 百度指数

1. 概述

百度指数(Baidu Index)是以百度海量网民行为数据为基础的数据分享平台,是当前互联网乃至整个数据时代最重要的统计分析平台之一,自发布之日起便成为众多企业营销决策的重要依据。百度指数可以研究关键词搜索趋势、洞察网民兴趣和需求、监测舆情动向、定位受众特征。

截至目前,百度指数的主要功能模块有:指数探索(趋势研究、需求图谱、人群画像),品牌表现(总体盘点指定行业中所有品牌的搜索热度的变化),数说专题(基于搜索指数相关数据，按照专题筛选出与某个行业或话题相关的关键词进行聚类分析，给出更为详细的行业或话题数据，比如行业搜索趋势、行业细分市场、行业人群属性、该类话题搜索热点等）。

百度指数的理想是"让每个人都成为数据科学家"。对于个人而言，大到置业时机、报考学校、入职企业发展趋势，小到约会、旅游目的地选择，百度指数可以助其实现"智赢人生"；对于企业而言，竞品追踪、受众分析、传播效果均以科学图标全景呈现，"智胜市场"变得轻松简单。大数据驱动个人发展，而百度倡导数据决策的生活方式，正是为了让更多人意识到数据的价值。

2. 特色功能

（1）趋势研究。百度趋势可为用户提供某关键词在某段时间、某个地域范围内在 PC 端或移动端百度中出现的整体趋势。用户不仅可以查看最近 7 天、30 天、90 天以及最近半年的单日指数，还可以自定义时间查询。除了搜索指数，还有资讯指数和媒体指数。搜索指数是以网民在百度的搜索量为数据基础，以关键词为统计对象，科学分析并计算出各个关键词在百度网页搜索中搜索频次的加权和。根据搜索来源的不同，搜索指数分为 PC 搜索指数和移动搜索指数。资讯指数是以百度智能分发和推荐内容数据为基础，将网民的阅读、评论、转发、点赞、不喜欢等行为的数量加权求和得出的。媒体指数是以在各大互联网媒体报道的新闻中，与关键词相关的，被百度新闻频道收录的数量，采用新闻标题包含关键词的统计标准，数据来源、计算方法与搜索指数无直接关系。例如，我们在百度指数的搜索框中输入"人工智能"，就可以看到在不同时间区间内有关该关键词搜索的各项趋势（见图 6-2）。

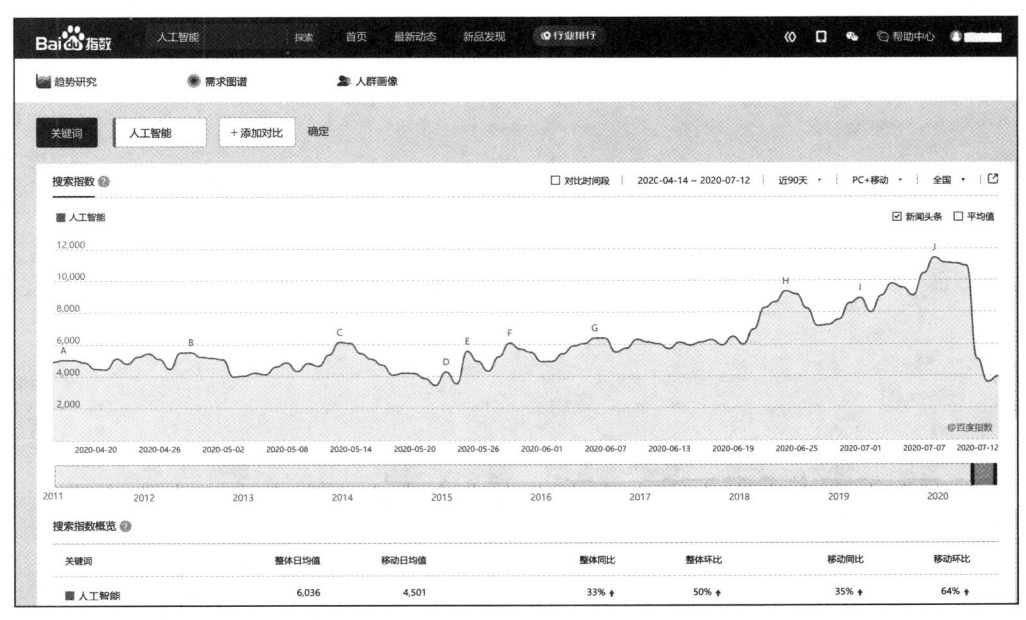

图 6-2　关键词为"人工智能"的百度指数搜索结果

（2）需求图谱。每一个用户在百度的检索行为都是主观意愿的展示，每一次的检索行为都可能成为该消费者消费意愿的表达，百度指数的需求图谱基于语义挖掘技术，向用户呈现关键词隐藏的关注焦点、消费欲望。例如，图 6-3 中显示的就是与"人工智能"相关的其他重要关键词。

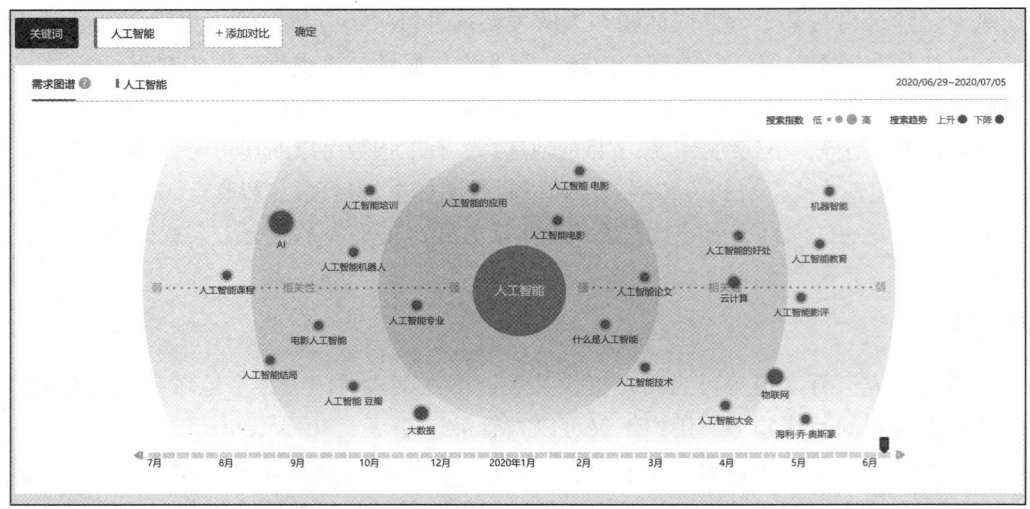

图 6-3　与"人工智能"相关的其他重要关键词

（3）人群画像。通过人群画像，以往需要花费巨大精力开展的调研已不再必需，轻松输入关键词，即可获得用户年龄、性别、区域、兴趣的分布特点，并且绝对真实客观。图 6-4 显示的是对"人工智能"关键词感兴趣的用户的年龄、性别、兴趣差异。

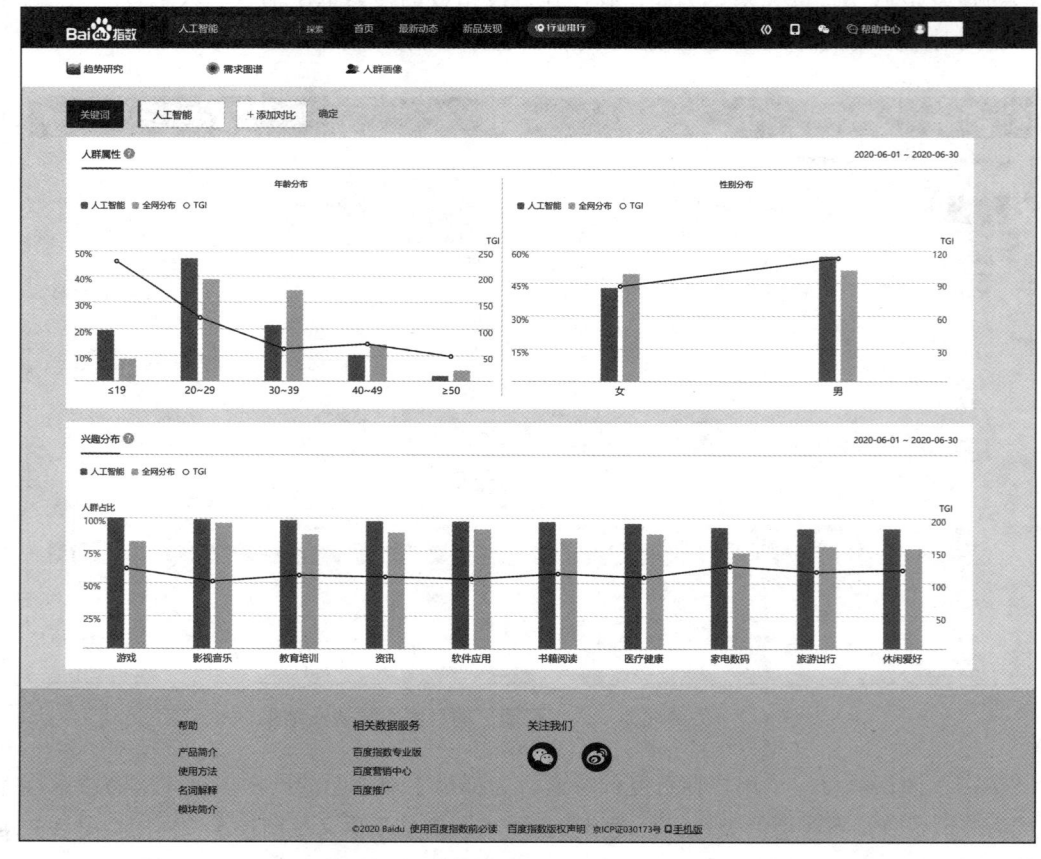

图 6-4　对"人工智能"关键词感兴趣的用户的年龄、性别、兴趣差异

6.3.3 阿里指数

阿里指数是了解电子商务平台市场动向的数据分析平台,2012年11月26日,阿里指数正式上线,目前已下架,嵌入到生意参谋豪华版中,只有付费用户才可以查看。根据阿里巴巴网站每日运营的基本数据包括每天的浏览量、每天浏览的人次、每天新增供求产品数、新增公司数和产品数这5项统计指标计算得出。阿里指数的功用包括行业大盘与产业基地。

(1)行业大盘 主要包括市场行情、热门行业、企业分析,以某个行业为视角进行分析。

1)市场行情:市场的综合趋势,价格、采购、供应的趋势。

2)热门行业:各种热门细分子行业的分析,并对各个子行业做出排序。

3)企业分析:针对某个行业下的供应商、采购商,根据他们的交易情况分等级,用于表明此行业的大小企业的占比情况。

(2)产业基地 主要包括产业带、企业分析,以某个地区为视角进行分析。

1)产业带:对于全国的每个县级行政区域都进行行业的分析,从而得出各地的产业带布局。

2)企业分析:针对某个地区下的供应商、采购商,根据他们的交易情况分等级。

案例分析

安徽特酒集团的网络市场调研

一、集团网络市场调研的思路

安徽特酒集团(以下简称"安特集团")首先制定了网络营销的调研思路,并以此为依据开展网络市场调研活动。

1. 明确调研方向

安特集团是我国特级酒精行业的龙头企业,整套设备及技术全部从法国引进。其主要产品是伏特加酒及分析级无水乙醇。其中无水乙醇的销量占全国的50%以上。伏特加酒通过边境贸易,向俄罗斯等国家出口达到1万吨,总销售额超过1亿元。伏特加酒作为高附加值的主打产品,是安特集团利润的主要来源。但是,随着俄罗斯等国家经济形势的日趋放缓,出口量逐年减少,形势不容乐观。安特集团审时度势,决定从1998年的下半年开始通过互联网进行网络市场调研,并在此基础上开辟广阔的欧美市场。集团确定了市场调研的三个方向。

(1)价格信息。包括生产商报价、批发商报价、零售商报价、进口商报价。

(2)关税、贸易政策及国际贸易数据。包括关税、进口配额、许可证等相关政策,进出口贸易数据,市场容量数据。

(3)贸易对象,即潜在客户的详细信息。包括贸易对象的历史、规模、实力、经营范围和品种、联系方法等。

2. 确定信息收集途径

(1)价格。主要有两种:一是生产商报价,涉及厂商站点、生产商协会站点、讨论组和Trade-Lead(有两种方式,即按国家分别检索、常用站点每周例行检索);二是销售商报价,涉及销售商站点、政府酒类专卖机构和商务谈判信息。

(2)关税、贸易政策及国际贸易数据。主要包括检索大型数据库,向已经建立联系的各国进口商发电子邮件,相关政府机构站点和新闻机构站点查询。

(3)贸易对象的详细信息。包括目录型、

数量型、地域型搜索引擎,黄页,专业的管理机构及行业协会站点和各国酒类专卖机构站点。

二、集团网络市场调研的步骤

安特集团网络市场调研的步骤一般包括以下几个方面。

1. 价格信息的收集

价格信息的收集是至关重要的,它是制定价格策略和营销策略的关键。通过对价格信息的分析,可以确定世界上各种伏特加酒的质量与价格之间的比例关系,摸清世界各国伏特加酒的总体消费水平,确定国际伏特加酒的贸易价格,其中最主要的作用还是为安特牌伏特加酒进行出口定位。对价格信息的收集可以从以下几个方面入手。

(1) 生产商的报价。由于安特集团是生产企业,因此与来自其他生产企业的价格可比性很强,参考价值很高。特别是世界知名伏特加酒生产企业的报价,更具有参考价值。这是因为世界知名的伏特加酒在国际贸易中占的比例很大,其价格能左右世界市场的价格走向。

生产商的报价主要包括以下三个方面。

1) 搜索厂商站点。这种方法的关键是如何查找生产商的互联网站点,找到了生产商的站点也就找到了报价。有的站点还提供最新的集装箱海运运价信息,有很高的参考价值。

搜索厂商站点时,常用的方法是利用搜索引擎,即利用关键词进行数据检索。一般来说,商业性的检索都需要利用该搜索引擎的高级功能。在检索之前应仔细阅读关于检索的说明,真正掌握检索的规律。另外,任何一个搜索引擎都有其局限性,应该把多个搜索引擎结合起来使用,才能达到事半功倍的效果。

2) 利用生产商协会的站点。这类站点也可以通过搜索引擎查询到。通常,生产商协会的网站上都列出了该生产商协会所有会员单位的名称及联系方法,但是一般都没有列出这些会员单位自己的网站,主要原因是这类协会的网站在建立时,绝大部分的协会会员还没有建立网站。此时,向这些机构发出请求帮助的电子邮件,一般都会得到满意的结果。

3) 利用讨论组。讨论组中的报价也大都是生产企业的直接报价。从事国际贸易的企业一般会加入讨论组中的进出口(import-export)组,在这个专业的讨论组中,可以发现大量关于进出口贸易的信息,然后输入关键词查询,可以寻找到所需要产品的报价。

在讨论组中发布信息的生产商一般规模较小、知名度也较低,它们往往借助专业的进出口组来宣传它们的产品,并希望以低价格来打动进口商。这里的报价对于中国的出口企业具有特别的参考意义。

(2) 销售商的报价。销售商包括进口商和批发商,它们报出的价格都是国内价格,一般都含有进口关税。对于生产企业而言,可比性不是很强。但是它们所提供的十几甚至几十种产品都来自不同的国家,参考价值很高。生产商可以据此确定每种产品的档次,以及不同档次产品的价格水平。另外,还可以对不同国家的关税水平有一个大概的了解。收集销售商的报价可以从三个方面入手。

1) 销售商站点中的报价。找到销售商的站点,也就找到了它们的报价,也可利用各种搜索引擎的关键词来查找销售商站点。

2) 政府酒类专卖机构的价格。在某些国家或地区,政府酒类专卖机构是唯一的进口商和批发商。这些机构中的酒类品种多达上百种,价格中的"虚头"也最少,所以参考价值很高。

3) 在商务谈判中定价。商品的最终价格往往要通过商务谈判才能确定,这种方式非常复杂,耗费的时间和金钱也最多,但它却是现阶段商业定价最重要的方法,也最能体现供需双方的信息。然而,商务谈判中的定价极难获得,有的企业甚至视其为高度的商业机密。安特集团在实践中发现,搜索各种博览会、交易会的信息公告，以及从经济类媒体的报道中可以发现有用信息的蛛丝马迹。

从生产商、销售商及商务谈判中得到的价格信息，应该再加以整理、分析，才能确定它们之间的相互关系，最后得出完整的价格体系。

2. 关税及相关政策和数据的收集

关税及相关政策信息在国际营销活动中占有举足轻重的地位。进口关税的高低影响着最终的消费价格，决定了进口产品的竞争力；有关进口配额和许可证的相关政策关系到向这个国家出口的难易程度；海关提供的进出口贸易数据能够说明这个国家每年的进口量，即进口市场空间的大小；人均消费量及其他相关数据则说明了某个国家总的市场容量。要从世界上200多个国家和地区来选择重点销售地区、确定重点突破目标，就必须依靠这些信息。这类信息的收集有以下几种方案。

（1）通过大型数据库检索。互联网中包含大量的数据库，其中大型的数据库有数百个，与国际贸易有关的数据库至少有几十个，其中有的收费、有的免费。收费的数据库商业价值最高，一般来说，想要的信息都能从其中查到；免费的数据库通常都是某些大学的相关专业建立起来的，其使用价值也很高。

美国DIALOG系统（www.dialog.com）是世界上最大的数据库检索系统，它包括了全球大多数的商用数据库资源。另外，它还提供了一套专门的信息检索技术，有专用的命令，初次使用者需要认真学习才能掌握。该网站的大多数服务是收费的，但是网站提供了一个免费的扫描程序，可以帮助访问者得到扫描结果，若要得到具体的内容则需付费。

通过对数据库的查询，安特集团得到了欧洲各国人均烈酒消费量的数据，北欧、中欧和英国等地区及国家的人均消费量很高，而地中海沿岸各国的消费量则相对小得多，据此可以确定欧洲是重点潜在市场。

（2）向已建立联系的各国进口商询问。这是一种非常实用、高效且一举两得的方法，不但考察了进口商的业务水平，确认其身份，而且可以收集到最直接有效的信息。企业拟定一份商业公函，发一个电子邮件给对方，其中详细列出询问的内容，请求对方在最短的时间内给予答复。但是，进行这种询问的前提是，双方已经彼此了解，并且建立了相互信任的关系。如果没有这种关系，国外的进口商一般是不愿回答的，因为这种方式有恶意收集信息之嫌。

（3）查询各国相关政府机构的站点。随着互联网的高速发展，很多政府机构已经上网，建立了独立的网站。用户可以针对不同的问题去访问不同机构的站点，许多问题都可以得到非常详尽的解答。对于没有查到的内容，还可以发电子邮件请求相关职能部门或咨询部门给予答复。安特集团发出的此类信件，基本上都得到了较为详尽的答复。

（4）通过新闻机构的站点查询。世界上各大新闻机构的站点都是宝贵的信息库，特别是国际上著名的几家新闻机构（如BBC、CNN等），其每天10万字以上的新闻是掌握实时新闻和最新信息的捷径，而且有的站点还提供过去1～2年的信息，并且支持关键词的检索。另外，一些关键的贸易数据、关税或人均消费量在某些新闻稿中也可以查到，这对于信息的掌握常常是很重要的。

3. 各国进口商详细信息的收集

收集进口商的信息是网络营销的一个重要环节，其目的是建立一个潜在客户的数据库，从中选出真正的合作伙伴和代理商。需要收集的具体信息内容包括：进口商的历史、规模、实力、经营的范围和品种、联系方法（电话、传真、电子邮件）。对于已经建立了网站的进口商，只要掌握其网址就可以拥有以上信息；对于没有建立网站的进口商，可以先得到其联系方法，建立联系后再询问。其体方法有以下几种。

（1）利用雅虎等目录型的搜索工具。雅虎的优势在于其分类目录，它把信息按主题建立分类索引，并按字母顺序列出了14个大类，用户可以按照类别分级向下查询。雅虎共汇集了大约30万个分类URL，信息量大、准确率高。

（2）利用数量型的搜索工具。数量型的搜索引擎都支持关键词的检索。对于支持布尔逻辑运算符搜索（即采用或、与、非布尔运算符进行的搜索）的引擎，还可以把词义相近的词语组合起来进行一次性的查询，如一般使用伏特加（进口、代理、批发、经销或交易）进行搜索，可以得到较好、较全面的结果。

（3）通过地域性的搜索引擎。互联网上的URL浩如烟海，各大搜索引擎所能收列的毕竟是少数。这就要求检索者学会利用各种地域性的、规模较小的搜索引擎。例如每个国家都有几个甚至十几个较知名的搜索引擎，可以通过它们搜索到当地的大部分URL。这对于某个国家的信息收集是最有帮助的。这些地域性URL也可以通过目录型的搜索引擎按"国家–互联网–服务"（如德国–互联网–搜索）一级一级地向下找。

（4）通过专业的管理机构及行业协会。这是一种快捷高效的查询手段，不但命中率相当高，而且信息的利用价值也相当高。安特集团在收集美国生产商及进口商的信息时，就利用这种方法收到了奇效。

在美国的酒类管理体制中，酒基本上被分成了啤酒、葡萄酒和烈酒三类，而且每种酒的进口或批发都需要专门的许可证或执照。这就带来了很大的麻烦，因为无法确定某一家公司到底是经营葡萄酒还是伏特加酒，到底是进口商还是批发商，在黄页中查询到的最小分类是酒，而没有更细的分类。当找到美国加州酒类管理中心的网站（www.abc.ca.gov）时，这些问题都迎刃而解了。这里不仅按酒的类别、名称的字母顺序、不同的地域对每个公司进行了分类，而且对于每个公司的信息都有详尽的记录，包括公司名称、申请人姓名、地址、许可证的种类、许可证的使用期限、经营历史、电话号码等，真是一个信息宝库。

（5）通过最大的进口商——各国的酒类专卖机构。在酒类控制严格的国家，酒类专卖机构往往是唯一的进口商。它们也是世界上最大的购买集团。例如，瑞典酒类专卖机构每年都要向全世界招标进口某一种类的酒，其进口量也是很大的，最低为每年150个集装箱。所以应该特别注意定期访问其站点，以获得最新的招标信息。

有的酒类专卖机构并不直接进口酒，而是通过一批中介公司。它们也是经过酒类管理机构签发许可证的专业公司，其积极性比起专卖机构高得多。一般来说，它们会很高兴地向客户介绍该国、该州的有关贸易情报。这也是信息的一个重要来源。

三、网络市场调研过程评价

安特集团利用半年左右的时间，收集了以上三个方面的信息，对于世界上伏特加酒的贸易状况有了基本的了解，掌握了世界伏特加酒交易的价格走势，认清了安特牌伏特加酒所处的档次水平，也联系了上百家进口商、经销商，可以说基本上把握了国际伏特加酒市场的脉搏，圆满地完成了市场营销调研工作。这些为以后的网上谈判、选择代理商等网络营销工作打下了良好的基础。

资料来源：http://www.docin.com/p-240045.html。

【案例思考题】

1. 根据以上案例，总结网络市场调研的基本步骤和思路。
2. 安特集团在网络市场调研策略方面还有哪些地方可以完善？

本章小结

网络市场调研是利用网络展开的市场调查活动，主要的调研对象是网络用户，随着网民人数的迅速增加，网络市场调研已经成为一种重要的调查手段。与传统的市场调研相比，网络市场调研具有成本低、不受时间和空间限制等优势。网络市场调研的方法包括直接调研法和间接调研法。直接调研法主要包括观察法、专题讨论法、在线问卷法、访谈调研法和实验法。在线问卷法是网络市场调研中获得一手资料使用最多的调研方法，其中，在线调查问卷的设计与发放是关键。

在设计在线调查问卷时一定要根据调查对象来设计不同形式的问卷，同时在投放调查问卷时尽量选择大的有影响力的网站，以扩大调查问卷的受众范围。此外，有越来越多的专业在线调查公司成立，在线调查问卷的设计与投放完全可以委托给它们来完成，这也为企业开展网络市场调研、搜集信息资料提供了越来越多的便利。对于二手资料，主要借助搜索引擎、公共网站、网络数据库、痕迹抓取、内容分析等多种方法和手段开展间接调研。

关键词

市场调研　　网络市场调研　　直接市场调研　　间接市场调研　　在线调查　　百度指数

综合复习题

思考题

1. 网络市场调研的含义是什么？
2. 网络市场调研的特点有哪些？
3. 网络市场调研与传统市场调研有何差异？
4. 如何制订网络市场调研计划？
5. 网络市场调研有哪些步骤？
6. 网络市场调研样本如何选择？
7. 网络市场直接调研的方法有哪些？
8. 网络市场间接调研的方法有哪些？
9. 在线问卷的设计原则有哪些？
10. 常用的在线问卷调查的服务网站有哪些？

讨论题

1. 随着移动设备的普及，网络市场调研的发展方向有哪些？
2. 传统市场调研会完全被网络市场调研所取代吗？为什么？
3. 如何选择最佳的网络市场调研方法？
4. 网络市场调研有哪些缺陷？
5. 什么类型的调研内容适合在网上进行？

网络实践题

1. 登录百度，对某一个或几个关键词进行搜索，使用百度指数工具查看这些关键词的相关搜索情况。
2. 登录问卷星网站，设计一份调查问卷，发放并回收，查看调查结果，并进行简单的问卷统计与分析。
3. 登录阿里巴巴网站，了解阿里指数，比较它与百度指数的优劣势。
4. 选择一个合适的渠道，比如某 BBS 或讨论组，选择某一议题发起讨论，深入了解网络市场直接调研的方法。

第 7 章
CHAPTER 7

网络营销计划

§ 本章导读

网络营销计划是网络营销战略形成和实施的一个蓝图，是在网络营销观念的指导下对网络营销活动所做的全面有序的安排，以保证网络营销活动能顺利而有效地开展。在市场环境变幻莫测、信息技术运用广泛的今天，企业如何运用网络来实施经营战略和保持竞争力，需要进行网络营销计划，以有效地实现增加收入、削减开支等电子商务及网络营销相关目标。制订网络营销计划包括七个步骤：形势分析、网络营销战略规划、明确网络营销目标、制定具体的网络营销策略、实施计划、预算控制和方案评估。网络营销计划的成果一般体现为一份网络营销计划书。网络营销计划书是未来一段时间内，企业利用网络影响战略、战术的策划方案，用以指导公司未来的网络营销工作。

§ 学习目标

- 了解网络营销计划的基本概念和内容
- 掌握制订网络营销计划的基本步骤
- 掌握编写网络营销计划书的技巧
- 理解网络营销计划的执行和评估

§ 引导案例

淘宝网店营销推广方案

网络营销计划包含的内容比较多，如网店的功能、内容、商业模式和运营策略等。一份好的网络营销计划书应该在网店正式建设之前就完成，并且为实际操作提供总体指导。淘宝网店推广计划通常是在网店策略规划阶段就应该完成的，甚至可以在网店建设阶段就开始网店的推广工作。与完整的网络营销计划相比，淘宝网店推广计划相对简单但更为具体。淘宝网店推广计划书应至少包括三个方面的基本内容，即确定淘宝网店推广的阶段目标，在网店发布运营的不同阶段所采取的淘宝网店推广方法，淘宝网店推广策略的控制和效果评价。

第一，确定淘宝网店推广的阶段目标。例如，在发布后一年内实现每天独立访问用户数量；与竞争者相比的相对排名；在主要搜索引擎上的表现；网店被链接的数量；注册用户数量；等等。

第二，在网店发布运营的不同阶段所采取的淘宝网店推广方法。如果可能，最好详细列出各阶段的具体推广方法，如登录搜索引擎的名称、网络广告的主要形式和媒体选择、需要投入的费用等。

第三，淘宝网店推广策略的控制和效果评价。例如，阶段推广目标的控制、推广效果评价指标等。对淘宝网店推广计划的控制和评价是为了及时发现网络营销过程中的问题，保证网络营销活动的顺利进行。

下面以案例的形式来说明淘宝网店推广计划的主要内容。实际工作中由于每家网店的情况不同，并不一定要照搬这里的步骤和方法，只是作为一种参考。这里将一家网店的第一个推广年度分为四个阶段，即网店策划建设期、网店发布初期、网店增长期、网店稳定期，每个阶段为期三个月左右。某公司生产和销售旅游纪念品，为此建立一家网店来宣传公司产品，并且具备网上下订单的功能。该网店制订的推广计划主要包括下列内容。

一、推广目标

网店策划建设期的推广：从网店正式发布前就开始了推广的准备，在网店建设过程中从网店结构、内容等方面对百度等搜索引擎进行优化设计。

网店发布初期的推广：登录10个主要搜索引擎和分类目录（列出计划登录网店的名单）、购买2～3个网络实名或通用网址、与部分合作伙伴建立网店连接。另外，配合公司其他营销活动，在部分媒体和行业网店发布企业新闻。

网店增长期的推广：当网店有一定访问量之后，为继续保持网店访问量的增长和品牌提升，在相关行业网店投放网络广告（包括计划投放广告的网店及栏目选择、广告形式等）；在若干相关专业电子刊物投放广告；与部分合作伙伴进行资源互换。

网店稳定期的推广：结合公司新产品促销，不定期发送在线优惠券；参与行业内的排行评比等活动，以期获得新闻价值；在条件成熟的情况下，建设一家中立的与企业核心产品相关的行业信息类网店以进行辅助推广。

推广效果的评价：对主要淘宝网店推广措施的效果进行跟踪，定期进行网店流量统计分析，必要时与专业网络顾问机构合作进行网络营销诊断，改进或取消效果不佳的推广手段，在效果明显的推广策略方面加大投入。

二、通用推广方法

1. 签名档

一定要用自己店里比较出色的产品，这样能让人家一看就知道你家的主流产品是什么，比一般的文字效果更好。如果可以的话，使用动画的形式，那样的效果会更好。

2. 努力发帖

尽量去论坛转转，去看看比较热门的帖子跟精华帖，这样可以学习其他网店是如何取得成功的。别忘了回帖，如果不回的话，签名档就体现不出来它的价值了。

3. 商品名称

商品名称是最重要的，不能乱取，在淘宝上，商品名称限定在30个字符以内，所以我们尽量要取些比较实用的商品名。例如，加上自己的店名，或者使用促销、新款、低价等比较热门的字符，尽量用完30个字符，这样在搜索促销、新款的时候，就有可能把你的商品展现出来。

4. 在阿里旺旺上发广告

在发这种广告的时候要谨慎用字，尽量客气，不过这种方法还是少用为妙，如果碰巧遇到了不开心的淘友，那就麻烦了。

5. 推荐位

这招大家都知道有用，但是也都知道难抢，所以就有很多店家干脆放弃了，其实不要怕，一次抢不着，两次抢不着都不要紧，反正也没什么损失，至少还能练练手不是吗？熟练了，终究有一天会被我们抢到。

6. 亏本也要搞一元拍

这里说的一元拍是荷兰拍，很多钻石级的卖家都说一元荷兰拍的人气比一元拍好得多，最重要的一点是，一元荷兰拍会在淘宝首页上推荐，所以被买家看到的次数相对来说要多得多。考虑到一元拍有赔本的概率，所以很多人不敢用一元拍。其实可以拿一些便宜的东西出来拍，这样亏也亏不了多少，而且买家可能会通过这点，去买些其他的东西，这样不就可能让你把损失给弥补回来？最主要的是，还给你带来了新的客户，何乐而不为呢？

三、优秀淘宝店推广核心经验

1. 社区发帖、回帖

发帖、回帖是所有卖家提高店铺浏览量的常用手段，具体效果因帖而异，有的帖子能带来数百甚至上千的浏览量，而有的人发了几十篇帖子，带来的浏览量却寥寥无几，所以我们不能光看数量，最重要的是帖子的质量。

2. 到其他论坛发软广告

除了淘宝社区，其他论坛也应该多去逛逛，顺便发几个小广告，也能提高一下小店的知名度，为你的小店带来一定的流量。不过发广告时需要注意，现在许多论坛都反感广告，直接去发广告的话会被删帖，那我们的辛苦就白费了。可以采用比较含蓄的办法发广告，写篇帖子，内容丰富一些，然后在其中透露出广告信息，这样就大大降低了被删帖的可能。

3. 友情链接

通过友情链接为小店吸引新客流。

4. 商品上架时间

买家在选购商品的时候，淘宝的默认排序方式是按下架时间来排的，越接近下架的商品越排在前面，容易被买家看到。因此，我们就要努力让自己的商品在人气最旺的时候接近下架。要控制商品的下架时间，只能从上架时间着手，所以最好选择人气较旺的时候上架商品。

5. 合理设置商品名称

商品名称要尽量多包含热门搜索关键词，当然要跟你的商品有关，不然算是违规。多包含热门搜索关键词能增加商品被搜索到的概率，自然也增加了被买走的概率。

6. 用好橱窗推荐

千万不要让你的橱窗推荐空着不用，使用了橱窗推荐的商品比没有使用橱窗推荐的商品更容易被买家搜索到，而且概率大好几倍。一定要推荐快下架的商品，最好是既漂亮又便宜的商品。这样买家才更有兴趣到你的网店里来逛逛。

7. 利用好评价管理

评价管理包括你给买家的评价和买家给你的评价。我们在给买家评价的时候，可以适当地打一下小广告。同时买家给我们评价以后，我们可以充分利用解释的地方做宣传推广，并不是只有收到中评、差评的时候才需要解释，收到好评的时候我们更应该好好利用这个机会进行宣传，因为有许多买家在买我们的东西之前都会看一下我们的评价，这里如果有广告信息的话，效果会非常好。

8. 利用店铺留言进行宣传

在我们自己的店里是可以随便留言的，在这里把我们的优势写出来，将促销信息写出来，那么买家到我们的店里之后就有可能看到这些信息，增加购买的概率。

9. 用好商品描述模板

现在卖商品描述模板的卖家非常多，很容易找到价格实惠且漂亮的描述模板，但是许多人只追求模板好看，而忽略了描述模板的另一个重要作用。选商品描述模板时一定要选侧面可以插图的模板。这样我们在对某一件商品进行描述的时候，可以在侧面插入其他商品的链接。买家在查看商品描述的时候，就会顺便点击查看旁边感兴趣的商品，增加我们的商品被浏览的概率，否则，很多买家看了这个页面就直接走了，不会看店里其他的商品。

10. 登录各大搜索引擎

找到各大搜索引擎的入口，填写你的店名和地址，直接提交就可以了。

资料来源：https://www.58how.com/xsbb/62147.html。

【案例思考题】

1. 根据以上案例，总结网店营销推广计划的主要内容。
2. 思考还有哪些比较有效的网店营销推广方法。

7.1 网络营销计划概述

7.1.1 网络营销计划的概念

1. 网络营销计划

计划是管理职能中最基本的一个职能，具有承上启下的作用，既包括选定组织和部门的目标，又包括确定这些目标的途径。企业管理人员围绕着计划规定的目标，去从事组织工作、配备人员、指导与领导以及控制工作等活动，以达到预定的目标。为使组织中各种活动能够有节奏、有目标地进行，必须有严密、统一的计划。从提高组织的经济效益来说，计划工作是十分必要和重要的。哈罗德·孔茨和海因·韦里克从抽象到具体，把计划分为：目的或使命、目标、战略、政策、程序、规则、方案和预算。

网络营销计划是在网络营销观念的指导下对网络营销活动所做的全面有序的安排，以保证网络营销活动能顺利而有效地开展。网络营销计划是网络营销战略形成和实施的一个蓝图，它是指导性的，并非一成不变，通过营销计划与管理，把企业的电子商务战略与技术驱动的营销战略相结合，为计划的实施列出工作细则，以实现企业的整体营销计划与经营目标。图7-1显示了网络营销计划在整个工作流程中的位置。

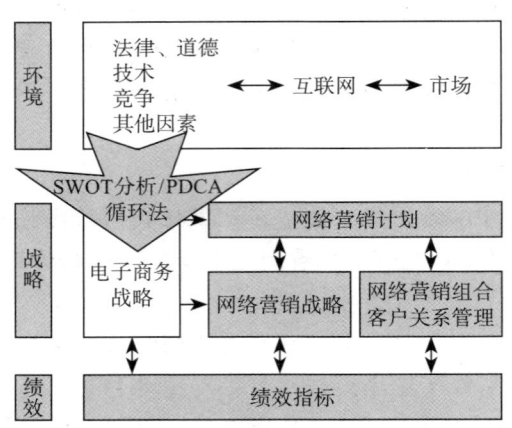

图7-1　网络营销计划的位置

信息技术的魅力表现在帮助企业增加收入、降低成本、拓宽销路，并在市场上占有一席之地。市场环境变幻莫测，企业如何利用信息技术和网络，保持持续的竞争力呢？优秀的企业都会制定长期目标，并通过网络营销计划的实施使目标战略得以实现。

2. 网络营销计划的内容

企业制订网络营销计划，应包括以下几个方面的主要内容。

（1）确立网络营销的目标。与传统营销管理一样，网络营销计划同样必须首先明确其营销目标。只有确立了营销目标，才能有计划、有组织地实施并对营销活动做出正确的评价。网络营销借助网络拓展企业产品的销售渠道，提升品牌知名度和企业竞争力。通常情况下，网络营销计划的制订可以从以下几类目标着手。

1）销售型网络营销目标：为企业拓宽销售网络，借助网络的交互性、直接性、实时性和全球性为顾客提供较为方便快捷的网上销售点。

2）服务型网络营销目标：为顾客提供网上联机服务，顾客通过网上服务人员可以远距离进行咨询和售后服务。

3）提升型网络营销目标：通过以网络营销代替传统营销手段，全面降低营销费用，改进营销效率，促进营销管理和提高企业竞争力。

4）品牌型网络营销目标：在网络空间建立自己的品牌形象，加强与顾客的联系和沟通，建立顾客的品牌忠诚度，为企业的后续发展打下基础，以及配合企业营销目标的实现。

5）混合型网络营销目标：想同时达到上面几种目标，比如既是销售型，又是服务型，同时还属于提升型。

（2）构建网络空间中的企业形象。网络作为一种媒介，给予了参与者充分自由的空间，能促进信息的交流和利用。在网络时代，企业网站或公众号成为塑造、展示企业形象的一个非常重要的渠道。企业可以通过营销计划构建和传播自己在网络空间中的形象。企业站点在搜索引擎中的排名也关乎企业在网络空间中的浏览量、知名度，可以有效提升网络空间中的企业形象。建立和完善与客户间的反馈系统，提供一对一的双向沟通服务，及时回复客户提出的售前咨询和售后服务信息也是十分重要的。只有充分与客户沟通，企业站点的作用与效果才能体现，企业形象才能充分展示出来。

但如果网上信息监管不当也容易产生混乱，企业应采取积极措施维护自身的网络形象，保证它的一致性。企业首先应该选拔专门的网上信息监督管理人员，并赋予他关闭有害信息的权力，确保网上不会出现过时的信息，以及与企业宗旨、目标相违背的信息。其次，要告诫企业所有职员，在参加网上讨论或向新闻组（NewsGroup）、邮件清单（Mailing List）成员发送信息时要明确自己的身份，如果一些观点不能与公司的宗旨、目标保持一致，应指明这些观点是自己的看法，不代表公司的看法。最后，要保证授权代理商和母公司网络形象的一致性。

（3）管理反馈信息。传统的市场促销效果的调查是一项相当繁杂的工作。比如，通常的媒体广告需要不断地对广告的效果进行评估以确定下一步的广告策略，这种评估主要是从广告的覆盖面和接收者的反应两个方面进行的。实际上，广告的覆盖面是很难统计的，对于一个电视广告，很难准确地知道有多少人在收看；一份报纸的发行量假定是 100 万份，但是不是每个订报的人都会去看你做的广告，结果不得而知。而在网络上，只要在你的主页上加一个计数器，则有多少人来访问就会一目了然，而这部分访问者基本上可以作为潜在顾客，再加上电子邮件等手段，目标市场也就更加明确了。网络双向互动的特点决定了网上企业随时会收到大量的反馈信息，企业应设专门的部门或专人对这些信息进行管理。究竟由哪个部门管理，取决于企业的类型和网页的内容，或者由产品部门负责，或者由顾客服务部门负责，或者由两个部门协同负责。反馈信息中有一部分内容是顾客提出的各类问题，对这些问题企业有关部门应尽可能快速、详细地给予答复，对一些常见的问题可通过预先设置自动应答器立即给出预备的答复，让顾客查询企业的 FAQs。对一些不能及时答复的问题，企业应回复提问者，告诉他已收到他的问题，并向他承诺给出答复的时间限制——通常应该在 24 小时内。

（4）确立网络营销的负责部门。网络营销的管理部门和财务预算，既涉及营销部门，又涉及信息技术（IT）部门，所以企业应明确地规定或专门设置一个网络营销的负责或管理部门，统筹网络资源和公司其他部门的协调工作，以免出现令出多门、互相扯皮、权责不明的现象。同时，营销部门应与 IT 部门通力合作，对新的技术工具的优点、缺点、用途有一个概括的了解，IT 部门也应积极参与网络营销计划与开发的过程，以保证能用最新的技术手段更好地实现营销目标。

（5）培养网络业务人才。有效、成功的网络营销，必须有一批忠于企业、精通业务的网络人才作保证。网络技术人员（国外称网络师）应具备以下基本素质：创新思维和设计能力；对 HTML 有深刻的理解和运用能力，并能和企业的整个信息系统相协调；较强的沟通技巧、良好的人际关系、良好的交流表达能力；财务预算管理和规划能力，等等。

7.1.2 网络营销计划的制订原则

制订网络营销计划时首先要根据本企业的自身特点和所处行业的特点，选择合理的网络营销管理模型，明确本企业引入网络营销管理会带来的主要效益和所需费用，并设定这些效益和费用的明确数量指标。这样网络营销管理的目标才可以明确确定，相应的网络营销部门的任务也就清晰地界定了。网络营销对传统营销的每个步骤几乎都有一定的影响，在制订网络营销计划的目标、任务时必须依据以下原则。

1. 对公司整体发展有利

网络营销进入壁垒较低，企业能充分利用低成本的网络营销，对企业的业务及产品做详尽描述，积极开拓国内外市场。不论处于哪个国家和地区，企业之间通过互联网都可以建立商务关系。网络上的潜在顾客的受教育程度和收入都相对较高，可以为企业带来更高的每用户平均收入（average revenue per user，ARPU）值。网络营销利用大数据等先进技术，以消费者为导向，精准定位消费者需求，甚至适当引导消费需求。随着移动商务和跨境电商的发展，中国企业越来越多地认识到网络营销对企业整体发展的优越性。

2. 利用网络赢得竞争优势

网络营销有很强的成本优势。例如，大中型城市的传统商业店面通常每个月的租金、维护及保险费用可能达到上万元，而网上企业每个月向网络服务商缴纳几百元的服务费就够了，不但能实现全天候的服务，而且能省去大量的人员管理费用。通过设立常见问题，网络营销可对顾客的常规问题自动解答，不需要营销人员重复地回答这些问题，这既节省了营销人员的时间，也降低了营销的费用。通过在线支付，厂家收到顾客货款后可直接通知供应商发货，"零库存"降低了库存费用和装运费用，也减少了中间销售环节，提高了利润，增加了消费者价值。网上企业虽然没有专门储备商品的仓库，但却能比真实的企业提供范围更广的商品种类，随着网络营销的成功开展，也附带增强了企业的竞争优势。

3. 方便市场调查

通过网络，企业可以更好地了解竞争者的状况，可直接访问竞争者的网页，了解它的新产品、价格、服务等信息，也可通过论坛、专业网站了解消费者对竞争者的产品、服务的评价，同时还能及时了解到消费者对本企业的评价，或者与竞争者的对比情况。另外，通过网络，企业也可以更好地了解本行业的发展。通过网上新闻服务商提供的信息及专题新闻组、通信组中讨论的内容，敏锐的企业能够从中捕捉到本行业的发展趋势。

4. 开拓目标市场

开展网络营销必须认真地分析目标客户，并且能够成功地完成销售，通过在企业网页上设计问卷调查顾客的情况，通过其他媒介（如杂志、电视、广播、微信、微博等）支持网络营销。

企业网络营销战略必须要有整体的规划和设计，这样才会成功地开拓市场，从而提升市场竞争力。

5. 支持促进销售

网络营销战略成功的一个重要标志就是销售的提升，包括向新市场销售新产品、向新市场销售老产品、销售在分销渠道流通不畅的商品，以及销售不适合普通商品目录的产品等。通过网络，公司可以迅速便捷地发送即时的价格调整信息、减价信息、新产品信息，也可以针对新产品进行定价测试。网上信息可实现即时更新，企业几乎可以测试所有的营销变量。传统企业通过网络营销可将顾客引到各地的分销商店，如必胜客将优惠券放在 App 或公众号上，顾客可通过访问必胜客手机页面获得此优惠券，凭此优惠券到当地餐厅消费时可获得优惠。此法一举两得：第一，让更多的消费者了解本企业；第二，可促进销售。

6. 正向引导舆论

网络营销必须要与媒体建立良好的关系，尤其是媒体记者。很多企业网站都设立了媒体记者的专门通道，各类媒体记者只要有问题，都可以通过互联网便捷地将问题发给企业，企业根据记者的需要和提问迅速地给予详细的答复。另外，企业也可以通过网络向新闻记者、雇员及消费者及时发布企业的政策变化。通过专门设置的网络信息监督员的监视，可以及时纠正论坛或邮件清单中关于企业的不准确的信息，避免引起消费者的误解。越来越多的企业倾向于在网上举行新闻发布会，那些不能出席发布会的人可以通过网络了解新闻发布会的内容。

7. 推动 CRM 建设

客户关系管理（customer relationship management，CRM）是一个不断加强与客户交流，不断了解客户需求，并不断对产品及服务进行改进和提高，以满足客户需求的连续的交互沟通过程。CRM 注重的是与客户的交流，企业的经营以客户为中心，为方便与客户的沟通，CRM 可以为客户提供多种交流的渠道。企业通过网络收集客户反馈的信息，了解客户对企业产品的满意程度、消费偏好、对新产品的反应，准确了解客户的消费心理及决策过程，与客户建立起"一对一"的亲密关系。通过对目标市场进行精确细分，将专门服务于某类客户的信息或广告发送给他们，回复客户的问题，及时向他们传递公司新产品信息、升级服务信息等，从而与客户保持长期友好的关系。如果发现不满意的客户，则了解他们不满意的原因，并及时处理。CRM 很重要的一点是要建立客户数据库，可吸收对企业产品非常了解的忠诚客户介入企业的网络营销，他们能帮助企业解决客户的一些问题，同时还会提醒企业哪些客户在网上发布了对企业不利的信息。

8. 增强网络广告效果

由于网络广告的浏览量、点击率等指标可以精确测量，因而给企业测试网络广告效果带来了其他媒体所不具备的优势。消费者网上的所有活动均是可追踪的，企业可以精确地研究消费者购买行为的决策过程，测试广告的促销作用。

9. 利于品牌管理

品牌是企业存在于消费者大脑中的印象，它属于消费者，所以品牌管理始终要以消费者为中心，围绕着消费者的期望值、消费者体验和消费者满意度来进行。更为重要的是，品牌管理的工作不是仅仅存在于营销环节，而是应该贯穿企业经营中的每一个环节。网络营销可以扩展品牌形象，忠诚的消费者会在网上寻找这个品牌的详细信息。传统企业更应引入网络营销，不要让网上新兴的虚拟企业抢占有利地位。

7.2 制订网络营销计划的步骤

与传统营销计划一样，网络营销计划是一个策划过程。美国著名学者朱迪·施特劳斯等人提出网络营销计划主要包括七个步骤，即形势分析、网络营销战略规划、明确网络营销目标、制定具体的网络营销策略、实施计划、预算控制、方案评估。结合施特劳斯的成果，总结制订网络营销计划的步骤如下。当然，随着电子商务的迅速发展，在实施网络营销中可能涉及计划的调整，所以应客观反馈和评价计划的成效。

7.2.1 形势分析

制订网络营销计划，需要了解企业目前的经营状况、企业已经开展的电子商务相关活动，以及传统的营销计划。营销环境是千变万化的，在为企业提供了大量机遇（如开发新产品、新市场、新的客户沟通媒介以及与业务伙伴交流的新渠道）的同时，企业也要面临许多来自竞争对手的经济上的威胁以及其他威胁。

在形势分析阶段，我们需要审视企业的经营环境，利用 SWOT 分析法，分析企业内部的优势与劣势，以及企业外部存在的机遇和挑战；利用 PDCA 循环等方法，审视企业现有的营销计划，以及其他关于企业和企业品牌的信息；审视企业的电子商务目标、战略以及绩效考核指标。

例如，京东于 2010 年 11 月宣布进军在线图书零售市场，新开通图书频道，当时从图书品类起步的当当网依靠在图书在线零售市场上积累的资源进而扩张到百货等全品类，一直位居中国 B2C 市场前列，是对京东图书最大的威胁；虽然图书单价较低，但购买频率较京东传统的 3C 产品为高，京东抓住畅销书目品类和经济较发达城市的消费者需求，抢夺移动端阵地，强化京东物流配送体验，优化客户服务，积极进行图书转型创新，而当当网的格局与定位不明确，这些都为京东图书带来了机会。京东的优势在于多年稳扎稳打构建的平台及完整的电商生态链，优质的客户群体和先进的数据挖掘技术，依托大数据对用户精准画像，以及高效的京东物流；劣势主要在于之前没有图书业务的经验，与当当网的初期比拼激烈。但从现实来看，京东切入图书在线零售市场，对沉寂多年的中国在线图书零售市场产生了"地震效应"，市场格局发生了重大改变。

下面介绍 PDCA 循环的概念与工作方法。

PDCA 最早由休哈特于 1930 年提出构想，后来被美国质量管理专家戴明博士在 1950 年再度挖掘出来，并加以广泛宣传和运用于持续改善产品质量的过程。随着不断发展，PDCA 广泛用于管理学当中，用来管理企业，管理者为之所吸引。PDCA 管理模式的应用对我们提高日常工作的效率有很大的益处，它不仅在质量管理工作中可以运用，同样也适合于其他各项管理工作。

PDCA 包括四个环节 plan（计划）、do（执行）、check（检验）、action（改进），如图 7-2 所示，这个过程不是运行一次就结束，而是周而复始地进行，一个循环完了，解决一些问题，未解决的问题进入下一个循环，通过这样的循环过程让整个事情能够不断优化。网络营销计划不是一蹴而就的，利用 PDCA 循环可以让企业网络营销工作事半功倍。

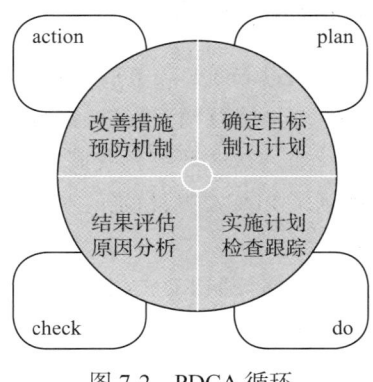

图 7-2　PDCA 循环

1. plan（计划）

企业进行网络营销工作时，首先要做计划，做计划又分为几个子环节，如考察可行性、制订方案、编制预算等。

plan 环节是整个企业网络营销的初始环节，决定了企业网络营销开始的方向，若没有做好，有可能让整个企业网络营销工作偏离轨道，所以一定要仔细考察，慎重做出计划。

2. do（执行）

按照已制订的计划实施，以实现预定目标的过程。失去执行，再完美的方案也会沦为一纸空谈。企业网络营销工作尤其如此，我们一定要保障按计划完成应该执行的事项，以实现预定目标。

很多企业在做网络营销工作时，往往把方案做得很完美，但实际执行起来却大打折扣。比如一个做工业产品的企业计划将企业产品信息覆盖到所有主流的 B2B 平台，方案做得很漂亮，而且这种方法确实也是有效的，刚开始执行的时候能保障每天发布一定数量的信息，但是由于短期内没看到效果，后面的执行力就大打折扣，最后甚至不了了之，没人再去做这项工作了。

3. check（检验）

任何网络营销计划在实际执行的时候都可能出现问题，比如方案执行情况差、达不到预期效果等，此时，我们就需要做到 PDCA 循环中的第三点——check（检验），对照计划和目标，检查实施的情况与效果，以便及时发现问题。

在对企业网络营销进行检验时，我们要设置合理的检测点，比如网站流量、咨询量、成交量等，注意检测点与目标计划的关联性。比如目标是通过 SEO 提升企业网站的流量，那么我们设置的检测点就是网站自然搜索流量的变化情况，而不是与这个目标没有关系的其他因素。

check 环节是整个 PDCA 循环过程的核心所在，这个环节做不好，整个 PDCA 循环都将失去作用，所以在做网络营销时一定要重点关注 check 这个环节。

4. action（改进）

经过 check 环节后，我们可以对整个网络营销工作做出一个客观的评估，接下来根据评估对整个网络营销工作进行改进，也就是 PDCA 的最后一个环节——action（改进）。

通过这个环节，我们对 check 环节中出现的问题进行处理，对计划重新进行调整，也就是回到了 PDCA 循环的第一步，继续循环往复，发现问题就需要进行 PDCA，直到问题可以完美解决。

严格按照 PDCA 循环进行企业网络营销工作，可以让整个工作持续不断地优化，取得让人意想不到的网络营销效果。

7.2.2　网络营销战略规划

在对企业的形势进行分析并审视企业现有的营销计划以及电子商务战略后，企业营销部门的相关人员就要开始制定战略规划。当然，战略规划的制定应考虑企业的目标、技术水平和资源与不断变化的市场机遇相适应。

网络营销战略包含两层策略，如图 7-3 所示，其中，第一层策略包括市场细分策略、目标市场策略、品牌差异化策略和品牌定位策略，这也是该阶段我们所研究的策略。该阶段的主要任务是判断组织对多变的市场机遇的适应性，完成营销机遇分析、供求分析与细分市场分析。营销部门进行的市场机会分析。(market opportunity analysis, MOA)，包括对市场细分和目标市场定位两个方面进行供求分析。

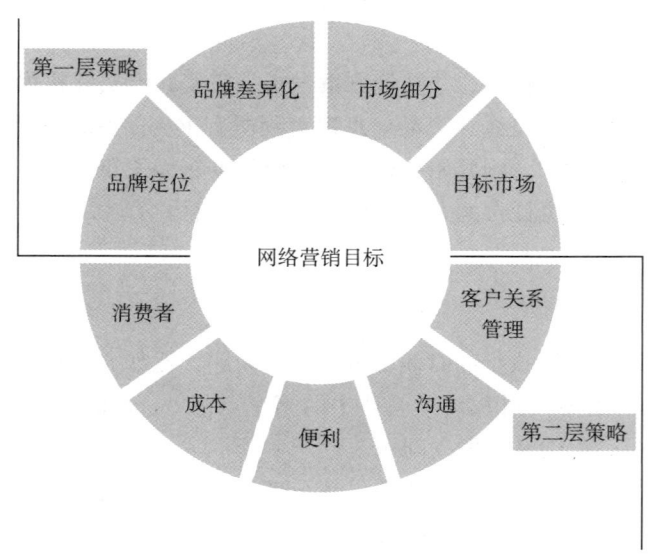

图 7-3　网络营销目标及两层策略

市场细分策略是指营销者通过市场调研，根据消费者对商品的不同欲望与需求、不同购买行为与购买习惯，把消费者整体市场划分为具有类似性的若干不同的购买群体——子市场，使企业可以从中区分其目标市场的过程和策略。需求分析部分中的细分市场分析要对潜在的获利能力、可持续性、可行性以及潜在的细分市场规模进行描述和评估。在 B2C 细分市场中，要使用各种描述语言，如人口统计特征、地理位置、消费者心理特征，以及对某种产品的历史行为（如在线或离线的购物方式等）。这些描述性语言可以帮助企业识别潜在的有吸引力的市场，同时企业还应该了解细分市场的发展趋势，比如将来某个细分市场的规模会扩大还是会收缩，对产品的需求是增加还是减少。企业如果通过网络渠道进入一个新市场，就应使用传统的细分市场分析方法。然而，如果计划为目前的市场进行在线服务，就应对现有的客户需求进行更深入的研究。例如，企业的哪些客户将会使用移动互联网来寻求企业信息或服务？使用企业网站或 App 的客户的需求与其他客户的需求有怎样的区别？另外，企业可能因为客户使用企业App 或在社交网络推广而开拓出一片新市场，营销人员可以利用各种分析工具来判断如何更好地为新市场提供服务。

企业进行供给分析的目的：一是帮助预测细分收益率；二是找到开拓在线市场的竞争优势。因此，企业在启动网络营销创新计划之前，一方面，应该仔细研究竞争环境、网络创业计划以及自身的优势和劣势；另一方面，必须尽量去判断未来的行业变化情况，即哪些新的企业有可能出现在互联网上，哪些将会逐渐退出。

进行了全面的营销机遇分析之后，企业就可以选择目标市场，并且清楚地了解其特点、消费行为以及对企业产品的需求情况，了解每一个市场的价值诉求。企业究竟选择哪些细分市场作为目标市场，就属于目标市场决策问题，即所谓的目标市场策略。

网络营销战略规划中的第一层策略还包括品牌差异化及品牌定位策略。在了解了竞争环境和目标市场后，企业就需要判断如何将本企业的产品与竞争对手的产品区分开来，而且要让目标市场的客户明显地感知到这种差异。完成品牌差异化分析之后，应该编制一份品牌定位报告，说明企业的品牌定位，以及与竞争对手的差异。即使在传统营销计划中已经明确了品牌定位，网络营销人员还需要判断这一定位在网络经营中是否同样有效。如果是为一个新的品牌或新市场做营销计划，那么企业就应该在这一环节制定品牌差异化策略和品牌定位策略。

7.2.3 明确网络营销目标

与传统营销管理一样，网络营销计划同样首先必须明确其营销目标。只有确立了营销目标，才能有计划、有组织地实施并对营销活动做出正确的评价。例如，某企业的计划是在一年之内，通过网络营销拓展销量，使网上交易额达到 500 万元。网络营销计划一般要说明为什么设定这样的目标，也就是在一定的外部环境下，利用电子商务战略和网络营销手段，为什么这样的目标是可望又可即的。

一般情况下，一份网络营销计划中的目标包括三个要素：
（1）任务（需要完成什么）；
（2）可量化的工作指标（工作量是多少）；
（3）时间限制（什么时候完成）。

网络营销计划表明完成的目标有很多。源自网络营销战略的一般目标有如下几个。

（1）增加销售收入。不管在何种情况下，增加收入一直是企业的核心目标，只有实现收入的增加，网络营销计划的制订才有现实意义。

（2）降低成本。实施网络营销计划需要企业付出一定的成本，如果增加的收入不足以抵消付出的成本，那么计划的制订注定是失败的。当然，在网络环境下实施的如促销、分销等策略中付出的成本往往比传统环境下付出的低很多。

（3）增加市场占有率。很多企业在制订网络营销计划时，往往不注重短期地增加企业收入问题，甚至宁可以减少短期收入为代价来占领市场，当企业的产品和服务的市场占有率较高，拥有较高的客户满意度和忠诚度后，增加销售收入的目标就很容易实现了。

（4）提高品牌知名度。实施品牌差异化策略是企业在执行网络营销战略中的重要策略之一，通过网络渠道提高品牌知名度就显得非常重要。

（5）改善客户关系。通过网络渠道，维系老客户的比例，吸引潜在客户，提高客户满意度和忠诚度等。

（6）改进合作伙伴关系。利用信息技术实施供应链管理是企业实施电子商务的任务之一。通过网络，提高渠道成员的协作能力，增加合作伙伴数量，优化存货结构。

7.2.4 制定具体的网络营销策略

在形势分析、网络营销战略规划和明确网络营销目标之后，网络营销人员应按照 4C（消费者、成本、便利、沟通）的维度和客户关系管理的内容制定具体的营销策略，以实现既定的目标。图 7-3 中所示的第二层策略，即该小节所研究的具体的 4C 及 CRM 策略。在实践中，第一层策略和第二层策略是互相关联的。例如，营销人员在市场细分、品牌定位时，需要制定成本策略等来配合。

1. 消费者策略

在传统的 4P 理论中，我们强调以产品为核心带动营销，而在网络营销环境下，强调市场以及消费者的需求，且通过网络调研可以更加精准地获取及挖掘消费者需求与偏好，要以消费者的需求为导向制订整个营销计划与方案，甚至是研发新产品。例如，海尔通过其网站鼓励用户参与产品设计和定制，以使海尔在很短的时间内按照用户的偏好和需求开发、生产新产品。2019 年，星巴克的"猫爪杯"极为火爆，是基于"吸猫"文化在当代年轻群体中的盛行，主打以猫为主要设计主题的概念，无疑真正切中了消费者的偏好，透过"猫爪杯"，广大消费者的消费需求得到了真正的满足。

2. 成本策略

传统 4P 理论中的价格策略更多考虑的是将产品推向市场后的售价、折扣价、促销价等，而 4C 中的成本更多考量的是产品或服务本身的企业的消耗，我们首先需要了解消费者为满足需求愿意付出多少钱（成本），而不是先给产品定价，要更加注重产品本身的成本，为产品做好减法，避免不当经营带来的隐藏风险。然后结合产品成本，考虑线上、线下价格的差异，制定相应的定价策略，在线定价可以采取动态定价和在线竞价等方式。比如，酒店房间的价格可以基于房间的成本，结合销售淡旺季和消费者的需求实行浮动价格。

3. 便利策略

基于互联网的各种应用如今得到了普及，企业为了实现自己的营销目标，广泛利用多种渠道将产品呈现在客户面前，便利策略更多考虑的是将产品以高频度、高精准的定位投放到客户面前，以供潜在客户挑选。比如，在网络营销红利将尽的状况下，直播带货在 2020 年被推到了风口浪尖，在新冠疫情的冲击下，各行各业都转战到直播平台中去开展自己的营销活动，此时如何将产品广告更加精准地投放到有需求的潜在消费者面前，如何让消费者在观看直播、产生冲动购买意愿时更加便利且快速地购买产品和服务，成为各平台或企业争抢客户的焦点。

4. 沟通策略

以消费者为中心实施营销沟通是十分重要的，通过互动、沟通等方式，将企业内外部营销不断进行整合，把消费者和企业双方的利益无形地整合在一起。互联网产生了许多新的营销沟通方式，可以利用社交媒体、公众号、商品评论、直播间留言等多种方式与目标市场消费者以及业务伙伴进行沟通，在获取消费者意见的同时可以创建品牌形象、提高新产品知晓度，同时沟通过程中获取到的消费者需求、偏好与行为等信息可以存储到企业数据库中，企业在有利时机可以发送相关的个性化信息，进行数据库营销和针对性沟通。例如，网店经营者可以尝试多种营销策划与营销组合，如果收不到理想的效果，说明产品与服务没有被消费者完全接受，这时就要加强双方的沟通，发现产品的问题与不足，提供真正适销对路的产品，才能培养忠诚的客户。

5. 客户关系管理策略

很多网络营销沟通策略可帮助企业与合作伙伴、供应链上的成员及客户建立关系。企业可通过专业的客户关系管理或合作伙伴关系管理软件以及其他一些信息技术来获取客户资料，改善与客户之间的关系。其中潜在客户信息的获取是网络营销的目标，而网站结构和内容是留住客户的关键，互动是网络营销的日常工作。

7.2.5 实施计划

网络营销战略计划的实施是一项系统工程。企业为了实现计划目标选择营销组合策略（4C）、客户关系管理策略以及其他战术，然后制订出详细的实施计划，选择一支合适的营销团队（包括员工队伍、部门结构、应用服务提供者以及其他外部公司），将计划目标与实施方案层层分解去切实执行计划。只要战术组合得当，企业就有可能有效地实现营销目标。

网络营销控制在计划实施过程中是非常必要的。在网络营销计划的实施过程中，一方面要规避可能出现的观念、技术、协作、组织等风险，建立有效的风险防范与控制方案；另一方面要对计划执行状况进行监控与评价，根据反馈结果衡量计划与实际执行情况是否存在偏差，如果存在偏差，需要找出原因，并采取有效措施及时纠正偏差，以保证网络营销计划的完成，最终顺利实现网络营销目标。在企业网络营销计划控制过程中，需要对一个企业或一个业务单位的网络营销环境、目标、计划与实际活动进行全面的、系统的、独立的和定期的检查，其目的在于明确问题的范围和根源，提出有效行动方案，提高企业的营销效果。

网络企业要格外关注信息收集的战术。在计划执行中通过网络调查表、在线市场调研、网站日志分析软件、商业智能等形式广泛收集现有客户、目标客户以及其他利益相关者的信息，挖掘客户需求，满足、引导客户需求。

7.2.6 预算控制

任何一个战略规划的关键部分都是确定预期的投资回报。因此，在网络营销计划中，需要切实做好营销预算工作。营销预算通常包括三个部分：销售收入预算、销售成本预算和营销费用预算。企业通过成本-收益分析后，计算投资回报率（return on investment，ROI）或内部收益率（internal rate of return，IRR）。西方发达国家的企业在市场调研方面的花费通常占其销售额的 1.0%～3.5%，跨国公司大多会达到 3.5%；投资类公司更会用总投资的 5% 来做前期的市场调研。

下面介绍一些与网络营销活动相关的收入和成本。

（1）预计收入。在预算中，企业用一种固定的销售预测方法来评估企业通过网上渠道在短期、中期和长期获取的收入。在计算的过程中，企业要利用公司的历史数据、行业报告以及竞争对手的信息。网站或 App 访问量是收入预测的重要依据。企业网络经营的收入渠道包括网站的直接销售、广告销售、订阅费、会员介绍费、在伙伴站点实现的销售、佣金收入以及其他收入。

（2）无形收益。同实体经营类似，网络营销活动中的无形收益也很难确定。例如，兴业银行开展一项促销活动，在活动期间，客户会定期收到账户余额变动与活动信息的短信及微信通知。这项工作能创造多少品牌价值呢？能提高多少品牌知名度呢？用财务数据来衡量这样的收益是一件非常困难的工作，但是又是必不可少的。

（3）软收入。通过网络的高效、去中介化所节约的成本称为企业的软收入。比如在分销渠道上去中间商、直接卖给消费者所节省的成本。

（4）网络营销成本。开展网络营销会产生各种成本，比如人力成本、网络基础设施与设备成本、项目设计费用等。以网站开发为例，可能产生技术费用、站点设计费用、人员工资、其他网站开发费用、营销沟通费用、社交媒体沟通费用。其中，营销沟通费用指与增加网站访问量、吸引回头客消费直接相关的所有费用，比如搜索引擎排名费用、在线咨询费用、邮件列表租金、活动奖励等。社交媒体沟通费用指基于社交媒体维护客户关系所产生的各种沟通与维护费用，比如应对平台的负面评论、企业在微博上与客户的互动沟通。

编制营销预算是一项总体性的规划活动，必须有下列几个客观条件方能充分发挥效用。

（1）最高主管的全力支持。最高主管必须充分了解预算的功能与特质，对总体规划的每一部分都全心全力地给予支持，并对下属随时激励和指导，将营销预算视为其重要工作之一。

（2）有健全的管理会计制度。营销预算最重要的目的是计划与控制各单位的业务目标和成果，使其朝着公司总体目标努力。而控制各业务（收益和成本）最好的环节是发生收益或成本的部门，以及利润中心、收益中心和成本中心。

（3）重视目标管理。目标管理的本质在于日常决策之前先确定真正追求的目标，以此作为决策的根据。执行之后，也应以目标作为绩效比较的基础及考核奖惩的依据，而非以手段或手续作为比较依据。

（4）良好的情报系统。各部门间意见的快速沟通及信息的传递极为重要，如果各部门的意见不能沟通，就可能导致无效决策的产生，企业将变成追求手续而非追求目标的机器。

（5）切实做好事后追踪与考核。由于市场环境等的变化，营销预算与计划和策略不一致是很常见的，将预算分解为易于追踪的维度来细分预算至关重要，然后将细分预算应用于实际情况，跟踪预算结果并进行优化。

7.2.7 方案评估

一旦网络营销计划开始实施，企业就应该经常对其进行评估，以保证计划的成功实施。网络营销计划综合评价是对一个时期网络营销活动的总结，也为制定下一阶段网络营销策略提供了依据。因此，在实施网络营销计划的过程中，企业应通过对其网站或 App 访问数据的统计分析跟踪评价，不断反馈以提高网络营销效果。

一般来说，企业都很关注投资回报率。网络营销人员需要明确品牌建立、客户关系管理等无形的目标将如何引领企业以获取更多的收益，同时拿出准确、适时的测量手段来保证网络营销计划启动和发展各阶段费用支出的合理性。

网络营销效果的评价体系主要包含四个方面的内容：网络广告效果评价指标、销售促进效果评价指标、网站效益评价指标和网络营销效率评价指标。具体指标详见本教材11.1节相关内容。

7.3 网络营销计划书的编制

网络营销计划书是一个企业根据公司的实际状况制订的未来某一时间段内，企业网络营销战略战术的策划方案，用以指导公司未来的网络营销工作。由此可知，网络营销计划书的策划对企业发展具有很重要的意义。下面介绍网络营销计划书的主要内容和策划过程。

7.3.1 网络营销计划书的主要内容

一份完整的网络营销计划书的内容一般包括九个部分，具体如下。

1. 市场调研

市场调研的内容包括产品特性、行业竞争状况、财务状况和人力资源状况。

(1) 产品特性。是否需要在网上开展营销活动，在很大程度上取决于行业的特点和产品的特性。网络营销是为顺应营销手段的发展而不是为了赶时髦，如果一个行业内的相关产品的特性决定了利用传统方法更有效，那么可以暂时不考虑网络营销。如果网络营销不能在短期内带来切实的收益，还是应该量力而行，根据本企业的特点慎重决定。

(2) 行业竞争状况。互联网的发展为行业竞争状况分析提供了方便，同行业的企业由于生产类似的产品或服务，往往被收录在搜索引擎或分类目录的相同类别下，要了解竞争者或其他同行是否上网，只需到相关网站查询一下，并对竞争者的网站进行分析，即可对行业的竞争状况有大致的了解。如果竞争者，尤其是实力与自己比较接近的竞争者已经开始了网络营销，甚至已经取得了明显收益，这时企业就需要认真考虑自己的网络营销战略了。

(3) 财务状况。用于网络营销的支出不仅仅是成本，更是一项投资，是一项长期的战略投资，有时还需要不断地投入资金。网络营销不一定能取得立竿见影的成效，因此决策人员应该根据企业的财务状况制定适合自身条件的网络营销战略，如网站或 App 的功能和构建方式、网络营销组织结构、推广力度等。

(4) 人力资源状况。网络营销与传统营销相比，有其自身的特殊性，如互联网本身的互动性、信息发布的及时性，以及网络营销的基本手段——网站建设和推广等，这就要求网络营销人员既要有营销方面的知识，又要有一定的互联网技术基础，这种复合型人才目前比较短缺。企业是否拥有高水平的网络营销人才，对网络营销的效果有直接影响。当基本条件具备之后，企业就可以开展网络营销活动了。按照是否拥有自己的网站来划分，网络营销可以分为两类：无站点网络营销和基于企业网站的网络营销。也就是说，在建立自己的网站之前，企业也可以利用网络广告、短视频与直播等互联网上的资源，开展初步的网络营销活动。很多企业可能都会经历这种游击战性质的初级网络营销形式，但由于每个企业的情况不同，这一阶段的持续时间可能会有很大差别。

2. 网络营销环境分析

开展网络营销需要注意影响因素和支持条件，即企业外部和内部的基本环境是否具备。从广义上讲，网络营销的外部环境包括宏观环境、行业环境和竞争环境。其中，宏观环境包括网络营销相关经济环境、技术环境、社会环境、政治法律环境、自然环境等，以及企业触网的数量与网民数量等。行业环境包括供应商和购买者的讨价还价能力、潜在进入者的威胁、替代品的威胁，以及同行业企业间的竞争。网络营销的内部环境一般包括公司的人力资源、财务资源、组织性资源，以及核心竞争力等。

3. 设定营销目标

在完成市场调研和环境分析后，接下来就是设定网络营销的战略，确定网络营销要达到的目标。只有有了明确的目标，才能对网络营销活动做出及时的评价。

因为网络营销的实质是服务营销，加上网民的规模与消费者的接受心理等因素的影响，所以现在许多企业设立网站的目的常常不在于直接的网上销售量，而是着眼于网络营销的其他效应。

网络营销目标一般有如下几种：
（1）通过网络营销向潜在顾客提供有用信息，使之成为购买者；
（2）提高品牌知名度；
（3）培养顾客的忠诚度，从而留住顾客；
（4）支持其他营销活动；
（5）减少营销费用和时间；
（6）提供一对一的个性化服务。

企业可以根据自身的不同特点和条件，设定不同效应的目标。

4. 进行营销定位

定位就是根据自身网站与企业的情况找到自身产品和同类产品的差异化的过程，通常包括市场定位、营销模式定位、策略定位、内容定位。

市场定位是通过市场细分确定该网站的目标顾客群。营销模式定位是指根据企业情况选择适合自己的网络营销模式，比如 Web 营销、许可 E-mail 营销、搜索引擎营销、病毒式营销、社会化营销、网红营销及 IP 营销等。策略定位就是网络营销的 4C 或 4P 组合策略，重点突出其中的某项策略，对网络营销总体操作有着重要的指导作用。网站或 App 的吸引力很大一部分来自其给消费者提供的资讯和娱乐，消费者得到的信息越多，对站点的忠诚度和信任度就越高。内容定位是对站点或 App 能提供给消费者的资讯和相关服务进行的概括性描述。企业应根据前面的分析和目标进行合乎自身发展的营销定位。

5. 营销策略选择

网络营销的具体策略包括：①消费者或产品策略；②成本或价格策略；③便利或渠道策略；④沟通或促销策略；⑤关系营销策略；⑥体验营销策略；⑦服务营销策略。

基于企业视角的 4P 理论，强调企业通过控制产品、价格、渠道、促销的计划和实施，积极适应外部环境，市场营销活动的核心在于制定并实施有效的营销组合。

基于客户视角的 4C 理论，强调以消费者为导向，企业必须根据消费者的需求来提供产品和服务。成本不仅指企业的生产成本，还要考虑客户的购买成本；便利指要为客户提供最大的售前服务、售中购物、售后服务，以及使用方面的便利性；沟通强调双方进行积极有效的双向互动沟通以实现营销目标。

关系营销强调关系的重要性，核心是合作，企业找出高价值客户和潜在客户，通过人性化关怀使客户与企业产生密切联系，通过合作实现双赢或多赢。

由于互联网的虚拟性，体验营销的作用日益凸显，企业通过感官、情感、思考、行为和关联体验营销策略，满足客户个性化和情感化需求，实现自身定位。

基于服务有别于有形商品的特点，服务营销强调企业通过优化、创新、差异化、多元化等服务策略，使消费者体验高质量服务，最终达到顾客满意与顾客忠诚的目标。

具体采用哪几种策略的组合取决于企业自身定位，比如企业提供的是产品还是服务，注重可控因素还是更强调不可控的客户因素，如果对实践操作性要求比较高的话，基于企业视角的4P理论更加适用，4C属于营销理念和标准，强调顾客的需求以及双向互动沟通的重要性，关系营销强调企业在更高层次上以有效方式主动建立与客户间的新型关系。

6. 站点设计

在目标、策略确定之后，如果是自建网站的话，就需要对具体站点进行构思和创意了。这一部分将对站点的整体风格和特色做出定位，规划站点的组织结构，要求站点主题鲜明突出、要点明确，以简单而鲜明的语言和画面体现站点的主题。这一部分主要包括以下内容：①站点内容；②站点形式；③站点功能；④确定域名；⑤版式设计；⑥色彩搭配；⑦网站导航；⑧功能定位。

如果选择接入第三方技术支持或服务平台，只需要根据营销目标确定营销计划需要实现的功能，以及第三方平台是否满足全部功能需求。

7. 技术支持

根据网站功能以及企业自身的技术力量、财力，由企业选择接入技术支持或服务平台，确定操作系统、服务器选择、服务器管理、网站技术解决方案和实现手段。

8. 站点或店铺推广

站点或店铺建成后，我们就要推广企业的站点或店铺。站点或店铺推广与传统的产品推广一样，需要进行系统安排和计划，制订适合企业产品或服务的推广计划，根据产品特性，选择合适的推广方式，如搜索引擎、网络广告、社交媒体、软文等推广方式或其组合。

9. 经费预算

根据企业实力和营销战略目标制订经费预算方案，关注投资回报率和内部收益率。

7.3.2 网络营销计划书的策划过程

1. 准备工作

综合比较从各种渠道收集到的相关信息和资料，并整理和统计。

2. 计划构思

通过对资料的整理和分析，确定基本观点，列出主要论点、论据。

确定主题后，对收集到的大量资料进行分析研究，逐渐消化、吸收，形成概念，通过判断、推理，把感性认识提高到理性认识层面。

3. 计划书的书写步骤

（1）营销环境。

1）写出公司的名称（包括母公司、子公司）。

2）列出公司的目标、方针、宗旨和章程。

3）对公司的产品和服务进行简单的描述，列出公司产品或服务的重要特征。

4）指明公司的主要业务，列出公司产品和服务的主要优缺点。

5）说明未来商业发展是否影响公司的市场营销计划。

6）概述公司目前的销售情况。

7）列出本行业中极具竞争力的公司及其成立时间、公司概况。

8）列出公司建立网络市场的好处、坏处、机会和风险。

9）认真思考公司的产品和服务是否适合网络营销，与公司的互动是否重要，顾客中有多少比例是网民。

10）指出如果公司仅仅依赖传统市场营销活动而不触网的风险。

（2）营销目标。

1）列出竞争对手及其欲借市场营销方案完成的目标。

2）列出在下一年度公司希望在市场中达成的 10 个目标。

3）列出 5 个在你的市场中还没有被发现的发展机会，说明网络营销是否有可能帮助你获取这些机会。

（3）站点或店铺的营销设计。

1）简要说明竞争对手在网上采取的策略以及完成的工作。

2）认真分析竞争对手的网上策略与执行方法的优缺点。

3）思考应该如何修改这些目标以及创建独具特色的网上形象。

4）简要说明公司计划如何设计站点以及增加与顾客之间的互动。

5）简要说明运用网络营销一对一的方式如何实现营销策略目标。

6）简要说明如何运用网络口碑营销的优势达成营销策略目标。

（4）网络广告设计。

1）分析为什么需要网络广告（列出 5 个通过网络广告可得到的总体市场营销利益）。

2）根据上述 5 个利益，列出公司做网络广告的原因。

3）列出在网络上开展广告活动可能需要面对的 5 种市场营销风险。

4）思考上述风险是否无法克服。如果无法克服，立即停止下面的工作；如果可以克服，则继续往下写。

5）列出你的网络广告对象。

6）分析是否已经了解了你的在线市场。如果不了解，立即停止填写；如果了解了，则继续。

7）列出你准备采取的网络广告的方式。

8）分析发布网络广告的网络是否能统计。

9）指出你想在广告中强调的内容。

（5）与传统媒体及社交媒体的配合。

1）列出10个网站上吸引人的项目，使顾客看到你的传统媒体广告时也想上你的网站看看。

2）列出你最近从事了下列哪一个营销活动，并说明在这些活动中如何把网站营销搭配进去（如抖音短视频、平台直播、小红书推文、商展、平面广告、影音广告或折扣活动、说明会或散发说明小册子、营销人员的营销）。

除此之外，还需要开展成立网络营销小组等工作。

案例分析

农村电商新玩法

新媒体营销时代，传统的农产品电商靠什么生存呢？内容营销讲究的是吸引眼球的标题、文案，更好地掌握消费者的心理需求？当然还要遵循市场规则优化营商环境。

没有卖不出去的产品，只有不会卖产品的人。同样是农产品，"新农人"依托新媒体、新模式、新商业、新营销把农产品卖了出去，而且供不应求，收入不低。借助互联网的农产品，如何通过营销计划促进销售？下面介绍6种方案。

1. 短视频 + 农产品

2018年，巧妇9妹的电商团队卖出了500多万斤（1斤=0.5千克）水果，她原本只是通过今日头条和西瓜视频，分享农村生活、农村美食。但是有需求就有市场，机缘巧合，"短视频 + 农产品"帮助她和村民们把农产品卖了出去。目前比较热门的抖音短视频，虽然视频时长为15～60秒，但是对于一个农产品营销而言足够了。

2. 网络直播 + 农产品

网络没有边际，网络直播的方式能很好地推广农产品及品牌。网络直播一直都很火，通过网络直播可以让用户增强对产品的信心，也可以快速传播推广。

3. 电商 + 农产品

一般是通过淘宝销售农产品，淘宝本身就是大流量级别的电商服务平台。淘宝的微淘，可以以文字、图片、视频、直播等形式把农产品推销给精准的消费群体。

4. 微商 + 农产品

通过微信朋友圈发布自家的农产品信息，信息内容包含：果农日常生活、种植、生长、采摘等信息。把农产品的生长情况拍成图片发布到微信朋友圈里，让用户第一时间了解农产品的情况。微信朋友圈可以打造个人品牌，获得更多人的信任和认可。

5. 众筹 + 农产品

通过众筹平台销售农产品，已经成为"新农人"常用的手段。其中，"众筹 + 农产品"可以解决农产品的滞销及农产品传播等问题。让原生态、无农药、无添加、无激素、无抗生素的"一原四无"产品不再滞销。

6. 社群 + 农产品

社群就是有相同标签、相同兴趣、相同爱好、相同需求属性的人或群体组织。例如，在农产品方面，樱桃爱好者、素食爱好者、苹果爱好者等具有某种相同属性的人对某一款或某一类农产品具有相同的需求。

当然，除了以上6种农产品新营销方案之外，还有阿里农村淘宝的"兴农扶贫"等农村电商模式，也成为农产品营销的新模式。不管什么模式，能帮助农民解决农产品销售问题的模式都值得参考。

资料来源：https://www.365editor.com/information/detail_2030。

【案例思考题】

1. 农产品与其他产品相比，在网络营销方面有何痛点？
2. 结合上述营销模式，思考如何通过网络营销计划，帮助农民解决农产品线上销售难题。

本章小结

网络营销计划是在网络营销观念的指导下对网络营销活动所做的全面有序的安排，以保证网络营销活动能顺利而有效地开展。网络营销计划的内容包括确立网络营销的目标、构建网络空间中的企业形象、管理反馈信息、确立网络营销的负责部门以及培养网络业务人才。

制订一个网络营销计划包括七个步骤。第一步是进行形势分析，包括审视企业的经营环境、现有的营销计划与企业信息、品牌信息，以及企业的电子商务目标、战略与绩效考核指标。第二步是制定网络营销战略规划，包括完成营销机遇分析、供求分析与细分市场分析，制定市场细分策略、目标市场策略、品牌差异化策略和品牌定位策略，这属于第一层策略。第三步，明确网络营销目标。第四步，为消费者、成本、便利与沟通的营销组合和客户关系管理制定具体的网络营销策略，这属于第二层策略。第五步，制订详细的实施计划，一份完整的网络营销计划报告应包括行动方案、工作指标、时间范围，以及想要达到的销售量、市场份额和利润等。第六步，进行预算控制。第七步，进行方案评估。

关键词

网络营销计划　　　网络营销策略　　　网络营销策划书

综合复习题

思考题

1. 什么是网络营销计划？
2. 网络营销计划的内容有哪些？
3. 制订网络营销计划的原则有哪些？
4. 制订网络营销计划的步骤有哪些？
5. 如何更好地根据企业的战略制定合适的网络营销目标？
6. 如何有效地报告网络营销计划？
7. 如何更好地实施网络营销计划？
8. 在实施网络营销计划的过程中，可以应用哪些网络营销策略？
9. 一个完整的网络营销计划书包括哪些部分？
10. 网络营销计划书包括哪些策划过程？

讨论题

1. 利用SWOT分析法分析自己的现状，并为自己的校园生活制订一个计划。
2. 假定你要开一家网络公司，请思考公司的网站设计方案。
3. 目前很多大学生都在淘宝、速卖通等平台上开店创业，请你写一份关于开网店的营销推广计划，包括产品、价格、推广等相关策略。

4. 如今微博、微信是日常的网络交际工具，请思考如何利用微博或微信实施网络营销。

5. 假如你有资本可用于投资，你希望在风险资本网络营销计划中了解到什么。

6. 试讨论一家传统企业如何根据网络营销计划的内容，实现从传统实体店到"互联网+"的转型。

网络实践题

1. 选择一款产品，为其制订一份抖音带货的营销策划方案。

2. 通过网络以锤子手机为关键词，搜索了解锤子手机的网络营销策划过程，试分析锤子手机失败的主要原因。

3. 跟踪唯品会主页上某一产品的整个网络营销过程，结合本章内容，以你所跟踪的这个产品为对象，分析该产品网络营销计划的优缺点。

4. 假如有一批农产品滞销，请你制作一份网络营销计划，阐述你打算选取什么平台或工具、如何通过网络营销帮助农民打开销路。

第 8 章
CHAPTER 8

网络营销管理

§ **本章导读**

　　随着互联网对社会、经济、生活各个领域的渗透，网络营销逐渐成为大多数商业机构乃至非商业机构进行市场推广活动的必选。在管理层面上，企业对网络营销的管理与传统营销管理并无二致，但由于互联网的力量非常强大，使得经典营销理论所界定的企业可控营销要素与不可控营销要素之间的边界越来越模糊，从而引发网络营销活动的许多新问题。网络营销管理的目的是让网络营销活动更加有效，更有利于实现网络营销的总体目标。本章从网络产品与服务、定价、分销渠道和网络广告与促销四个角度具体系统地阐述网络营销管理的重要性，使其系统化和规范化。通过本章的学习，读者能够根据网络营销产品与服务的概念和特点，在实践中识别网络产品与服务，促进网络新产品的开发；掌握网络营销定价的特点和策略，以及运用网络营销定价策略的理论，对网络产品进行合理有效的定价；熟悉网络分销渠道的功能，以网络产品为依据，拓展网络分销渠道，并对网络渠道进行管理和新的建设；结合网络广告与促销的特点，分析当前运营较好的企业的网络广告与促销方式，并能运用到实践中。

§ **学习目标**

- 了解网络营销产品的内涵与特点
- 掌握网络营销中所采用的不同的产品策略
- 理解网络营销定价应考虑的因素和特点
- 掌握网络营销定价的策略
- 掌握网络分销渠道建设的步骤
- 了解网络促销的形式

§ 引导案例

《啥是佩奇》：品牌与 IP 力量的聚合式爆发

《啥是佩奇》是动画电影《小猪佩奇过大年》的宣传片，凭借当红流量 IP——佩奇，爆笑却温情的剧情，引发巨大关注。网络资料显示，这并非此部电影第一次做宣传。这次宣传片能够引爆热点，不能仅仅归功于动画电影自带的流量 IP，走心的剧情是成功的重要因素，宣传片几乎辐射了全部年龄层的观众，引发了观众的自主传播。

1. IP 效应凸显

近几年，作为儿童动画片主角的粉红小猪——佩奇在国内的热度持续上升，已经打开了市场。据经济网报道，2016 年 10 月，《小猪佩奇》在国内各视频网站的累计播放总量已超过 100 亿次。它不仅是成功的儿童 IP，也同时打开了家长市场，实现了儿童、家长双向驱动。这些家长所处的年龄段正好与目前网络主要用户群体的年龄分布有重叠。在这样的观众基础上，2018 年小猪佩奇借着目标用户年轻化的 UGC 视频平台红遍网络，成为"顶级流量"。2018 年 4 月 29 日，人民日报、央视新闻等官方微博进行宣传，各种 IP 衍生品随之大卖。2018 年 8 月，诸多媒体跟进报道：阿里巴巴联合佩奇的品牌出品方将拍摄大电影，已立项。

2. 大数据支持

根据阿里巴巴数据平台提供的信息，可以精准锁定受众人群。佩奇 IP 流量数据，各类主题的电影、动画及周边的销售数据，甚至购买账户注册人年龄层的数据，都为此次合作决定提供了数据支持。同时，了解中国传统文化的中国编剧和本就善于做内容、懂得抓住家长端的小猪佩奇原编剧合作，更容易制作出贴近观众的电影内容。此次宣传片坚持爱与家庭的主题，同时考虑电影票的主要购买者都是孩子的父母、老人的子女，因而没有采用传统的动画宣传片形式。在大数据支持下，准确分析受众，制作精准内容并选择正确的投放平台都变得更为容易。

3. 春节假日的高热度

春节是一个具有中国特色的文化 IP。2019 年恰是猪年，从佩奇形象到影片主题，都与新年非常吻合，话题性很高，将首映时间定在中国农历春节这一天，意义非凡。在距离春节不足 20 天的时候，这个具有独立电影风格的宣传片用亲情主题打通各年龄层，引爆了大众的情绪。从刚刚放假回家陪父母的学生群体到在外务工的工作者，再到家里有儿童的年轻父母，都成为电影的潜在受众，为正在考虑如何陪老人和孩子过年的受众提供了一个不错的选择。

资料来源：杨雅惠. 新媒体时代的网络营销：以《啥是佩奇》为例 [J]. 青年记者，2019（11）：103-104.

【案例思考题】

1. 本案例中，《啥是佩奇》营销成功的关键因素有哪些？
2. IP 营销的关键包括哪些内容？
3. 除了在案例中描述品牌和 IP 力量的聚合，你认为还有哪些关键因素？

8.1 网络产品与服务

8.1.1 网络营销中产品的概念

从市场营销学的角度来看,产品是指面向市场,供人们获取、使用或消费,从而满足人们某种欲望或需要的一切东西。广义的产品包括有形商品、服务、人员、场所、组织、主意或者它们的组合。从经济学的本质上讲,产品是一个收益的集合,它能满足一个组织或消费者的愿望,使他们愿意以货币或其他有价值的东西来交换它。在传统营销中,企业产品开发设计是以企业为起点,消费者与企业在产品设计和开发过程中基本是分离的,消费者只是被动地接受和反映,无法直接参与产品的形成、设计和开发环节。在互联网时代,随着生产力和生活水平的不断提高,消费者的需求更加个性化,借助网络的优势,消费者购物的主动性、选择性大大加强,消费者的个性化需求也更加易于实现。因此,网络营销的产品概念不应停留在企业能为消费者提供什么的理解上,而应该关注"消费者需要什么,消费者想要得到什么",真正以消费者需求为导向。网络赋予了产品更深的内涵,在网络营销中,营销者应该根据产品的新特点,采取不同于传统市场的营销策略来推广网络营销产品。

1. 传统产品的三个层次

根据市场营销学对产品的定义,手机、照片冲洗店、音乐会以及度假等都是产品。但是,产品不仅仅是我们看到的实体产品或是感受到的服务本身,还应是一个产品整体。在传统市场营销中,营销大师菲利普·科特勒将产品分成核心利益(core benefit)、实际产品(actual product)和附加产品(augmented product)三个层次。最基础的层次是核心利益层,它解决了"购买者购买的是什么"这一问题。在设计产品时,营销者必须首先定义这个核心,即顾客为解决问题所寻找的利益或服务是什么。在第二层次,核心利益被转变为实际产品,包括产品或服务的特征、款式设计、质量水平、品牌名称和包装。 最后,还必须为顾客提供附加的服务和利益。围绕核心利益和实际产品建立一个附加产品层,使消费者的价值需求及体验得到最大的满足,即个性化、便利、快捷、丰富等,这时,网络产品所带给消费者的价值就是更深层次的。传统产品的三个层次,如图 8-1 所示。

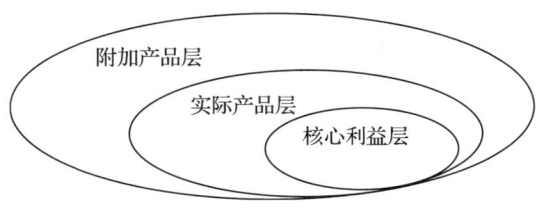

图 8-1 传统产品的三个层次

2. 网络营销产品的内涵层次

虽然传统产品的三个层次在网络营销产品中仍然起着重要作用,但传统营销中的主流营销活动是建立在一种面对面的营销模式基础之上的，而在网络环境中，由于网络的虚拟性，网络营销的模式改变了以往我们对满足消费者需求价值的产品的认识。网络营销是在网上虚拟市场开展营销活动，以实现企业营销目标的。产品设计和开发的主体地位已经从企业转向顾客，企业在设计和开发产品时还必须满足顾客的个性化需求，因此网络营销产品的内涵与传统产品的内涵有一定的差异，其层次比传统产品的层次大大扩展了。网络营销产品的概念可以概括为：在网络营销活动中，消费者所期望的能满足自己需求的所有有形实物和无形服务的总称。根据网络营销产品在满足消费者需求中的重要性，可以将网络营销产品整体划分为五个层次：核心利益层、个性化利益层、附加利益层、潜在利益层以及产品形式层，如图8-2所示。

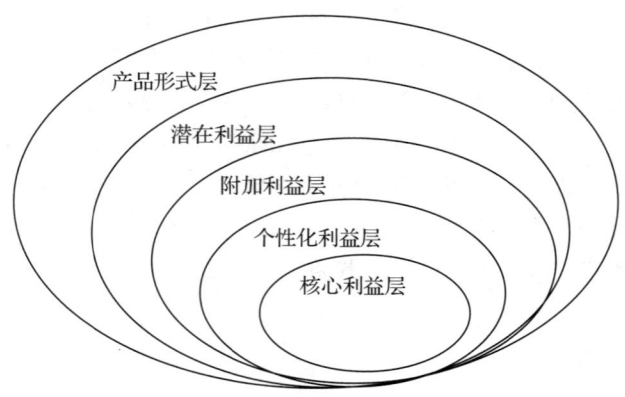

图 8-2　网络营销产品的五个层次

（1）核心利益层。核心利益层是指消费者希望通过交易活动得到的最核心或最基本的效用或利益。这一层次的利益是目标市场消费者所追求的共同的无差别的利益。

（2）个性化利益层。个性化利益层是指网络目标市场上，每一细分市场甚至每一个消费者希望得到的，除核心利益之外的满足自己个性化需求的利益的总称。不同消费者对同种产品所期望的核心效用或利益一般是相同的，除此之外，不同消费者对产品所期望的其他效用往往会表现出很大的个性化色彩，不同细分市场或不同个体消费者所追求的产品利益又是富有个性的。所以，个性化利益层也称为期望产品层，即顾客在购买产品前对可购产品的质量、使用方便程度、特点等拥有不同的期望值。例如，上网聊天，人们追求的都是社交需求的满足，但有的人是以觅友为目的，而有的人却以宣泄个人感情为目的，还有的则完全出于追求一种网络社交的体验，等等。

网络市场是一种典型的买方市场。卖方市场是消费者向企业求购，是消费者对企业的营销；而买方市场却是企业向消费者求买，是企业对消费者的营销。网络营销很难做到像线下营销那样，一厢情愿地采取强迫性的促销攻势；相反，在网络营销中，消费者完全处于主导地位，鼠标就是选票，消费行为呈现较大的个性化特征。因此，企业要想通过网络营销获取竞争优势，产品的设计和开发必须以满足顾客个性化的消费需求为导向。例如，海尔集团提出"您来设计，我来实现"的口号，消费者可以向海尔集团提出自己的个性需求，如性能、款式、色彩、大小等，海尔集团可以根据消费者的特殊要求进行产品设计和生产。现代社会已由传统的企业设计开发、顾客被动接受的时代，转变为以顾客为中心，顾客提出要求，企业辅助顾客来设计开发产品，以满足顾客个性化需求的新时代。

（3）附加利益层。附加利益层也称延伸利益层。网络营销整体产品中，附加利益层是指消费者选择网上购物时希望得到的一些附加利益的总称。这一层次的产品内容是为了满足消费者因获得前两个层次的产品利益而派生出的延伸性需求，同时也是为了帮助用户更好地使用核心利益和服务。它通常包括销售服务、保证、优惠、信贷、免费、赠品等内容。它是产品的生产者或经营者为了帮助消费者更好地获得核心利益与个性化利益而提供的一系列服务。

在网络营销中，对于物质产品来说，附加利益层要注意提供满意的售后服务、送货服务、质量保证等；对于无形产品，如音乐、软件等，由于可以通过网络渠道直接进行配送，其附加利益的重点是质量保证和技术保证以及一些优惠政策，如现在很多软件商许诺用户可以享受免费的软件升级服务，可以以优惠的价格购买同一公司的软件或产品等。

网络产品丰富的附加利益还主要表现在网络产品所能够提供给消费者的信息价值、娱乐价值和顾客群体认同价值等。例如，对一个 ICP 网站而言，网络媒体的内容产品所包含的附加利益是多重的，人们在接收内容产品时，相关信息所依附的网站界面、一个网站的整体氛围、网站提供的服务等，都可以成为一种附加利益，为内容产品增值。一个网络游戏提供商或博客平台提供商，除了为网络消费者提供一个网络娱乐和网络信息沟通的平台之外，还为参与者提供了群体归属感和认同感，这也是网络产品的一种附加利益表现。而信息增值几乎是所有网络产品都能够提供的附加利益。

（4）潜在利益层。网络营销整体产品中，潜在利益层是指在核心利益、个性化利益、附加利益之外，能满足消费者潜在需求，但尚未被消费者意识到或者已经被意识到而尚未被消费者重视或消费者不敢奢望的一些产品利益。它与附加利益层的主要区别是，消费者没有得到产品的潜在利益层仍然可以很好地满足其现实需求，但得到潜在利益层后，消费者的潜在需求会得到超值的满足，消费者对产品的偏好程度与忠诚程度会得到大大强化。

在高新技术发展日益迅猛的时代，产品的许多潜在利益还没有被消费者充分认识到，这就需要企业通过消费教育和消费引导活动，使消费者发现或认识到产品的潜在利益层。例如，联想电脑推出天禧系列电脑时，在提供电脑原有的一切服务之外，还提供了直接上网的便捷服务。

（5）产品形式层。网络营销整体产品中，产品形式层是指产品的核心利益、个性化利益和潜在利益借以存在并传递给消费者的具体形式。实物产品主要由产品的质量水平、材质、式样、品牌、包装等因素构成；服务产品则由服务程序、服务人员、地点、时间、品牌等因素构成。

在现代信息技术的支持下，网络所能够提供的实际产品是异常丰富的。对于知识和信息类产品，如软件产品，其产品形式表现为：当它存储在实体中时，其实际产品形式是光盘；当它存储在网络里时，其实际产品形式是比特流。对于那些购买前客户不能体验的产品而言，营销者可以通过网络广告或包装宣传来提供有价值的信息担保；对于在网络上提供的这些信息产品而言，产品的视觉表达和描述就等于产品的包装。它也可以表现为一种在线服务，那些高度依赖储存的信息和能够分解成良好结构的客户交互的服务最适宜通过网络进行交付。目前，旅游咨询、心理咨询、法律咨询和医疗咨询等在线服务发展势头迅猛，正是基于网络信息服务强大的资源优势和提供更多附加价值的优势。

网络营销就是通过满足消费者对不同产品层次的需要而获得企业利润的。网络营销产品整体概念的五个层次，充分而清晰地体现了以消费者为中心的现代营销观念。可以说，产品整体概念是建立在"需求＝产品"这个等式的基础上的。

8.1.2 网络营销产品的特点

网络的虚拟性使得顾客可以突破时间和空间的限制，实现远程购物和网上直接订购，但这会使得网络购买者在购买前无法试用或只能通过网络来浏览产品。就有形产品而言，网络无法提供诸如嗅、触摸、操作等手段供购买者收集信息之用；就无形的服务产品而言，网络不能为顾客提供认识服务设施、服务人员质量等重要手段。因此，并非所有的产品都适合在网上销售。

从网络产品的消费者导向出发，产品是否适合在网上销售，可以简单地归结为顾客愿不愿意在网络这个特殊的市场上做出购买决策。根据网上消费者的目标市场和消费者的购买决策行为过程，可以得出目前适合在网上销售的产品通常从以下方面来判断。

1. 产品的可信息化程度

信息化是指利用互联网、计算机、通信等现代信息技术，通过对信息资源的深度开发和广泛利用，不断提高生产、经营、管理、决策效率和水平，从而提高经济效益和核心竞争力的过程。从消费者决策过程中可以发现，收集信息对消费者决策具有关键的影响作用，它是一切决策过程的开始。而展示信息则是消费者收集信息的来源。因此，资讯丰富并易于数字化传播的产品比较适合网络营销。企业在网上向顾客提供的产品都是以纯信息形式出现的，是信息化后的有形产品、信息化后的服务产品以及纯信息产品。这些信息化后的产品如果能够向网络顾客提供足够多的信息量，就能够吸引顾客购买；否则，就难以使购买行为发生。因此，产品能否被信息化成了其是否适合在网上销售的关键。

一般来说，技术含量越高、使用人工材料越多的产品，它们的可信息化程度越高；而艺术含量越高、使用天然材料越多以及很少使用视听来认识的产品，它们的可信息化程度越低。例如，图书是一种非常适合网络营销的产品，之所以能够成为网上热销产品，是因为它具有很高的可信息化程度。图书本身就是传播信息的产品，稍微有选择地抽出一些内容组合起来就可以很好地把它的产品特性、质量等描述出来。因此，购书者可以在任何时候上网查阅新书目，不仅可以迅速捕捉到最新的出版信息，而且可以阅读到书中详细的目录，甚至是章节的片段。同时，网上书店所提供的关键词、作者、书名的查询，也大大方便了顾客，节约了顾客大量的时间。

2. 产品的标准化程度

产品标准化是指对产品（或零件）的类型、性能、规格、质量、原材料、工艺装备和检验方法等规定统一标准，并使之贯彻实施的过程。传统的消费者习惯于从与产品的直接接触中收集信息，或者因产品特性不同而只能通过与产品的直接接触收集信息。譬如，专业人员可以通过食用油的物质组成比例了解它的质量、颜色，甚至气味，而普通消费者只能通过嗅觉才能达到了解的目的。另外，有些产品只能通过直接接触才能真正认知其价值，如珠宝。因此，不能通过真实的触觉、嗅觉而展现的网络营销产品，最好能够通过一系列的标准化数据来展示，以便于消费者比较。例如，可以通过一系列标准化的性能指标直接表述的电子产品，如笔记本电脑、手机等，就比较容易通过网络销售。

3. 产品的品牌知名度

在网络营销中，一方面，要在浩如烟海的信息中获得浏览者的关注，必须拥有明确、醒目的品牌；另一方面，由于网上购买者面对很多选择，并且无法直接感知产品特性和进行购物体验，因此，购买者对品牌比较关注。因而具有品牌知名度的产品更易获得消费者的认可，因为名牌产品、名牌企业的产品或知名网站经销的产品，已经被众多消费者的购物实践证明货真价实、质量可靠，消费者在购物过程中不必再花费太多的精力和时间去比较选择。如海尔系列产品、TCL 产品的网络营销都比较成功。但据调查，传统优势品牌在网上不一定占有优势，如可口可乐公司的网站就不是很吸引网民。所以，网络营销产品的品牌知名度是指在网络市场这个场域中形成的品牌知名度，而非传统市场中形成的品牌知名度。

4. 产品的购买风险

由于许多消费者对昂贵产品的安全问题十分敏感，所以人们更愿意用传统的方式来购买金银首饰等贵重物品。而图书、音像制品、家用电子产品、礼品玩具、计算机硬件等则易于通过网络营销来开展业务。因为这类产品本身不贵重，而且有较长的保质期，邮寄过程中也不容易出现破碎或损耗，对于消费者来说，通过网络来购买这些产品，风险不大；对于厂商来说，这些产品是发展网络营销的首选种类。如当当网就是先在网上销售书籍，然后开始销售音像制品，获得了极大的成功。

5. 产品的网络目标市场定位

网络目标市场定位是指勾画产品或服务在网络目标市场，也就是网络目标顾客心中的形象，使企业提供的产品和服务具有一定的特色，适应一定顾客的需求和爱好，并与竞争产品有所区别。消费者愿意接受网络营销的产品首先要借助网络这个工具，如果需求对象根本不上网，那么这类产品是不适宜在网上销售的。而那些拥有较多上网人数的目标消费顾客群、追求时尚、个性化较强的产品，比较适合网上销售，如手机、小饰品等时尚产品受到以年轻人为主要构成的网络消费群体的青睐。同时，由于网上用户在初期对技术有一定要求，因此与技术或与计算机、网络有关的产品，比较容易定位其用户族群，这些产品容易引起网上用户的认同和关注。目前在网上销售最多的企业是信息技术类企业，如美国的 Intel 公司、Cisco 公司和 Dell 公司。

6. 产品的市场可到达性

网络市场是以网络用户为主要目标的市场，适合在网上销售或能发挥网络营销优势的产品一般是那些覆盖较大市场范围且市场容量比较大的产品。如果产品的目标市场比较狭窄，虽然也能实施网络营销，但营销效益不佳，不能充分发挥出网络营销的优势。如果网络目标市场覆盖范围很广，市场容量很大，但网络营销的可到达性很差，或者物流配送体系跟不上，又或者网络营销信息到达率很低，也不适合网络营销的开展，或者至少在一定时间内不能开展。

7. 产品对传统市场的扩展

一些补缺产品以及现实空间难以实现的产品，适合进行网络营销，因为网络空间的无限性与网络的搜寻功能可以满足消费者需要足够信息进行决策的要求,也就是说这类产品在网络空间的信息具有质量优势。这些产品主要是借助互联网的便捷性而出现的服务产品,如远程医疗服务,在网络上销售具有更大的可行性。如联邦快递公司提供的快递服务,通过整理业务流程,使其完全符合网络运作的要求,从而能够为顾客提供诸如跟踪邮包等网上服务,为其赢得了更好的声誉。

另外一些需求量小、顾客地理分布较分散的产品,由于受地理位置的限制,很难保证其销量和客源,但是若将其放到网络市场中,所有联网的用户都可能是潜在客户。一般而言,缺乏替代性、具有较强垄断性的产品,或者那些不太容易在线下设店经营的特殊品或传统市场不愿经营的小商品,比较容易在网上销售。也就是说,利用网络优势能实现对传统市场扩展的产品适合于网上销售。

8.1.3 网络产品虚拟体验策略

1. 虚拟体验的内涵

虚拟体验,顾名思义,就是一种在虚拟环境中获得的体验。李海荣和 Biocca(2014)把虚拟体验定义为"消费者在 3D 环境下与产品互动时经历的心理和情感的状态"。其实,人们在网络环境中所获得的体验可以统称为虚拟体验。以网络购物为例,虚拟体验就类似于消费者在传统的商店购物时,由于受到有关商品、促销人员和商店的整体设施与布局的刺激,而在购物过程中形成的一种整体的感觉。在网络虚拟商品展示中,虚拟体验指在网络环境中产生的与虚拟商品和整个虚拟展示环境相关的整体感受,其包含的内容也很多,既包括对虚拟商品本身的体验,也包括对虚拟展示环境的体验;既包括网民间的交流体验,也包括人与计算机间的互动体验等。

2. 虚拟体验的体验形式

体验是复杂的、因人而异的,且都有各自所固有而又独特的结构和过程。施密特在《体验式营销》一书中曾提出:可以将这些不同的体验分为五种基本体验形式,即感官、情感、思考、行动、关联。在网络环境中获得的虚拟体验也具有这五种体验形式:

(1)感官体验。感官体验包括各种知觉体验:视觉、听觉、味觉、嗅觉与触觉带来的感官刺激。在商品的体验中,一个尤为关键的因素是增强产品给人的感官体验。产品展示中,各种产品的信息冲击着我们的视网膜及神经细胞,哪些产品能让我们将它们长久保留在记忆里并产生购买的冲动呢?根据研究,大脑中心的海马区是决定是否注意并储存感官信息的区域。海马区喜欢鲜明、跳跃的信息。艳丽的色彩、响亮的声音和有质感的表面要比清淡的色调、细弱的声音和光滑的表面更鲜明。雅特曾经提出:"我们相信应该愉悦人类的五种感觉,而不是刺激它们。"而网络上虚拟的商品展示也可以给人提供视觉、听觉、触觉等的感官体验,关于味觉与嗅觉,可以设计出能散发特定气味的硬件辅助设备,比如一个 USB 气味发散器,其能实现用户在进入肯德基或星巴克时得到互动触发而发出鸡翅或咖啡的香味,用户通过嗅觉闻到香味，进而联想到其诱人的美味，这将是一种绝美又与众不同的感官体验。

（2）情感体验。情感体验旨在激发人们的内在感情，由此创造情感上的独特感受。我们首先需要了解某个产品是如何影响和感染人的情绪，找到消费者情感的共鸣点，设计相关情境并使人融入这种情境中而获取一个全新的体验。情感是人类生活的一部分，它影响着我们如何感知、如何行为与如何思考。使消费者获得好的情感体验则是超越商品本身的动心因素。网络环境下的商品展示能提供更多样化、更灵活的情感体验，比如可以加入一些故事情节或互动游戏等，来触发具有类似经历的用户的情感共鸣，或满足用户的好奇、好玩等多种情感需求。

（3）思考体验。体验活动不仅仅停留在行为活动的层面，它的实践性还包含着体验者内心不断的反思活动。只有在实践活动中，进行反思、总结的不断循环，才能促进实践活动的顺利开展和完满结束。不含有思考的操作不能称为体验的操作，思考体验诉求的是以创新的方式引起消费者的好奇、兴趣，进而对问题深入地思考，为其创造认知和解决问题的体验。在网络环境下，虚拟的商品展示更方便提供思考体验。例如设计一些需要消费者动脑筋思考并学习的任务等互动环节，不仅使他们对商品及品牌有了更深刻的认识，也丰富了自己的知识域。

（4）行动体验。互动的体验大部分是行动带来的体验，需要在消费者和产品之间产生创造性的交互作用。行动体验通过增加消费者的身体体验，影响生活形态与互动模式，丰富消费者的生活。网络上的商品展示如何提供行动体验，让观众参与到展示中？其实，虚拟展示中所有的互动设计，都是为了能让用户更好地与商品沟通，参与到虚拟的展示活动中来。用户可以从中获得很棒的行动体验，不亚于实体展示。

（5）关联体验。关联体验包含以上提到的感官、情感、思考以及行动四个层面。关联体验超越了私人感情、人格、人性，使消费者将自我与他人或团体联系起来，甚至与整个社会体系建立更广泛的联系，从而产生独特的感受。关联虚拟体验可以通过网民与网民间的互动来实现。

3. 虚拟体验的体验策略

（1）设计多元化、互动式的顾客参与形式。

1）建立虚拟商品互动平台，鼓励消费者与消费者之间、消费者与企业之间的自发式互动。一方面，在虚拟体验过程中，只有为消费者提供便利的沟通平台，消费者才能将自己的个性化需求和使用感受传递给企业，使企业开发出更符合消费者形象和需求的产品，也有助于消费者形成更高的品牌认同。另一方面，消费者在互动平台上可以分享和推荐各类实用技巧，同时可以针对体验过程中出现的疑难问题进行求助，这样消费者可以认识更多志同道合的玩家，同时也可以赢得平台上其他玩家的尊重和拥护。虚拟体验运营商可以在社交平台设立专门的岗位负责平台运营和维护，消费者可以将自己的虚拟体验感受或体验需求在虚拟社区进行分享和推荐。例如，麦当劳就推出了一款 VR 头显设备。通过 VR 眼镜，消费者不仅可以看到金黄色的薯条被夹起放进盒子里，还可以闻到通过香味散发器传来的香味。通过感官刺激，激发消费者的食欲，使其有意愿去麦当劳餐厅消费，这就是麦当劳想要达到的目的。微视酷在北京、哈尔滨等地的小学开展了生物、化学等学科的 VR 课程，让教育变得更简单、更高效。历史课上，学生可以更直观地感受历史现场，更直观地体验到历史的发展和时代的更迭。

2）积极开拓多元化企业客服平台，通过奖励政策鼓励消费者向企业反馈个性化需求和虚拟体验感受。借助 VR 技术，企业可以在传统文字和图片基础上建立超文本的生动化信息，在与消费者的互动中获得现场感和真实感，更好地引起消费者的共鸣，激发消费者的购买欲望。现代关系营销理论要求企业积极与消费者进行主动沟通，深入了解消费者的个性化需求和爱好。但是在传统市场环境中，复杂的垂直营销渠道并不能使企业深入理解消费者需求，因此运营商需要积极通过各种虚拟社区平台、社交工具了解顾客反馈的个性化需求和体验感受。特别是在新产品开发和推出阶段，企业需要通过各种激励政策激励爱好者体验各类新产品，进而将各种体验报告和试用感受反馈给虚拟商品运营商。

（2）探索个性化、互动的顾客体验，注重顾客的社交、享乐体验。企业需要设计个性化的顾客体验环节，为虚拟商品创造有针对性的品牌形象。顾客体验的初衷是为了形成顾客的品牌认同，因此商品运营商需要针对不同年龄阶段、不同需求、不同性别的顾客创造个性化、互动的顾客体验内容，使消费者能够通过顾客体验达到对品牌形象和价值理念的共鸣，这样才能形成消费者对特定商品品牌的个人认同。同时在商品的宣传和推广过程中注重宣传媒介中视觉、听觉等方面的吸引力。企业在虚拟商品宣传过程中应该综合利用颜色、音效、动画、文字、图片等各种技术手段和媒介来表达品牌的形象与价值理念，从而使消费者在短时间内产生对品牌的强烈共鸣。VR 通过互动，零距离了解消费者，将与产品相应的游戏、视频等内容嵌入，带给消费者强烈的体验感，从而带来很高的顾客转化率。顾客体验形式和内容的创新，有助于消费者形成对品牌和相关产品更积极的态度，促进消费者完善产品评估和完成购买决策。

（3）以消费者需求为中心进行品牌形象设计和定位。按照品牌认同理论的观点，当商品所传递的品牌形象和价值理念与消费者理想中的形象、理念相一致时，消费者就会对该商品产生强烈共鸣；同时按照符号消费理论的观点，消费者对商品的消费不仅仅是其功能价值的消费，往往还包括对品牌形象、包装设计及品牌所代表的社会地位等符号价值的消费。在进行品牌形象设计和定位中，企业不能仅仅以自我形象和企业文化为主导，还应该充分考虑到商品消费者在消费过程中的需求偏好，采取各种宣传手段和形象设计理念来迎合消费者，从而使消费者在消费过程中达到与虚拟商品的形象、理念共鸣。

（4）加强提升消费体验。VR 在营销中的应用主要是通过 VR 设备去展示产品和服务，达到复制出相同产品或服务的水平。它可以让消费者在虚拟的世界体验真实的产品或服务，让消费者从被动接受到成为其中的一个角色，主动参与其中，深入了解、体验产品的质量和性能，增强消费者的参与感，增进消费者对产品或企业的好感，提升产品或服务的价值并间接或直接提高了购买率的转化。VR 技术不成熟在消费者体验上表现为使用过程中产生的眩晕感、近视者看不清画面，以及设备压鼻梁、不方便携带等不适感和问题。因此，在引入 VR 技术时，需注意克服上述缺陷，以提升消费体验。

8.1.4　网络品牌管理

对于品牌管理的各种手段和方式，归根结底都是为了改善外界对企业品牌的认知及评价，塑造良好的企业品牌形象，通过良好的品牌形象不断强化消费者对品牌的忠诚度，为企业创造价值。

1. 网络品牌构建的几个步骤

企业要建立和管理数字品牌，塑造良好的网上企业品牌形象，应根据网络营销的特点做好以下三个步骤。

第一步是选择核心承诺。该承诺必须以真实的、富有特色的价值提案吸引目标客户。

可以通过展现五个方面来承诺企业品牌理念：（1）便利性——能更快、更好和更便宜地完成任务；（2）成就感——能使人在参与任何活动时都体会到赢家的感觉，即成就感承诺；（3）娱乐性——设计游戏和其他活动吸引（甚至刺激）消费者，即趣味性和冒险性的承诺；（4）个性化——设计个性化的产品，满足多元化需求；（5）归属感——突出优势，提供有归属感的承诺。

第二步是履行承诺。数字品牌做出的承诺并不是互联网特有的，但互联网作为新媒体的特别之处在于拥有无可比拟的互动能力，可以快速、可靠、方便地履行承诺并有利可图，其规模之大、范围之广令传统对手无力反击。试图成功建立数字品牌的企业必须充分满足顾客利益，从而将承诺转换成特定的互动模式，同时网站在设计上也必须给消费者提供畅通无阻的购物经历。例如，企业利用互联网，可以克服传统交易在时间、空间和记忆上存在的弱点，有效改善客户的购物流程，促进客户之间的沟通。最好的经营商将为消费者提供一个完美的"终端对终端"的购物经历，将产品或服务的承诺直接送抵消费者手中。

第三步是重新思考商业模式。当数字品牌经营者调整承诺和设计时，必须同时调整支持其业务的经营模式。对大多数成熟品牌的管理者而言，要想将业务移至网上，就必须对业务进行重新评估。与传统意义上的品牌相比，数字品牌提供更为丰富的消费经历，有能力获得更庞大的收入和利润来源。

在传统经济下，品牌是指消费者对某一产品或服务的特性、形象以及性能的总体认识和好恶度。而在互联网上，顾客的经历就是品牌，在消费者首次光顾网站、购物、送货以及售后服务的整个过程中，消费者网上购物经历的每个细节都有可能对数字品牌产生重要的影响。要成功地创建数字品牌，需要品牌管理者重新审视互联网和品牌概念。在信息时代，企业可以通过建立网站、使用搜索引擎竞价排名服务、刊登网络广告、利用网络公关手段等实现企业品牌的广泛传播。这种建立品牌的方式，成本更加低廉，而且可以让企业在短时间内树立知名度。借助互联网，企业一夜成名不再是梦想。但是，网络营销的众多案例告诉我们，一些年轻的网上企业可以飞快建立起品牌，但没有一家公司能够违背传统营销的金科玉律：千古流芳的品牌不是一天造成的。想要成为网上的可口可乐或迪士尼，需要长久的不断努力与投资来维持和保护品牌形象。

2. 塑造品牌形象的有效方法

这些年来，由于搜索引擎、博客、BBS 的迅速发展，网上信息传播的速度和范围爆炸式地扩大。由于网络上信息传递的及时特性，以及网络言论不易控制的特点，即使很小的失误到了网络上也可能造成巨大的负面影响。这些不利信息在网络上可能很容易地被消费者检索到，一旦消费者看到企业负面信息，就会有先入为主的印象，对企业的品牌产生不信任感，这对潜在消费者的冲击很大。企业的品牌形象如同一块易碎的玻璃，稍有不慎便会破碎。

因此，企业品牌形象管理必须强调对公众评论、舆论的反应速度以及与公众保持最大的接触面，达到公众和企业之间建立起相互信任的关系的目的，并积极做好品牌危机管理，在品牌形象受到不利信息的冲击时，可以及时获得事件信息，对其做出快速反应并做好善后处理工作，重塑品牌形象。在实践中，通过网络塑造品牌形象的有效方法主要有以下几种。

（1）建立防控预警机制，通过网络倾听公众对企业的议论，尤其要留意欠佳的评价，使声誉问题防患于未然。

（2）通过网络有效地表述，向公众传播有关公司的信息，阐述公司对公众所关心的问题的看法，增进公众与公司的感情交流。

（3）慎重、从容地面对媒体，尤其在涉及暴露于公众面前的问题时，要与记者积极配合，并开诚布公，同时避免对不适合暴露于公众面前的问题进行公开讨论。

（4）充分利用多种交往手段，如广告、BBS、E-mail等，加强对外宣传和沟通。在瞬息万变的网络世界中，消费者将面对越来越多的选择，消费偏好也在不断变化。只有树立良好的品牌形象，牢牢地把握住消费者，企业才能建立起永久持续经营的基石。维护企业的声誉，树立良好的品牌是一项长期而艰巨的任务。

8.1.5 网络营销新产品的开发策略

与传统新产品开发一样，网络营销新产品开发策略也有下面几种类型，但策略制定的环境和操作方法不一样，下面分别予以分析。

1. 新问世的产品

新问世的产品即开创了一个全新市场的产品。这种策略主要由创新公司采用。网络时代使得市场需求发生了根本性的变化，消费者的需求和消费心理也发生了重大变化。因此，如果企业有很好的产品构思和服务概念，即使没有资本也可以获得成功，因为许多风险投资者愿意将资金投入互联网市场。例如，我国专门为商人服务的网站阿里巴巴，凭借其提出的独到的为商人提供网上免费中介服务的概念，迅速地让公司成长起来。这种策略是网络时代最有效的策略，因为网络市场中只有第一没有第二，"The winner takes all"（赢者通吃）。

2. 新产品线

新产品线即公司首次进入现有市场的新产品。互联网技术的扩散速度非常快，利用互联网迅速模仿和研制开发出已有产品是一条捷径，但在互联网竞争中一招领先、招招领先。因为新产品开发的速度非常快，这种策略只能作为一种对抗性的防御策略。

3. 现有产品线外新增加的产品

现有产品线外新增加的产品即补充公司现有产品线的新产品。由于市场不断细分，市场需求差异性增大，这种新产品策略是比较有效的策略。一方面，它能满足不同层次的差异性需求；另一方面，它能以较低风险进行新产品开发，因为它是在已经成功的产品上进行再开发。

4. 现有产品的改良品或更新

现有产品的改良品或更新即提供改善了的功能或较大感知价值并且替换现有产品的新产品。在网络营销市场中，消费者可以在很大范围内挑选商品，具有很大的选择权利。企业在消费者需求层次日益提高的推动下，必须不断改进现有产品并进行升级换代，否则很容易被市场抛弃。因此，必须考虑产品的信息化、智能化和网络化，如电视机的数字化和上网功能。

5. 降低成本的产品

降低成本的产品，指提供同样功能但成本较低的新产品，但个性化消费不等于高档消费。个性化消费是指根据个体收入、地位、家庭以及爱好等确定自己的需要。网络时代的消费者虽然注重个性化需求，但消费者的消费意识更趋于理性化，更强调产品带来的价值，以及所花费的代价。在网络营销中，产品的价格总体呈下降趋势，因此提供相同功能但成本更低的产品更能满足日益成熟的市场需求。

6. 重定位产品

重定位产品，即以新的市场或细分市场为目标市场的现有产品。这种策略在网络营销初期是可以考虑的，因为网络营销面对的是更加广泛的市场空间，企业可以突破时空限制以有限的营销费用去占领更多的市场。在全球的广大市场上，企业重新定位产品，可以取得更多的市场机会。例如，国内的中档家电产品通过互联网进入国际其他地区开拓市场后，可以将产品重新定位为高档产品。

在企业网络营销产品策略中究竟应采取哪种具体的新产品开发方式，可以根据企业的实际情况来决定。

8.2 网络营销的定价

网络营销定价目标是指企业通过制定产品网络营销价格所要求达到的目的。企业网络营销定价的目标主要包括：维持生存、当期利润最大化、市场占有率最大化、产品质量最优化等。不同的定价目标有着不同的含义和运用条件，企业可以据此制定产品的价格。在网络营销中，市场还处于起步阶段的开发期和发展时期，企业进入网络营销市场的主要目标是占领市场求得生存与发展机会，然后才是追求企业的利润。目前，网络营销产品的定价一般都是低价甚至是免费的，以求在迅猛发展的网络虚拟市场中获得立足机会。网络市场分为两大市场：一个是消费者大众市场，另一个是工业组织市场。前者属于成长市场，企业面对这个市场时必须采取相对低价的定价策略来占领市场。对于工业组织市场，购买者一般是商业机构和组织机构，购买行为比较理智，企业在这个网络市场上的定价可以采取双赢的定价策略，即通过互联网技术来降低企业、组织之间的供应采购成本，并共同享受成本降低带来的双方价值的增值。网络营销产品定价是指给网络营销的产品和服务制定价格的过程。网络营销价格是指企业在网络营销过程中买卖双方成交的价格。网络营销价格的形成过程较为复杂，受到诸多因素的影响和制约，如传统营销因素和网络自身对价格的影响因素。

8.2.1 网络营销定价应考虑的因素

影响企业定价的因素是多方面的，如企业的定价目标、企业的生产效率、国家的政策法规、消费者的接受能力、竞争对手的定价水平、供求关系以及供求双方的议价能力等。这些都是影响企业定价的重要因素。市场营销理论认为，产品价格的上限取决于产品的市场需求水平，产品价格的下限取决于产品的成本费用，在最高价格和最低价格的范围内，企业如何对待产品定价，则取决于竞争对手同种产品的价格水平、买卖双方的议价能力等因素。可见，市场需求、成本费用、竞争对手产品的价格、交易方式等因素对企业定价都有着重要的影响。

1. 需求因素

从需求方面来看，市场需求规模以及消费者的消费心理、感受价值、收入水平、对价格的敏感程度、议价能力等都是影响企业定价的主要因素。经济学中，因价格和收入变动而引起的需求的相应变动率称为需求弹性。需求弹性一般可以分为需求收入弹性、需求价格弹性、交叉价格弹性和顾客的议价能力等。

2. 供给因素

从供给方面来看，企业产品的生产成本、营销费用是影响企业定价的主要因素。成本是产品价格的最低界限，产品的价格必须能补偿产品生产、分销、促销过程中发生的所有支出，并且要有所盈利。根据与产量（或销量）之间的关系来划分，产品成本可以分为固定成本和变动成本两类。固定成本是指在一定限度内不会随产量或销量变化而发生变化的成本部分；变动成本是指随着产量或销量增减而增减的成本。二者之和就是产品的总成本。产品的最低定价应能收回产品的总成本。对企业定价产生影响的成本费用主要有总固定成本、总变动成本、总成本、单位产品固定成本、单位产品变动成本、单位产品总成本等。

3. 供求关系

从营销学的角度考虑，企业的定价策略是一门科学，也是一门艺术。从经济学的角度考虑，企业的定价大体上还是遵循价值规律的。因此，供求关系也是影响企业产品交易价格形成的一个基本因素。一般而言，当企业的产品在市场上处于供小于求的卖方市场条件时，企业产品可以实行高价策略；反之，当企业的产品在市场上处于供大于求的买方市场条件时，企业产品应该实行低价策略；而当企业的产品在市场上处于供等于求的均衡市场条件时，交易价格的形成基本处于均衡价格处。因此，企业的定价不能过度偏离均衡价格。

4. 竞争因素

竞争因素对价格的影响，主要考虑商品的供求关系及其变化趋势，竞争对手的定价目标、定价策略以及变化趋势。在营销实践中，以竞争对手为导向的定价方法主要有三种：一是低于竞争对手的价格；二是随行就市与竞争对手同价；三是高于竞争对手的价格。因此，定价过程中，企业应进行充分的市场调研以改变自己不利的信息劣势，对待竞争者则应树立一种既合作又竞争的共同发展观念，以谋求一种双赢结局。

8.2.2 网络营销定价的特点

开放快捷的互联网使企业、消费者和中间商对产品的价格信息都有比较充分的了解，因此网络营销定价与传统营销定价有很大的不同。网络营销定价的特点如下。

1. 全球性

网络营销面对的是开放的和全球化的市场，用户可以在世界各地直接通过网站进行购买，而不用考虑网站属于哪一个国家或地区。这种目标市场从过去受地理位置限制的局部市场，一下拓展到范围广泛的全球性市场，使得网络营销产品定价时必须考虑目标市场范围的变化给定价带来的影响。如果产品的来源地和销售目的地与传统市场渠道类似，则可以采用原来的定价方法。如果产品的来源地和销售目的地与原来传统市场渠道差距非常大，定价时就必须考虑这种地理位置差异带来的影响。例如，亚马逊的网上商店的产品来自美国，如果购买者也是美国消费者，那产品定价可以按照原定价方法进行折扣定价，定价也比较简单；如果购买者是中国或其他国家的消费者，那采用针对美国本土的定价方法就很难面对全球化的市场，影响了网络市场全球性作用的发挥。为解决这些问题，可采用本地化方法，准备在不同市场的国家建立地区性网站，以适应地区市场消费者需求的变化。因此，虽然企业面对的是全球性网上市场，但企业不能以统一市场策略来面对这差异性极大的全球性市场，而必须采用全球化和本地化相结合的原则进行。

2. 低价位定价

互联网是从科学研究应用发展而来的，因此互联网使用者的主导观念是网上的信息产品是免费的、开放的、自由的。在早期互联网开展商业应用时，许多网站采用收费方式想直接从互联网上赢利，结果都以失败告终。成功的雅虎公司是通过为网上用户提供免费的检索站点起步，逐步拓展为门户站点，到现在拓展至电子商务领域，一步一步获得成功的。它成功的主要原因是遵循了互联网的免费原则和间接收益原则。

3. 顾客主导定价

所谓顾客主导定价，是指顾客为了满足自身需求，通过充分市场信息来选择购买或定制生产自己满意的产品或服务，同时以最低代价（产品价格、购买费用等）获得这些产品或服务。简单地说，就是顾客的价值最大化，顾客以最小成本获得最大收益。顾客主导定价的策略主要有：顾客定制生产定价和拍卖市场定价。这两种主要定价策略将在下面详细分析。根据调查分析，由顾客主导定价的产品并不比由企业主导定价获取的利润低。国外拍卖网站 eBay 的分析统计显示，在网上拍卖定价产品，只有 20% 的产品拍卖价格低于卖者的预期价格，50% 的产品拍卖价格略高于卖者的预期价格，剩下 30% 的产品拍卖价格与卖者的预期价格相吻合，在所有拍卖成交产品中有95%的产品成交价格卖主比较满意。因此，顾客主导定价是一种双赢的发展策略，既能更好地满足顾客的需求，同时企业的收益又不受到影响，而且可以对目标市场了解得更充分，从而使企业的经营生产和产品研制开发更加符合市场竞争的需要。

8.2.3 网络营销定价策略

价格高低直接影响企业的利润，关系着产品和服务的销售业绩。在互联网时代，顾客日益个性化的需要和信息获得的便利性迫使决策者站在消费者的角度来制定价格，从而使价格既合理又富有竞争力。定价决策在实现企业整体目标过程中具有战略地位，价格政策必须要能够配合市场整个营销组合策略，以更好地实现企业的战略目标。

1. 低价渗透性定价策略

低价渗透性定价策略是以一个较低的产品价格打入市场，目的是在短期内加速市场成长，牺牲高毛利以期获得较高的销售量及市场占有率，进而产生显著的成本经济效益，使成本和价格得以不断降低。在网络营销中，产品借助互联网进行销售，比传统销售渠道的费用低廉，因此网上销售价格一般来说比传统的市场价格要低。

具体来说，低价渗透性定价策略可以分为以下三种。

（1）直接低价策略。直接低价策略就是在公布产品价格时就比同类产品定的价格要低。它一般是制造商在网上进行直销时采用的定价方式，如戴尔公司的电脑定价就比同性能的其他公司产品低10%～15%。采用低价策略的前提是开展网络营销，实施电子商务，这样才能为企业节省大量的成本费用。

（2）折扣低价策略。这种定价策略是指企业发布的产品价格是网上销售与网下销售通行的统一价格，而对于网上用户又在原价的基础上标明一定的折扣来定价的策略。这种定价方式可以让顾客直接了解产品的降价幅度，明确网上购物获得的实惠，吸引并促进用户的购买。这类价格策略常用于一些网上商店的营销活动当中，它一般按照市面上流行的价格进行折扣定价。例如，亚马逊网站销售的图书一般都有价格折扣。价格折扣又可分为现金折扣、数量折扣、功能折扣、季节折扣、推广津贴等。为鼓励消费者多购买本企业的商品，可采用数量折扣策略；为鼓励消费者按期或提前付款，可采用现金折扣策略；为鼓励中间商淡季进货或消费者淡季购买，可采用季节折扣策略等。

（3）促销低价策略。促销低价策略是指企业以低价格和少量促销费用来推销某种新产品，以求逐步打入和占领市场。企业虽然以通行的市场价格将商品销售给用户，但为了达到促销的目的还要通过某些方式给用户一定的实惠，以变相降低销售价格。如果企业为了达到迅速拓展网上市场的目的，但产品价格又不具有明显的竞争优势，而出于某种考虑不能直接降价时则可以考虑采用网上促销定价策略。比较常用的促销定价策略是有奖销售和附带赠品销售等策略。

2. 个性化定制生产定价策略

个性化定制生产定价策略是利用网络互动性的特征，根据消费者的具体要求来确定商品价格的一种策略。网络互动性使个性化营销成为可能，也将使个性化定价策略成为网络营销价格策略中的一个重要策略。

（1）定制生产内涵。作为个性化服务的重要组成部分，按照顾客需求进行定制生产是网络时代满足顾客个性化需求的基本形式。定制生产根据顾客对象可以分为两类。一类是面对工业组织市场的定制生产，这部分属于供应商与订货商的协作问题，如波音公司在设计和生产新型飞机时，要求其供应商按照飞机总体设计标准和成本要求来组织生产。这类属于工业组织市场的定制生产，主要通过产业价值链，从下游企业向上游企业提出需求和成本控制要求，上游企业通过与下游企业进行协作，设计、开发并生产满足下游企业需要的零配件产品。另一类是面向消费者市场的定制生产。由于消费者的个性化需求差异性大，加上消费者的需求量较少，因此企业实行定制生产必须在管理、供应、生产和配送各个环节上，都适应这种小批量、多式样、多规格和多品种的生产与销售变化。为适应这种变化，现在企业在管理上采用企业资源计划（enterprise resource planning，ERP）系统来实现自动化、数字化管理，在生产上采用计算机集成制造系统（computer integrated manufacturing system，CIMS），在供应和配送上采用供应链管理（supply chain management，SCM）。

（2）定制定价策略。定制定价策略是在企业能实行定制生产的基础上，利用网络技术和辅助设计软件，帮助消费者选择配置或自行设计能满足自己需求的个性化产品，同时承担自己愿意付出的价格成本。如美国的汽车定制公司 Local Motors 把一辆车的每个设计环节放在网站上，由网友来设计自己想象中的汽车，吸引了 5 000 多人参加。完成设计后限量生产、销售。第一款量产汽车是一款越野赛车，由平面设计师 Sangho Kim 设计，车名叫 Rally Fighter。目前这种允许消费者定制定价订货的尝试还处在初级阶段，消费者只能在有限的范围内进行挑选，还不能完全要求企业满足自己所有的个性化需求。

3. 使用定价策略

所谓使用定价，就是顾客通过互联网注册后可以直接使用某公司的产品，顾客只需要根据使用次数进行付费，而不需要将产品完全购买。传统交易关系中，产品买卖是完全产权式的，顾客购买产品后即拥有对产品的完全产权。但随着经济的发展和人民生活水平的提高，人们对产品的需求越来越多，而且产品的使用周期也越来越短，许多产品购买后使用几次就不再使用，非常浪费，制约了消费者对此类产品的进一步使用。要改变这种情况，消费者可以在网上采用类似租赁的按使用次数定价的方式。这样既减少了企业为完全出售产品而进行的大量的生产和包装浪费，也可以吸引那些有顾虑的顾客使用产品，扩大市场份额。顾客每次只是根据使用次数付款，节省了购买产品、安装产品、处置产品的麻烦，还可以节省其他不必要的开销。如淘宝卖家使用的软件很多就是基于使用定价的。采用按使用次数定价，一般要考虑产品是否适合通过互联网传输，是否可以实现远程调用。目前，比较适合的产品有软件、音乐、电影等。对于软件，如我国的用友软件公司推出的网络财务软件，用户在网上注册后即可在网上直接处理账务，而无须购买软件和担心软件的升级、维护等；对于音乐产品，也可以通过网上下载或使用专用软件点播；对于电影产品，则可以通过现在的视频点播系统 VOD 来实现远程点播，无须购买影带。另外，采用按次数定价对互联网的带宽提出了很高的要求，因为许多信息都要通过互联网进行传输，如果互联网带宽不够将影响数据传输，势必会影响顾客的使用。

4. 拍卖定价策略

网上拍卖是目前发展较快的领域，是一种最具市场化、最合理的方式。经济学认为，市场要想形成最合理价格，拍卖竞价是最合理的方式。随着互联网市场的拓展，将有越来越多的产品通过互联网拍卖竞价。由于目前购买群体主要集中在消费者市场，个体消费者是目前拍卖市场的主体。因此，这种网络营销价格策略并不是目前企业首要选择的定价方法，它可能会破坏企业原有的网络营销渠道和价格策略。比较适合网上拍卖竞价的是企业的一些原有积压产品，也可以是企业的一些新产品，可以通过拍卖展示起到促销作用。目前国外比较有名的拍卖网站是 ebay，它允许商品公开在网上拍卖，拍卖竞价者只需在网上进行登记即可。拍卖方只需将拍卖品的相关信息提交给 eBay 公司，经公司审查合格后即可上网拍卖。网上拍卖，按照报价模式的不同，分为英式拍卖、荷式拍卖、最高报价密封拍卖、Vickrey 拍卖（又称次高报价密封拍卖）、第 K 高报价拍卖、线性拍卖等。一般来讲，英式拍卖与 Vickrey 拍卖等价，荷式拍卖与最高报价密封拍卖等价。按照拍卖标的物的种类不同，网上拍卖分为单品拍卖与组合拍卖；按照买卖双方参与人数的不同，分为单边拍卖与多边拍卖或者正向拍卖与反向拍卖；按照买方对标的物的喜好程度的不同，分为单值偏好拍卖与多值偏好拍卖。根据供需关系，网上拍卖竞价方式有下面几种。

（1）竞价拍卖。最大量的是 C2C 的交易，包括二手货、收藏品，也可以是普通商品以拍卖方式进行出售。例如，HP 公司将一些库存积压产品放到网上拍卖。

（2）竞价拍买。这是竞价拍卖的反向过程，消费者提出一个价格范围，求购某一商品，由商家出价，出价可以是公开的或隐蔽的，消费者将与出价最低或最接近出价范围的商家成交。如美国出现了一家不同于 Groupon 和 LivingSocial 模式的新型 C2B 每日特惠网站 OffersBy.Me。该网站要求用户先对特定品类的服务或产品给出自己的消费上限，网站会针对用户的需求提供价格适合的优惠项目。我国的乐贴网旗下的"聚想要"也是基于用户消费需求搭建的 C2B 平台，是新型 O2O 方向的电子商务模式，是"C2B + O2O"电商模式的产品。它致力于颠覆千万用户传统消费习惯，促进更加透明化、简单化的反向消费模式平台发展。

（3）集体议价。在互联网出现以前，这种方式在国外主要是多个零售商结合起来，向批发商或生产商以数量换价格。互联网的出现使得普通的消费者能使用这种方式购买商品。

5. 声誉定价策略

声誉定价是指对一些名牌产品，企业往往可以利用消费者仰慕名牌的心理制定大于其他同类产品的价格。例如，国际著名的欧米茄手表，在我国市场上的售价从一万元到几十万元不等。消费者在购买这些名牌产品时，特别关注其品牌，因为其极高的标价让消费者获得极大的心理满足。

在网络营销价格策略的发展初期，消费者对网上购物和订货还有着很多疑虑，例如网上所订商品的质量能否保证、货物能否及时送到等。所以，对于声誉较好的企业来说，在制定网络营销定价策略时，价格可定得高一些；反之，价格则定得低一些。而产品的质量与企业的形象最终都凝聚在品牌上，以品牌的形象表现出来。价格是品牌价值的有形象征，知名品牌产品的附加价值较高，在网络营销中，适当利用声誉提升产品的定价，既能吸引顾客，又能为企业增加利润。由于网络营销出现得较晚，对于本身已具有品牌效应又得到人们认可的产品，在网上定价中，完全可以对品牌效应进行扩展和延伸，利用网络宣传和传统销售的结合，产生整合效应。

6. 差别定价策略

所谓差别定价，就是企业按照两种或两种以上不同反映成本费用的比例差异的价格来销售某种产品或劳务。差别定价的概念是由英国经济学家庇古（Pigou）首先提出的，他依据程度不同将价格划分为三级：一级、二级和三级差别定价。一级差别定价，又称为完全差别定价，它是根据每个顾客对每单位商品的最大愿付价格来定价。在这种定价方式下，消费者无法享有任何消费者剩余，也就是说顾客在购买商品时，愿意支付的最高价格和他实际支付的价格相等，此时，生产者成功获取了全部消费者剩余。二级差别定价，又称为间接区隔差别定价，是指厂商按不同的购买量分组，并对不同的组别索要不同价格的定价方式。由于有关顾客个人偏好的信息不完全，生产者只能通过顾客的自我选择来不完全地获取消费者剩余，这可能是针对同一顾客，也可能是针对不同顾客。三级差别定价，又称为直接区隔差别定价，是指厂商依照不同顾客所属的市场区隔来定价。由于生产者可能观察到某些与消费者偏好相关的信息，如年龄、职业、所在地等，就可利用这些信息进行区别定价。二级和三级差别定价的不同之处在于：后者利用了关于需求的直接信息；而前者是通过消费者的自我选择来间接区别消费者的。差别定价在我们的网络营销中非常普遍。如淘宝的"双11"、反季促销、预购打折等就是时间差别定价法。而依据求购数量的不同做出不同的定价模式则是数量差别定价法。差别定价已经成为现代营销定价策略中的一种非常普遍的定价方法。实施差别定价可以使企业占有消费者剩余，并把它转化为自己的利润。不同的消费者在购买商品时，由于各自的需求欲望有强有弱，各自的支付能力有大有小，以及其他的一些因素上也可能存在着差异，因而他们愿意支付的最高价格就会存在差异。根据不同消费者制定不同的价格，就可在不同类别的消费者身上分别实现收益的最大化。因此，实施差别定价可以比统一定价获得更多的利润。网络营销由于网络的互动性使企业更易获得有关消费者的信息，并据此制定不同的价格，也就是说网络营销比传统营销更具有实施差别定价的条件。

虽然实施差别定价可以获得更大的利润，但是如果不具备一些基本条件，网络营销也无法实施差别定价。网络营销实施差别定价的条件如下。

（1）网络营销进入的市场必须是可以细分的，而且各个细分市场须表现出不同的需求程度，即需求的价格弹性不同。对价格弹性小的顾客可以制定较高的价格，对价格弹性大的顾客可以制定较低的价格。细分的手段是多种多样的，可通过地理区域以及消费者的职业、收入等进行细分。

（2）以较低价格购买某种产品的顾客，没有可能以较高价格把这种产品转售给别人。转售是消费者的一种套利交易形式，如果购买者之间可以转售产品，即便是一个拥有完全信息的厂商也不能对消费者实施差别定价。

（3）当网络营销者采取差别定价的策略销售产品时，竞争者没有可能在这个市场上以低价竞销。如果竞争者可以以较低的价格在这个市场上竞争，那么顾客都会转向竞争者。

（4）网络营销实施差别定价时，细分市场和控制市场的费用不得超过因实行差别定价所得的额外收入。

（5）网络营销实施差别定价不会引起顾客的反感和敌意，否则顾客有可能放弃购买，从而造成顾客流失、影响销售。

（6）网络营销采取的差别定价方法不能违背《中华人民共和国价格法》简称（《价格法》）。由于法律对差别定价的规范留有空间，规定只有当差别定价的对象是存在相互竞争关系的用户时才被认为是违法的，因此，网络营销实施差别定价必须在《价格法》规定的范围内实施。

7. 免费价格策略

免费概念是互联网最深入人心的竞争策略，许多企业都借助互联网这一特殊的载体取得了巨大成功。免费价格策略之所以在互联网上流行，有其深刻的背景。这是因为，互联网作为 20 世纪末最伟大的发明，它的发展速度和增长潜力令人生畏，任何有眼光的企业领导者都不会放弃这一潜力极大的发展机会，在网络市场发展的初级阶段，免费价格策略是最有效的市场占领手段之一。目前，企业在网络营销中采用免费价格策略的目的，一方面在于使消费者在免费使用形成习惯或偏好后，再开始逐步过渡到收费阶段；另一方面是想发掘后续商业价值，它是从战略发展的需要出发来制定定价策略的，主要目的是先占领市场，然后在市场上获取收益。如雅虎公司通过免费建设门户站点，经过四年亏损经营后，通过广告收入等间接收益扭亏为盈。但在前四年的亏损经营中，公司却得到了飞速发展，主要得力于股票市场对公司的认可和支持，因为股票市场看好其未来的增长潜力，而雅虎的免费价格策略恰恰使它占领了较大的网上市场份额，具有很大的市场竞争优势和巨大的市场盈利潜力。

（1）免费价格策略的内涵。免费价格策略就是将企业的产品和服务以零价格形式提供给顾客使用，满足顾客的需求。免费价格策略是目前网络营销中常用的一种营销策略，主要用于促销和推广产品。这种策略一般是短期的和临时性的。在网络营销实践中，免费价格策略不仅仅是一种促销策略，还是一种有效的产品和服务定价策略。

（2）免费价格策略的形式。免费价格策略主要有以下几种形式。一是完全免费，即产品（或服务）在购买、使用和售后服务等所有环节都实行免费。例如，《人民日报》的电子版在网上可以免费使用；美国在线公司在成立之初，在商业展览会场、杂志封面、广告邮件，甚至飞机上，都提供免费的美国在线软件，连续实行五年后，吸纳了 100 万名用户。二是限制免费，即产品（或服务）可以被有限使用，超过一定期限或者次数后，取消这种免费服务。例如，金山软件公司免费赠送可以使用 99 次的 WPS2000 软件，使用次数完结后，消费者需要付款申请方可继续使用。三是部分免费，指对产品整体的某一部分或服务全过程中某一环节的消费可以享受免费。例如，一些著名研究公司的网站公布的部分研究成果是免费的，如果要获取全部研究成果则必须付费；在线视频网站会免费播放一些电影或 VCD 片段，而要想观看全部内容，则需要付费。四是捆绑式免费，即在购买某产品或者服务时可以享受免费赠送其他产品和服务的待遇。例如，国内的一些网络业务提供商（ISP）为了吸引接入用户，推出了上网免费送 PC 的市场活动。实际上，这种商业模式就相当于分期付款买 PC 附赠上网账号的传统营销模式。

（3）免费产品的特性。网络营销中产品实行免费价格策略会受到一定的环境制约，并不是所有的产品都适合于免费价格策略。互联网作为全球性开放网络，可以快速实现全球信息交换，只有那些适合互联网这一特性的产品才适合采用免费价格策略。一般来说，免费产品具有如下特性。

1）易于数字化。互联网是信息交换平台，它的基础是数字传输。对于易于数字化的产品都可以通过互联网实现零成本的配送，这与传统产品需要通过交通运输网络花费巨额资金实现实物配送有着巨大区别。企业只需将这些免费产品放到企业的网站上，用户可以通过互联网自由下载使用，企业通过较小成本就可实现产品推广，节省了大量产品推广费用。例如，思科公司将产品升级的一些软件放到网站上，公司客户可以随意下载、免费使用，从而大大减少了原来免费升级服务的费用。

2）无形化。通常采用免费价格策略的大多是一些无形产品，它们只有通过一定载体表现出一定形态，如软件、信息服务（如报纸、杂志、电台、电视台等媒体）、音乐制品、图书等。这些无形产品可以通过数字化技术实现网上传输。

3）零制造成本。这里所说的零制造成本主要是指产品开发成功后，只需通过简单复制就可以实现无限制的产品生产。这与传统实物产品生产受限于厂房、设备、原材料等因素有着巨大区别。上面介绍的软件等无形产品都易于数字化，也可以通过软件和网络技术实现无限制自动复制生产。对这些产品实行免费策略，企业只需投入研制费用，至于产品的生产、推广和销售则完全可以通过互联网实现零成本运作。

4）成长性。采用免费价格策略的目的一般都是利用高成长性的产品推动企业占领较大的市场，为未来市场发展打下坚实基础。例如，微软为抢占日益重要的浏览器市场，采用免费价格策略发放其浏览器 IE，用以对抗先行一步的网景公司的航海者 Navigator，结果在短短两年内，网景公司的浏览器市场就丢失半壁江山，最后只有被迫出售、兼并以求发展。

5）冲击性。采用免费价格策略的产品主要目的是推动市场成长，开辟新的市场领地，同时对原有市场产生巨大的冲击，否则免费价格的产品很难形成市场规模，在未来获得发展机遇。例如，3721 网站为推广其中文网址域名标准，以适应中国人对英文域名的不习惯，采用免费下载和免费在品牌电脑预装策略，在 1999 年短短的半年时间内迅速占领市场并成为市场标准，对过去被国外控制的域名管理产生巨大冲击和影响。

6）间接收益。企业在市场运作中，虽然可以利用互联网实现低成本的扩张，但免费的产品还是需要不断开发和研制，需要投入大量的资金和人力。因此，采用免费价格的产品（或服务）一般具有间接收益特点，即它可帮助企业通过其他渠道获取收益。例如，雅虎公司通过免费搜索引擎服务和信息服务吸引用户的注意力，这种注意力形成了雅虎的网上媒体特性，雅虎可以通过发布网络广告产生间接收益。这种收益方式也是目前大多数 ISP 的主要商业运作模式。

8.2.4 网络产品的定价方式

1. 网络营销产品定价程序

在网络营销中，产品的定价过程可以分成几个相互联系但又各具特点的阶段，确定网络产品价格的程序一般包括以下几个步骤。

（1）确定定价目标。定价目标是指企业通过制定产品价格所要达到的目的。它是企业选择定价方法和制定价格的依据。不同企业有不同的定价目标，即使是同一企业，在不同时期也有不同的定价目标。因此，企业定价目标不是单一的，而是一个多元的结合体，企业在不同的定价目标下制定出的商品价格也各不相同。在网络营销中，企业的定价目标主要有：以维持网络公司生存为定价目标；以获得当前利润最大化为定价目标；以追求市场占有率最大化为定价目标；以树立和改善网站形象为定价目标；以应对和防止竞争为定价目标。

（2）分析与测定市场需求。分析与测定市场需求是企业确定营销价格的一项重要工作。首先需要确定目标市场。究竟谁是我们的客户？谁是潜在的客户？可通过细分市场的方法来确定目标市场，然后对客户的需求进行分析，可以从客户的行为、心理、地理位置、消费方式、消费频率、价格弹性、潜在客户规模等方面分析需求。需求分析的主要内容包括：市场需求总量、需求结构的测定；预计网络消费者可接受的价格；不同价格水平下人们可能购买的数量与需求价格弹性，等等。

（3）计算或估计产品成本。网络产品的原始成本将直接影响到产品的价格，是制定价格的最低经济界限。按在市场价格形成中的作用不同，价格成本可分为社会成本和企业成本。产品的社会成本是指所有生产或经营该商品的同类企业成本的平均值，或有代表性的典型企业、地区的成本。社会成本是网络营销定价的直接依据，在激烈竞争的市场环境中，社会成本对市场价格形成在客观上起着决定性的作用，因此，应作为企业定价时的重要参考依据。企业成本是指企业在生产、经营过程中实际发生的成本。企业成本应尽量接近社会成本或低于社会成本。成本分析内容包括：一是确定产品成本构成。可采用 ABC 分析方法或利用价值链方法。二是评估产量、销量对成本的影响，例如是否存在规模效应。三是分析产品的成本优势。同竞争对手相比，分析成本优势在何处。四是分析经验曲线对生产成本的影响。经验曲线显示了在一定时期、一定范围内，平均成本随着生产经验的积累而以一定的比例下降。五是考虑公司对成本的控制能力。分析公司对研发能力、节省成本的能力、供应商的砍价能力等的控制程度有多大。

（4）分析竞争对手的价格策略。分析和了解竞争对手是企业制定战略及策略的基础。为此，企业营销人员必须了解和分析以下问题：自己的竞争对手是谁？他们的营销目标是什么？有何优势和劣势？采取何种价格策略？实施效果如何？对本企业的影响程度如何？这样，企业才能有效地防御竞争对手的进攻，并选择适当的时机攻击竞争对手，赢得生存和发展的空间。

（5）选择定价方法。定价方法主要有成本导向定位法、需求导向定位法和竞争导向定位法等。不同的定价方法各有其优势和适用条件。

（6）确定最终价格。需求与成本限定了价格弹性的延伸。在最高和最低界限之间，竞争、法律及伦理因素也将影响某一具体价格的选择。在产品正式进入市场之前，企业可能进行"试销售"，以测试市场反应和根据消费者需要对产品进行最后的改进，并征询消费者对价格的意见和建议。当一切准备就绪后，产品的最后售价就确定了。

（7）价格信息反馈。产品的售价应根据市场的状态、竞争者价格、替代品的状况进行适当的调整，因此，企业要经常收集价格的反馈信息，使产品的定价与消费者的价格期望相一致，以维持必要的市场占有率。

2. 网络营销定价方法

传统市场营销定价的基本原理同样适用于网络市场，但是，网络市场与传统市场又存在着较大的差异，这种差异导致网络市场的定价方法又不同于传统市场的定价方法。在网络市场中，成本导向定位法将逐渐被淡化，而需求导向定位法、竞争导向定位法不断得到强化，并将成为网络营销中确定网络产品价格的主要方法。

（1）成本导向定位法。成本导向定位法包括成本加成定价法、盈亏平衡定价法和边际贡献定价法。

1）成本加成定价法，即在产品单位成本的基础上，加上一定比率的预期利润确定为其产品的单价。其计算公式为：

$$产品单价 = 产品单位成本 \times (1 + 加成率)$$

其中，加成率为预期利润占产品单位成本的百分比，即成本利润率。

2）盈亏平衡定价法，即保本定价法，指企业暂时放弃了对利润的追求，只求保本。这种方法主要适用于企业为了开拓网络市场，谋求市场占有率和保证实现一定的销售量目标的情况。其计算公式为：

$$单位价格 = 总成本 / 预计保本销售量$$

3）边际贡献定价法，即仅计算可变成本，不计算固定成本，而以预期的边际贡献补偿固定成本，获得相对收益的一种定价方法。所谓边际贡献，是指价格中超过变动成本的部分。例如，某企业生产 10 000 件商品，全部变动成本为 6 000 元，固定成本为 4 000 元，每件商品的平均变动成本为 0.60 元，若按一般规律定价，商品的最低售价至少为 1 元，（6 000 + 4 000）/ 10 000 = 1 元 / 件。如果再加上一部分利润，商品价格就要超过 1 元。现在我们假设该企业考虑到特殊市场环境或出于网络营销的需要，在确定商品价格时仅计算可变成本，不考虑固定成本，则商品单价只要大于 0.60 元，就能获得边际贡献。如果商品单价能定为 0.70 元，企业就可获得 1 000 元边际贡献，固定成本损失将减少至 3 000 元；如果商品能定价为 0.80 元，则边际贡献是 2 000 元，用于补偿固定成本后，固定成本损失则减少至 2 000 元。

（2）需求导向定价法。现代市场营销观念认为，企业的一切生产经营活动必须以消费者需求为中心。需求导向定价法是根据消费者对产品的感觉差异和市场需求状况来确定价格的方法，而不是直接以成本为基础。需求导向定价法包括购买者认知价值定价法和需求差别定价法。

1）购买者认知价值定价法，是指根据购买者对产品价值的认知和理解来确定价格的一种方法。认知价值定价法的实施过程：首先，企业通过网络把商品介绍给消费者，让消费者对商品的性能、用途、质量、品牌、服务等要素有一个初步的印象；其次，企业利用网络通过广泛的市场调查，了解消费者对商品价值的理解，以此作为定价标准，制定出商品的初始价格；最后，在初始价格的基础上，预测可能的销售量，确定目标成本和销售收入，在比较成本与收入、销售量与价格的基础上，分析该定价方案的可行性，并制定出最终价格。

2）需求差别定价法，是将同种产品确定出不同的价格销售给同一市场上的不同顾客。这时的价格差别是销售者根据顾客的需求差异实行差别定价的结果。其主要定价方式有以下几种。

①因顾客而异的差别定价，即同种产品针对不同职业、收入、阶层或年龄的消费者群制定不同的价格。

②因产品式样而异的差别定价，对式样不同的同种商品制定不同的价格。

③因时间而异的差别定价，根据产品季节、日期及钟点上的需求差异制定不同的价格。

④因空间而异的差别定价，企业根据自己产品销售区域的空间位置来制定商品的价格。

实行需求差别定价法要具备的前提条件：一是市场能够根据消费者的需求差异进行细分；二是以较低价格购买某种产品的顾客，没有可能以较高价格把这种产品倒卖给别人；三是竞争者没有可能在企业以较高价格销售产品的市场上实行低价竞销；四是价格歧视不致引起顾客反感而放弃购买。

（3）竞争导向定位法。这种定价方法主要是为了竞争，以竞争者的价格作为定价基础，以成本和需求为辅助因素。其特点是只要竞争者的价格不变，即使成本或需求发生变动价格也不动；反之亦然。竞争导向定位法主要有流行水准定价法、竞争投标定价法和拍卖定价法。

1）流行水准定价法，即企业以同行业企业的平均价格水平为基准定价。在竞争激烈的情况下，这是一种与同行和平共处、比较稳妥的定价方法。

2）竞争投标定价法，是招标单位通过网络发布招标公告，由投标单位进行投标，而择优成交的一种定价方法。对于招标单位来说，竞争投标定价法扩大了招标单位对投标单位的选择范围，从而使企业能在较大范围内以较优的价格选择优秀的投标单位。对于投标单位来说，竞争投标定价法不仅增加了投标的营销机会，而且使企业能获得较为公平的竞争环境，为企业的发展创造了良机。竞争投标定价法的定价程序如下。①招标。由买方发布招标公告，以提出征求产品或劳务的具体条件，引导卖方参与竞争。②投标。卖方或承包者根据招标公告的内容和具体要求，结合自己的条件，考虑成本、利润和竞争者可能提出的报价，在买方规定的截止日期内，将自己愿意承担的价格密封提出。③开标。买方在规定期限内，积极认真地选标，全面认真地审查卖方提出的投标报价、技术力量、工作质量、生产经验、资本金情况、信誉高低等，以此为基础选择卖方或承包商，并到期开标。

3）拍卖定价法，是指拍卖行（或网站）受出售者的委托，在特定场所（或网站）公开叫卖，引导买方报价，利用买方竞争求购的心理，从中选择最高价格的一种定价方法。目前，许多拍卖行在网上进行有益的尝试，使拍卖定价法在网络营销中得到了较快的发展。

商品价格有广义和狭义之分。狭义的商品价格是指商品交易完成时一次付清的货币额；广义的商品价格除此之外还包括商品交易时的特殊条件，如价格优惠、分期付款、售后服务等促销措施。消费者获得优惠条件的可能性是商品价格水平的反映。市场上多数商品的需求具有分散性，目标顾客群的消费理念及消费心理呈多样性。因而，就某种商品而言，其定价就必须采用因地制宜的价格多模式策略。市场营销组合策略是企业一系列市场营销决策的核心决策，包括产品、价格、渠道和促销四大要素。价格是其中最敏感的因素。网络营销定价策略应与市场营销组合策略的应用相结合。结合营销组合策略的价格多模式策略，给不同的消费者提供个性化的价格服务，其目的为最大限度地扩大消费群。

8.3 网络分销渠道

8.3.1 网络分销渠道概述

分销渠道是以最具成本效益的方式将产品从生产者传递至最终用户所经过的、由各种中间机构连接所组成的渠道系统，也即公司内部营销部门和外部的各种中间商构成的销售网络，是使产品或服务能被使用或消费而配合起来的一系列独立组织的集合。网络分销渠道是指在电子商务环境下，企业利用互联网技术和方法将产品从产品生产者传递至最终用户所说经过的各种网络分销商的结合。

1. 网络分销渠道的功能

不论是传统的还是网络的分销渠道，其主要功能都是把产品从生产者转移到使用者，克服产品及服务的生产与使用在时间、地点和所有权方面的不一致。为了完成这一使命，渠道所承担的并不仅仅是交易功能，还承担着许多其他重要的功能。

（1）传统分销渠道的一般功能。分销渠道以转移产品为主要职能，同时关系着产品或服务所有权的转移、信息沟通、融资、谈判、分担风险、付款、实体服务等功能，对分销渠道功能的简单介绍如下。

1）信息沟通。分销系统最接近顾客，因此其可以获得并传递有关潜在的和现实的顾客、竞争者与其他参与者的信息，同时把有说服力的产品沟通信息传递给顾客。因此，分销渠道传递的不仅仅是产品或服务，还包括各种有用的营销信息。

2）融资。生产商和各层次中间商互相提供资金方面的支持，以及有业务往来的各公司之间相互提供资金支持，有助于降低资金使用成本，提高资金的使用效率，形成双赢的局面。

3）谈判。就产品的价格和其他条件与顾客进行谈判，以达成一致，实现所有权的转移。

4）分担风险。分销渠道承担其经营内的风险，可以分担一部分生产商的风险，当然也会分享一定的收益。

5）实体服务。产品从生产者到使用者的转移，需要一系列的运输、储存，甚至加工服务，这些服务往往由分销渠道承担，并且会比生产商亲自处理更有效。

（2）网络分销渠道的功能。由于基础设施和消费者购买行为的变化，传统分销渠道对环境变化做出了积极反应。新的基于互联网的网络分销渠道不同于传统分销渠道，在功能上也出现了一些新的变化，这主要体现在信息中介服务、交易中介、直接交易、交易服务组织、技术支持等方面。

1）信息中介服务功能，即收集、发布各类交易信息，评估网站和不同品牌的同种产品等。虽然生产商和消费者可以通过网络工具获得大量信息，但这些大量信息必须经过分析、归类才能变成有价值的信息，否则反而会增加交易双方的负担。在海量信息的互联网中，信息中介服务能很好地满足买卖双方对有效信息的市场需求。

2）交易中介功能，即通过构建专业化网络平台，形成一个虚拟市场，给生产商和消费者提供交易的场所。受安全、经济、交易习惯等影响，生产商和消费者希望网络空间中也能有一个被大家认同的类似于传统交易场所的虚拟市场，网络分销商独立于生产商和消费者提供这种服务。

3）直接交易功能，是传统模式下分销交易功能在网络交易中的延伸，分销商作为交易活动的直接参与者承担商品交易的功能。尽管电子商务方便地实现了直销模式，但通过网络分销渠道进行的间接交易在很多行业仍占据着一定的份额。

4）交易服务组织功能，即在电子商务过程中为买卖双方提供一系列配套的金融、保险、物流及法律等服务。由专业化的分销商提供配套服务可以很好地实现服务的规模效应和经济效益，从而提高企业的整体竞争优势，交易服务已经成为整个交易活动的重要竞争领域。

5）技术支持功能，互联网的快捷、方便和互动等特性加强了网络分销渠道与消费者、供应商的交流沟通，提高了其技术支持的能力。通过网络提供在线技术支持将成为网络渠道未来增值服务的一个重要领域。与传统的分销渠道相比，网络分销渠道在整个交易活动中的谈判、融资功能逐渐弱化，而信息中介服务功能（如支付、保险、物流协调和法律服务等）则不断强化，同时由于电子市场的虚拟性和信用制度的不完善等问题，网络分销商所承担的市场风险也更大。但总的来说，网络分销渠道提供的增值服务和集中交易的功能有效地聚集了分散在世界各地的商品供求方，降低了交易成本，产生了规模经济效益，真正体现了电子商务的竞争优势。

2. 网络分销渠道与传统分销渠道的比较

由于网络技术的广泛应用，网络分销渠道与传统分销渠道在许多方面都有所不同，下面从渠道的作用、结构和费用等方面对两者进行比较。

（1）作用比较。菲利普·科特勒认为分销渠道是指使产品或服务能被使用或消费而配合起来的一系列独立组织的集合。在传统营销渠道中除了生产者和消费者，通常还有许多独立的中间商存在。在许多情况下，商品或服务都不能直接由生产者销售给消费者，而是必须通过中间商才能实现所有权的转移。传统营销渠道在实现商品所有权转移的同时也实现了商品实体的转移，并完成了结算和配送的功能，解决了商品供需时间、地点不一致的矛盾。在网络化的情况下，产品的生产者可以更多地直接面对最终用户，与传统渠道相比，网络渠道的作用有了很大变化。

第一，网络渠道提供了双向的信息传播模式，使生产者和消费者的沟通更加方便畅通。对产品的生产者而言，网络渠道是信息发布的渠道。生产者可以利用网络向用户发布企业的概况、产品的信息（产品的种类、规格、型号、价格等），以及优惠促销活动等信息。借助网络的视频、音频、文字的传播功能及其不受时间与地域限制的特点，生产者可以为理性的网络用户提供针对性更强的信息和相关的产品资料，帮助消费者进行购买决策。同时还能及时统计产品和客户资料，使其在较短的时间内根据消费者个性化需求进行生产、进货，有效地控制库存。对消费者来说，网络渠道使最终用户直接向生产者订货成为可能，加强了生产者和消费者之间的沟通交流。因此，网络渠道使商务活动和信息流动获得了更为紧密的结合，使两者变得更有效率。

第二，网络渠道是企业销售产品、提供服务的快捷途径，它使商品所有权转移的作用进一步加强。消费者可以在网上直接挑选和购买自己需要的商品，再通过互联网直接进行结算，就能取得商品的所有权，这比传统渠道更加快捷、方便。网络渠道的在线支付功能也加快了资金流通的速度，使渠道的效率有了明显提高。

第三，企业既可以通过网络渠道开展商务活动，也可以对用户进行技术培训和售后服务。基于互联网的在线服务是企业向客户提供咨询、技术培训和进行消费者教育的平台，对树立企业的网络形象起到很大的作用。商品流通的过程包含信息流、商流、资金流和物流四个方面的传递，在网络比较发达的情况下，信息流、商流和资金流可直接通过网络渠道来完成，但物流即商品的实体运动则仍然必须借助传统渠道通过储存和运输来完成。但是，并不是每个企业都可能或需要在自己的营销区域内建立完善的物流配送系统，它可以通过不同区域、不同环节的物流来完成商品的实体配送。因此，关键在于谁能够更有效地和物流系统协调，从这个角度看，网络分销商如果能和物流提供商通过互联网建立有效的协调机制，则仍然可以比传统分销商更有效率。

另外，网络渠道虽然为企业进行业务洽谈提供了场所，但出于虚拟网络自身存在的不安全因素和网络技术等原因，通过网络的业务谈判在其可操作性、可信度、成功的概率等方面都不如传统的面对面的谈判，尤其是在复杂购买的情况下，网络渠道明显处于劣势。

（2）结构比较。在传统营销渠道中除去处于渠道起点的生产者和处于渠道终点的最终用户，商品在流通中经过的每一个直接或间接转移商品所有权的中间机构就称为一个流通环节或中间层次（如代理商、批发商、零售商等）。传统营销渠道按照有无中间环节可分为直接分销渠道和间接分销渠道。生产者把其产品直接销售给最终用户，属于直接分销渠道，即直销。其他凡是包括一个以上中间商的营销渠道则称作间接分销渠道。另外，根据中间商数量的多少，又可以把营销渠道分为若干个级别。直接分销渠道没有中间商，可称为零级渠道。间接分销渠道则根据其包含的中间环节的个数分为一级、二级、三级，甚至多级渠道。在传统营销中直接分销渠道更多地适用于产业市场分销，如大批量的原材料和零部件都通过直接分销渠道抵达用户。间接分销渠道在消费者市场分销中占主导地位，这主要是由消费者购买的特点决定的。网络营销渠道根据是否利用中间商也可分为直接分销渠道和间接分销渠道。但互联网高效率的信息交换，改变了过去传统营销渠道的错综复杂的关系，简化了渠道的结构。对于直接分销渠道，无论是在网络营销还是传统营销中都没有中间商存在，同属零级渠道，在这点上两者不存在太大的区别；而对于间接分销渠道而言，基于互联网的网络营销渠道与传统营销渠道有着很大的不同。传统间接渠道可能有多个中间环节（代理商、批发商、零售商），而网络间接渠道通常只需要一个中间环节，即只有一个产品交易中心（商务中心）来沟通买卖双方的信息。也就是说，网络间接分销渠道只有一级分销渠道，不存在多级渠道。而且随着网络营销的发展，网络间接渠道将会减少，直接渠道的比重会逐渐增大。

（3）费用比较。无论是直接分销渠道还是间接分销渠道，网络分销渠道的结构都相对比较简单，从而大大减少了流通环节，降低了交易费用，缩短了销售周期，提高了营销活动的效率。企业在利用传统的直接分销渠道，即直销方式销售商品时，通常会采用无店铺直销和有店铺直销两种方法。

无店铺直销是指企业不设立任何店铺，通过向各用户派出推销员直接销售产品。推销员在售出产品后，把接到的订单寄回企业，由企业把产品送达给用户。采用这种方法，企业需要支付推销员的工资、日常的推销费用和相关的商品流通成本。有店铺直销是指企业通过店面或专柜直接面对消费者。采用这种方法，企业除了要支付员工工资外，还要支付店面租赁费、装潢费用，以及相应的库存成本费用等。通过传统的间接分销渠道销售产品，肯定有中间商的介入，而且中间机构往往不是一个。而这样的中间机构越多，流通费用就越高，从而使产品在价格上不具备竞争优势，降低了产品的竞争力。

此外，企业还要通过电视台、电台、报刊等中介媒体做大量的广告宣传；企业还要在社区、销售现场等处举办各种促销、宣传、公关活动，而这些都是在不同的时间、场合进行的。与传统渠道相比，网络渠道由于运用了功能强大的互联网，首先，可以有效地减少人员、场地等费用。通过网络的直接分销渠道销售产品，网络管理员可以代替大量的推销人员，直接从互联网上接收来自世界各地的订单，然后直接把产品发送给购买者。在这个过程中，企业只需支付网络管理员的工资和便宜的上网费，可以省去大量的场地费和推销人员的差旅费等。而网络间接分销渠道由于只包含一级分销商，则完全克服了传统间接渠道过长的缺点。网络商品交易中心通过互联网强大的信息传递功能，完全承担了信息中介机构的作用，并将中介机构的数目减少为一个，同时利用各地的分支机构或其他物流配送系统完成了批发商和零售商的作用，从而降低了商品的交易流通成本。

其次，互联网的双向信息传播功能，也为企业发布信息、开展促销活动提供了更加方便的渠道，从而减少了广告宣传费用。有研究表明，如果使用互联网作为广告媒体进行网上促销活动，其结果是在增加十倍销售量的同时，只花费传统广告预算的1/10。该项研究还表明，一般来说，采用网上促销的成本只相当于直接邮寄广告花费的1/10。另一项研究结果显示，利用互联网发布广告的平均费用只是传统媒体的3%。因此融入了互联网的销售模式是对传统模式的一次根本性的变革。

8.3.2　网络分销渠道分类

在传统营销渠道中，中间商占有非常重要的地位。利用中间商能够在广泛提供产品和进入目标市场方面获得最高的效率。中间商凭借其业务往来关系、经验、专业化和规模经营，提供给公司的利润通常高于企业自营商店的利润。但互联网的发展和应用，使得传统中间商凭借地域因素获得的优势被互联网的虚拟性取代，从而出现了网络环境下新的分销渠道。按照不同的标准，可进行不同的网络分销渠道分类，具体的分类标准及类型如下所述。

1. 网络直接销售

网络直接销售是指生产者通过互联网直接把产品销售给顾客，一般适用于大宗商品交易和产业市场的B2B的交易模式。在网络直销渠道中，生产企业可以通过建立企业电子商务网站，让顾客直接从网站订货。再通过与一些电子商务服务机构如网上银行合作，直接在网上实现支付结算，简化了过去资金流转的问题。在配送方面，对数字产品，可以选择利用互联网技术直接向用户传输产品；对非数字产品，一般可以通过与一些专业的第三方物流公司进行合作，建立有效的物流系统。

目前有许多企业都建有自己的网站，进行网络直销。因为网络直销不仅为企业打开了一个面向全球市场的窗口，给中小型企业提供了和大型企业平等竞争的机会，而且有许多突出的优点。第一，生产者能够直接接触消费者，获得第一手的资料，开展有效的营销活动。第二，网络直销减少了流通环节，给买卖双方都节约了费用，产生了经济效益。网络直销大大降低了企业的营销成本，使企业获得价格优势。同时，消费者在节约了决策购买的时间的同时，又买到了低于现货市场价格的产品。第三，网络直销使企业能够利用网络工具（如电子邮件、公告牌等）直接联系消费者，及时了解用户对产品的需求和意见，从而针对这些要求向其提供技术服务，解决难题，提高产品的质量，改善企业的经营管理。

当然网络直销也有其不足的方面。随着互联网的发展，越来越多的企业建立了自己的网站。面对大量参差不齐的域名，消费者很难有耐心——访问，大部分的网络访问者都是走马观花似的扫一眼。对于那些不知名的中小企业，网站的访问者更是寥寥无几，网站并没有产生预期的效果。因此，互联网确实使企业有可能直接面对所有顾客，但这又仅仅只是一种可能，面对数以亿计的网站，只有那些真正有特色的网站才会有访问者，直接销售可以多一些，但绝不是全部。互联网给企业带来的更为现实的问题是"赢者通吃"。要解决这个问题，一是尽快建立高水准的专门服务于商务活动的网络信息服务中心。但这对于一般的企业来说难度较大，在国外绝大多数的企业还都是委托专门的网络信息服务机构，如美国的 dun & bradstreet、日本的帝国数据库等，企业利用有关信息与客户联系，直接销售产品。二是借助网络的间接销售渠道。网络直销的最大特点是提供直接见面的机会，环节少、速度快、费用低。在通过网络渠道进行交易的过程中，交易双方首先会进行交易前的准备活动（如信息发布和信息收集工作），然后通过互联网达成协议，进行在线交易，最后卖方通过物流配送系统将商品转移到买方手中并提供售后服务，完成最终的商品交易。

网络直销过程可以分为六个步骤：

第一步，消费者进入互联网，查看企业和商家的网页；

第二步，消费者通过购物对话框填写购物信息，包括姓名、地址、所购商品名称、数量、规格、价格；

第三步，消费者支付，如信用卡、电子货币、网上划款等；

第四步，企业或商家的客户服务器确认支付是否认可；

第五步，在确认消费者付款后，客户服务器通知有关部门送货上门；

第六步，网上结算机构和银行负责把收费单传递给消费者。

2. 网络间接销售

网络间接销售是指生产者通过融入了互联网技术后的中间商把产品销售给最终用户，一般适合小批量商品和生活资料的销售。网络间接销售克服了网络直销的缺点，使网络商品交易中介机构成为网络时代连接买卖双方的枢纽。首先，是因为这些专业的网络中介机构知名度高、信誉好，并且可以解决"拿钱不给货"或者"拿货不给钱"的问题，从而降低买卖双方的风险，确保了双方的利益。其次，由于网络中介机构汇集了大量的产品信息，消费者进入一个网站（中介机构）就可以获得不同厂家的同类产品的信息，生产者也只要通过同一个中间环节就可以和消费者发生交易关系，这大大简化了交易过程，加快了交易速度，使生产者和消费者都感到方便。如中国商品交易中心等都属于此类中介机构。虽然这类机构在发展过程中还有很多问题需要解决，但其在未来虚拟网络市场中的作用是其他机构难以替代的。所以有人认为随着网络营销的发展，网络直销将会完全替代间接销售的看法是片面的。尽管未来网络的进步会使网络直销得到充分的发展，但网络间接销售仍有其生存空间，大量的中小经销商仍有生存空间。

网络间接销售主要是指通过网络商品交易中介机构销售商品。在这种交易过程中，网络商品交易中心利用先进的通信技术和计算机软件技术，把商品供应方、购买方和银行紧密联系起来，为客户提供市场信息、商品交易、货款结算、物流配送等全方位的服务。网络商品间接交易的流程可分为四个步骤：

第一步，买卖双方在网络商品交易中心发布各自的供求信息，网络商品交易中心为参与者提供大量的交易数据和市场信息；

第二步，买卖双方选择合适的贸易伙伴，并在网络交易中心的撮合下签订合同；

第三步，买方在网络商品交易中心指定的银行办理付款结算手续；

第四步，网络商品交易中心通过配送中心负责将卖方的商品送交买方。

8.3.3 网络分销渠道的建设与管理

1. 网络分销渠道的建设

网络分销渠道的建设具体遵循以下三个步骤。

第一步，确定产品要求的服务水平。美国 Dell 公司通过网上直销，每天能够获得 400 万美元以上的销售额。这一成绩使 IT 行业的三大巨头 IBM、惠普、康柏都感到很尴尬。其中最明显的一点就是它们的股票市值远不如 Dell 公司。Dell 能够迅速走入网络直销的良性循环的原因：一是计算机产品本身价格较高，因此它的配送费用在成本中占的比例就比较低；二是 Dell 虽然实施部件订制，但它本身也是产品制造者，并且已经形成了著名的品牌，因此能够获得忠诚的客户，形成巨大的销售规模。虽然有 Dell 成功的案例，但由于各种产品的自然属性、用途等不同，因此不是所有的产品都适合进行网上销售。如果供应者一味地打破原有的经营体系，越过所有的分销商，直接和经销商、最终用户打交道，会给自己增加额外的负担，到头来不仅没有节约成本，还可能在售后服务、培训体系等方面也做不好。所以在设计网络分销渠道时首先要分析产品的特性，确定该产品是否适合在网上进行销售以及需要什么样的网络分销体系。

在分析产品因素时主要考虑以下六点：产品的性质、产品的时尚性、产品的标准化程度和服务、产品价值大小、产品的流通特点、产品市场生命周期。例如，信息与软件产品可以实现在线配送、在线培训和服务，减少了营销成本，是最适合网上销售的。另外，有些产品虽然目前不适合网上销售，但随着网络技术的发展，消费观念和消费水平的变化，在今后也可能实现网上销售。在我国，大多数消费者还只是把货币支出看作成本，而所花的时间和精力不作为成本，除了一些日常用品，购物的方便性还不是消费者购买时非常关注的。

第二步，选择网络分销商。在从事网络营销活动的企业中，大多数企业除建立自己的网站外，还同时利用网络间接渠道（如信息服务商或商品交易中介机构发布信息）销售产品，扩大企业的影响力。因此，对于开展网络营销的企业来说，要根据自身产品的特性、目标市场的定位和企业整体的战略目标正确选择网络分销商，一旦选择不当就可能给企业带来很大的负面影响，造成巨大的损失。在筛选网络分销商时，应该从它的服务水平、成本、信用、特色，以及网站流量等方面进行综合考虑。

（1）服务水平。网络分销商的服务水平包括独立开展促销活动的能力、与消费者沟通的能力、收集信息的能力、物流配送能力，以及售后服务能力等。比如，对于一个正处于成长期的中小企业来说，它的主要精力都放在了产品的研制开发上，在网络销售中就需要一个服务水平较高的分销商，协助它与消费者进行交流、收集市场信息、提供良好的物流系统和售后服务。而一个实力较强、发展成熟的企业往往只是通过网络信息服务商获得需求信息，并不需要网络中间商开展具体的营销活动。

（2）成本。这里的成本主要指企业享受网络分销商服务时所需承担的费用。费用包括：生产企业给商品交易中间商的价格折扣、促销支持费用等；在中间商服务网站建立主页的费用；维持正常运行时的费用；获取信息的费用。对这些费用，不同的分销商之间的差别很大。

（3）信用。这里的信用指网络分销商所具有的信用程度的大小。由于网络的虚拟性和交易的远程性，买卖双方对于网上交易的安全性都不确定。在目前还无法对各种网站进行有效认证的情况下，网络中间商的信用程度就至关重要了。在虚拟的网络市场里，信誉就是质量和服务的保证。生产企业在进行网络分销时只有通过信用比较好的中间商，才能在消费者中建立品牌信誉和服务信誉。缺乏信用的网络分销商会给企业形象的树立带来负面影响，增添不安全因素。因此在选择网络分销商时要注意其信用程度。

（4）特色。网络营销本身就体现了一种个性化服务，更多地满足网络消费者的个性化需求。每个服务于网络营销的网站在其设计、更新过程中，由于受到经营者的文化素质、经营理念、经济实力的影响会表现出各自不同的特色。生产企业在选择分销商时，就必须选择与自己的目标顾客群的消费特点相吻合的特色网络分销商，才能真正发挥网络销售的优势，取得经济效益。

（5）网站流量。网站流量的大小反映了网站客流量的大小，是实现网上销售的重要前提。选择网络分销商时，应尽量选择网站流量大的网络分销商，以促进网上销售，并扩大公司在网上的知名度。

第三步，确定渠道方案。

企业在进行产品定位、明确目标市场后，在对影响网络分销渠道决策的因素进行分析的基础上，就需要进行渠道设计，确定具体的渠道方案。

（1）选择渠道模式。选择渠道模式是对直接分销渠道和间接分销渠道的选择。企业可根据前述的产品的特点、企业战略目标的要求，以及各种影响因素，决定采用哪种类型的分销渠道。企业也可以在采用网络直销的同时开辟网络间接销售渠道。这种混合销售模式被西方的许多企业采用。因为在目前买方市场条件下，通过多种渠道销售产品比通过一条渠道更容易实现"市场渗透"，增加销售量。另外，可根据企业产品网络分销的适应性和网络分销渠道承担分销功能的多少，选择辅助促销型、简单销售型、服务分销型或战略分销型渠道模式。

（2）确定中间商数量。这是指确定分销渠道的中间商的数目。在网络分销中，分销渠道大大缩短，企业可以通过选择多个中间商，如信息服务商或商品交易中间商来弥补短渠道在信息覆盖上的不足，即增加渠道的宽度。在确定网络中间商的个数时，有以下三种策略可供选择。

1）密集型分销策略，即选择尽可能多的分销商来销售自己的产品，这种策略使顾客随时随地都能购买到产品，它提供的是一种方便，一般适合于低值易耗的日用品。

2）选择型分销策略，在一个地区只选择有限的几家经过仔细挑选的分销商来销售自己的产品，分销商之间存在有限竞争，它提供给顾客的主要是一种安全、保障和信心，一般适合于大件耐用消费品。

3）独家型分销策略，在一个地区只选择一家经过仔细挑选的分销商来销售自己的产品，它提供的是一种独一无二的产品或服务，而且价值昂贵，顾客稀少。

（3）明确渠道成员的责任和权利。在渠道的设计过程中，还必须明确规定每个渠道成员的责任和权利，以约束各成员在交易过程中的行为。如生产企业向网络中间商提供及时供货保证、产品质量保证、退换货保证、价格折扣、广告促销协助、服务支持等；分销商要向生产者提供市场信息、各种统计资料，落实价格政策，保证服务水平及渠道信息传递的畅通等。在制定渠道成员的责任和权利时要仔细谨慎，要考虑多方面的因素，并取得有关方面的积极配合。

2. 渠道管理

在选择好分销模式、确定了具体的渠道方案后，渠道就进入了一个相对成熟的阶段。这时生产厂商还有一项十分重要的工作要做，那就是对渠道进行管理，必要时还要对渠道进行调整。在渠道管理过程中，渠道冲突一直是困扰各厂商的一大难题。在网络营销中，由于互联网的运用大大缩短了渠道的长度，减少了中间环节，同时互联网的开放性和自由性也加强了渠道成员之间的沟通，因此，互联网条件下的渠道冲突与传统渠道的情况相比有了明显的缓和，但渠道冲突是不可避免的。

（1）渠道冲突的主要表现。一般来说，网络渠道冲突可分为四种：水平冲突、交互冲突、垂直冲突和多渠道冲突。水平冲突发生在渠道中同类型中间商之间；交互冲突发生在不同类型中间商之间；垂直冲突发生在不同层次的渠道成员之间，如生产厂商和中间商之间的冲突；多渠道冲突则发生在不同渠道之间。网络渠道冲突主要表现为以下几种形式。

1）在生产厂商选择多个网络分销商销售产品时，由于没有时间和地理区域限制，各分销商可能同时面对所有的网上用户，从而引发冲突。为了扩大销售，分销商会削价销售，使大家的利润都降低。

2）不同的中间商对价格政策、折扣结构和奖励政策的满意度不同。

3）厂商要求中间商执行某些特定的服务、促销活动及信息收集和反馈工作时，中间商没有真正执行。

4）生产厂商开展网络直销和间接销售时，它的直销活动可能会对中间商造成影响，造成生产者与中间层次之间的冲突。

（2）产生冲突的原因。分析渠道冲突产生的原因，可以概括为以下几点。

1）角色不一致。渠道成员的角色是指每个渠道成员都可接受的行为范围。每个成员都应该在渠道中扮演好自己的行为角色。当某个渠道成员的行为超出了其他成员可接受的范围时，就出现了角色不一致的情况，这将导致渠道冲突。例如，生产厂商交货延误，分销商就会很不满。

2）观点差异。这是指渠道成员对某件事的不同理解和不同反应。例如，不同的中间商对与生产厂商的合作广告计划的看法会不一样。一些分销商认为这样能够刺激该产品的销量，从而能得到更大的进货折扣；而一些信息服务商则会综合考虑利用它的网页做广告的机会成本，可能对这个计划的兴趣就不大。

3）决策权分歧。这里主要指生产厂商或分销商是否对商品的最终价格有决定权，分销商是否有权倒卖商品等。

4）目标错位。不同渠道成员的目标可能不一致。例如，分销商希望获得更高的价格折扣、更快的交货速度、更少的支出和更多的佣金，以获得最大的利润。而对于生产者，则希望分销商要求更少的折扣和佣金，投入更多的促销费用等。

5）资源稀缺。这是指由于稀缺资源分配不均而引起的冲突。例如，厂商在采用间接销售方式时，仍保留了较多的客户作为自己的直销客户。

6）渠道成员的信用。虽然互联网加强了沟通，但渠道成员的信用在目前还得不到有效的认证，所以网络条件下渠道成员的信用问题也可能造成渠道冲突。

目前对于渠道冲突的利弊，大家争论得很多。一方面，有些渠道冲突能刺激竞争，使渠道成员产生危机意识。比如说，尽管通过多渠道销售同一种产品会产生渠道冲突，但这样可以提高销售额，扩大产品的覆盖率，并且迫使渠道成员不断创新。另一方面，过度的渠道冲突会降低渠道效率。

（3）管理和解决。从生产商角度看，有必要对渠道进行管理，协调渠道成员之间的关系，从而使每个渠道成员都满意。生产商管理和解决渠道冲突的方法一般有四种，即说服、解决问题、谈判和法律。

1）说服：生产商通过改变其他渠道成员对于焦点问题的观点或决策标准来管理冲突，其目的在于促使整个渠道向同一个目标努力。

2）解决问题：生产商努力找出一个能够使每个成员都接受的解决方案。采用这种方法时要以各方的高度信任及合作为前提。

3）谈判：谈判是一种对已存在的利益进行重新分配的调整方法，一个渠道成员得到某方面的利益是建立在另一个渠道成员失去这方面利益的基础上的。厂商可通过与各渠道成员的讨价还价来平衡各成员之间的利益，从而达到解决渠道冲突的目的。

4）法律：当采用这种方法时就表明在各渠道成员间达成一种可接受方案的努力已经失败。要通过争端仲裁或中间调解等方法才能解决冲突。

除了上述方法外，管理和解决渠道冲突的方法还有很多，如敏感性训练。敏感性训练指渠道成员能够意识到存在潜在冲突的领域，通过训练在冲突升级之前找到消除冲突的方法。敏感性训练要求渠道成员互相信任和合作，从而达到清除渠道成员之间障碍的目的。厂商在管理和解决渠道冲突时可以根据具体的情况选择一种或几种方法，有效地管理渠道。

8.4 网络广告与促销

8.4.1 网络环境下的客户关系管理

1. 网络技术在客户关系管理中的运用

信息传播得实时，互动性更强。这意味着客户在获取信息时不会受到时间、空间的影响。信息会传播得更快、更直观、更方便、更全面和更有效。互联网超越时间约束和空间限制进行信息交换的特点与优势，能让企业与客户在更大的空间，有更多的时间、更多的交换机会进行接触。

信息发布也更加自由。网络用户具有话语自由权。网络中的行为主体是匿名的，其真实的性别、年龄、身份可以通过技术屏蔽和有意掩盖而不让外人得知，挣脱了"把关人"的掌握和控制，匿名发布信息和发表言论在一定程度上得以实现。所以用户可以畅所欲言，对自己感兴趣的话题进行讨论，保证了舆论的规模与多样性，也真实地表达了自己的想法，但同时也会导致信息的超载与泛滥。信息泛滥、信息超载，即信息的数量超过了系统或个人的承载能力，或者说系统或个人所接收的信息超过其自身的处理能力或信息未能有效应用的状况。

（1）网络对市场环境的影响。网络使传统意义上的销售超越了原本的界限，跳过中间渠道直达终端。在虚拟空间里，企业可以更大范围地传播信息，如通过 E-mail 或在线客服与客户联系。当目标客户被企业网站内容吸引时，他会通过注册的形式成为会员，享受企业的更多、更全面的服务，如以低的价格在线购买，得到企业更多的有价值信息，如新产品信息、商品折扣信息等。企业也可以通过客户注册信息，在客户许可的情况下利用电邮与客户及时联系发送企业新产品开发或产品促销信息，并得到客户的信息反馈，如对于企业产品的意见与建议。

信息技术的采用使公众间的沟通能力大大增强，速度大大加快。这就意味着市场经济体制更趋自由化和网络化，潜在客户通过网络寻找自己最适宜的产品不受地域限制和时间限制，交易更自由、更讲求速度。

（2）网络对客户心理及其行为的影响

第一，消费主动性增强。在社会分工日益细化和专业化的趋势下，即使在日常生活用品的购买中大多数消费者也缺乏足够的专业知识来对产品进行鉴别和评估。但他们对于获取与商品有关的信息和知识的心理需求却并未因此消失，反而日益增强。这是因为消费者对购买的知觉风险随选择机会的增多而上升，而且对单向的营销沟通感到厌倦和不信任。尤其在一些大件耐用消费品如电脑的购买上，消费者会主动通过各种可能的途径获取与商品有关的信息并进行分析比较。网络为消费者提供了全方位的商品信息展示和多功能的商品检索机制。只有当他们需要信息时才会主动去浏览、获取。在一般情况下他们都是被动地获取信息。从这一意义上讲，在信息化社会中消费者的概念发生了相应的变化，他们会主动上网搜寻信息。企业应该向他们提供科学合理的商品分类框架，方便快捷的上网查询方式以及详细的商品特点、性能、价格等信息，而不应再是泛泛的、针对大众的宣传和一般性的商品信息。另外，大多数用户对上网体验非常注重，对互联网服务和产品体验的品质要求日益提高。

第二，对客户心理的影响。企业客户心理特征主要包括需要、知觉、学习及态度的形成与改变。网络具有虚拟性、交互性、实时性和海量性等特点。所以与传统媒体相比较，它可以更充分地满足网络用户较高层次的多种需求。产品、广告等营销信息在网络及传统渠道传播时，只有被消费者知觉才会对其行为产生影响。知觉过程包括展露、注意和理解三个阶段。人们通过学习获得知识和经验。学习是指人在生活中，因经验而产生的行为或行为潜能的比较持久的变化。客户通过使用网络，了解网络知识、网络信息获取的方式、网上他人对于事物及产品的评价等。态度是人们对事物或观念认识上的评价、情感上的感受和行为上的倾向。客户对网络信息的认可度、网络关系的可信度都属于态度的范畴。态度一旦形成就难以改变。

2. 网络环境下客户关系管理的作用

（1）客户沟通。网络沟通是网络环境下客户关系建立的基础。沟通是基于两方及两方以上的。沟通的基本内容是信息，沟通是围绕信息展开的交流与分享活动，有效沟通建立在双向性和信息对称性的基础上。在客户关系管理中，沟通是为了让企业及客户互相了解。企业和客户的沟通重在互动、直接、频繁，这样互相了解的程度就会越高，企业也就越能满足客户的需求。而客户也就越能获得好的服务。企业与客户的沟通最主要的目的是建立长期互信的关系。直接的沟通起到非常重要的作用。在沟通过程中怎样说服客户，让客户对你产生信任进而信任你所代表的公司，是非常重要的。

由此可见，沟通的目的是努力提高被沟通对象的积极性，增进相互了解，最终实现共同愿景。企业与其客户进行沟通，能够增进客户对企业形象及产品的认知，提高企业的知名度和美誉度，与客户建立良好的互动关系。

（2）信任建立。网络信任是网络客户关系维护的关键。信任是人与人之间相互联系的基本纽带。没有信任，社会组织就无法形成，社会就不能正常运行。信任被普遍认为是除物质资本和人力资本之外决定一国经济增长和社会进步的重要社会资本，它在现代社会中具有重要作用。互联网给传统商业活动带来了巨大冲击，它不仅是客户获取信息的主要来源，还是企业与客户以及客户与客户之间互相联系的渠道。人们在虚拟空间进行着真实的购买，客户因信息的缺乏导致对企业产品及服务认知的不确定性，极易产生知觉风险，延缓购买或使购买的决策失误。

沟通与交流是客户增加信任感的前提。信誉良好、被网络中其他客户广为称赞的企业往往受到客户的喜爱，促使客户产生购买行为。信任反过来又会加强客户与企业的积极沟通与交流并口头传播对企业的良好认知。

影响客户网络信任的因素主要有个人、环境、商业和技术。在这四个因素中，环境因素、商业因素和技术因素均可通过个人因素影响客户的网络信任。环境因素和技术因素可以影响商业因素，进而影响客户的网络信任。

（3）价值实现。价值实现是网络客户关系长期发展的保证。网络客户价值是指客户通过网络进行产品或服务信息的搜寻、比较、购买时对其整体效用的认知和评价，既包含通过在线消费时所获得的效益与所承受付出之间的相对关系，又包含客户通过传统渠道进行消费过程中所获得的情绪、体验上的价值。

目标客户群体对企业所提供的客户价值进行认知时，具有层次性与动态性。这包含三方面的含义。其一，对企业的产品或服务进行价值感知时，客户会按产品或服务的属性进行分层。其二，在产品或服务发展的不同时期，客户所关注的属性或价值要素不同。其三，客户与企业的关系不一样，对客户价值的感知也不同。企业为了更好地为客户创造价值，实现客户价值，就必须结合客户价值实现的层面与动态特征，开展有针对性的客户关系管理。

1）基础价值。基础价值源于企业向客户提供的核心产品或服务，包括有关核心产品或服务的有明确定义的特性，是客户价值构成的基础部分。因为对任何企业来说，一系列有机整合的核心服务活动比产品属性更难以被竞争者模仿或复制。在确定核心产品或服务时，需要以识别客户的需求为基础。只有把握住客户需求及其变化，才能正确地选择核心产品或服务，从而为客户提供价值实现的基础。

2）客户期望价值。第二个层次是客户期望价值。客户期望价值指的是客户对商品的期待在一个什么样水平上。如果客户的期望值很高，对商品些许的不合适也会觉得失望。如果客户的期望值很低，收到很一般的商品也可能会满意。企业了解客户对产品或服务水平的期望价值有非常重要的意义。客户期望价值要求企业提供的价值要素必须具有真实性、连贯性与一致性。首先企业的承诺必须能兑现。这是客户在与企业业务交往中预期能够得到的。其次，企业承诺必须是可实现的，因为一旦做出难以完成的承诺，就在客户心目中建立了难以满足的期望。

3）超越竞争者或客户期望的价值。超越竞争者或客户期望的价值包含两方面的含义。首先，是超越客户期望。这意味着企业通过分析客户的需求和价值认知结构，通过额外的努力可实现相应的价值，使客户获得意外的惊喜，达到愉悦的心理状态。这一层最终决定企业能否获得客户的持久满意与忠诚，影响企业的长期生存与发展。企业在增进客户关系时，必须常常采取使客户感到愉悦的措施，创造超越客户期望的价值因素，即客户原本没有抱有期望但最终感到惊喜的产品或服务属性。其次，是超越竞争者。超越客户期望的价值本身也基本上隐含了客户认为企业所能提供的价值超越了竞争者，或者说在客户认为最重要的某些价值要素上，企业比竞争者做得更好。虽然客户关系管理把重点放在维持目标客户上，但如果客户认为企业为客户创造的价值比竞争者差，而企业又没有在客户关注的价值要素上投入更多的努力，就可能导致企业与客户关系的恶化。

8.4.2 网络广告

1. 网络广告的产生与发展

网络广告，通俗地说就是在网络这种媒介上所进行的广告活动。谈到网络广告，一定要知道一个网站，那就是美国 1993 年开始发行的平面杂志《连线》（Wired）旗下的"热线"（Hotwired）网站，1994 年 10 月 "热线" 开始在网站上招徕广告以支付其开销，这是网络广告最早的雏形。当时在"热线"上就刊登了现在被称为"横幅广告"（Banner）的网络广告。当时网络广告的主要形式有两个：一是成为网站的赞助商；二是在网站上用横幅广告。自从出现了第一个网络广告以后，随着网络的进一步普及和网络技术的不断提高，就逐渐变成了一种极为普遍的广告形式。1994 年，中国获准加入互联网。三年之后，1997 年 3 月，广告主在网站上发布了中国第一个商业性网络广告，传播网站 Chinabyte.com，广告表现形式为 468×60 像素的动画横幅广告。英特尔和 IBM 是国内最早在互联网上投放广告的广告主。Chinabyte.com 获得的第一笔广告收入是 IBM 为一款电脑宣传支付的 3 000 美元。这是中国互联网历史的一个里程碑。在此之前，中国的互联网企业完全处于一个"烧钱"阶段。但是，有了 Chinabyte.com 这个榜样，网络广告开始成为互联网企业最直接、最有效的盈利模式，中国网络广告市场也在这一天开始发展。新浪、搜狐等一批大型门户网站的崛起代表着中国网络广告开始登上了时代的舞台。

2. 网络广告的类型

经过将近 20 年的发展，目前网络广告已经衍生出多种类型，大致包括以下几种。

（1）付费搜索广告。付费搜索广告（search engine ads）主要指搜索引擎及其细分产品的各类广告，包括排名类产品（竞价排名和固定排名内容定向广告，如百度精准广告）、品牌广告等多元广告。

（2）品牌图形广告。品牌图形广告（brand banner ads）具有形式和展示方式多样、醒目等优点，在吸引受众眼球方面具有一定优势，一直是中国网络广告市场的主要形式之一，但其精准度欠佳。主要包括按钮广告、鼠标感应弹出框、浮动标识或流媒体广告、画中画、摩天楼广告（又称擎天柱广告）、横幅广告、通栏广告、全屏广告、对联广告、视窗广告、导航条广告、焦点图广告、弹出窗口和背投广告等形式。其中，横幅广告称呼较多，如全幅广告、条幅广告、旗帜广告、网幅广告等，是以 GIF、JPG 等格式建立的图像文件，定位在网页中，大多用来表现广告内容，同时还可使用 Java 等语言使其产生交互性，用 Shockwave 等插件工具增强表现力。横幅广告是最早的网络广告形式。最常用的是 486×60 像素的标准标志广告。

（3）富媒体广告。富媒体广告（rich media ads）主要包括插播式富媒体广告、扩展式富媒体广告和视频类富媒体广告等形式。富媒体是由英文 rich media 翻译而来的，是一个技术名词，是一种压缩、传输、表现形式标准化的技术。rich media 并不是一种具体的互联网媒体形式，而是指具有动画、声音、视频和交互性的信息传播方法，包含下列常见的形式之一或者几种的组合：流媒体、声音、Flash，以及 Java、Javascript、DHTML 等程序设计语言。富媒体除了提供在线视频的即时播放之外，其内容本身还包括网页、图片、超链接等其他资源，与影音作同步的播出。这样大大丰富了网络媒体播放的内容与呈现的效果。

常见的富媒体广告形式有浮层类、下推类、扩展类、视窗类、覆盖类、潜水游、摩天楼等，以适应各种产品、创意、网站的投放需求。

（4）视频广告。视频广告（video ads）是以在线视频为载体的网络广告形式，具有丰富的表现形式，包括视频贴片广告、视频直播插播类广告、视频组合创意广告、视频浮层广告、海绵广告、画中画广告、暂停广告、扩展走马灯等。视频网站作为广告主的重要营销工具，营销方式趋于多元化。各家视频网站已经推出多种多样的广告形式，如区别于大家所熟知的前插片、中插片、后插片等广告，视频网站推出了视频播放器上的广告、视频暂停时出现的广告、视频中内置的广告，甚至是可以与视频广告互动的广告，网络视频相比传统的互联网媒体具有视频的"声、光、电"特性，与传统媒体如电视相比，具有互联网的互动优势，因此网络互动是网络视频营销的特色，也是优势所在。目前以 engagement 为创意点的网络互动视频营销产品，业界已开始探索。

（5）文字链广告。文字链广告（text link ads）是以一排文字作为一个广告，点击进入相应的广告页面，主要的投放文件格式为纯文字广告形式。文字链广告是一种对浏览者干扰最少，但却最有效果的网络广告形式。整个网络广告界都在寻找新的宽带广告形式，而有时候，最小带宽、最简单的广告形式的效果却最好。固定文字链广告位的安排非常灵活，可以出现在页面的任何位置，可以竖排也可以横排，每一行就是一个广告，点击每一行都可以进入相应的广告页面。

（6）电子邮件广告。调查表明，电子邮件是网民最经常使用的互联网工具。只有不到 30% 的网民每天上网浏览信息，但却有超过 70% 的网民每天使用电子邮件，对企业管理人员尤其如此。电子邮件广告具有针对性强（除非你肆意滥发）、费用低廉的特点，且广告内容不受限制。特别是针对性强的特点，它可以针对具体某一个人发送特定的广告，为其他网上广告方式所不及。电子邮件广告在直复营销方面的应用最为广泛。

（7）分类广告。分类广告（classified ads）严格来说不能称为网络广告的一种新类型，早在传统媒体中，分类广告就已经出现了。只不过在今天它也搭上了网络这班快车而已。分类广告就是广告商按照不同的内容划分标准，把广告以详细目录的形式进行分类，以供那些有明确目标和方向的浏览者进行查询与阅读。由于分类广告带有明确的目的性，所以非常受许多行业的欢迎。

（8）互动游戏式广告。互动游戏式广告（interactive game ads）应该可以看作交互式广告的一种，但它也有自己的一些特点。使用动画制作软件如 Macromedia、Shockwave、Flash 插件编写的广告，能用较少的文件字节表现动态的矢量图形和渐变效果，这一技术正在被越来越广泛地应用，但缺点是浏览器需要安装插件。Flash 文件的尺寸极小，使它成为低带宽条件下最好的动画载体，并且为能够尽可能地实现互动游戏式广告提供了有利的工具。除了 Flash，Macromedia 公司的另一个产品 Shockwave 在网络广告方面也应用极广。Shockwave 的功能比 Flash 更强大，互动性更强。

（9）下载软件广告。相信使用过 QQ 的用户一定能发现在聊天的终端窗口会出现一个广告条，而且，它会自动轮换播放。QQ 软件的注册用户数已经超过中国网民的总数，实际使用人数占网民总数的 80% 左右（考虑到有部分用户注册了多个号码），可以说，QQ 是中国网民除了 Internet Explorer 之外最常用的网络软件。这样一个拥有大量用户数的软件，理所当然地成为一个极好的广告媒体，而且它是基于互联网的应用软件，因此，QQ 广告具有普通网络广告所具备的一切优点。除了 QQ，一切与网络相关的软件都能成为广告的载体，比如下载工具快车、网络蚂蚁等，它们在未进行注册时，都有一条横幅广告在软件界面的顶端显示。软件与广告的结合，甚至被视为将来软件发行的一个重要渠道。软件作者通过加入广告网络来获得收入，而用户通过看广告省下了购买软件的费用。随着在线软件广告的发展，人们越来越意识到它的优越性。一般来说，人们对软件的忠诚度要比对 Web 的忠诚度高。举个例子，一个 QQ 用户每天看的网页不同，但他必然会打开 QQ 进行聊天，这对于他来说是唯一的选择。从某种意义上说，在线软件广告有着比 Web 广告更好的前景。

（10）其他形式的广告。其他形式的广告主要指数字杂志类广告、P2P 软件类广告、游戏嵌入广告、IM 即时通信广告、微博营销广告、社区口碑营销广告等形式。

3. 网络广告的优势

网络广告的优势主要体现在以下几个方面。

（1）互动性和纵深性。在网络广告这种形式当中，信息是互动传播的，用户可以主动获取他们认为有用的信息，可以直接填写并提交在线表单信息，广告主也可以随时得到宝贵的用户反馈信息，从而缩短了用户和广告主之间的距离。而与此同时，用户可以通过链接获取更深入详细的广告信息。

（2）实时性和快速性。互联网本身反应就很迅速，依托互联网为媒体的网络广告更是迅速。在互联网上做广告，可以及时按照需要更改广告内容，经营决策的变化也能及时实施和推广。另外，网络广告制作周期比起传统广告更短，这也是它的一大优势。

（3）准确跟踪和衡量广告效果。利用传统媒体做广告，很难准确地知道有多少人接收到广告信息，而在互联网上可通过权威公正的访客流量统计系统，精确统计出每个广告主的广告被多少个用户看过，以及这些用户查阅的时间分布和地域分布，从而有助于广告主正确评估广告效果，审定广告投放策略。

（4）传播范围广，受时空限制较少。网络广告的传播是不受时间和空间的限制的，它可以24小时不间断地挂在网站上面。一旦具备上网条件，任何人在任何时间和任何地点都可以浏览这些广告。

（5）可重复性和可检索性。网络广告可以供用户主动检索，而传统广告则是定时定点定期发布的，受众无法检索。

（6）很强的针对性。由于网络广告都是在特定的网站发布的，而这些网站一般都有特定的用户群，因此，广告主在投放这些广告的时候往往能够做到有的放矢，根据广告目标受众的特点，针对每个用户的不同兴趣和品位投放广告。

（7）强烈的感官性。网络广告的载体基本上是多媒体、超文本格式文件，受众可以了解某些感兴趣产品的更为详细的信息，并亲身体验产品、服务与品牌。这种广告以图、文、声、像的形式传送多感官的信息，让受众如身临其境般感受商品或服务，并能在网上预订、交易与结算，从而大大增强网络广告的实效。

但是，对目前的互联网媒介来说，由于长期缺乏相对准确、全面、系统、客观的媒介监测及广告投放等相关数据，现有一些机构提供的数据质量也往往参差不齐，统计方法、研究框架千差万别，故缺少行业的统一性、系统性、规范性。

8.4.3　网络媒体广告

1. 网络媒体广告经营目标

（1）增加流量。增加流量是网络媒体首要的经营目标。流量的增加意味着浏览率的提高，在此基础上才能出现高点击率的可能性。网站希望它们的广告有更高的到达率和点击率，对受众产生更多的刺激和影响，达到企业的其他网络广告目标，如促进销售、树立品牌。对于网站来说，流量既是获得企业选择投放机会的评估标准之一，也是网站帮助企业达到网络广告目标的有效途径之一，而企业广告目标的实现与否则关系到网站广告经营的可持续发展。增加流量的方法有网络广告制作精美、网站自身内容丰富、标题吸引人，也可以通过电子邮件的方式鼓励访客购买、激励在线购买等。

（2）主要收费来源。网络媒体也是经济组织，以盈利为目标，网络广告是网站收费的主要来源之一（目前，网络媒体收费来源还有网络游戏、短信收入等），网站要维持和发展，需要大量的资金，而网络广告是保证资金来源的主要途径之一，网站发展网络广告的主要目标是盈利，并为网站自身的发展提供经济支持。

（3）树立品牌，提升形象。通过与一些大企业的广告合作，可以帮助提升网站形象。网站必须用内容吸引客户获得广告费，用广告费激励网站的建设，形成良性循环，最终树立网站自身的品牌和形象。事实上，网站的经营与企业的经营一样，需要树立自己的品牌，通过品牌效应带动网站整体的发展。目前，网站格局已经分明，但是网络发展的空间很大，要稳扎稳打地经营，利润仍然非常可观。随着技术的发展，新的媒体样式不断更新，如博客、播客、维客的出现，手机与网络的联合等，这些新的形式给网站的发展带来驱动力，网站可以经营不同的内容来吸引客户。另外，受众细分时代的到来，使更加专业化的网站不断涌现，受众针对性更强。总之，要尽一切力量把网站内容经营好，增加访问量，获得广告主的青睐，在此基础上树立网站形象，提升品牌价值。

2. 网络媒体广告经营原则

网络媒体需要资金维持发展，尤其是对于商业网站来说，资金运转顺畅与否直接关系网站存亡，因而广告经营十分重要。但是在网络广告经营过程中必须遵守一定的原则，才能保障网站的经济效益和社会效益。网络媒体广告经营的主要原则是吸引广告主做优秀的广告。人们上网主要是为了获取信息、休闲娱乐，而不是为了看广告。传统媒体的广告在受众心中已经形成了刻板印象——噪声。即使网络的双向互动性、可选择性降低了这种干扰，也还是不能避免受众的反感情绪。要扭转受众态度就要尽力吸引广告主做优秀的广告，利用比较先进的技术对画面、音乐、文字进行完美组合，让受众感觉看网络广告如电影一般过瘾，如欣赏摄影作品一般陶醉，如享受音乐一般痴迷。这样的网络广告让受众不觉得自己是在被说服，更像是主动地理解和体味一种信息。说到底，网站要遵循的原则就是：吸引优秀网络广告，使广告不至于把访客赶走或使他们产生不快的情绪。这一原则并不容易把握。首先，对于什么是优秀的广告我们还不能给出明确的评判标准。广告界关于好广告的标准争论已久，要销量还是要艺术，对于好的网络广告的衡量也处于这种矛盾之中。但是，网络的特性决定了它在"告知"方面很奏效，因此，网络广告首先要做得漂亮，吸引受众的注意力，受众看到后即使不去点击，也能留下印象。其次，网站还要考虑广告主是不是有能力制作出好的广告作品，如果广告主要发布的广告并不优秀，该如何取舍，这就涉及以下几个原则，网站经营者要权衡利弊，达到共赢。

（1）网络广告不能影响网站的内容、声誉。网络广告出现在界面上后，就会与网站本身存在某种相关性，好的网络广告或知名企业的广告会带动媒体形象的提升，但是如果广告内容低俗也会使访客联系到网站的品质。所以，在经营网络广告时，网站要注意审核广告，检查是否与网站自身的内容有冲突，是否与网站定位相当。

（2）不影响网站速度，让浏览器平稳工作。网络广告中的图片、音乐及视频形式的内容都会减缓网站的速度，大量的网络广告会在一定程度上影响浏览器的平稳工作。随着技术的发展，这种影响会减小，但是仍存在着广告可接受量的"度"的问题，任何网站经营者都不希望因为发布广告而使自己的利益遭受损失，也不希望在没有补偿的情况下导致成本增加。所以，网站需要好的网络广告、大量的网络广告，但要把握一个"度"，即不影响网站的运行速度，让浏览器平稳地运行，避免给自己带来麻烦，给用户带来不便。

（3）遵守网络及广告法律法规。网络广告是网络媒体的主要收入之一。网络媒体为了盈利，当然认为广告越多越好。但是这些广告必须在网络及广告方面的法律法规允许范围内，网络媒体经营者的广告活动也必须遵守法律。国家网络法律法规主要有《全国人民代表大会常务委员会关于维护互联网安全的决定》《互联网信息服务管理办法》《互联网电子公告服务管理规定》《互联网站从事登载新闻业务管理暂行规定》等。遵守法律法规是为了维护企业和网络媒体之间共同的利益。

（4）诚信原则。诚信经营是公司可持续发展的首要原则，也是一条最基本的道德准则。网络是广告发布的渠道，发布的主体是广告主，针对的对象是消费者，在这个关系中，网络经营者既要向广告主负责又要对消费者负责，处理好三者之间的关系，最首要的就是坚持诚信的原则。诚信无欺是取得广告主和消费者信任的前提。对广告主负责意味着不向对方隐瞒本网站的浏览率、点击率等网站基本信息；对消费者负责表现在不为了盈利而帮助企业发布虚假网络广告、不私自向广告主透露消费者的个人资料、不利用消费者知识的欠缺谋取利益等。相反，网站经营者要树立良好的形象就应该为广告主提供有益的建议，引导消费者如何辨别网络市场中的不道德行为。将"诚信"作为网站经营的重点，对于网络媒体的长远发展有着战略性意义。

3. 网络媒体广告经营模式

随着网络媒体发展的不断成熟，网站广告经营模式也在探索中前进，主要有：网络媒体直接承揽客户、委托代理商经营（又分为委托网络广告代理公司和加入网络广告联盟）。

（1）网络媒体直接承揽客户模式。

1）该模式的含义及发展。网络媒体直接承揽客户模式即网站成立广告部门，直接与广告主洽谈业务，承揽本网站的广告销售。这种模式始于网络广告发展的初期，那时还没有专业的网络广告代理公司，网络也没有大范围普及，许多企业还不了解网站的运作，所以网站自己担当起销售角色，特别是一些大型的网站。网络广告虽然是一种新生事物，但是前景非常乐观，因此，独自承揽网络广告的网站成为稀缺的媒体资源，网站也乐于与企业进行直接接触。

2）该模式的优点和缺点。

优点：第一，网站对自己的定位、内容、受众群体更加了解，对网络广告的发布方式、特点、效果也更清楚，因此，网络媒体与客户的直接交流，使得网站及网络广告的信息更明确地传递给客户，也可以为客户提供比较有针对性的广告投放建议。对于客户来讲，与网站直接对话，能够更有效地表达自己的想法，沟通起来更加方便。第二，网络媒体建立自己的广告部，直接承揽广告，免去了代理费用，客户可以节省费用，得到更多的实惠。

缺点：第一，网络媒体直接承揽广告客户，就会尽力向企业推销自己。如果网络媒体不负责任，就有可能承揽到根本不适合做网络广告或者不适合在该网站上做广告的企业，这对于企业来说不公平。第二，网络媒体直接承揽广告客户，立场是网站方，而不能像代理公司一样非常客观地站在客户的角度，从整体营销计划考虑为客户提供专业的网络广告方案。第三，这种模式缺乏第三方认证机构的监督，网站提供给客户的数据可能是经过夸大了的，其可信度会大大降低。

3）使用范围。网络媒体直接承揽广告客户主要适用于网络广告发展初期，但目前仍在使用中，主要是那些专业性强的中小网站。因为这种网站对企业和受众的要求都比较专业，代理出去的话，可能代理商对该领域不熟悉，而且网站的知名度可能并不高，直接代理会存在风险。采取网站直接与自己针对的企业对话的形式，可以与企业进行良好的沟通，推销自己，同时要注意这种推销应该是在遵守网络广告经营原则上的推销，不能任意夸大，损害企业利益，长期来看也有碍自身的发展。

（2）委托代理商经营模式。委托代理公司模式即网站将自己的广告业务部分或全部委托给网络广告代理商的模式。该模式可以细分为两种：委托网络广告代理公司和加入网络广告联盟。

1）委托网络广告代理公司。

①该模式的发展。随着网络的发展，网络媒体的价值不断被挖掘出来，网站也将更多的精力放到网站自身的建设上，同时许多传统的广告公司关注到网络广告的兴起并设立了相应的网络广告代理部门，为网站代理。刚刚进入网络广告服务领域时，时间和速度是决定成败的关键因素，越早越快地进入的公司，门槛较低，与网站建立关系较早，发展较快，成功的概率也高。

随后，网络广告专业化带动了专业的网络广告代理公司应运而生，这种公司一般都有较强的技术力量，丰富的网络广告代理经验。目前，这种公司多为跨国公司，如 Media999、DoubleClick 等，本土公司规模较小。

这类广告代理公司一般是从代理网络媒体空间开始的，由它们预先买下网站的空间，支付给网站相应的费用，然后转卖给广告主，从中赚取差价。网络广告代理公司往往能够提供全面的网络广告服务。

②该模式的优点和缺点。

优点：委托给网络广告代理公司使得网站有更多的精力做好网站内容，而不必分太多心思在广告销售上；这些网络广告代理公司一般都有广告经验或稳定的客户，有较为成熟的网络广告经营模式和运作方法，专业的网络广告代理公司还有很强的及时力量，为网站提供一套网络广告服务，为网站的广告经营提供建议。

缺点：网络广告代理公司发展良莠不齐，拥有的客户水平也高低不等，在网站上发布时可能更多地从自身的利益考虑，忽视了网站的经营。

2）加入网络广告联盟。

①网络广告联盟的含义。网络广告联盟一般是由专业的（也有一部分不是专业的）网站发起的为广告主和网络媒体之间提供的自助广告交易平台，具体的交易除大型广告主外一般都由广告主与网络媒体间自助完成。在这个平台上，网络联盟、广告主和网络媒体之间各有其责任与义务，共同协作，创造多赢局面。

②网络媒体加入广告联盟的原因。对于网络媒体来讲，加入网络广告联盟意味着可以拥有大量的广告主，盈利机会增加；可以及时根据广告主发布的最新广告内容、要求和单价等信息，完全自主地选择所要投放的广告；优质的网络广告联盟可以为网站提供优秀的广告，为网站审核广告减轻负担，保证广告质量，降低因广告内容问题而给网站带来的风险；联盟提供最新的、准确的、透明化的网络广告报表，使网站系统直观地了解自己正在投放的各个广告情况（如投放量、投放页面、浏览和点击情况）及由此带来的收入，向网站提供客观的数据，为其网络广告经营提供借鉴；联盟有一套规则和机制（如对广告主的资质审核制度、预付款制度，以及各种规范的模式及流程）保证网站能够及时拿到广告费用，无须担心佣金问题，有效保障自己的权益。

③网络媒体加入广告联盟的操作流程：

a. 申请成为该网络广告联盟的正式会员；

b. 进入联盟广告库，选择合适的广告，查看广告主请求其投放的广告，并投放广告；

c. 对广告主进行评定，作为以后选择投放的参考；

d. 查看网络广告联盟提供的各类投放数据报表，对投放的广告进行评估和改进；

e. 获得广告费用，并进行下一次选择。

④网络广告联盟的新发展。热点广告网推出"热点定向广告"模式，即将广告受众进行分类定向，把广告投放在对该则广告信息感兴趣的受众面前。这种操作通过双向进行，客户可以把要发布的定向广告直接投放到与广告内容相关的网络媒体上，同时"热点定向广告"也会根据浏览者的偏好、使用习惯、地理位置、访问历史等信息，有针对性地将定向广告投放到真正感兴趣的浏览者面前。这是一种新型的网络广告联盟模式，适合于各种企业推广宣传，也适合各种类型的网站媒体申请加盟。

网络媒体加盟热点广告网必须符合网站审核标准：不能包含任何违反国家法律的内容；不能包含不健康的（色情、淫秽、赌博、暴力、反动、含有恶意代码及病毒等）内容；必须有自己的国际顶级域名或国家顶级域名（如 www.abc.com 或 www.abc.com.cn），原则上不通过二级域名或免费域名网站的审核；网站世界排名（周排名数据）在10万以内，同时3个月排名在20万以内，超出者不予审核；只有论坛及网站，无实际内容或页面排版不够专业和美观者不予审核；每个网页弹出窗口不超过两个；不得有两次以上自动弹出类似设为主页的对话框。网站享有联盟会员的权利，也有将自己的信息及时传递给热点广告网等义务，同时热点广告网按实际有效点击次数从中扣除10%的点击率。

⑤根据各联盟网站要求不同，加入网络广告联盟对网站都会有不同的要求，只有达到一定的标准时才能申请加入，享有联盟资源。如果网站广告的访问量或点击率很高，网站会在佣金的基础上按销售量或广告费总额提取一定的比例（有高有低）奖励网络广告联盟。加入网络广告联盟的模式使得网站间实现资源共享、优势互补，以求达到最佳的广告效果。

8.4.4 网络促销

1. 网络促销特点

网络促销是指利用现代化的网络技术向虚拟市场传递有关产品和服务的短期利益，以启发需求，引起消费者的购买欲望和购买行为的各种活动。传统促销和网络促销的基本手段都是提供各种短期利益，以引起消费者的注意和兴趣，促使消费者认识产品，激发他们的购买欲望，并最终发生购买行为。但由于互联网强大的通信能力和覆盖面积，网络促销在时间和空间上、顾客参与程度上和具体的促销手段上都与传统促销有一些差别。

（1）时间和空间上。传统的促销活动通常都是针对某个特定的地区市场设计和实施的，甲地的促销活动既可能和乙地的促销活动类似，也可能完全不同。如在上海采取派发试用品，而在南京则可能是打折，两地顾客不会发生互相攀比的现象。但是网络促销活动则要求在时空上保持相对一致性，否则很可能引发顾客的相互攀比，甚至有意模糊自己的居住所在地。

（2）消费群体和消费行为的变化。在网络环境下，消费者的概念和客户的消费行为都发生了很大的变化。上网购物者是一个特殊的消费群体，具有不同于大众消费的消费需求。这些消费者直接参与生产和商业流通的循环，他们普遍大范围地选择和理性地购买。这要求促销活动的设计者和实施者必须考虑促销所提供的短期利益的连续性。

（3）具体促销手段的变化。传统环境下的许多促销手段是建立在实物流动的基础上的，显然，这些促销手段对网络促销是不适用的。相反，互联网也提供了诸如免费信箱、免费下载、免费参与、积分、抽奖等一系列新的促销手段。

2. 网络促销形式

网络促销是指在互联网市场上开展促销活动，采用如价格折扣、有奖销售、拍卖销售等方式来宣传和推广产品，目前主要的形式有以下几种。

（1）网上折扣。打折是目前网上最常用的一种促销方式。为促使消费者进行网上购物的尝试并做出购买决定，采用幅度比较大的折扣可以在一定程度上减少网上购物的负面不足之处，吸引消费者眼球，此外网络营销由于销售渠道的减少，可以较低的价格销售产品，因此网上销售商品的价格一般都要比传统方式销售时低。抽奖促销是网上应用较广泛的促销形式之一。抽奖促销是以一个人或数人获得超出参加活动成本的奖品为手段进行商品或服务的促销。网上抽奖活动主要用于调查、产品销售、扩大用户群、举办庆典、推广某项活动等。

（2）积分。积分促销在网络上的应用比起传统营销方式要简单和易操作。网上积分活动很容易通过编程和数据库等来实现，并且结果可信度很高，操作起来相对较为简便。积分促销一般设置价值较高的奖品，消费者通过多次购买或多次参加某项活动来增加积分以获得奖品。

（3）网上联合。由不同商家联合进行的促销活动称为联合促销。联合促销的产品或服务可以起到一定的优势互补、互相提升自身价值等效应。如百事可乐与雅虎、搜狐与可口可乐、新浪与乐百氏都是比较成功的网上联合促销案例，提升了彼此的品牌价值。

（4）赞助。赞助促销一般可分为栏目赞助（如安踏运动系列赞助搜狐体育频道）、活动赞助等形式。在赞助期间与网站举行促销活动。

（5）竞赛与推广。竞赛与推广是广告主和网站一起举办双方均感兴趣的促销推广活动。如AOL 旗下的 About.me 组织用户们开展了一场竞赛，在 About.me 页面得到最多投票的用户，将出现在其悬挂于时代广场的广告牌上，另外还会得到一次纽约之旅，亲眼看一看有着他们头像的广告牌。这场竞赛的宣传同时出现在 Twitter 和 Facebook 上，最终该竞赛活动把所有用户变成了他们的宣传员。

（6）游戏。游戏促销是指广告主和网站通过游戏的形式来宣传产品或服务的特点与功能，在与消费者的互动游戏过程中达到引导消费者、传达产品和服务特点的目的。

3. 网络促销运作

根据国内外网络促销的大量实践，网络促销战略的实施程序由四个方面组成，即确定网络促销对象，设计网络促销组合，选择网络促销预算方案，衡量网络促销效果。

（1）确定网络促销对象。网络促销对象是针对可能在网络虚拟市场上产生购买行为的消费群体提出来的。随着网络的迅速普及，这一群体也在不断扩大。这一群体主要包括三部分。

1）产品的使用者。这里指实际使用或消费产品的人。实际的需求构成了这些顾客购买的直接动因。抓住了这一部分消费者，网络销售就有了稳定的市场。

2）产品购买的决策者。在许多情况下,产品的使用者和购买决策者是一体的,特别是在虚拟市场上更是如此。因为大部分的上网人员都有独立的决策能力,也有一定的经济收入。但在另外一些情况下,产品的购买决策者和使用者则是分离的。例如,中小学生在网络光盘市场上看到富有挑战性的游戏光盘,非常希望购买,但实际的购买决策往往由学生的父母做出。因此,网络促销同样应当把购买决策者放在重要的位置上。

3）产品购买的影响者。这里指在看法或建议上对最终购买决策可以产生一定影响的人。在低价、易耗日用品的购买决策中,产品购买的影响者的影响力较小,但在高价耐用消费品的购买决策上,影响者的影响力较大。这是因为对高价耐用品的购买,购买者往往比较谨慎,希望广泛征求意见后再做决定。这部分人群也不能忽视。

(2) 设计网络促销组合。促销组合是一个非常复杂的问题。网络促销活动可以通过采用上述常见的促销方式进行。但由于企业的产品种类不同,销售对象不同,促销方法与产品种类和销售对象之间将会产生多种网络促销的组合方式。企业应当根据网络促销折扣、积分促销、网上联合促销、免费下载、赞助、竞赛和推广等方法各自的特点和优势,根据自己产品的市场情况、顾客情况,扬长避短,合理组合,以达到最佳促销效果。一般来说,网络广告促销主要实施"推"战略,其主要功能是将企业的产品推向市场,获得广大消费者的认可。网络站点促销主要实施"拉"战略,其主要功能是将顾客牢牢地吸引过来,保持稳定的市场份额。对日用消费品,如化妆品、食品、饮料、图书、消费型电子产品、软件产品等,采用网络促销的效果比较好。

(3) 选择网络促销预算方案。在网络促销实施过程中,使企业感到最困难的是预算方案的制定。在互联网上促销,对于任何人来说都是一个新问题。所有的价格、条件都需要在实践中不断学习、比较和体会,不断地总结经验。只有这样,才可能做到事半功倍。首先,必须明确网上促销的方法及组合的办法。选择不同的信息服务商,宣传的价格可能悬殊极大。因此,企业应当认真比较各站点服务质量和服务价格,从中筛选出适合于本企业的、质量与价格匹配的信息服务站点。

其次,需要确定网络促销的目标,是树立企业形象、宣传产品,还是宣传售后服务。围绕这些目标再来策划投入内容的多少,包括文案的数量、图形的多少、色彩的复杂程度,投放时间的长短、频率和密度,促销广告宣传的位置、内容、更换的时间间隔以及效果检测的方法等。这些细节确定好了,对整体的资金数额就有了预算的依据,与信息服务商谈判时也有了一定的把握。

最后,需要明确希望影响的是哪个群体、哪个阶层,是国外的还是国内的。因为在服务对象上,各个站点有较大的差别。有的站点侧重于中青年,有的站点侧重于学术界,有的站点侧重于产品消费者。一般来讲,侧重于学术交流站点的服务费用较低,专门从事新产品推销站点的服务费用较高,而某些综合性的网络站点费用最高。在宣传范围上,单纯使用中文促销的费用较低,使用中英文促销的费用较高,企业促销人员应当熟知自己产品的销售对象和销售范围,根据自己的产品选择适当的促销形式。

(4) 衡量网络促销效果。网络促销的实施过程到了这一阶段,必须对已经执行的促销内容进行评价,衡量一下促销的实际效果是否达到了预期的促销目标,对促销效果的评价主要依赖于两个方面的数据。一方面,要充分利用互联网上的统计软件,及时对促销活动的好坏做出统计。这些数据包括主页访问人次、点击次数等。另一方面，销售量的增加情况、利润的变化情况、促销成本的降低情况，有助于判断促销决策是否正确。同时，还应注意促销对象、促销内容、促销组合等方面与促销目标的因果关系的分析，从而对整个促销工作做出正确的判断。

案例分析

网络营销管理案例三则

案例一：看着《小时代》电影赚得盆满钵满，韩寒终于坐不住了，决定在作家、赛车手、"全民岳父"外多加一个身份——导演。不同于《小时代》的是，电影《后会无期》并没有原著的粉丝基础，而是全新创作的另一素材。在电影的前期微博宣传上并没有依赖影片的相关细节，而是靠演员或导演的片场照片，加以"韩式幽默"的调侃配文在微博上传播。许多网友更是脑洞大开，几乎每条微博下都出现许多"神评论"。而相关营销大号将这些"神评论"汇总，再以微博形式传出，使得高质量的UGC得到了有效的二次传播。因而，《后会无期》的前期宣传既保持了影片的神秘性，又在话题性上做足了噱头。影片上映后，剧中各主角的经典语句被制成九宫格图片传播，并且迅速引发了各种形式的自由创作，最经典的当属"喜欢就会放肆，而爱就是克制"。这些简单易改编的句式瞬间燃起了网民们创作的热情，即使是尚未去电影院观看的消费者也不会对台词感到陌生。此外，《后会无期》为剧中备受欢迎的小阿拉斯加犬"马达加斯加"建立了个人微博，主要用于互动卖萌与发布电影的幕后故事，让电影在观众心中有了更完整的形象。

案例二：冰桶挑战可以说是2014年夏天的大赢家，它由国外传入，并经国内最大的社交平台——微博不断发酵。率先接受挑战的，是科技界类似于雷军、李彦宏这样的大佬们。而后，娱乐圈的各位明星也纷纷加入活动，使冰桶挑战的热度持续升温。围观的"群众"表示虽然自己被点名的可能性非常之小，但看着平日里高高在上的名人们发如此亲民又好玩的视频实乃一大乐趣。

ALS的中文全称是"肌萎缩侧索硬化"症，患有此病的波士顿学院的著名棒球运动员Pete Frates希望更多人能够关注到这一疾病，于是发起冰桶挑战。活动规则如下，被点名的人要么在24小时内完成冰桶挑战，并将相应视频传上社交网站；要么为对抗ALS捐出100美元。因挑战的规则比较简单，活动得到了病毒般的传播，并在短短一个月内获得了2.57亿美元的捐款。

案例三：时隔四年，世界杯再次来袭。许多品牌都卯足了劲准备在世界杯期间好好发力，百度就为此推出"世界杯刷脸吃饭"活动，并大获成功。消费者只需用手机百度自拍一张照片，系统便会自动识别打分，并根据分数赠送相应的优惠券，可以在百度外卖下单时使用。这个过程虽看似简单，却需要较高的技术量。对人脸打分意味着需要调用图像识别技术与人脸识别技术。百度作为国内互联网三大巨头之一，又是搜索领域里专家中的专家，将自己最擅长的东西应用到了营销领域。

资料来源：http://www.yinxi.net/zt/show_19415.html.

【案例思考题】

1. 根据案例分析电影《后会无期》是运用哪些方法进行网络营销的？
2. 冰桶挑战是一次十分有效的公益与营销的结合。冰桶挑战活动如此成功的原因是什么？
3. 百度公司为何会采取这种营销手段？与案例二中运用到的营销手段有何异同？

本章小结

网络营销管理是企业通过网络对营销活动进行管理的过程。网络营销管理的实质，即综合运用各种可控的市场营销因素以创造并满足顾客需求。本章从网络产品与服务、定价、分销渠道和网络广告与促销四个角度具体系统地阐述网络营销管理的重要性，使其系统化和规范化。

适合在网上销售的产品通常从以下方面来判断：产品的可信息化程度、产品的标准化程度、产品的品牌知名度、产品的购买风险、产品的网络目标市场定位、产品的市场可到达性、产品对传统市场的扩展。网络营销新产品的开发要根据网络产品所处环境的不同而采用不同的策略。网络营销定价策略包括：低价渗透性定价策略、个性化定制生产定价策略、使用定价策略、拍卖定价策略、声誉定价策略、差别定价策略、免费价格策略。网络分销渠道的建设分为三个步骤，分别是：确定产品要求的服务水平、选择网络分销商、确定渠道方案。网络促销形式包括：网上折扣、积分、网上联合、赞助、竞赛与推广、游戏。网络促销战略的实施程序由四个方面组成，即确定网络促销对象、设计网络促销组合、选择网络促销预算方案、衡量网络促销效果。

关键词

网络产品　　　网络品牌　　　网络产品定价　　　网络营销定价策略
网络分销渠道　渠道管理　　　网络媒体广告　　　网络促销

综合复习题

思考题

1. 网络营销产品的内涵层次包括哪些方面？
2. 简述网络营销中品牌管理的重要性。
3. 简述网络新产品的开发策略。
4. 影响网络营销定价的因素有哪些？
5. 网络营销定价策略有哪些？
6. 网络分销渠道与传统分销渠道的区别是什么？
7. 选择网络中间商时应注意哪些因素？
8. 网络分销渠道的功能有哪些？
9. 网络广告的优势有哪些？
10. 网络广告促销如何运作？

讨论题

1. 试讨论如何对网络产品品牌进行良好的管理。
2. 如何更好地进行网络渠道的管理？
3. 结合本章网络促销的内容，试讨论还有哪些更好的网络促销方式。
4. 试讨论日常生活中遇到的病毒营销案例及其影响效果。
5. 在实际操作网络广告过程中，应该如何提高网络广告的效果？
6. 假设某电子商务网站在QQ上和新浪微博上花同样的钱投放了广告，QQ广告一天展示了5 000 000次，带来了50 000个访问者、200个订单；新浪微博上的广告一天展示了4 000 000次，带来了60 000个访问者、300个订单。该网站是否应该减少在QQ上的投放，而加大在新浪微博上的投放？

网络实践题

1. 登录亚马逊中国网站，了解它有哪些定价策略。请搜索某一品牌与规格的产品，了解其价格。
2. 登录京东商城网站，搜索某一品牌的产品，然后分别登录易购网、一淘网、三脉网、盖帽网搜索同一品牌与规格型号的产品，比较各网上商店定价的高低。

3. 根据网站流量统计数据，分析网站访问量与网络营销策略之间的关系，主要包括以下几方面。

（1）网站访问量是否具有明显的变化周期。

（2）本月网站访问量的增长趋势。

（3）用户来源主要引导网站的特点及可能进一步增加访问量的改进方法。

（4）网站搜索引擎推广的效果及存在的问题分析。

4. 根据网站流量统计数据发现的问题及其对网络营销策略的影响，请提出相应的改进建议。

第 9 章
CHAPTER 9

网络营销的基本方法

§ 本章导读

随着信息技术和网络技术的不断更新迭代，不论是理论界还是实践中都在尝试不同的网络营销方法。本章既介绍网络营销中较为基础和传统的方法，同时结合当下新媒体技术的发展和实践当中的热点，也介绍一些热门的网络营销方法。Web 营销是以互联网为主要传播手段和工具开展营销活动的一种方式；许可 E-mail 营销是通过电子邮件的方式向目标用户传递有价值信息的一种方法；网络会员制营销是一个网站依托自己的会员资源推广服务和商品并收取佣金的方式；搜索引擎营销是利用用户检索信息的机会开展营销的方式；病毒式营销是依靠用户之间的主动传播来达到企业网络营销的目的的；移动营销是指以移动通信设备为传播平台，直接向目标受众传递个性化信息并与消费者进行互动的模式；网络新零售强调线上线下与物流的紧密结合，也就是"线上 + 线下 + 物流"；网络社会化营销是以网络社会化媒体为载体开展的各种营销活动；IP 营销是凭借 IP 自身的吸引力在多个平台上获得流量的营销方式；网红营销是借助"网红"与粉丝之间的连接来开展营销的新型网络营销方式。

§ 学习目标

- 了解本章的几种网络营销方法的基本内涵
- 掌握本章的几种网络营销方法的实施方式
- 锻炼综合运用所学的网络营销方法解决实际问题的能力

§ 引导案例

加多宝玩转"互联网+"场景营销

如果说互联网争夺的是流量和入口，那么移动互联网时代争夺的就是场景。从 PC 互联网向移动互联网转型中，原有的流量经济逐渐失效，以场景触发为基础的"场景化营销"

时代正在来临。企业需要借助符合用户生活形态的场景化设计，重塑产品的渠道和链接方式，以产品场景营销见长的加多宝显然深谙此道。

金罐风靡 KTV，引领线上线下互动

自加多宝开启"移动互联网＋"战略以来，"万能的金罐"化身"金彩生活圈"的入口，融入消费者衣、食、住、行、游、乐、购等全方位的生活消费场景中，彻底改善用户生活消费体验。

金罐加多宝更将"触角"伸向最贴近消费者生活的KTV消费场景。通过与消费者进行深度互动，增强消费者对金罐加多宝"金彩生活圈"策略的感知与认可，从而使加多宝"移动互联网＋"战略的方式和内容也得到进一步的丰富。

K歌抢不到话筒，无聊寂寞坐在角落，只能听"麦霸"全程演唱会？去KTV不唱歌还能玩些什么？随着暑期消费黄金期的到来，金罐加多宝高调走入各大城市KTV与消费者"联欢"：在上海、成都等地的数千家KTV里，金罐加多宝的产品和二维码会随时出现在屏幕的浮窗角标、文字弹出框、暂停画面、点歌弹出框等位置，唱歌之余，消费者只要扫描二维码就能进入金罐加多宝为你量身定制的"金彩生活圈"，并通过互动赢取优惠券当场获赠金罐加多宝，获得加多宝"移动互联网＋"带来的快捷消费体验和各种金彩福利。

通过KTV渠道增加"移动互联网＋"的外部触点，"金彩生活圈"的入口从金罐加多宝产品拓展到体量更为庞大的"端"资源。据加多宝相关负责人透露，在此次"唱享金彩"活动中，加多宝金罐产品和二维码将在超过255 000块KTV屏幕上显示，日曝光量达到510万，每天为活动带来510万的流量。

拥抱场景，加多宝"移动互联网＋"战略升级

著名品牌专家李光斗认为，移动互联网时代，在移动、分散、碎片的条件下，真正打动用户，最好的方法莫过于设置一个贴近用户实际生活的场景，让消费者自然接受商家提供的信息。从投入大量资源提前打造喜庆热闹氛围的系列春节大拜年活动，到多次反复强化的TVC火锅消费场景输出，一直以来，加多宝在营销推广的思路上都侧重于场景化。无论是火锅店、KTV等消费场景，还是紧扣节庆采购年货、家人团聚的节日场景，加多宝都善于贴合用户实际生活场景进行产品推广。

2015年4月30日，加多宝发起一场别开生面的千人发布会，正式开启"移动互联网＋"战略，并联合滴滴打车、京东商城、韩都衣舍等最热门的互联网平台，启动"有你更金彩——2015年淘金行动"的新鲜玩法，"万能的金罐"首创性地成为活动入口，通过多种形式的合作融入打车、购物、娱乐等不同的生活场景，为消费者打造一个无处不在的"金彩生活圈"。而此次以KTV为落地项目的"唱享金彩"活动，是加多宝对"淘金行动"原有场景的拓展和延伸。

加多宝在国内红红火火开展"有你更金彩"主题活动的同时，在国际大舞台也有大动作。2015年6月10日，米兰世博会"中国国家馆日"后的第一个企业日——"加多宝主题活动日"拉开帷幕，"中国传统文化全球推广——凉茶文化全球行（米兰站）暨金罐加多宝全球招商会"亦同步启动，标志着金罐加多宝的全球化战略布局以及打造世界级饮料品牌的宏伟战略迈出了坚实的一步。

从单纯由产品属性出发的场景广告，到融入衣食住行多种场景的"金彩生活圈"，此次"唱享金彩"活动无疑是加多宝在一贯的场景营销上的再次拓展，更是紧贴场景化趋势对"移动互联网+"战略的再次升级和丰富。

资料来源：搜狐视频.加多宝互联网+[EB/OL]. http://tv.sohu.com/20150629/n415857474.shtml?lcode=AAAAS1Qg8ltT_Xr6afgv56LtCzojYTWkAvGrI3tfPWRZRq47CLdRwpMP9_lQqNGVdywBJHfPxDiO7VLbSpdw-dU-4CylDAQdcdZlKyVa1NynjwmNnea&lqd=17965.2015.06.29/2020.03.12.

【案例思考题】
1. 场景营销是什么？
2. 场景营销需要哪些技术支持以增强营销效果？
3. 除了场景营销，加多宝还可以采用哪些网络营销方法？
4. 基于案例思考，网络营销在未来将呈现什么样的趋势？

9.1 Web 营销

9.1.1 Web 营销的概念

Web 营销就是以互联网为主要传播手段和工具，实施一系列针对目标客户和市场的营销活动与步骤，以期达到满足消费者需求、实现企业业务目标的营销模式。Web 营销作为 CRM 系统的重要功能之一，与业务操作流程中的销售及客户服务形成了一个互动的循环过程，彼此之间具有极强的相互依赖性；它作为企业前端业务的关键流程，与客户发生直接的接触和交流，因此对于企业整个业务的开展具有重要的意义。

互联网发展到现在总共经历了 Web 1.0、Web 2.0 和 Web 3.0 三个重要的发展阶段。各个阶段都具有不同的本质与特征，假如说 Web 1.0 的本质是联合，那么 Web 2.0 的本质就是互动，是让网民更多地参与有价值的信息产品的创造、传播和分享等过程的互联网方式。而 Web 3.0 是在 Web 2.0 的基础上发展起来的，能够更好地体现网民的劳动价值，并且能够实现价值均衡分配的一种新兴的互联网方式。

对于什么是 Web 2.0，蒂姆·奥莱利于 2005 年给出了语义模糊的定义：Web 2.0 是互联网作为跨设备的平台，其应用程序充分发挥平台的内在优势，软件以不断更新的服务方式进行传递，个人用户通过组成群体贡献自己的数据和服务，同时允许他人聚合，以达到用户越多、服务越好的目的，通过这种"参与架构"创造出超越传统网络页面技术内涵、引发丰富的用户体验的网络效应（O'Reilly，2005）。而维基百科是这样表述的："Web 2.0 是对于感知到的万维网正在进行的变化，即从网站的集合转变为向终端用户提供 Web 应用的计算平台的统称。"可以看出，Web 2.0 不是一个具体的事物，而是一个阶段，是促成这个阶段的各种技术和相关产品与服务的总称。国内研究机构——互联网实验室（2006）则认为：Web 2.0 是一套可执行的理念体系，实践着网络社会化和个性化的理想，使个人成为真正意义上的主体，实现互联网生产方式的变革，从而解放生产力。Web 2.0 营销是指对 RSS 营销、博客营销、SNS 营销等 Web 2.0 应用、技术、理论的一个综合的表现。它的核心是注重用户的交互作用，让用户既是网站的浏览者，也是网站内容的建设者。由于用户能够方便畅达地为自己所消费的产品表达意见，因此这些内容先天具备再次推广产品的价值。

Web 2.0 作为过渡性的产物，让人们可以更多地参与到互联网的创造劳动中，特别是在内容上的创造，为企业的营销带来了新的方式和思路。然而，在大量的商业实践中，人们逐渐认识到了 Web 2.0 的缺陷在于其没有体现出网民劳动的价值，因此，纯粹的 Web 2.0 会在商业模式上遭遇重大挑战。Web 3.0 不仅仅是一种技术上的革新，还是以统一的通信协议，通过更加简洁的方式为用户提供更为个性化的互联网信息资讯定制的一种技术整合。Web 3.0 将会是互联网发展中由技术创新走向用户理念创新的关键一步。Web 3.0 环境下网站内的信息可以直接和其他网站相关信息进行交互，能通过第三方信息平台同时对多家网站的信息进行整合使用；用户在互联网上拥有自己的数据，并能在不同网站上使用；完全基于 Web，用浏览器即可实现复杂系统程序才能实现的系统功能；同时，用户数据在经过审核后还能同步于网络数据。

9.1.2　Web 营销的种类

网络营销区别于传统营销的根本点是网络本身的特性和网络顾客需求的个性化，网络营销必须从网络特征和消费者需求变化这一基础出发，运用网络整合营销、"软营销"及网络直复营销等新营销理论，进行营销策略创新。

1. 网络整合营销

所谓网络整合营销，是指由于网络营销信息的双向互动特性，使顾客真正参与到企业的整个营销过程成为可能，顾客参与的主动性、选择性加强，顾客在整个营销过程的地位比传统营销进一步得到提高。

2. 软营销

所谓"软营销"是指在网络营销环境下，企业向顾客传送的信息及采用的促销手段更具理性化，更易于被顾客接受，进而实现信息共享与营销整合。网络发展的基础是信息共享、降低信息交流的成本以及网络访问者的主动参与，这就决定了在网上提供信息必须遵循网络礼仪。网络礼仪是一切网上行为的准则，以体现网络社区作为一个具有社会、文化、经济三重性质的团体，是按照一定的行为规划组织起来的，网络营销也不例外。可见，"软营销"观念的特征主要体现在遵守网络礼仪的同时，通过对网络礼仪的巧妙运用留住顾客，并建立起对企业及产品的忠诚意识，从而获得最佳的营销效果。

3. 网络直复营销

网络直复营销是指生产厂家通过直接分销渠道，直接销售产品。常见的做法有两种：一种是企业在因特网上建立自己独立的站点，申请域名、制作主页和销售网页，由网络管理员专门处理有关产品的销售事务；另一种是企业委托信息服务商在网站上发布相关信息，企业利用有关信息与客户联系，直接销售产品，虽然在这一过程中有信息服务商参加，但主要的销售活动仍然是在买卖各方之间完成的。

9.1.3 Web 营销模式

1. RSS 营销

（1）RSS 营销的概念。RSS 营销是指利用 RSS（really simple syndication）传递营销信息的网络营销模式。RSS 营销的特点决定了它比其他邮件列表营销具有更多的优势，是对邮件列表的替代和补充。然而，RSS 营销是一种相对不成熟的营销方式，即使在美国这样的发达国家仍然有大量用户对此一无所知。使用 RSS 的用户以互联网业内人士居多，以订阅日志及资讯为主，因此让用户订阅广告信息的可能性微乎其微。

（2）RSS 营销的步骤。要使企业网站发挥 RSS 营销的功能，首先需使网站具有 RSS 订阅的功能，这样用户在访问网站时就可以点击或订阅新闻，一旦有新内容发布，订阅者就可以打开阅读。网站要不断更新内容，还需对订阅者进行跟踪分析，收集用户的点击行为，分析他们的爱好、阅读习惯等信息，为制定网络营销策略提供数据基础。RSS 营销的步骤如图 9-1 所示。

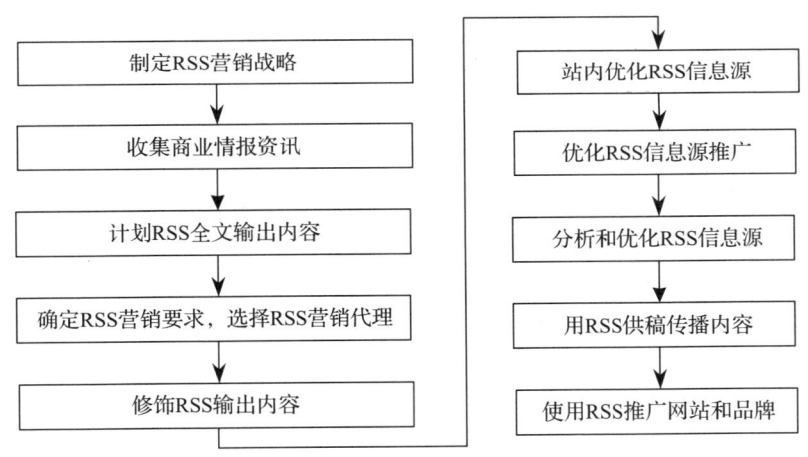

图 9-1　RSS 营销的步骤

①制定 RSS 营销战略。RSS 营销战略包括将 RSS 的用途融入每一个营销职能定义中，然后进行营销组合，并为营销职能设置目标。

②收集商业情报资讯。用 RSS 管理商业情报是全面提升营销功能的第一步。RSS 商业情报系统包括选择合适的 RSS 阅读器、确定所需的商业情报、甄选相关的信息源。

③计划 RSS 全文输出内容。RSS 互动输出可以说是 RSS 营销最复杂的一部分。这一步需要定义互动的群体、目标、RSS 信息源模式、RSS 信息源内容以及 RSS 信息源内容源等。

④确定 RSS 营销要求，选择 RSS 营销代理。界定 RSS 营销技术，并据此要求选择合适的供应商，支持战略的所有特征。

⑤修饰 RSS 输出内容。当准备好 RSS 全文输出后，需要仔细策划 RSS 内容条目，即放置

符合目标群的内容并且涉及文风、大纲以及随叫随到功能。

⑥站内优化 RSS 信息源。仅仅在网站上发布 RSS 不足以吸引订阅者，还需确定如何发布 RSS，如何布置信息源的最佳位置，以及开发利用其他能吸引订阅者的小工具。

⑦优化 RSS 信息源推广。还可以将 RSS 信息源进行网络推广。

⑧分析和优化 RSS 信息源。建立分析和优化 RSS 的战略，包括定义合适的标准，组建分析和优化内容的技术团队，靠他们分析和优化订阅继承策略。

⑨用 RSS 供稿传播内容。使用 RSS 发布到相关媒体。RSS 联合供稿需要确定目标媒体、RSS 内容、供稿工具以及优化自身供稿能力。

⑩使用 RSS 推广网站和品牌。通过 RSS 增加用户的内容体验，并通过读者的聚焦提升品牌影响力。

2. 博客营销

（1）博客营销的概念。简单来说，博客营销就是利用博客这种网络应用形式开展网络营销。博客具有知识性、自主性、共享性等基本特征，可以理解为个人思想、观点、知识等在互联网上的共享。正是这些性质决定了博客营销包括思想、体验等个人知识资源，并通过网络形式传递信息。因此，企业开展博客营销时，就需要通过对某个领域知识的掌握、学习、有效利用，以及对知识的传播达到传递营销信息的目的。

与博客营销相关的概念还有企业博客、营销博客等，它们从博客的具体应用角度描述，主要用于区别以个人兴趣甚至个人隐私为内容的博客。不论是企业博客还是营销博客，博客都是个人行为，只不过在写作内容和出发点方面有所区别：企业博客或者营销博客具有明确的企业营销目的，博客文章中或多或少会带有企业营销的色彩。

（2）企业博客营销的策略。无论是企业自己建立博客平台，还是委托博客托管服务商或一类自组织的博客主，其博客营销都无法离开以下基本步骤：制订博客营销计划、选择博客服务平台、选择优秀的博客、坚持博客的定期更新及完善、协调个人观点与企业营销策略之间的分歧、博客的推广以及效果的评估及深化或调整，如图 9-2 所示。

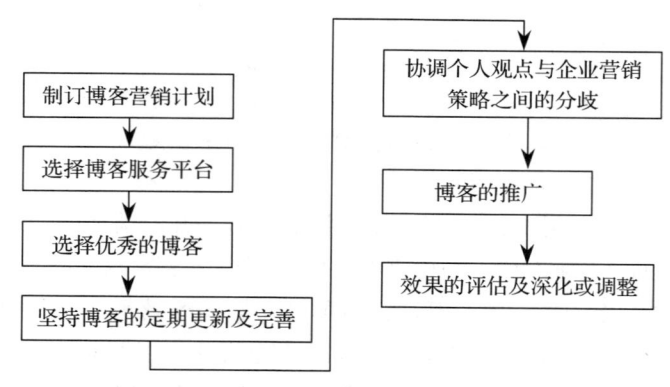

图 9-2　企业博客营销的基本步骤

1）制订博客营销计划。计划的制订需要围绕公司业务与目标市场、目标客户群体、推广对象等方面，包括博客营销主题、博客服务平台名单与选择、人员计划、写作领域与信息整合领域的选择、博客文章的发布周期、博客营销的监控、其他博客资源的利用思路、效果跟踪与评估指标等。计划包括博客营销的主题、执行，以及监控与评估的过程。博客营销主题具有关键作用，即博客本身的定位以及博客日志选择的话题，是针对产品体验做文章，还是从企业自身找话题，抑或是写足够多的原创内容，等等。拥有鲜明特点的主题，博客营销计划就已经成功了一半，无论是跨国公司还是以管理咨询、法律服务为主营业务的中小型企业，在实施博客营销前都需制订系统的计划。

2）选择博客服务平台。在选择服务平台时，需要注意选择功能完善、稳定，适合企业自身发展的博客营销平台。选择博客托管网站时可以根据全球网站排名等信息分析、判断，选择访问量较大且知名度较高的博客服务平台。对于某一领域的专业博客网站，同样需要考虑访问量和其在该领域的影响力，对于影响力较大的博客托管网站，其博客内容的可信度也相应较高。同时，企业可以依托自己的网站建立企业博客频道，发布企业动态与产品信息、研究成果、调研报告以及优秀员工日志等方面的内容，通过博客传播公司信息、加强同客户间的交流与沟通。

3）选择优秀的博客。在营销的初始阶段，拥有良好写作能力是利用博客传播企业信息的首要条件，要能根据目标客户群体的偏好，在发布自己的生活经历、工作经历和某些热门话题的评论等信息的同时，附带宣传企业，如企业文化、产品品牌等，特别是如果该博客是在某领域有一定影响力的人物，其发布的文章就更容易引起关注，吸引大量潜在用户浏览，这样就可以通过个人博客文章为读者提供了解企业信息的机会。

4）坚持博客的定期更新及完善。要发挥博客长久的价值和应有的作用，企业应坚持不断地更新博客内容。因此企业需要创造良好的博客环境，采用合理的激励机制，促使企业博客有持续的创造力和写作热情。

5）协调个人观点与企业营销策略之间的分歧。网络营销活动属于企业营销活动，而博客写作属于个人创作活动，因此博客营销必须正确处理两者之间的关系。为了获得读者的关注，博客文章不能仅代表公司的官方观点而失去个性特色；同时，如果博客文章只代表个人观点而与企业立场不一致，就会受到企业的制约。因此，企业应该培养一些有良好写作能力的员工，他们写的东西既要反映企业特色，又要保持自己的观点和信息传播性，这样才会获得潜在用户的关注。

6）博客的推广。各种方式均可推广博客，如提示网友转摘，提供交换链接、与各大博客网站主编或栏目编辑维持关系推广，以及 SEO 推广，为博客设置符合搜索引擎的要求，利用搜索引擎带来流量等。

7）效果的评估及深化或调整。企业可根据事先制订的计划对博客营销效果进行评估，如博客访问量统计、所有博客访问总量统计、转载量、外部文章数量、针对媒体的影响状况、参与博客写作的非客户机构内部人员数量、客户咨询量、销售转化率、博客营销计划的执行状况等多项指标，并根据评估结果予以深化或改进调整。

9.2 许可 E-mail 营销

随着电子邮件技术的不断推广和广泛应用，许可电子商务营销的方式越来越受到人们的认可和接受。这一小节中，将着重介绍许可电子邮件营销的相关概念、方法和过程。

9.2.1 电子邮件的概念及发展

电子邮件（E-mail）又称电子信箱、电子邮箱，是指通过电子通信系统进行书写、发送和接收的信件，是一种利用电子手段进行信息交换的通信方式。电子邮件系统，又称基于计算机的邮件报文系统，是电子邮件发送和接收的基础，它承担电子邮件从进入邮件系统至到达目的地为止的全部工作。通过电子邮件系统，用户可以以非常低廉的价格（免费电子邮箱用户基本上只需承担网费）随时随地利用快捷的方式与世界上任何一个角落的单个或者多个网络用户就文字、图片、声音、视频等信息进行交换。

从全球电子邮件的发展历程来看，电子邮件虽然是在 20 世纪 70 年代发明的，但是由于当时使用 ARPANET 网络的人数太少，同时受限于软件和硬件的发展，电子邮件并没有得到大规模的普及和发展。20 世纪 80 年代中期，随着个人电脑的兴起和普及，电子邮件逐渐在电脑迷和大学生中广泛传播。20 世纪 90 年代中期，互联网浏览器的诞生以及全球网民人数的激增，使电子邮件逐渐得到广泛使用。

就中国电子邮件的发展历程而言，1998 年 6 月 24 日，263 首都在线在中国北方地区首次推出免费邮箱系统服务。随后，1999 年新浪推出 50M 免费电子邮箱，之后各家网站又有了 100M 乃至 "无限空间邮箱"，在当时狂热的市场气氛下，中国网民过早拥有了 "海量" 体验。随着互联网的不断发展，上网人数也不断增多，作为互联网服务中最重要的电子邮件服务，其规模也在不断扩大。

9.2.2 许可 E-mail 营销的基本原理

1. 许可 E-mail 营销的概念

"许可营销" 理论最早是由雅虎的营销专家赛斯·高汀（Seth Godin）提出的。他在《许可营销》（Permission Marketing）一书中对许可营销进行了比较系统的研究。引用书中所言："许可营销是通过与自愿参与者的相互交流，确保消费者对此类营销信息投入更多关注。" 结合有关 E-mail 营销以及许可营销的研究，本书认为 E-mail 营销就是在事先征得用户许可的情况下，通过电子邮件的方式向目标用户传递有价值信息的一种网络营销方法。E-mail 营销有三个必不可少的条件，即用户的事先许可、通过电子邮件的方式传递信息、信息具有价值。因为用户的许可是最基础的条件，因此，E-mail 营销的实质是许可 E-mail 营销。

2. 开展许可 E-mail 营销的基本条件

开展 E-mail 营销所面临的问题中，发送邮件列表的技术保证是主要基础，也是 E-mail 营销的技术基础。通过自建或者选择其他电子邮件系统，从技术上保证用户自由、便利地加入和退出邮件列表，从功能上保证实现对用户资料的管理，以及邮件发送和效果跟踪反馈，一般而言将具有这些功能的系统称为 "邮件列表发行平台"。邮件列表发行平台是 E-mail 营销的技术基础。经营邮件列表，可以自己建立邮件列表发行系统，也可以根据需要选择专业服务商提供的邮件列表发行平台服务，实际情况中具体采用哪种形式，取决于企业的资源和经营者的个人偏好等因素。

在用户许可的情况下，引导更多的用户自愿加入邮件列表，从而获得尽可能多的用户 E-mail 地址资源，是 E-mail 营销发挥作用的必要条件。获取用户资源是 E-mail 营销中最基础、最重要的一项长期工作，但在实际工作中往往被忽视。有些邮件列表建立之后，缺少持续的有效管理，所以加入邮件列表的用户数量较少，E-mail 营销的优势难以发挥。同时在获取用户 E-mail 地址的过程中，应该对邮件列表进行相应的推广，及时更新、完善订阅流程，并注意对用户隐私的保护，从而提高用户加入的成功率，增强邮件列表的总体有效性。

有效的内容设计是 E-mail 营销发挥作用的重要前提和基本保障。在 E-mail 营销中，营销信息是通过电子邮件向用户发送的，邮件的内容能否引起用户的关注、对用户是否有价值，直接影响 E-mail 营销的最终结果。没有合适的内容，拥有再好的 E-mail 营销技术基础、再多的 E-mail 营销地址资源，也无法向用户传递有效的营销信息。

9.2.3　许可 E-mail 营销的基本方式和一般过程

1. 许可 E-mail 营销的基本方式

按照 E-mail 地址资源所有权的划分，许可 E-mail 营销常用的形式有内部列表和外部列表两种。内部列表就是平时所说的邮件列表，包括企业通过各种渠道拥有的各类用户的 E-mail 地址资源（更具体的可以是用户的注册信息）。内部列表许可 E-mail 营销就是在用户许可的前提下，营销者利用注册用户的资料开展的 E-mail 营销。一般而言，对 E-mail 营销比较重视的企业通常会拥有自己的内部列表。外部列表是指专业服务商或者其他可以提供专业服务的机构提供的 E-mail 地址资源，例如专业的 E-mail 营销服务商、相同定位的网站会员资料、免费邮箱服务商等。外部列表许可 E-mail 营销就是在用户许可的前提下，营销者利用专业服务商提供的 E-mail 地址资源开展的 E-mail 营销。虽然内、外部列表在表面看起来就是获取 E-mail 地址资源的方式不同，但这种差异却导致在开展 E-mail 营销的内容和方法上两者有很大的区别，如表 9-1 所示。

表 9-1　内部列表和外部列表许可 E-mail 营销的比较

对比项目	内部列表许可 E-mail 营销	外部列表许可 E-mail 营销
主要功能	顾客服务、顾客关系、产品推广、品牌宣传、在线调查、资源合作	品牌宣传、产品推广、在线调查
投入费用	相对固定，取决于日常经营和维护费用，与邮件发送数量无关，用户数量越多，平均费用越低	没有日常维护费用，营销费用与邮件发送数量等因素有关，邮件发送数量越多，费用越高
网民信任度	网民主动加入，对邮件内容比较信任	邮件为第三方发送，用户对邮件的信任程度取决于服务商的信用、企业自身的品牌以及邮件内容等因素
列表网民与目标市场的一致性	高	取决于服务商邮件列表的质量
用户资源的规模	用户数量较少，需要逐步积累	用户资源规模大，在预算许可的情况下，可同时向大量用户发送邮件
邮件列表的维护和内容设计	需要专业人员操作，无法获得专业人士的建议	由服务商专业人员负责，可对邮件发送、内容设计等提出建议
E-mail 营销效果分析	属于长期活动，较难在短期正确评价每封邮件发送的效果，需要长期跟踪分析	服务商提供专业分析报告，可快速了解每次活动的效果

2. 许可 E-mail 营销的一般过程

开展许可 E-mail 营销的过程，就是在营销目标的指导下，将有关营销信息通过电子邮件传递到目标用户的电子邮箱中，通过营销信息的渗透达到营销的目的。

许可 E-mail 营销的一般过程可以分为下列五个步骤，更为具体的过程如图 9-3 所示。

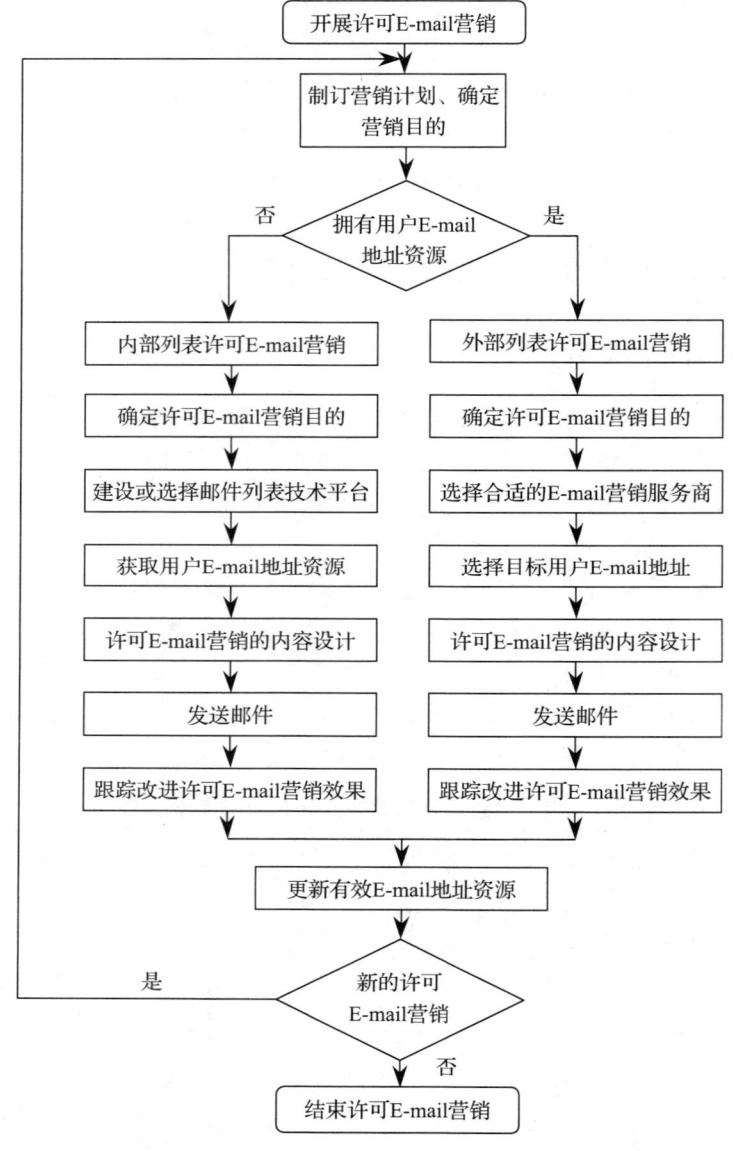

图 9-3　许可 E-mail 营销的具体过程

（1）制定许可 E-mail 营销目标。一般而言，根据不同的营销目标，电子邮件营销又可以进一步细分为品牌形象推广电子邮件营销、产品促销电子邮件营销、社会调查电子邮件营销、用户服务电子邮件营销、网站推广电子邮件营销等。因此，企业应该结合当前自身的状况，根据不同的许可 E-mail 营销计划，确定在推广企业形象和产品、提高市场销售等不同方面的营销目标。

（2）合理选择营销途径。根据企业要达到的营销目标、企业的资金状况以及企业拥有的E-mail地址资源确定有效的邮件列表以及外部列表，选择合适的外部列表服务商。企业、邮件列表以及外部列表服务商是这一阶段要考虑的三个重要因素。邮件列表的建立并不是一个人或者一个部门可以独立完成的事情，它涉及技术编程、网页设计等框架设计内容，市场、销售等数据收集设计内容，如果是外包服务，还需要与专业服务商进行功能沟通。一般而言，专业的外部列表服务商拥有大量的用户资源，有专业的发送和跟踪技术。因此，为达到营销目标，要在企业资源、邮件列表和外部列表服务商之间达到一种均衡。

（3）合理设计邮件内容。针对内部和外部邮件列表，由企业自己或者与外部列表服务商合作设计邮件内容。在E-mail营销中，邮件内容设计的范围最广，灵活性也更大，对E-mail营销的最终结果影响更直接、更显著。因为没有合适的邮件内容，再好的邮件列表技术平台、再多的邮件列表用户也无法实现营销目的。同时，由于内部和外部邮件列表本身的不同，企业有必要针对这两种邮件列表在不同的阶段或者根据环境的变化设计不同的内容。

（4）按时发送邮件。根据营销计划向潜在用户发送电子邮件。在向潜在用户发送邮件之前，应该根据营销计划确定邮件发送周期，并且履行自己的诺言。然后，利用企业的邮件发送系统或者选定的第三方发信系统，根据设定的邮件列表发送周期按时发送。要注意邮件发送不能过于频繁，这样不但达不到邮件营销的目的，还会给用户造成不好的印象，甚至被列入"黑名单"。

（5）及时跟踪反馈。及时跟踪许可E-mail营销活动的效果，并且适时调整自己的营销策略，在营销活动结束后，对营销效果进行分析总结。营销计划制订后不是一成不变的，应及时跟踪，并且根据跟踪结果或者服务商提供的专业分析报告及时调整策略行动，这样才能够了解顾客、服务顾客，并且达到企业的营销目的。

9.2.4 内部与外部列表许可E-mail营销策略

1. 内部列表许可E-mail营销策略

（1）邮件地址收集策略。邮件地址是许可E-mail营销的基础，邮件地址的数量直接影响着营销能够辐射的用户数量。在收集地址的时候，要站在用户的角度，合理设计邮件地址收集方式，收集用户许可的信息。而且，要保证邮件地址的有效性，及时更新邮件列表。

1）赋予用户自由选择加入和退出邮寄名单的权利，让用户自由选择加入和退出邮寄名单，在方便用户的同时，更多地体现出对用户的尊重。

2）选择性地收集用户信息，一项活动要求用户的个人信息越多，参与的用户越少。为了获得必要的用户数量，同时获得有价值的用户信息，要在方便注册和全面收集信息两方面进行权衡，尽可能地降低涉及个人隐私信息的收集，同时，减少不必要的信息的收集。

3）及时更新邮件列表，随着通信信息量增大，消费者有时会有多个邮件地址，有些邮件地址会被消费者遗忘或者抛弃，只有及时更新邮件列表，才能避免资源浪费，也可以更好地实施营销行为。

(2)邮件内容设计策略

1)邮件标题主题突出,邮件内容言简意赅,主题突出的邮件标题是吸引用户眼球的最好办法。同时以言简意赅的内容代替长篇大论,开门见山地将重要信息展示出来。

2)邮件格式要恰当实用,对于各种文本、图片、音视频应该选择合理的格式,恰到好处地采取纯文本、超链接或附件的形式。这样才可以节约顾客的时间,打消顾客的疑虑,增加顾客的好感。

3)加强个性化服务,个性化服务应该根据顾客的注册信息以及顾客的历史购买情况或合作情况,量身定做电子邮件的内容。个性化的邮件能够拉近企业和用户的距离。

(3)客户关系维持策略

1)明确的邮件发送计划。邮件发送频率不宜过高,也不能总在高峰期发送邮件。除了合理的发送频率之外,由于在工作时间和闲暇时间用户接收与阅读邮件的习惯有所不同,因此还需要选择理想的邮件发送时间。同时,还要有固定的邮件发送周期。应该有明确的邮件发送计划,不能当自己需要向用户发送信息时才想起给用户发送邮件。

2)合理设计退出列表方法。退出列表方法不可忽视,这不仅是为用户提供方便的途径,更重要的是表示对邮件接收者的尊重,从而提高用户的满意度。因此在每一封邮件内容中应该合理设计退出列表的方法,使用某些条件限制用户退出营销关系是不可取的。

2. 外部列表许可 E-mail 营销策略

(1)专业 E-mail 营销服务商选择策略。专业的 E-mail 营销服务商拥有大量的用户资源,具备专业的发送和跟踪技术,同时具有较高的可信度和丰富的操作经验,可以根据要求定位用户群体。总结目前国内的 E-mail 广告市场,可供选择的外部列表许可 E-mail 营销资源主要有:专业邮件列表服务商、专业 E-mail 营销服务商、免费电子邮箱提供商、相同定位网站的注册会员资料、电子刊物和新闻邮件服务商等。

由于外部列表许可 E-mail 营销资源大都掌握在各网站或者专业 E-mail 营销服务商的手中,要利用外部列表资源开展 E-mail 营销,首先要选择合适的服务商。在选择专业 E-mail 营销服务商时,除了比较价格水平,还应该对服务商的资信状况和专业水准进行认真考察,以确保自己的投入可以换取满意的回报。

选择专业 E-mail 营销服务商,需要在下列几个方面进行重点考察:专业 E-mail 营销服务商的可信任程度、用户数量和质量、用户定位程度、服务的专业性、合理的费用和收费模式等。

(2)邮件内容设计策略

1)基本要素:外部列表许可 E-mail 营销的内容也必须具备电子邮件的基本要素,即发件人、邮件主题、邮件正文、附加信息,其中邮件主题和正文内容是核心,但发件人和附加信息对用户信任邮件内容起到重要的作用。

2)邮件标题与内容:邮件标题的主题要突出,邮件内容应该言简意赅,邮件格式要恰当、实用,并且结合不同的用户设计个性化服务的内容。

3)设计特色:由于外部列表许可 E-mail 营销的内容设计更多的是针对当期营销活动,因此,应当在当期营销目的的指导下,结合当期营销活动的特色,设计恰当的内容或者委托专业服务商制作。

（3）内部列表和外部列表许可 E-mail 营销过程对比。为了更好地开展外部列表许可 E-mail 营销，有必要掌握内部列表和外部列表许可 E-mail 营销过程的差别（见表 9-2）。

表 9-2　内部列表和外部列表许可 E-mail 营销过程对比

E-mail 营销的主要阶段	内部列表许可 E-mail 营销	外部列表许可 E-mail 营销
确定 E-mail 营销目的	需要在网站规划阶段制定，主要包括邮件列表的类型、目标用户、功能等	在制定营销策略时确定营销活动目的、期望目标。每次 E-mail 营销活动的目的、内容、形式、规模等可能不同
建设或者选择邮件列表技术平台	邮件列表的主要功能需要在网站建设阶段完成，或者在必要的时候为网站增加邮件列表的功能，也可以选择第三方的邮件列表发行平台	不需要自建邮件发送系统
获取用户 E-mail 地址资源	通过各种推广手段，吸引尽可能多的用户加入列表。邮件列表用户 E-mail 地址属于自己的营销资源，发送邮件不需要支付费用	不需要自己建立用户资源，通过选择 E-mail 营销服务商，在服务商的用户资源中按照一定条件选择潜在用户列表。一般来说，每次发送邮件均需要向服务商支付费用
E-mail 营销的内容设计	在总体方针的指导下来设计每期邮件的内容，一般为营销人员的长期工作	根据每次 E-mail 营销活动需要制定邮件内容，或者委托专业服务商制作
邮件发送	利用自己的邮件发送系统（或者第三方发行系统），根据设定的邮件列表发送周期按时发送	根据与服务商签订的服务协议发送邮件
E-mail 营销效果跟踪评价	按照计划自行跟踪、分析 E-mail 营销的效果，可定期进行	由服务商提供专门的分析报告，邮件发送后实行在线查询，或者一次活动结束后统一提供检测报告

9.3　网络会员制营销

网络会员制营销的英文是"affiliate frogram"，也称"连属网络营销""会员制计划"等。网络会员制营销是一个网站的所有人在自己的网站上推广另一个商务网站的服务和商品，并依据实现的销售额取得一定比例佣金的网络营销方式。一个网络会员制营销程序应该包含一个提供这种程序的商业网站和若干个会员网站，商业网站通过各种协议和电脑程序与各会员网站联系起来。例如谷歌 AdSense（基于内容定位的关键词广告）是一种利用网络会员制拓展广告空间的模式，主要通过将关键词广告投放在内容相关的加盟会员网站上，根据用户通过加盟网站浏览广告后的某种效果支付费用。

在美国，会员制营销已经发展得比较完善，被认为是电子商务中行之有效的营销模式之一，并被众多网站采用，几乎覆盖了所有行业。在欧洲，处于网络会员制营销领域领先地位的公司是 Zanox。Zanox 公司办事处遍及全球 9 个国家或地区，对欧洲地区、美国和中国的所有主流市场提供本地支持，Zanox 平台支持 13 种语言，佣金可以以 200 种货币支付。网络会员制营销在中国的推广始于 2000 年，卓越联盟店、当当网联盟计划、易趣创业联盟等网站都应用了网络会员制开展营销活动。国内的网络会员制营销虽然取得了一定的发展，但在实际应用中依然存在很多问题，其发展还处于不太成熟的阶段。

9.3.1 网络会员制营销概述

加盟网络会员制营销网站实际上是一种广告渠道和产品分销渠道。网络会员制营销系统涉及网上销售商、会员、网上顾客和会员制解决方案提供商四方的参与,因此在了解网络会员制营销的基本原理之前,需要探讨网络会员制营销系统的构成。

1. 网络会员制营销系统的成员构成

(1)网上销售商,即网络会员制营销计划的提供商。
(2)会员,即会员制计划的加入者,通过在自己的网站放置网上销售商的各类广告链接赚取费用。
(3)网上顾客,指在会员网站登录,并通过会员网站上的链接进入网上销售商的网站购买产品或服务的网上浏览者。
(4)会员制解决方案提供商,即为网上销售商提供网络会员制营销解决方案的第三方机构。

2. 会员制营销运作过程

在一个完整的会员制营销运作过程中,四者之间的关系如图 9-4 所示。
(1)会员制解决方案提供商根据网上销售商的实际情况制订会员制计划的具体实施方案,供网上销售商采用(有的网上销售商不与会员制解决方案提供商合作,自己设计实施方案,因此省略该步骤);
(2)网上销售商选择会员网站,并且将自己的广告链接放置到会员网站上;
(3)网上顾客在浏览会员网站时,点击感兴趣的链接进入网上销售商的相关网页;
(4)根据网上顾客点击链接的情况,会员网站向网上销售商收取佣金。

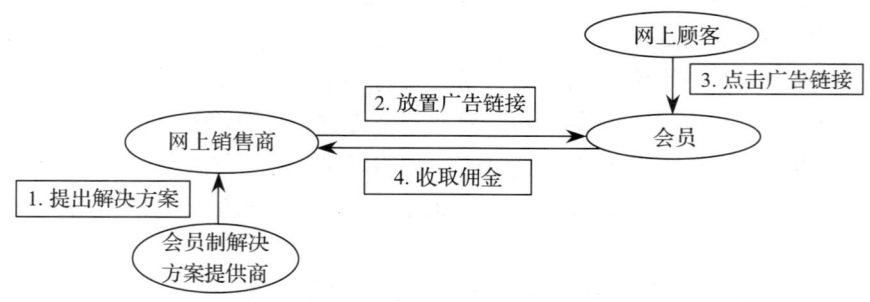

图 9-4 网络会员制营销系统

9.3.2 网络会员制营销的基本原理

一方面,为了扩展分销渠道,网上销售商采用在会员网站放置链接程序等方式,使自己与会员网站联系起来,从而使无数个会员网站成为自己的分销渠道;另一方面,用户点击了广告链接后,会员网站也能根据点击的情况获得相应的佣金,这也为会员网站创造了赚钱的机会。

成功的会员制营销需要网站技术作为支撑,需要处理好会员管理、佣金支付政策、争议解决方案等多方面的问题,另外还涉及会员的选择问题,这些问题都有一定的难度。

从会员制营销的基本原理可以看出,网络会员制营销的基本构成要素至少要包括提供链接程序的网上销售商和若干会员网站,这在实际实施过程中就涉及双向选择的过程,如图9-5所示。一方面,采用网络会员制营销的网上销售商要对想加盟为其会员的网站进行资格审查,衡量会员网站的内容、结构、客户群、流量等方面的指标,达到一定的标准才能使其成为会员网站,将其链接程序放到会员网站的相应页面;另一方面,会员网站根据自身的内容、主题、页面结构等来寻找适合的东家,为了获得较高的利润,会员网站在对自身进行考量的同时,也对各网上销售商采用的佣金支付机制等关键性问题进行对比。

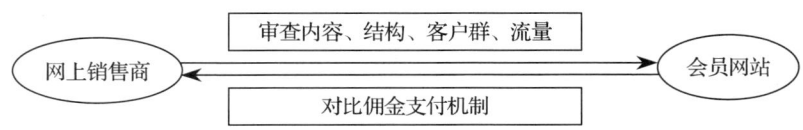

图 9-5　网络会员制营销的双向选择过程

9.3.3　网络会员制营销的实施

1. 网络会员制营销方案的主要内容

(1)会员制计划的目的。企业在建立会员制计划之前,首先要考虑自己建立会员制计划的目的是什么。

(2)目标会员。在确定了建立会员制计划的目的之后,要确定企业网站需要吸收什么样的网站做会员,并编制一个具有吸引力的会员协议。

(3)佣金结构。要确定支付给会员的佣金标准。

(4)预算。制订和实施一个会员制计划的全部费用。

(5)确定进度。确定建立会员制计划的时间进度。

(6)制订推销计划。会员制计划建立之后要大力推销,吸收足够多的会员。

(7)竞争者分析。为了在竞争中胜出,企业必须清楚对手在向会员们提供什么,然后向自己的会员提供更有吸引力的条件。

(8)渠道冲突。企业在引入会员制营销渠道时要注意它与其他营销渠道的关系,以免发生冲突。

2. 有效实施网络会员制营销的步骤

(1)了解现状。了解竞争对手和所在行业的网络会员制营销现状,包括会员计划、佣金制度、推广措施等。

(2)设计佣金制度。根据企业的实际情况和市场状况,设计具有吸引力的佣金制度。

(3)多渠道推广会员制计划。应对会员资格进行控制,只有具有一定规模和资质的商家才能成为会员。如果不加以控制,可能会引发虚假广告、商标侵权等问题。

(4)为会员提供良好的服务。包括提供最大支持帮助会员成功销售产品;快速回复会员的邮件，提供销售技巧和建议；为加盟会员提供新闻邮件；加强会员培训，等等。

（5）准确跟踪会员的销售情况。及时跟踪企业整体的销售情况和会员的业绩，并对主要会员进行相应的业务指导。

（6）奖励优秀会员。可以根据会员的销售情况，定期或者不定期地奖励优秀会员。

9.4 搜索引擎营销

互联网发展初期并没有搜索引擎，随着互联网信息的迅速增加，为了能够更快地找到所需信息，就出现了搜索引擎。并且随着搜索引擎技术的不断完善和深入应用，搜索引擎营销的应用范围也在不断扩大。

9.4.1 搜索引擎概述

1. 搜索引擎的定义

搜索引擎（search engine）是指根据一定的策略、运用特定的计算机程序搜集互联网上的信息，对信息进行组织和处理后显示给用户，即为用户提供检索服务的系统。从用户的角度来看，搜索引擎提供了一个搜索框页面，在输入要搜索的关键词（关键字）并提交后，搜索引擎就会返回与输入内容相关的信息列表。综合而言，搜索引擎就是对互联网上的信息资源进行搜集整理，然后供用户查询的系统。

2. 搜索引擎的工作原理

搜索引擎的工作原理如图 9-6 所示。图 9-6 中共有两部分，左半部分是搜索引擎的内部工作流程，即利用"蜘蛛"程序抓取网页和处理网页，右半部分是用户的使用界面，即提供的搜索服务。两部分通过搜索引擎建立的索引库连接，共同完成对网页的搜索服务。

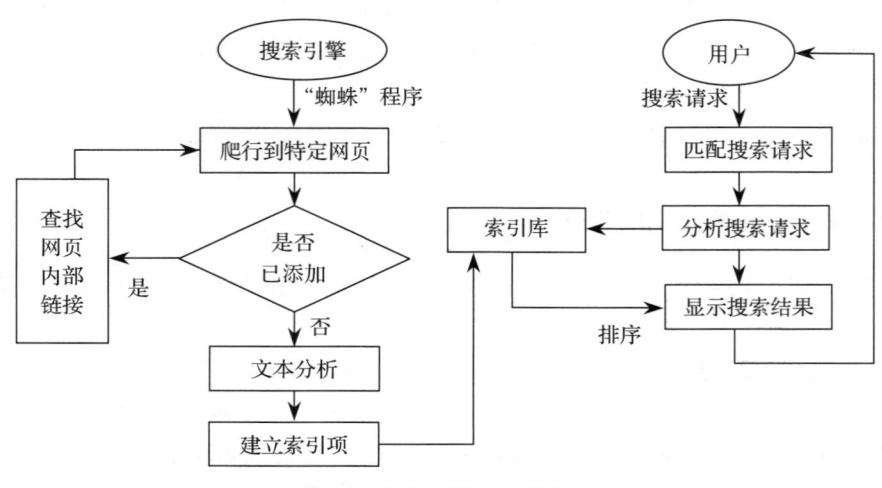

图 9-6 搜索引擎的工作原理

9.4.2 搜索引擎营销的基本原理

了解了搜索引擎的定义及其工作原理之后，本书将进一步介绍利用搜索引擎进行营销工作的相关概念和知识。

1. 搜索引擎营销的定义

搜索引擎营销（search engine marketing，SEM）就是根据用户使用搜索引擎的方式，利用用户检索信息的机会尽可能地将营销信息传递给目标用户。简单来说，就是基于搜索引擎平台的网络营销，利用人们对搜索引擎的使用习惯，在人们检索信息的时候将营销信息传递给目标客户。

2. 搜索引擎营销实现的基本过程

企业将信息发布在网站上成为以网页形式存在的信息源；搜索引擎将网站或网页信息收录到索引数据库；用户利用关键词进行检索（对于分类目录则是逐级目录查询）；检索结果中罗列相关的索引信息及其链接；根据用户对检索结果的判断，选择有兴趣的信息并点击进入信息源所在网页。

3. 搜索引擎营销的特点

（1）受众广泛准确。除了庞大的潜在客户群，搜索引擎营销最大的特点还是受众的准确性。搜索引擎营销是用户主动搜索相关的信息，他们比传统营销中的用户更有可能转化为消费者，这种关注正是搜索引擎的价值所在，也是搜索引擎营销存在和成长的关键。

（2）方便快捷。搜索引擎营销的做法是编辑好相关的广告内容和选择好关键词后，为这些关键词购买排名，在向搜索引擎提交竞价广告时只需要填写一些必要的信息即可发布。促销信息的发布更是非常方便，只需要添加一个全新的页面，然后在人气和流量较高的页面中添加指向该页面的链接即可。

（3）投资回报率高。图 9-7 是美国投资银行派杰（Piper Jaffray）提供的几种常见的网络营销方式的广告价值比较。搜索引擎营销的投资回报率高还体现在竞价排名按照每次点击付费，这种付费方式都是在用户产生兴趣，并且实际发生点击行为之后发生费用。

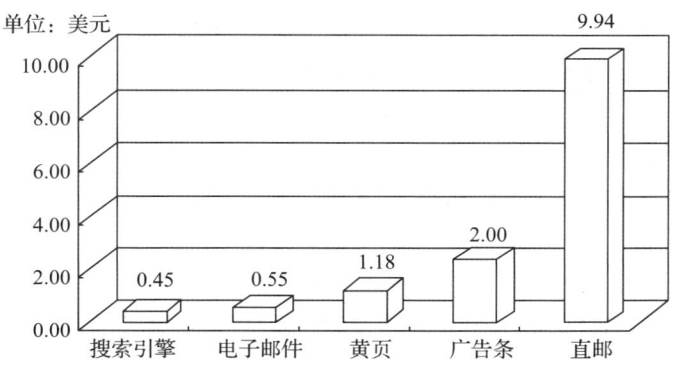

图 9-7　几种常见的营销方式的广告价值

（4）可控性较强。搜索引擎营销的可控性主要体现在三个方面。首先，广告内容是由搜索引擎广告商自己控制的，广告商有自己修改和优化广告内容的权限。其次，广告商可以选择最合适的时间投放自己的广告。最后，对广告成本的控制主要是基于每次点击付费（cost per click，CPC）的付费方式。

9.4.3 搜索引擎营销的主要模式

1. 竞价排名

竞价排名是由客户为自己的网页购买关键字排名，按点击计费的一种服务。网站付费后才能出现在搜索结果页面，付费越高者，排名越靠前。客户可以通过调整每次点击付费价格，控制自己在特定关键词搜索结果中的排名，并可以通过设定不同的关键词捕捉到不同类型的目标访问者。

目前影响竞价排名的主要因素：质量度（其中又包含一些具体的相关因素）+ 出价。

（1）竞价关键词的设定。企业应该尽量多设置一些关键词，最大限度地扩大覆盖范围，以达到最好的效果。

（2）竞价排名的先后。据权威机构调查，有60%～70%的网民只访问搜索结果的第1页，20%～25%的网民访问第2页，只有3%～4%的网民访问所有的结果。

（3）网页的描述。用户在看到搜索结果后，对网页的描述也是很关注的，如果不感兴趣就不会打开链接。

（4）网站网页的打开速度。在浏览网站的时候有一个8秒原则，即网站如果在8秒内还没打开，用户就会选择关闭。如果企业的网站上有大量的动画效果，或者其他原因引起网页打开速度过慢，就会导致竞价排名产生了费用却没有效果。

（5）联系方式是否明确。联系方式必须要在醒目的位置，而且每个网页上都要有。

2. 关键词广告

关键词广告是付费搜索引擎营销的一种形式，也可称为搜索引擎广告、付费搜索引擎关键词广告等，简单来说就是当用户利用某一关键词进行检索时，在检索结果页面会出现与该关键词相关的广告内容。不同的搜索引擎对关键词广告信息的处理方式不同，有的将付费关键词检索结果显示在搜索结果列表最前面（如常见的竞价排名广告），也有的出现在搜索结果页面的专用位置。

（1）关键词广告的特点。

1）关键词广告点击率比横幅广告高。利用关键词广告进行网站推广不仅操作简单，而且点击率较高。

2）关键词广告价格比较低廉。由于按点击付费，使得网络广告投放费用大大降低，而且完全可以自行控制，改变了只有大型企业才能问津网络广告的状况，成为小型企业可以掌握的网络营销手段。

3）点击率没有最低限额，并且广告预算可自行控制。直接在搜索引擎投放关键词广告没有"最低消费"，也不用担心选择的关键词太热门而超过财务预算。

4）操作简单。投放关键词广告的操作过程简单，任何个人或企业都可以根据网站说明完成广告投放。

（2）关键词广告的不足。关键词广告最大的不足就是广告主不得不面对恶意点击。恶意点击有时候是竞争者所为，目的是消耗完广告主当天的预算费用后，其广告不再显示，使得自己的广告排名上升。另一种情况可能来自搜索引擎广告联盟网站，它们为了获得每次点击的广告佣金而自己实施广告点击行为。

3. 搜索引擎优化

（1）搜索引擎优化的定义。搜索引擎优化（search engine optimization，SEO）是近年来较为流行的网络营销方式，主要目的是增加特定关键词的曝光率以增加网站的能见度，进而增加销售机会。SEO的主要工作是通过了解各类搜索引擎如何抓取互联网页面、如何进行索引以及如何确定其对某一特定关键词的搜索结果进行排名等技术，对网页做相关优化，使其提升搜索引擎排名，从而提高网站访问量，最终提升网站的销售能力或宣传能力。关键词竞价排名与搜索引擎优化对比如表9-3所示。

表 9-3 关键词竞价排名与搜索引擎优化对比

项目	搜索引擎优化	关键词竞价排名
时效性	终生有效	停止付费，效果停止
即时性	实施搜索引擎优化后，三个月左右可见到效果	付费开始，效果开始。适用于时效性强、推广时间紧及季节性产品推广的情况
投入回报	一次性投入，永久性受益，投入产出比率高。营销网通过网站搜索引擎优化（SEO）为某网站客户每年带来约1.2亿元竞价广告的免费流量价值	客户往往无法对所投资的关键词效果进行合理评估，进而在营销效果上面临很大风险，由此降低了投入回报率
用户质量	网站的网页内容通过网站优化在搜索引擎上得到充分展示，通过自然方式产生了数以万计的关键词排列组合。通过搜索引擎到访用户的质量非常高	关键词投放数量有限，无法准确评估用户搜索习惯，无法做到充分诠释客户所选择的产品及服务
实施难度	搜索引擎优化对网站内容要求较高，如果网站没有高质量的原创内容，很难吸引搜索引擎及用户的高度青睐	对于网站本身高质量原创内容不充分的情况，仅依靠某品牌或产品服务的展示，那么相较搜索引擎优化来说，竞价排名更为适用

（2）搜索引擎优化工作流程。

第一步：关键词确定

1）由申请者向搜索引擎网站提供所需要的关键词；

2）对所要优化的网站进行受众分析；

3）根据申请者提供的网站情况，搜索引擎进一步分析浏览对象的搜索习惯和搜索心理；

4）确定网站主要营销关键词及辅助营销关键词。

第二步：竞争网站分析

1）网站优化结构分析；

2）搜索引擎优化情况分析；

3）网站优化情况分析；
4）搜索引擎数据情况分析。

第三步：网站结构优化

遵照国际 Web 标准，通过对网站结构的调整来提高自身网站的整体环境，使企业网站更符合用户的浏览习惯和搜索引擎的收录标准；使网站具备良性的、独立的"造血功能"，长期保持网站在所属领域内处于领先位置。

4. 搜索引擎广告

搜索引擎广告涉及多种方式，但基本原则都是广告商付费换取在搜索结果页面上的优先排名或显著位置，通常在针对特定客户的搜索引擎营销活动，甚至全部在线营销活动中占有很大的比重。搜索引擎广告通常有三种方式：付费排名、付费收录与内容定位广告。

付费排名（paid placement）是广告商被保证出现在搜索结果的显要位置或顶部，通常对应某些指定关键词或引申关键词。付费排名广告的排列次序不一，一般包括三种形式：搜索结果页面顶部，页面一侧（通常是右侧），页面底部。一般显示在赞助商列表（sponsored listings）标志下。点击付费是付费排名的主要收费方式，固定收费（通常是溢价总额）方式保证付费排名网站的赞助商位置或在特色列表领域内的位置。

付费收录（paid inclusion）是站点付费加入搜索引擎的人工编辑目录。付费收录有两种方式。一种是付费提交程序，网站通过付费保证人工编辑对网站的复核，检查是否适合收录进目录（可自己选择类目，也可由编辑人员代为选择）。另一种是单独网页提交，这种方式保证被该搜索引擎及其合作伙伴检索到该提交网页。Inktomi、AllTheWeb、Teoma、AltaVista 提供该项提交程序。定价标准有两种，对于较少量的提交通常按单位 URL 计费，对于数量较多的提交按点击计费。由于付费收录不保证网页显示在顶部位置，所以通过这种方式提交的所有网页都应该进行优化。

内容定位广告，也称为上下文广告（contextual ads），是一种新兴的方案，搜索结果出现与搜索内容相关的广告。广告的定向在于网页的内容，而不单单追求显示在搜索结果中。广告商必须参加搜索引擎的付费关键词列表并开通后，内容定位广告才能生效。

5. 网站链接策略

（1）链接质量分析。高质量的链接包括：搜索引擎目录中的链接以及已加入目录的网站链接；与本企业网站主题相关或互补的网站；PR 值不低于 4 的网站（网站的 PR 值，全称为 PageRank，是谷歌搜索排名算法中的一个组成部分，级别从 1 级到 10 级，10 级为满分，PR 值越高说明该网页在搜索排名中的地位越重要，也就是说，在其他条件相同的情况下，PR 值高的网站在谷歌搜索结果的排名中有优先权）；流量大、知名度高、频繁更新的重要网站（如搜索引擎新闻源）；具有很少导出链接的网站；关键词搜索结果中排名前三页的网站；内容质量高的网站。一般具备以上条件的链接都是高质量的链接。

相比高质量链接，垃圾链接包括：对网站排名不起作用或起反作用，如留言簿、评论或

BBS 中大量发帖夹带的网站链接；已经加入太多导出链接的网站；加入链接基地、大宗链接交换程序（bulk link exchange programs）、交叉链接（cross link）等链接程序；与大量会员网站自动交换链接，被搜索引擎视为典型的垃圾链接，极有可能受到惩罚或牵连。

（2）获得高质量导入链接的方法

1）向搜索引擎目录提交网站。

2）寻找网站交换链接，即友情链接或互惠链接。互惠链接的基础是网站内容具有较高质量，否则请求链接不容易成功。交换链接的对象包括：①已经加入搜索引擎分类目录的相关网站。主要搜索引擎中与行业相关的目录下的网站，都是理想的链接对象。②与竞争对手链接的相关网站。要找到这些网站，可以在搜索引擎中输入"link"，接着输入竞争者的域名，如"link:theirdomain.com"和"link:www.theirdomain.com"，这样可以在获得链接的同时与对手竞争目标客户。③供应链中的对象。竞争对手与本企业的主题最相关，但交换链接不大可能，因此可以考虑与供应链中的上下游合作伙伴，包括分销商、代理商、供应商等的网站交换链接。④容易被找到的相关网站。如那些做搜索引擎广告的网站或其他大力宣传推广的网站，以及自然排名靠前的相关网站。

3）网站被主动链接或转载。这是搜索引擎最重要的链接，也是搜索引擎重视外部链接的根本原因。如果网站内容丰富、质量高，其他相关网站会主动链接到它们的网站。特别是当网站提供很多相关免费资源、知识库时，被其他网站链接和转载的机会就很高。

4）在重要网站发表专业文章。围绕目标关键词在一些重要站点发表文章，在文章中或结尾添加网站签名，或者在简介中加入链接和围绕关键词的网站描述。这样既可以获得高质量互惠链接，也可以获得目标客户，但要注意发表的每篇文章标题都应该包含关键词。另外，可以利用网站的关键词在主流搜索引擎订阅新闻，那些作为新闻源的网站都被搜索引擎看作重要网站。搜索引擎每天对这些新闻源检索一次，更新频繁，这些网站上的链接自然也成为更新的对象，效果极佳。

5）在所在行业目录上提交网站。尽可能向更多的相关网络目录、行业目录、商务目录、黄页、白页提交网站，加入企业库。

6. 分类目录

分类目录是互联网上查找信息的在线指南。分类目录的编辑把所有的中文网站资源整理后组织起来，按不同的主题放在相应的目录下，形成网站分类目录体系。分类目录是以图书分类编码为检索标志的目录体系，卡片按分类号的顺序排列。比如搜狐分类目录先按主题分成 18 个大类目，再进一步细分为二级、三级子类目。网站分类目录是指利用人工或系统把所有网站分开到各个相应的目录下。

分类目录和搜索都是用户查找网站信息的工具，区别在于查找信息的方式不同。分类目录是把同一主题的网站信息放在一起并按一定顺序排列，通过主题目录层层找到信息。分类目录拥有可供浏览的树状结构，并可按主题层层点击。例如：想找有关游戏"天堂"的信息，可以通过分类目录"娱乐休闲＞游戏＞网络游戏＞多人在线游戏＞天堂"找到有关天堂的多条网站信息；也可以不通过目录，直接在搜索框中输入关键词"天堂"，点击搜索，即得到有关"天堂"的所有网站信息。

两种查找方式的结果有所区别：通过目录查找得到的100多条网站信息都是经过编辑审核确认后推荐的，信息量少而精；通过搜索得到的结果是互联网上所有与"天堂"相关的网站信息（但不一定是游戏"天堂"，如"天堂"饭店等），信息量大，但相关性较差。目前全球比较大的分类目录有：亚马逊分类目录和搜狐分类目录等。

9.4.4 搜索引擎优化模式

1. 搜索引擎优化基本策略

（1）丰富网站内容。丰富网站的实际内容是网络优化策略的一个重要的因素。如果希望在搜索结果中排名靠前，网站中必须有实际的内容。搜索引擎的"蜘蛛"程序只能从网页内容来判断网站的质量，而不能从图片、Flash动画上判断。无论是搜索引擎还是访问者都希望看到比较新的信息，这就要求网站收集大量的信息，专注于该领域的动态。

（2）提高关键字密度。搜索引擎会统计页面的字数，重复出现的词或短语被认为比较重要。搜索引擎利用自身的算法来统计页面中每个字的重要程度，关键字字数与该页面字数的比例称为关键字密度，这是搜索引擎优化策略最重要的因素之一。为了得到更好的排名，网站的关键字必须在页面中出现若干次，但必须在搜索引擎允许的范围内。

（3）突出关键字。在有价值的地方放置关键字，搜索引擎将会专注于网页中某一部分的内容，处于这一部分的词语显得比其他部分的词语重要得多。这些部分包括以下几个。

1）title标签。title标签是网页中最重要的标签。所以在title标签中放置关键字显得非常有必要。有一些搜索引擎会额外注意"描述"与"关键字"标签。

2）标题（headings）。标题标签为网站的访问者指明了哪些是网站中比较重要的内容。在标题标签中能出现关键字对于提高网站排名有很大的好处。

3）超链接文本。它是用超链接的方法，将各种不同空间的文字信息组织在一起的网状文本。超文本更是一种用户界面方式，用以显示文本及与文本相关的内容。现时超文本普遍以电子文档方式存在，其中的文字包含有可以链接到其他位置或者文档的链接，允许从当前阅读位置直接切换到超文本链接所指向的位置。超文本的格式有很多，目前最常使用的是超文本标记语言（hyper text markup language，HTML）及富文本格式（rich text format，RTF）。

4）统一资源定位符（uniform resource locator，URL）文本。在网站名和网页中出现关键字对于搜索引擎排名会产生很大的影响。这样的关键字被称为"URL文本"，网站间建立链接时，尽量使用关键字作为链接文字，有利于提高网站的重要性，从而影响到网站排名。

5）顶部。网页顶部的文本以及每段开头的内容十分重要，所以，尽量在这些地方包含关键字。

（4）提高点击流行度。在某些搜索引擎中影响排名的因素是点击流行度，在搜索结果中点击链接到网页的次数会被统计，经常被点击的页面的点击流行度就较高。当访问者从搜索结果中点击网站时，搜索引擎将奖励网站一定的分数。如果网站得到较高的点击量，该网站将来能够得到更多的分数。不要尝试重复点击网站，对于同一IP地址的重复点击，搜索引擎会将其删除。

（5）提高链接流行度。链接流行度被认为是搜索引擎优化的一个主要因素。搜索引擎认为外部链接较多的网站重要性也相对较高。不是所有的链接都是公平的，从高质量网站链出的链接会给网站带来更多的分数。链接文字必须包含优化的关键字，这样也会提高网站的排名。链接流行度并不在网站能控制的范围，但是可以按照以下的做法来提高。

1）做一个高质量的网站，如果人们发现它包含有价值的内容，会主动与网站进行链接。

2）使交换链接变得更加简易。在交换链接页面放置交换链接代码，把交换链接的联系方式放在显眼的地方，方便伙伴与网站的交换。

3）在重要的网站中做广告或者在收费目录中提交网站。

此外，也可以向很多免费目录、黄页等提交网站，还可以在作品中加上链接等。

2. 搜索引擎优化的技巧策略

搜索引擎优化的实施步骤一般包括：基本状况分析；关键词分析；网站内部优化实施；网站外链建设；排名效果跟踪，流量分析；根据排名效果，重回第一步进行调整；关键词排名维护或对客户进行维护。在实施搜索引擎优化的过程中，需要采取适当的策略和技巧，以提高搜索的效果。

（1）运用归类总结策略。对于互联网上浩如烟海的资源，可以按照某种分类或者归类方法，直接列出一个清单，表明相关数据等，这样的文章很容易组织，也容易作为权威数据而被大量引用。例如"中国10大公认知名导航网"，即建立一个知名导航网列表，然后列出导航网列表顺序；或者"豆腐制作方法大全"，即详细列出常用的制作豆腐的方法；或者"生活中应该注意的×××十大细节"。从表面上看，做出来的列表很简单，但是却非常实用，很容易成为权威文件而被大量引用。

（2）巧妙利用新闻站点和RSS聚合。撰写高质量的文章，然后在对应的行业新闻网站发布。这些权重高的网站排名高、人气旺，浏览量非常大，在这里发表文章除了能增加网站的反向链接，还会带来意想不到的流量。如果研究的是SEO，就要在SEO方面的网站和论坛上发表，同时可以提交到新闻门户网站。利用互联网上的RSS聚合，把文章发送到RSS网站上，便于人们阅读和收藏。

（3）利用网址站、目录站和社会化书签。根据自己网站的情况，把网站提交到网站开放目录或者其他免费目录中，如hao123、百度网址大全等。这些目录站的人气非常旺，如果能被这些网站收录，带来的不仅仅是流量，更重要的是源源不断的网络"蜘蛛"，这对网站被搜索引擎收录、网站关键词的排名都是非常有效的。同时把自己的网站内容添加到百度收藏、QQ书签等社会化书签；让用户通过阅读器、RSS等订阅，不断扩大网站的影响力及知名度。

（4）充分利用合作伙伴和链接交换。充分利用与合作伙伴或者商业伙伴之间的关系，尽可能地让对方为自己的网站添加或互换一个链接。管理好自己的友情链接，尽可能地从权重高的网站上获得链接的支持。利用某些网站提供交换链接的地方，留下自己的网站链接。有条件的可以采取提供开源程序或模板等方式，让采用者留有链接。也可以给内容管理系统（content management system，CMS）或博客系统等开源网站系统提供免费的精美模板，为开源网站程序开发插件,并留有作者链接。

(5)利用互动平台巧妙留下链接。积极参与问答平台,如百度知道、知乎、搜搜问问等,这些问答平台不仅能提供解决问题的方案,同时也留下了相关站点的链接。参与相关论坛如安全杀毒论坛等,可以为站点添加链接。参与社会化平台如百度百科、维基百科等的编辑,利用一些交易平台或者交换平台,巧妙地留下自己的链接。

9.4.5　典型搜索引擎产品

利用搜索引擎宣传产品已经非常普遍,在中国众多的搜索引擎网站中,百度、雅虎知名度较高,是用户群体较大的两大搜索引擎产品。

1. 百度搜索

2000年1月,李彦宏携风险资金从美国硅谷回到中关村,创建百度。2000年6月,百度正式推出全球最大、最快、最新的中文搜索引擎(见图9-8),并且宣布全面进入中国互联网技术领域。从2000年开始为搜狐、新浪、263、TOM、雅虎中文、网易提供服务。

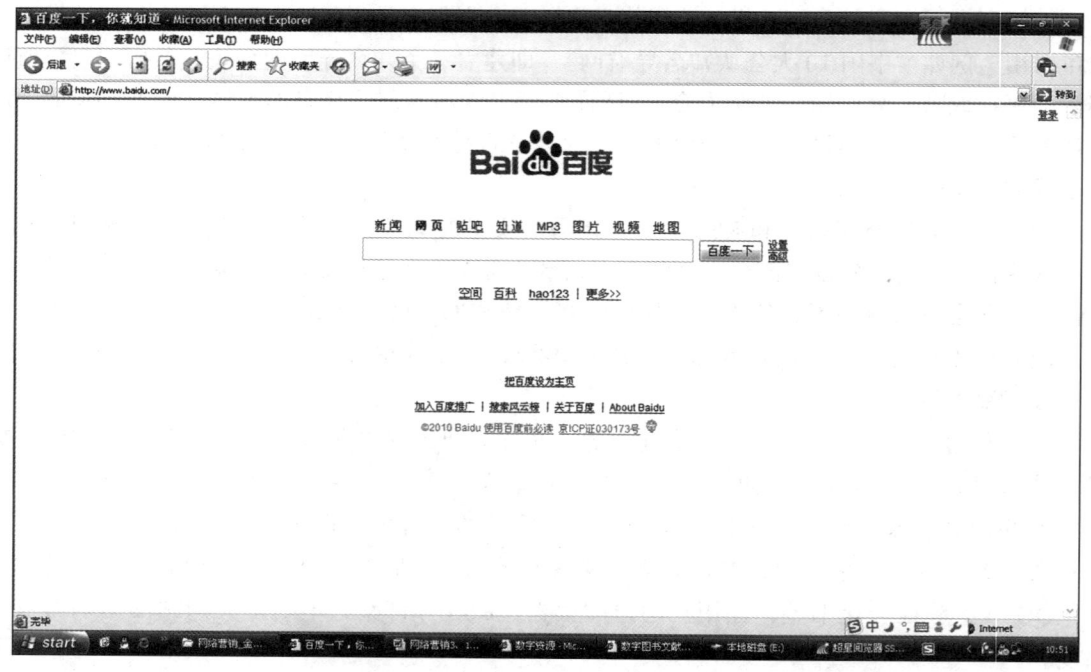

图9-8　百度搜索引擎主页

百度是世界上规模最大的中文搜索引擎,致力于向人们提供最便捷的信息获取方式。百度拥有全球最大的中文网页库,每天处理来自100多个国家超过1亿人次的搜索请求。简单强大的搜索功能深受网民的信赖,每天有超过7万用户将百度设为首页。同时百度也为企业提供了一个获得潜在消费者的平台,并为大型企业和政府机构提供海量信息检索与管理方案。在信息过剩的时代,百度凭借"简单,可依赖"的搜索体验使"百度"一下成为搜索的代名词。

百度在中文互联网拥有天然优势,支持搜索8亿多个中文网页。同时,百度每天都在增加几十万个新网页,对重要中文网页实现每天更新,用户通过百度搜索引擎可以搜到世界上最新、最全的中文信息。百度在中国各地分布的服务器,能直接从最近的服务器上把搜索到的信息返回给当地用户,使用户享受极快的搜索传输速度。

百度深刻理解中文用户的搜索习惯,开发了关键词自动提示功能,即用户输入拼音,就能获得中文关键词正确提示。百度还开发了中文搜索自动纠错功能,即用户误输入错别字,百度可以自动给出正确关键词提示。百度快照是另一个广受用户欢迎的特色功能,解决了用户上网访问经常遇到死链接的问题:百度搜索引擎预览各网站,拍下网页的快照,为用户储存大量应急网页,即使用户不能链接所需网站,百度为用户暂存的网页也可救急。通过百度快照寻找资料要比常规方法的速度快得多。另外,百度还有其他多项体贴普通用户的功能,包括相关搜索、中文人名识别、简繁体中文自动转换、网页预览等。此外,百度还增加了专业的 MP3 搜索、图片搜索、新闻搜索、贴吧、搜索风云榜,并正在快速发展其他搜索功能。

2. 雅虎搜索

雅虎(www.yahoo.com)是全球第一门户资讯网站(见图 9-9),业务遍及 24 个国家和地区,为全球超过 5 亿的独立用户提供多元化的网络服务。

图 9-9 雅虎主页

雅虎是最早的目录索引之一,也是目前最重要的搜索服务网站,在全部互联网搜索应用中所占份额高达 36%。除主站(Mother Yahoo)外,还设有美国都会城市分站(Yahoo Cities,如芝加哥分站)、国别分站(如中国雅虎)和国际地区分站(如 Yahoo Asia)。其数据库中的注册网站无论是在形式上还是在内容上质量都非常高。

雅虎属于目录索引类搜索引擎,用户可以通过两种方式在上面查找信息,一种是通常的关键词搜索,另一种是按分类目录逐层查找。用关键词搜索时,网站排列基于分类目录及网站信息与关键字串的相关程度。包含关键词的目录及该目录下的匹配网站排在最前面。以目录检索时,网站排列则按字母顺序。

由于雅虎靠人工操作甄选网站,且评判标准十分严格,因此被公认为最难登录的搜索引擎。雅虎对网络营销的作用举足轻重,尤其是对商业网站而言,因为它不仅是全球范围内最著名的互联网品牌,而且是最具影响力的企业资料库。

1999 年 9 月,中国雅虎(www.yahoo.com.cn)网站开通。2005 年 10 月,中国雅虎被阿里巴巴集团全资收购。中国雅虎开创性地将全球领先的互联网技术与中国本地运营相结合,并一直致力于以创新、人性化、全面的网络应用,为亿万中文用户带来最大价值的生活体验。目前中国雅虎网站更加专注为广大网民提供互联网门户资讯、邮箱、搜索等基础应用服务。中国雅虎依靠其强大的国际品牌资源、领先的网络技术和丰富的在线营销经验,位居国内同行业网站前列。

9.5 病毒式网络营销

9.5.1 病毒式营销概述

病毒式营销(viral marketing)也称病毒性营销,是指发起人发出产品、服务或者有创意的独特信息给用户,再依靠用户之间的主动传播来达到企业网络营销的目的,是网络营销中的一种常见且非常有效的方法。它描述的是一种信息传递战略,因为这种信息像病毒一样通过用户的口碑传播快速影响他人。也就是说,通过提供有价值的或者有创意的产品或服务,"让大家告诉大家",通过别人为你宣传,实现"营销杠杆"的作用。

病毒式营销的首次实践,一般认为是 Hotmail 进行的免费电子邮件推广。2000 年病毒式营销被引入中国后便很快进入沉寂阶段,直到 2004 年和 2005 年,借助于腾讯 QQ 等即时聊天工具,病毒式营销才又逐渐被营销人员运用。真正引起人们对病毒式营销关注的,则是伴随着 2006 年的个人博客和网络社区的蓬勃发展,病毒式营销在理论和实践的操作方法实现上的一些本土化的创新。根据美国权威顾问公司 IMT Strategies 公司的研究,病毒式营销已经成为美国营销人员的常用工具,高达 97% 的受访者表示现在或者将来会采用病毒式营销的方法。随着网络成为人们生活中的一部分,以及病毒式营销的逐渐应用,它将越来越受到企业的重视。

9.5.2 病毒式营销方法

1. 病毒式营销的一般规律

(1)病毒式营销的"病毒"具有临界点。病毒式营销本身并不是病毒,和病毒之间并没有任何直接联系。然而，在病毒式营销的实际操作中，如果忽略其本质（向用户提供有价值或者有创意的产品或服务而使用户主动传播），病毒式营销就可能成为"病毒传播"。

（2）开展病毒式营销需要遵照一定的步骤和流程。病毒式营销并不是随便就可以做好的，应该从实用可行的角度设计一套步骤和流程。这样才能够有章可循，同时极大地提高营销的效率。

（3）设计病毒式营销方案、制作病毒式营销的"种子"需要成本。病毒式营销方案和病毒式营销的"种子"不会自动产生，在制作过程中需要一定的资源投入，并依据病毒式营销的基本思想进行设计。不能把病毒式营销理解成免费的网络营销，尤其在制订网络营销计划时，需要一定的人、财、物的支持。此外还应考虑到，并不是所有的病毒式营销都能获得理想的效果，这也可以理解为病毒式营销的隐性成本或沉淀成本。

（4）病毒式营销信息不会自动传播，需要一定的传播渠道或者外部资源做推广。病毒式营销虽然依靠用户的口碑传播，但并不意味着信息会自动传播，还是需要借助一定的传播渠道或外部资源进行推广的。虽然这种推广方式可能并不需要直接费用，但依然需要以专业的网络营销知识为基础，合理选择和利用有效的网络营销资源。

2. 病毒式营销的一般流程

病毒式营销的"变种"有很多，然而总结这些具体的实践活动，会发现一些共性，即病毒式营销的一般流程（见图9-10）。

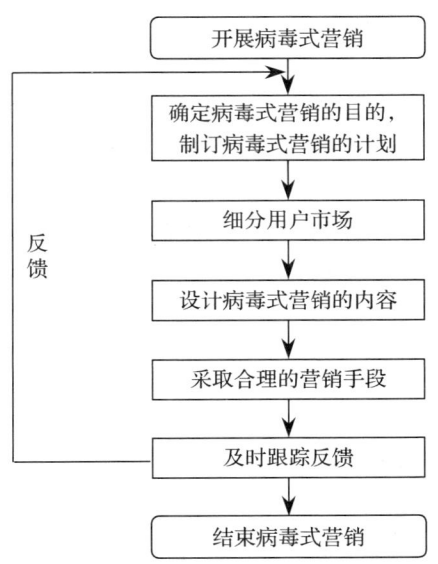

图 9-10　病毒式营销的一般流程

（1）确定病毒式营销的目的，制订病毒式营销的计划。针对公司所处的环境，制订病毒式营销的计划，确定实施病毒式营销的策略以及要达到的目的。

（2）细分用户市场。虽然病毒式营销的人群覆盖面可能很广，但要达到病毒式营销的目的则要求策划者进行人群细分，知道最有价值的人是谁，以及他们有什么特征和共性。

（3）设计病毒式营销的内容。充分挖掘用户群体的兴趣点并认真分析。显然，各个年龄层的人群的兴趣点是不一样的，研究用户的兴趣点是"营销创意"的真正开始。

（4）采取合理的营销手段。设计好病毒式营销的内容后，企业应该采取合理的营销手段实施病毒式营销。现在的营销手段空前丰富，视频、邮件、软文等，让人目不暇接。

（5）及时跟踪反馈。及时跟踪病毒式营销活动的实施效果，适时调整企业的营销策略，并且在营销活动结束后，对营销效果进行分析总结，为下一次实施病毒式营销活动积累经验。

9.5.3 病毒式营销的传播途径和策略

1. 病毒式营销的传播途径

按照病毒性信息的形式及其发布渠道，可以分为以下几类。

（1）即时通信类。指通过即时通信工具（比如 QQ、MSN、Skype、淘宝旺旺等）形成用户圈，并通过用户圈之间的自动信息共享传播。比如，在特定的 QQ 群内发布有价值的信息，群内的人就会将信息转发到其他群，这就实现了信息的病毒式传播。应该注意的是，由于各种即时通信工具在不同的年龄以及不同的群体中间有不同的流行程度，所以有必要有针对性地选择即时通信工具。

（2）在线服务类。一些知名的互联网公司都是通过电子邮件附加语的形式进行病毒式营销并取得成功的。电子邮件作为一种便捷且涵盖信息量较大的形式，对于发布较为私密性的信息和个性化的信息更为有效。不过要注意尽量避免向非目标用户发送垃圾邮件。

（3）信息发布类。通过互联网上的各种信息发布渠道，例如个人博客、论坛、视频网站、音乐网站等发布相应信息，利用各种网站本身的人气达到快速传播的目的。

（4）功能服务类。为用户提供免费的软件或在线优惠券，在免费提供功能服务的时候，让用户主动传播。

（5）其他。比如电子图书、网络动画等。设计精美的动画、电子书或者其他媒介会给用户带来惊喜，有些用户会在欣赏之余与好友分享，这样就达到了病毒式营销的目的。

2. 病毒式营销的策略

（1）提供有价值的或者有创意的产品或服务。有价值或者有创意的产品或服务是实施病毒式营销的关键要素，对营销目的的达成具有决定性的作用。要想让营销信息像病毒一样快速传播，就必须要有高质量、有价值或者有创意的产品或服务作为后盾。虽然有时候病毒式营销不能马上从短暂的营销活动中盈利，但是凭着积累的人气以及用户群，在以后会逐渐给企业带来盈利。

（2）设计病毒式营销方案。病毒式营销需要独特的、有创意的构思，并且需要精心设计病毒式营销方案（无论是提供有价值的产品或服务，还是提供创意）。在设计病毒式营销方案时，一定要将信息传播与营销目的合理地结合在一起，只为用户带来娱乐价值或优惠服务而不能达到企业营销目的的营销计划对企业并没有多大的价值，相反，如果广告气息太重，也会引起用户反感，而达不到企业营销目的。

（3）设计病毒式营销的"种子"及其传播渠道。虽然病毒式营销的营销信息是靠用户之间主动地传播，不过只有精心设计的富有创意的"种子"才能激起用户的兴趣，并且使其主动推荐给别人。比如设计一个富有趣味的视频或图片，使其看起来更加吸引人，并且让人们更愿意自发传播。当然，好的"种子"只是病毒式营销的重要基础，还需要设计合理的传播渠道。比如可以通过在某个网站下载或查看的方式让用户传递网址信息，也可以通过电子邮件、即时通信直接传递文件，还可以通过社交网站的分享互动传递信息。

（4）策划和筹备原始信息的发布与推广。大规模信息传播是从小规模传播开始的，能否引起用户的兴趣使其主动传播信息是病毒式营销成功与否的关键与基本所在，因此，应该认真策划和筹备原始信息的发布与推广。可以将原始信息发布在用户容易发现，并且乐于主动传递和分享这些信息的地方（比如活跃的网络社区），如有必要，也可以先在较大的范围内去主动传播信息，等到自愿参与传播的用户数量较大之后，再让其自然传播。

（5）善于利用用户的积极性。我们现在正在进入一个崭新的时代，任何领域中的大多数生产者都是无偿贡献的业余者，巧妙的病毒式营销方案会善于利用公众的积极性。互联网的快速发展使得信息传播更迅速、信息获取更快捷，在好奇心以及知识共享观念的驱使下，用户很容易就某一个兴趣或者事件展开交流。因此，巧妙的病毒式营销方案应该通过制造兴趣点来充分调动用户的积极性和行动。

（6）实时跟踪和管理病毒式营销的实施。按照制订好的病毒式营销计划，通过精心设计的病毒式营销"种子"以及传播渠道，将原始信息发布之后，虽然病毒式营销是靠用户之间的主动信息传播，其营销效果无法直接控制，但并不是说不用对病毒式营销进行跟踪和管理。相反，应该及时掌握病毒式营销带来的网站访问量、企业产品或服务知名度等变化情况，及时发现问题并且进行适当的调整。同时，活动结束后还应该进行适当的总结，从而为下一次实施病毒式营销提供参考意见。

9.6 移动互联网营销

9.6.1 移动营销概述

1. 移动营销的定义

移动营销也称"无线营销"，2003年美国移动营销协会（Mobile Marketing Association，MMA）给出了移动营销的定义：移动营销就是利用无线通信媒介作为传播内容和沟通的主要渠道所进行的跨媒介营销。这里的无线通信媒介无疑就是被称为"第五媒体"的手机。

阿诺·斯卡尔（Arno Scharl）认为，移动营销是指向消费者提供具有时间、价值和定制化的产品、服务或理念的信息，并以此获得收益的一种无线营销方式。综合这些定义，可以看出：移动营销的概念一方面强调了营销信息沟通渠道的独特性；另一方面也强调了它与其他营销渠道的共性，即促进产品或服务销售。

本书认为，移动营销是指为了达到品牌传播、客户沟通等目的，以手机、移动智能终端（PDA）等移动通信设备为主要传播平台，直接向目标受众精确地传递个性化信息，并且与消费者进行信息互动以获得收益的一种营销模式，是传统营销手段和移动通信技术相结合的产物。

在这个定义中需要强调以下几点：① 移动营销是整体解决方案，而不是指某种营销方式，它是短信回执、短信网址、彩铃、彩信、声讯、流媒体等多种形式的集合；② 移动营销的目的在于提升品牌知名度，收集并建立客户资料数据库，增加客户参加活动或者拜访店面的机会，改进客户信任度和提高企业收入；③ 移动营销直接向目标受众传递信息，即直接面对已经事先定位的用户而不是大众；④ 移动营销具有强烈的个性化特征，因为其面对的是有鲜明个性的个体。通过与移动运营商的合作，广告主们可以深入了解每个手机用户背后的消费特性，对消费者群体进行划分和归类，并且以此为基础，精准地选择用户感兴趣的或者能够满足用户当前需要的信息，做到传播有的放矢，确保消费者所接收的信息就是他们需要的。

2. 移动营销的参与者

作为整体的营销方案，移动营销涉及多方面参与者，包括：内容和应用服务提供商、门户和接入服务提供商、无线网络运营商、支持性服务提供商、终端平台和应用程序提供商以及最终用户。

（1）内容和应用服务提供商，包括内容制作商、内容集成商和全球互联网三部分，为不同的客户群提供各种形式的内容和服务，包括文本、音频、图片和视频等。

（2）门户和接入服务提供商，分为两种类型：门户网站运营商和互联网服务提供商。它们共同为用户提供无线网络接入服务，使内容及应用服务提供商提供的移动服务产品顺利到达用户，进而实现移动商品的价值。

（3）无线网络运营商，包括无线网络基础设施运营商和无线服务提供商，它们共同为服务提供商和用户搭建信息传输的通道，保证信息的顺利交流。

（4）支持性服务提供商，主要为无线网络运营商提供各种支持性服务，如搭建无线传输网络必要的硬件设施和软件程序，以及提供付费支持和安全保障等。

（5）终端平台和应用程序提供商，包括终端平台提供商、应用程序提供商和终端设备提供商在内的致力于为用户提供良好服务界面的集合体。

（6）最终用户，就是利用无线终端设备享受移动商务的个体。他们是价值链中价值分配的价值获得者，包括个人用户、企业用户等。

9.6.2 移动营销的发展现状及前景

1. 国外移动市场发展现状

目前，美国和日本是全世界移动营销最主要的市场。在美国，由于智能手机的大量使用、运营商和手机制造商大量使用统一的标准、移动支付使用便捷等因素，美国移动支付总成交额一直处于增长状态。这个领域正在快速发展，许多企业正在测试和发布新产品。根据 eMarketer 的报告（US Mobile Payments 2014: Updated Forecast and Key Trends Driving Growth）显示（见图 9-11），美国移动支付从 2013 年到 2014 年翻了一番，达到 35 亿美元，而 2018 年则达到了 1 180 亿美元。

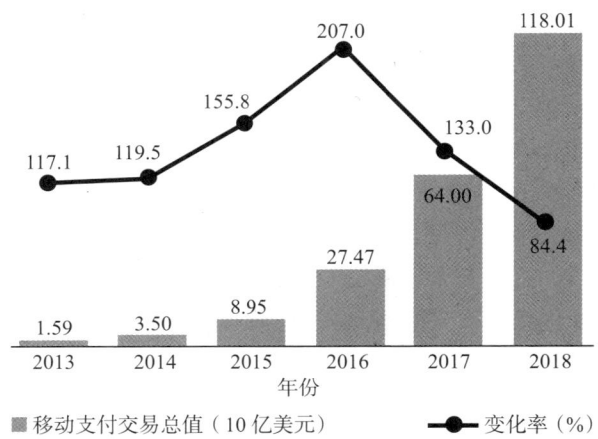

图 9-11　2013～2018 年美国移动支付交易总值

资料来源：Tech Web, http://www.techweb.com.cn/data/2014-10-11/2082381.shtml。

Adobe 曾对美国、加拿大、英国、法国和德国的移动用户进行过抽样调查，发现在使用过移动支付的用户中有 16% 的人强烈相信移动支付比信用卡简单，如图 9-12 所示。

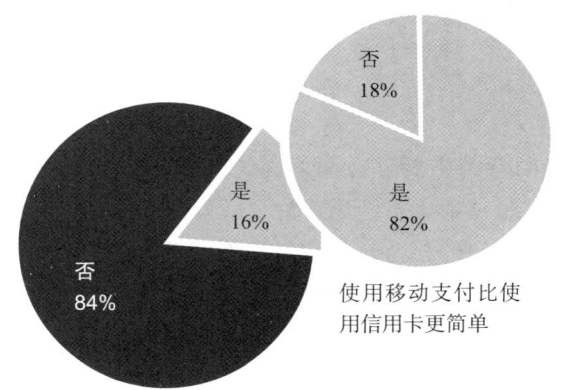

图 9-12　移动支付的易用性被调查人数比例

资料来源：Tech Web, http://www.techweb.com.cn/data/2014-10-11/2082381.shtml。

从日本整体的互联网广告市场来看，移动广告市场的增长率超过 PC 网络广告市场的增长率，还有搜索广告市场尤其是移动领域的增长在很多方面都超过了 PC 领域。除了移动广告市场，移动营销中其他各个领域也成长为巨大的市场。国外移动营销起步较早，发展较快，手机上网以及支付的便捷性使得国外移动营销仍然具有巨大的市场潜力。

2. 中国移动市场发展现状

智能手机的大力推广和普及，推动着移动互联网市场规模的进一步扩张，用户规模不断攀升。互联网行业持续稳健发展，互联网已成为推动我国经济社会发展的重要力量。据前瞻产业研究院发布的《中国移动互联网行业市场前瞻与投资战略规划分析报告》统计数据显示，2014年我国移动互联网交易规模仅达1.34万亿元，占GDP比重也仅为2.1%。截至2017年我国移动互联网交易规模达到6.89万亿元，同比增长30.49%，占GDP比重为8.3%，较2016年提高了1.2个百分点。而在2016年，交易规模同比增速达71.43%，占GDP比重提高了2.6个百分点。根据中国互联网协会数据，2015～2021年，中国移动互联网市场规模呈逐年上升趋势。经初步核算，2021年，我国移动互联网市场规模约为23.15万亿元，同比增长39.1%。

由于淘宝网、当当网、京东商城等传统电子商务企业加大手机网页产品和客户端软件的创新研发与推广力度，不断优化用户界面和提高用户体验，使得手机电子商务迅猛发展。移动营销在中国处于快速发展时期，存在巨大的市场潜力。

9.6.3 移动营销存在的问题

手机等移动设备往往与消费者如影随形，因此移动营销的即时性和到达率是传统营销途径无法比拟的，这使其备受企业的青睐。但如果众多非经许可的信息发送到用户的手机上，会对消费者造成不必要的侵扰，在侵害用户权益的同时也影响了广告主的企业形象。本节将从手机用户、媒介和受众三个方面分析移动营销应用面临的主要问题。

1. 用户问题

从用户角度来说，移动营销主要存在两方面的问题：一是用户受侵扰问题。主要表现为有些企业为了追求信息的大量传播，不经用户许可就发送营销信息，众多非主动搜索的信息传递到用户的手机上，侵害了用户的权益。特别是垃圾信息，严重影响了人们的生活，带来严重的负面效应。二是用户隐私被泄露问题。由于掌握了丰富的用户信息数据库，企业可以向用户传递信息，与用户进行沟通，但有些企业把用户信息用于其他用途，用户隐私面临被泄露的问题，信息安全得不到保障。

2. 媒介接收能力问题

一些企业在进行移动营销时盲目追求形式多样性，而忽视了媒介的接收能力，手机媒介的信息流量并非都完全支持多媒体信息的传播，另外手机媒介也是多样的，并非所有手机都能接收各种形式的营销信息，例如盲目地群发信息而不是有针对性地发送信息；手机软件盲目营销而不对手机操作系统的市场状况以及对软件的支持性进行调查。

3. 受众需求满足问题

由于受众的需求是多元化、个性化的，在没有调查用户需求之前就盲目发送营销信息，会使各种营销信息与受众的需求没有很好地关联，不能满足受众需求，从而导致营销效果低下。"信安易"是一款专门为用户提供个性化来电过滤的软件，深受用户的喜爱。同时也有许多其他的软件集来电过滤和多媒体播放于一体，但是这些软件在市场上的表现却不如"信安易"，因为这些企业的营销诉求过于广泛，本想以满足受众的各种需求来取胜，却最终未能被受众广泛认可和接受。

当然，移动营销的问题可能远不止这些，同时，随着技术的进步和市场的发展，移动营销暴露出来的问题可能还会有很多。

9.7 网络新零售

9.7.1 网络新零售营销概述

2016年可以被看作网络新零售概念的诞生之年，同年的"双11"前夕，国务院办公厅印发《关于推动实体零售创新转型的意见》，其中明确地对我国的传统实体零售业在调整商业结构、创新发展方式、促进跨界融合、优化发展环境、强化政策支持等方面做出了具体部署。同时强调，要引导实体零售企业逐步提高信息化水平，将线下物流、服务、体验等优势与线上商流、资金流、信息流融合，拓展智能化、网络化的全渠道布局。2016年12月，美国的电商巨头亚马逊雄心勃勃地推出了Amazon Go线下实体商店计划，其战略意图直指在零售业中占据庞大份额的美国便利店市场。那么，以推动线上线下相融合为导向的"新零售"究竟新在何处呢？

1. 网络新零售的内涵

新零售的"新"是与传统的零售相对而言的，根据交易场所的不同，传统零售可以被分为传统的线下零售和传统的电商零售，而新零售就是对这两种传统零售模式的创新型变革。尽管目前对于新零售的理论研究数量仍然有限，但已有不少学者从新零售的含义、特征、理论支撑等方面展开了探索。关于"新零售"的含义，有观点认为，可综合现有各种描述进行简单概括，即"新零售"强调线上线下与物流的紧密结合，也就是"线上+线下+物流"。杜睿云等（2017）认为，"新零售"是指，企业以互联网为依托，运用大数据、人工智能等先进技术手段，对商品的生产、流通与销售过程进行升级改造，进而重塑业态结构与生态圈，并对线上服务、线下体验以及现代物流进行深度融合的零售新模式。赵树梅等（2017）认为，"新零售"是区别于传统零售的一种新型零售业态，"新零售"是指应用先进的互联网思维和技术，对传统零售方式加以改良和创新，以最新的理念和思维为指导，将货物和服务出售给最终消费者的所有活动。与上述定义不同，洪涛（2017）对"新零售"给出了较为精练的定义，即"新零售"就是零售网上网下的融合。

2. 网络新零售的特征

与传统的纯线下销售和纯电商销售相比，网络新零售具有其显著的特征，具体表现在以下几个方面。

（1）线上与线下的深度融合。在网络新零售模式下，企业的信息与资源以及产品和服务可以在电子商务平台与实体店面之间实现深度整合和优化。消费者可以通过线下体验线上购买、线上查询线下下单、线上购买线下服务等形式进行消费，在一定程度上突破了时间和空间的限制，使得产品信息的传播渠道更广阔，企业的服务更及时和全面。

（2）全渠道营销。网络新零售的理念和模式使得全渠道营销的实现成为可能，新零售模式下的企业可以利用全渠道营销的思路与方式来拓展和补充自己的营销渠道。实现线下渠道线上渠道的开放和互联，使客户在整个购物过程中的各个环节都可以获得优质的购物体验。

（3）精准化服务。网络新零售模式使得满足消费者异质化和个性化的需求成为可能，一方面，通过网络平台的大数据技术，可以对消费者的消费习惯和行为进行更加深入的分析与把握，从而实现更加精准的推荐和服务；另一方面，通过线上和线下相结合的服务方式，能够对客户的诉求进行更加及时的反馈和更周到的服务，从而增加客户体验的满意度。

（4）零库存管理。新零售模式是创新性地对原来的供应链、服务链和资本链模式的重新整合。通过采用数字化的管理模式，促进供应链的前后端融合，使流程变得更加简单，操作更加灵活，仓储配送更加高效，从而实现零库存的效果。

（5）社交功能。新零售模式不是简单的技术变革和商业模式的创新，而是基于消费者角度进行的体验式变革。不仅要满足客户的购物需求，还要引入社交属性，来精准获取客户信息，把购物的社交平台融入消费者的一站式购物中。

9.7.2　网络新零售的商业模式

从目前国内外网络新零售发展的状况来看，其模式主要包括"线上引流线下销售""线下导流线上销售"和"线上线下销售渠道并行"这三种主要的商业模式。

1. 线上引流线下销售

在这种模式下，商家通过促销、资讯、预订等方式，将线下实体店的各种信息推送给网络消费者，将线上的消费者引流到线下的实体店进行消费。餐饮、健身、娱乐等行业，因为其服务特性多为本地服务，因此大多采用这种模式，例如，美团、大众点评、饿了么等平台采用的就是这种模式。

2. 线下导流线上销售

这种模式在传统的线下销售企业中被运用得较为广泛，很多传统的线下企业在互联网的冲击下开始逐步探索线上发展的道路，采用的就是这种模式。在这种模式下，商家通过充分利用线下实体店的体验优势和线上购物的安全性和便利性，为顾客提供线下体验、线上支付和快递配送服务。例如，苏宁易购采用的就是该模式。

3. 线上线下销售渠道并行

这种模式强调通过多渠道、全方位的整合，打通线上和线下的全部环节，构建包括物流、信息流、资金流、用户流和业务流在内的"五流合一"的供应链系统，形成全新的商业流通业态，为顾客带来更精准和更贴心的消费体验。例如，盒马鲜生采用的就是这样的模式。

9.8 网络社会化营销

9.8.1 网络社会化营销概述

1. 社会化媒体的界定

网络社会化营销是指以网络社会化媒体为载体开展的各种营销活动的总称。最早对社会化媒体展开研究的是美国学者 Mayfield（2007），其在《什么是社会化媒体》（*What Is Social Media*）一书中指出，社会化媒体是一种新型的在线媒体，能给予用户极大的参与感，同时具有公开性、交互性、社区化和联通性等特点。Fuchs（2013）认为社会化媒体的交流应该是对话而不是独白的形式；参与者应该是人而不是组织；诚实与透明是核心价值；人们受对话的驱使而不是推动，分众代替集权。Watlington（2007）则认为社会化媒体是一种通过人类语言进行的有机的、复杂的、在线的对话，这种对话由社交网站、新闻书签、博客、微博、视频分享、照片分享、留言板、维基、虚拟现实、社交游戏等驱动。基于学者们对社会化媒体的定义，可以将社会化营销界定为，基于 Web 2.0 技术的发展，以互联网应用为基础，以网民创造、分享和传播的信息为载体，通过社交网站、新闻书签、博客、微博、视频分享、照片分享、留言板、维基、虚拟现实、社交游戏等驱动的各种形式的营销活动。

2. 社会化营销的特征

（1）公开化。现有的社会化媒体几乎都是免费提供给用户使用的，用户可根据个人喜好选择和使用。用户个人或企业可以根据自身的爱好和需求利用社会化媒体完成信息的采集、编写与发布等过程，而这些内容一经发布就是完全对互联网和该媒体用户公开的。

（2）参与性。在 Web 2.0 的背景下，网络用户不仅可以通过社会化媒体在网络上查询和接收信息，还可以创造并传播信息。对于企业和个人发布的营销信息，不但可以阅读和咨询，还可以参与评论并进行转发。这种深入的参与分享，使得用户有较强的代入感，能够加深用户的印象和体验。同时，通过激励用户的信息转发行为，还可以增加用户的黏性，扩大受众面。

（3）社交性。社交性是社会化营销最显著的特征，无论通过何种社会化媒体，用户均可以将信息以文字、声音、图片、影像等形式进行创造、分享和传播。同时，个人与个人、企业与企业或是企业与个人之间，都可以通过社会化媒体形成社区或团体并就某个感兴趣的话题进行交流和沟通，由此用户之间形成较强的具有较高信任度的联系。

9.8.2 网络社会化营销的商业模式

网络社交平台的普及和发展以及用户群体数量的激增，为网络营销提供了广阔的发展空间。起初，社交网站在人们的网络社交活动中占据着最为重要的位置，用户通过社交网站分享和反馈信息；随后，伴随着移动终端技术和通信技术的发展，网络社交平台也进一步向着移动化、互动化、社群化、体验化和社交化的方向发展，形成了社群模式的商业形态。通过这种模式，网络营销企业可以通过网络平台聚集特征相似的目标用户，不仅能够有针对性地满足不同用户的需求，而且能够为目标用户创造长期沟通渠道，从而获得逐渐扩大的营销优势。

1. SNS 营销

（1）SNS 营销的定义。SNS 既可以理解为社交网站（social network site），也可以理解为社会性网络（social networking services）。营销是指利用各种社交网络来建立产品和品牌的形象，然后通过 SNS 分享的特点开展各种营销活动，达到病毒性传播的效果，是一种效果较好的互联网营销方式。比较典型的 SNS 包括 Facebook、贴吧、新浪微博等。这些网站用户数量巨大，基于分享和共享的功能，通过话题、爱好、学习经历等主题将网友凝聚起来，形成一个虚拟的社交网络。

（2）SNS 营销价值的创造。SNS 已成为互联网中最重要的应用之一，它正日益成为互联网用户生活中不可或缺的一部分。SNS 的营销价值不容小觑。

1）在 SNS 用户的交互媒介中植入产品或品牌。目前在 SNS 上可以送虚拟礼物，而虚拟礼物与现实生活中的用品相对应，如饰品、服装、化妆品、书籍等。如果要推广某款衣服，就可以依照现实的衣服做一个虚拟礼物，放置在礼物列表中，用户可以把它当作免费礼物送出。这些虚拟礼物中存在幸运机会，例如，礼物接受者中会有一个人有机会获得现实中的衣服，而获得衣服的人需要在网站群组中留言评论，当接受礼物者产生回赠行为的时候，对这个礼物本身的印象再一次得到加深。由于活动能引起人们的好奇心，即使没有参与送礼的人，每天浏览礼物页面的比例也很高，不仅起到广告宣传的作用，还可以为用户提供购买的入口。兰蔻在开心网上尝试推广"Magnifique"香水，用户每天三次赠送此香水礼物，即可获得一份高级礼物。

2）建立产品和品牌的群组，让用户接受产品和品牌的概念。如开心网上建立的兰蔻群，一个月内用户就超过了 1 万名，用户在这里可以分享产品的相关信息，如产品介绍、使用感受、代购活动，甚至实体店信息等。兰蔻利用虚拟物品的页面把用户导入群中，使其能够直接进入产品网站，为将来的推广活动打下基础，通过建立用户群，增加用户之间的互动，产生更高的黏性；吸引更多的人，同时可以辨别用户的属性，包括用户的年龄、性别、学历、收入、阶层等，而且这些用户在网上参与投票、参加游戏、参与测试等，也留下了丰富的行为特征，这些行为都给企业提供了很好的用户数据，为企业下一次的产品营销，甚至产品的设计方向提供了绝佳的参考。

SNS 的群组营销有其独特的优势，它是真人群组，有朋友之间、企业和用户之间的互动关系，对于广告主而言，也可以更加容易看到品牌推广的效果。首先，每个群组加入的人群是真实的；其次，人数的多少是确定的；再次，参加群组活动的用户积分多少也可以计算；最后，主题数和回复数也都显而易见。当然，不同的厂商在转化率的诉求上是不同的，有的做品牌，有的看销售，企业可以根据自己的要求设置不同类型的群组和转化率指标。企业可以充分利用 SNS 的人际关系和便捷的沟通方式，使企业产品和用户之间形成良好的沟通关系，在此基础上介绍产品，让用户接受产品，最终购买产品。

3）SNS 游戏做轻松营销。网页游戏的应用是 SNS 的重要部分，如曾经的开心网便是靠

"奴隶买卖"和"抢车位"的游戏在短期内成功的。不用刻意吸引用户进来,因为用户已经进来了,通过游戏的方式,比如"抢车位",与现实中的汽车品牌相结合,将产品外形、定位、价格等方面的信息植入具体游戏,比如赞助虚拟汽车拉力赛的活动等。在用户喜欢做的事情上添加一些营销元素,与用户利益相结合,这样,用户更加容易接受产品,企业也更加容易树立口碑,并且更容易引导购买行为。企业也可以做专属产品和品牌的营销游戏,如阿迪达斯的"篮球巨星"游戏。

4)举行活动营销。利用 SNS 中的人际关系和各种热门应用进行营销活动,也是吸引用户参与的方式之一。比如"开心农场"游戏受到欢迎,农产品相关的企业可以考虑通过该途径进行营销的尝试,如在 SNS 上可以购买某个地区的某农作物的种子,虚拟的种子与现实中的种子相对应,即与现实企业关联。企业在游戏中可进行产品特性等信息的介绍,同时鼓励用户互动,尽可能地把更多的朋友吸引进来,比如只有好友来浇水和施肥,才能长出更多的果实等;当虚拟果实成熟后,其中部分活跃用户,比如收获最多果实或者跟朋友分享最多果实的用户都有机会获得厂商线下赠送的新鲜果蔬等。这种虚拟劳动成果的分享能加强用户之间的情感强度,也可以进一步为实体企业带来更多的产品营销机会。

5)利用数据挖掘,建立营销数据库。充分利用 SNS 上庞大的用户数据,包括个人资料和互动数据,比如参与的投票、参与的测试、分享的信息,如音乐、电影、书籍、旅游等,这些信息都具有很高的价值,企业可以通过分析,了解哪些用户是潜在用户,他们有哪些特征。同时,通过礼物、群组、游戏、投票、测试等方式与用户建立起沟通关系,获取用户的意见和反馈,不仅能推广和销售产品,而且使企业和用户之间建立真正的联系,为企业带来长久的竞争优势。

6)利用 SNS 分享的特点,促成病毒式营销。SNS 网站本身同样具备病毒式营销的可能,但要注意适当选择传播的人和内容。传播的人应是具有影响力的人,其影响力主要看其朋友数量和互动的情况,以及他的意见直接传播范围。传播的内容既可以产生自 SNS,也可以来源于第三方网站,但其关键是通过分享完成的。

(3) SNS 营销常用的工具。

综合类:主要为用户提供生活、社会、文化、文学、教育、科技、体育等综合信息,Facebook 就是这一类别的全球知名的社交网站。这类网站能够为用户提供全面的信息查询和稳定、安全的数据存储,同时也是便捷的交流平台。

校园类:校园类 SNS 以在校学生为主要使用人群,国内较成功的校园类 SNS 是人人网,用户可以通过发布日志、保存照片、分享音频和视频等方式利用平台丰富的资源实现交流、分享和社交等功能。

娱乐类:此类型的用户多为年轻、时尚一族,例如开心网、达人网等网站都是娱乐类 SNS 的代表。此类型的平台通常都有一个优势主题作为核心,从而吸引对此主题感兴趣的粉丝作为核心用户。例如,开心网主要以在线游戏为核心吸引用户,而达人网则以用户发布的个性化和专业化的内容来吸引粉丝。

商务类:商务类型的 SNS 主要以商务交往和商业关系网络为核心,例如天际网、若邻网就是这种类型社交网站的代表。这类网站通常以公司白领作为主体用户,网站功能主要以商业交流、职位招聘等为重点。

垂直类:垂直类 SNS 就是面向某个特定的垂直领域的社交平台,其中又可以细分为以读书、学习为主的学习类，如豆瓣网；以音乐分享为主的音乐类，如网易云音乐；以征婚、交友为主的婚恋交友类，如世纪佳缘和百合网等。

基于不同类型的 SNS，商家可以选择既符合网站风格和用户喜好，又有商业价值的广告内容进行投放，具体的营销方式包括广告植入、投放定制广告、打造公共主页等，还能以应用形式进行活动营销。不论采取哪种方式开展 SNS 营销，都要注意以下两个方面的内容。

其一，注重网络的曝光率，社交平台拥有广泛的用户基础，企业的品牌和产品只有拥有了较高的曝光率，才能加深用户的印象，才能为在用户心目中树立良好的形象打下基础，从而为今后发起口碑传播与增加企业知名度和影响力提供保障。

其二，加强各种层次的合作，社交平台是一个开放的网站，用户既包括终端用户，也有可能包含部分商家或代理人，因此，企业开展 SNS 营销时应当具有开放的心态，积极寻求与各种层次的用户合作，这样既能降低企业成本，又能扩大企业的影响力和综合实力。

2. 社群营销

社群营销是一种用户之间的连接和交流更为紧密的网络营销模式，是在网络社区和社会化媒体高度发展的基础上发展起来的，主要通过连接、分享、交流等方式实现用户价值。社群营销的本质是基于"圈子"与"人脉"取得用户信任和参与的营销模式，通常的做法是通过将有共同兴趣爱好和有一定关联的用户聚集起来，打造一个共同的"圈子"并促成最终的消费。社群营销实际上也是一种口碑营销，通过人性化的营销方式使受众更易于接受，同时还可以通过"熟人"口碑继续汇聚人群，让用户成为传播中介。社群营销是以社群作为基础展开的，因此，营销的内容与方式更加注重社交文化、社群规范和互动关系。无论是以微信群、QQ 群或是以其他形态存在的学习群、读书会、同学群等，还是以社区形态存在的贴吧、论坛、社区等，大都具有信息公开化、高效的沟通工具、去中心化、经常性的互动和裂变性及聚合性等特征。在进行社群营销时要注意以下几个方面的问题。

其一，社群要有清晰的定位。在建立社群之初就要有清晰的定位，明确该社群的用户主要是哪一类人，该社群要体现的企业的核心价值是什么。一般来说，社群的定位要基于社群的目的、类型和企业的性质。按照产品形式，社群可以分为产品型社群、服务型社群和自媒体社群等；按照划分范围，社群可分为品牌社群、用户社群和产品社群等。

其二，要具有持续输出的价值。社群建立起来之后，光看社群总人数是不行的，社群当中的活跃用户数量才是最值得关注的。因此，群主或者社群的管理者应当持续在群中输出有价值的，且能够被大多数群成员接收的信息和资讯，同时吸引更多的用户参与讨论和转发。这样才能形成一个有活力和凝聚力的社群。

其三，要注重打造社群口碑。口碑是社群最好的宣传工具，社群口碑和品牌口碑一样，都必须依靠好的产品和服务，并且将有价值的内容和信息作为支撑，经过长时间的积累和沉淀才能逐渐形成。

其四，社群要注重线上和线下的联动。线上的社群为用户提供了一个虚拟的交流和分享空间，而线下活动则可以让用户获得更好的体验感和服务。因此，企业在开展社群营销时，可充分结合企业特点和优势，积极创造条件实现线上和线下活动的有机结合与联动。

9.9 IP 营销

9.9.1 IP 营销概述

近几年来，IP 营销的热度持续上升，甚至成为网络营销当中一种重要的市场现象，从电子产品到影视界，从媒体产品到食品界，随处可见 IP 营销的案例。通过这种现象体可以看出网络营销的异界合作商业模式的逐渐兴起和新消费趋势的变化。

IP 营销所指的 IP 是 intellectual property 的缩写，可翻译为"知识财产"或"智力财产"，这里所说的"知识"或"智力"包括视频、音乐、文学等形式的艺术作品，以及一切倾注了作者心智的发明、发现和创造，其表现形式可以是被法律赋予独享权利的任何实物或构想，语言、符号或其他设计等。IP 可以被理解为一种"潜在资产"，是能够凭借自身的吸引力而挣脱某个单一平台的束缚，并在多个平台上获得流量的内容。另外，从传播学的角度来看，IP 营销是一种具有话题性和传播性的信息传递方式，它以庞大的粉丝群体作为基础和市场，是一种可以产生裂变传播的新型营销方式。IP 营销的商业逻辑包含这样的几个步骤：第一，商家的品牌或产品通过人格代理的方式持续地产出优质内容来输出企业的价值观；第二，通过企业所输出的价值观来聚拢粉丝；第三，粉丝的价值观与企业的价值观实现融合，粉丝在这种价值观当中实现了身份认同和角色认可；第四，实现了粉丝对品牌和产品的信任。

9.9.2 IP 营销的实施

IP 营销的表现形式多种多样，例如，褚橙以其创始人褚时健作为代言人，通过团队的策划，用了一系列关于褚老的报道来完成产品的 IP 化转变，最终把"褚橙"演绎成了褚老精神的一种代表符号。同样，乔布斯的极致精神，也是苹果手机的一种 IP。这些都是典型的 IP 营销方式，通过品牌的人格代理，实现品牌商业向个体商业的转型，借助人格魅力与消费者建立信任代理关系，为消费者提供功能以外的购买理由，最终实现品牌溢价。

要做好 IP 营销，我们应当理解其两个本质意图：一是通过持续优质的内容生产能力建立 IP 势能；二是通过 IP 势能实现与用户更低成本、更精准、更快速的连接。同时，还应该掌握几种 IP 营销的方法。

1. 选择一款好产品

产品是建立信任的基础，也是 IP 营销中的人格载体，只有出色的产品才能借助强有力的人格背书实现可持续的健康发展。因此，选择一款好的产品，既是 IP 营销得以成功的基础，也是品牌可持续获得用户信任的保障。例如喜茶，之前的销售一直平平无奇，但在推出奶盖产品之后，借助互联网的 IP 营销推广和口碑效应而迅速走红，带来庞大的粉丝群体的同时也创造了快消品类中单店日营业额 8 万元的神话。

2. 保持持续的内容生产力

IP 营销的传播离不开有价值和人格化的内容，IP 势能的建立依赖于强大的内容生产力，网络营销正在经历一场革新性的变革，在这场变革中内容营销越来越重要，"渠道为王"的时代已然暗淡，"IP为王"的时代正在来临。商家只有不断地创新产品和内容，在用户体验上找到更新和更有效的方法，在把握年轻人的消费心理和倾向的基础上找到合适的切入点来建立他们对于品牌的忠诚度，才能够更好地吸引这些年轻的消费者。

3. 定位于跨屏引流

一个具有生命力的IP通常是能够自带流量，超越媒体、平台和行业的限制的，同时具有无限性、延展性和可扩展性等特征。因此，商家在策划IP营销之初就要注重IP定位于多屏发展，最大化内容的价值，实现全方位引流。目前市场上不乏这样的优秀案例，例如"罗辑思维"不仅通过微信公众号和朋友圈发布文字内容，通过喜马拉雅发布音频内容，在优酷视频也常有精彩节目，除此之外还涉足图书出版，投资papi酱（网络博主，本名姜逸磊）等其他IP。当然，追求跨屏发展并不意味着内容的泛化及不受约束，而是在坚守原有用户定位基础上的多种渠道和多种方式增进用户的体验和与用户的连接。

IP营销最需要注意也是最重要的就是，要能够精准定位用户，抓住具有相同价值观的垂直人群，了解他们的需求和喜好，然后去为他们设计产品和内容。同时，再好的IP也必须遵循生命周期的规律，需要商家合理把握和适时调整。

9.10 网红营销

9.10.1 网红营销概述

"网红"，顾名思义就是网络红人，指的是在现实世界或网络生活中，基于互联网的传播效应，因为某个事件、某个行为或某种持续传播的信息而被大量网民关注而走红的人，或者因为长期持续输出专业知识而走红的人。他们的走红大多是因为自身的某种特质在网络作用下被放大，与网民的审美、品位、看客心理等相契合，有意或无意间受到网络世界的追捧，成为网络红人。网络红人的产生不是自发的，而是在网络环境下，受相关利益共同体综合作用的结果。

网红营销（influncer marketing）主要是依靠有影响力的网红传递产品和品牌信息，来吸引潜在受众获得转化。网红营销是众多数字营销手段中的一种，它同社交营销和内容营销有着极为密切的关系。网红营销是企业通过与受欢迎的社交媒体用户或自媒体作者合作来推广其产品和服务的营销策略。网红通常会吸引大量参与的受众，品牌可以利用这些受众建立信誉，甚至推动销售。

9.10.2 网红的发展

通常把网红分为文字时代的网红、图文时代的网红、宽频时代的网红。

文字时代的网红：这是最早的网络红人，出现在互联网发展的初期甚至更早期，那时属于文字传输的时代，他们共同的特点是以文字进行传输并让网民关注。

图文时代的网红：当互联网已经进入高速发展的图文传输时代时，红人开始如时尚杂志绚丽多彩起来，在这样的时代，网络女性更具优势，以图载文、载人。网民被图片及文字吸引，这个时代的互联网更有读图时代的感觉。

宽频时代的网红：互联网进入了宽频时代，网络歌曲的流行也是宽频时代红人到来的显著特征。在这个时代，人物的表演通过网络视频展现出来，吸引人们的关注。

有人称 2015 年是社群经济元年，2016 年是网红元年，网红也被视为 2016 年新的"风口"。而网红成名的渠道也经历了进化，从早期的论坛、贴吧到后来的豆瓣，再到微博、微信，现在又增加了更加富有视听感染力的实时网络直播，网红的概念被越来越多地使用。不同于早期的网红，如今的网红拥有专业的营销团队来整合渠道优势，组织内容的生产、推广。

"草根明星"的兴起是推动网红经济快速发展的重要因素之一，这给了很多有特点和才能的"素人"通过社交平台脱颖而出的机会；同时，移动网络技术与智能终端技术的快速普及和发展，带动了的视频直播产业大量涌现，资本市场的进入等也为"网红"的产生提供了肥沃的土壤。

最近几年，成就"网红"最有成效的平台包括微博、微信、映客直播、易直播、斗鱼、熊猫 TV、哔哩哔哩、花椒直播、YY 直播等。经过几年的发展和沉淀，网红营销中，通过"网红"变现的模式也基本清晰，一般通过 8 种方式实现变现：①广告；②购买会员、VIP，以及粉丝打赏；③微商模式；④形象代言人；⑤网红培训班；⑥品牌策划和话题炒作；⑦出演网剧主角；⑧拍网红音乐 MV。

9.10.3 网红营销的要素

1. 娱乐化

曾经讲究正式严肃的电视综艺节目，不论是演员还是歌手，他们在和观众进行互动的时候，往往会选择小故事或小段子，可能讲述的东西有时逻辑难寻，有时真假难辨，但其最终目的就是博得观众一笑。类似地，运用填鸭式营销方式的传统行业已经被互联网的个性化定制给击退，众多企业的市场份额不断下降，所以企业想要获取用户的认同，必须摒弃原有高人一等的作风。从根本上讲，网红自身就拥有较强的娱乐性，虽然"明星代言"在网络社群化营销中的效果依然显著，但是在不断变更的互联网时代，草根明星更能获取粉丝的忠诚。

2. 个性化

粉丝经济需要一个关键点或关注点，因此"网红"需要设计和维护自己个性化的"人设"，并基于此持续输出粉丝喜闻乐见、有知识营养的内容，这样才能获得粉丝长期的认可。据相关数据统计，网红经营的产品类型主要集中在四大板块：旅游、化妆品、服饰和母婴用品。

3. 团队化

从根本上分析，网红经济其实属于一种特殊的集中度经济，它涉及方方面面，需要考虑的因素众多，靠个人的能力往往难以达到较好的效果，常常是镜头前面一个网红主播，而镜头后面却是包括很多人的策划、制作和运营团队。因此，需要打造专业化、互补型的团队，工作中还需要团队成员各司其职、协同合作，才能真正达到好的效果。

案例分析

杜蕾斯成功的网络营销策略

杜蕾斯是一个知名的避孕套品牌，它的诞生为全球爱情提供了安全保障。随着互联网的发展，杜蕾斯也开始在网络上开展营销活动，通过与年轻用户的互动和情感维护，建立品牌口碑，使其成为全球知名品牌之一。杜蕾斯的成功做法主要包括以下几个方面。

1. 社交媒体策略

杜蕾斯意识到，社交媒体和互联网已经成为年轻人获取信息与娱乐的主要途径，利用社交媒体进行品牌推广的竞争优势巨大。在社交媒体的营销方面，杜蕾斯非常有建树。它通过在微博、微信等社交媒体上发布各种有趣的内容，如情感故事、幽默的段子、明星代言等方式与年轻用户保持紧密联系。特别是在微博平台上，杜蕾斯注重与用户的互动，及时回复用户提出的问题和建议，并且在网络敏感时期积极向大众传递健康的性教育知识，赢得了消费者的赞誉，让品牌快速成为年轻时尚潮流的代表。

2. 合作宣传

杜蕾斯还通过与优质的娱乐、体育、文化演出等品牌合作，将自身品牌推广到更广阔的范围。例如，在2018年的足球世界杯期间，杜蕾斯与多家足球俱乐部、相关体育媒体合作，在电视和互联网上推广自己的品牌形象，并且定制了足球场内的广告宣传，让杜蕾斯的品牌形象更深入人心，成为广大年轻人的必备生活用品。

3. 独具创新的广告设计

杜蕾斯广告一向以富有创意而闻名，它利用很多创意元素，创造了多个有趣的广告形式。在纸媒广告方面，杜蕾斯也曾经在杂志封面上，富有创意地设计了不同造型和颜色的避孕套，再配以独具创意的文字，吸引了众多消费者的注意，让品牌形象鲜明而生动。这样的广告设计能唤起年轻人的共鸣、创意和好奇心，让人们更关注杜蕾斯品牌背后的故事，同时也正面切入了品牌推广的直接目的。

4. 全球性品牌活动

杜蕾斯定期举办全球性的品牌活动，它的品牌活动在全球范围内都很受欢迎。例如，杜蕾斯每年都会举办比萨"情侣"夜，吸引了众多情侣参加，为这个品牌形象营造了浓厚的文化氛围。杜蕾斯还推出了各种特殊的品牌活动，例如，在全球范围内推出绿色"性健康日"，举办避孕、性教育等多种形式的品牌宣传活动，让年轻消费者了解到更多与性健康相关的知识，让年轻人对杜蕾斯这个品牌更加熟悉，并对其品牌加深印象。

总之，杜蕾斯以其独特、有趣的网络营销和品牌策略，如火如荼地进入了年轻人的视野，并成功地博得了人们的喜爱和赞誉。

资料来源：开铭网络. 杜蕾斯成功的网络营销采取哪些策略？杜蕾斯网络营销案例分析 [EB/OL]. （2023-05-24）[2023-06-08]. http://www.kaimingseo.com/wlyxzx/8094.html.

【案例思考题】

1. 请结合案例分析品牌策略与营销策略之间的关系。
2. 请简述案例中杜蕾斯运用了哪些具体的网络营销方法。

本章小结

随着以互联网为代表的信息技术的飞速发展和电子商务的迅速普及，为了争夺网络消费市场，增加产品市场份额，许多企业开始尝试将传统渠道中的营销方法移植到网络渠道并进行模式创新，从而产生了网络营销，并使之成为电子商务网站推广的主要手段。本章主要介绍目前互联网营销当中常用的方法，包括 Web 营销、许可 E-mail 营销、网络会员制营销、搜索引擎营销、病毒式网络营销、移动互联网营销、网络新零售、网络社会化营销、IP 营销等。每一个部分的内容都从最基本的概念入手，在厘清基本的定义、原理和分类的基础上，介绍每一种营销方法的步骤、策略、过程等。学习者不仅可以了解这些网络营销方法的本质，同时也可以整体、具体地理解以及更好地开展网络营销实践活动。

关键词

| Web 营销 | 许可 E-mail 营销 | 网络会员制营销 | 搜索引擎营销 |
| 病毒式网络营销 | 移动互联网营销 | 网络新零售 | 网络社会化营销 | IP 营销 |

综合复习题

思考题

1. 什么是搜索引擎营销？搜索引擎营销有哪些模式？
2. Web 1.0、Web 2.0 和 Web 3.0 各有什么特征？Web 营销的模式有哪些？
3. 什么是许可 E-mail 营销？简述其基本方式和一般过程。
4. 什么是网络会员制营销？简述其基本原理和运作过程。
5. 什么是病毒式营销？病毒式营销的传播途径和策略有哪些？
6. 什么是移动营销？其参与者有哪些？移动营销可能存在哪些问题？
7. 网络新零售的主要特征是什么？网络新零售有哪些模式？
8. 什么是网络社会化营销？其主要的商业模式有哪些？
9. 什么是 IP 营销？其实施步骤包括哪些？

讨论题

1. 讨论各种网络营销方式与顾客满意度之间的关系。
2. 请比较网络新零售和传统零售方式的优势与劣势。
3. "服务与互动是未来网络营销发展的方向"，你同意这种说法吗？为什么？
4. 请分析网络社会化营销与 IP 营销之间的关系。
5. 试用传统营销的 4C 理论分析各种网络营销方式。
6. 请找出至少 2 个你熟悉的移动营销的例子，并对其进行评价。

网络实践题

1. 登录淘宝网，了解其中的店铺推广方式。
2. 尝试使用超级邮件群发机（supmail 10）开展 E-mail 营销。
3. 登录 selfpromotion.com，查找网站上一些有趣的促销创意。

第 10 章
CHAPTER 10

网络营销站点建设

§ 本章导读

网络营销站点是企业开展网络营销工作的根据地,是企业形象、产品和服务的集中展示区。对于一些信息服务类产品而言,网络营销站点本身就是产品和服务。目前,智能手机的快速发展,使我们进入了移动互联网的时代。移动互联网是互联网基于手机的延伸。因此,如今的网络营销站点主要有两类:一类是基于互联网的网站,这是企业综合性的网络营销工具,是企业开展网络营销的基本任务之一;另一类是基于智能手机的移动 App 应用,它承载着企业在移动互联网时代获取客户、提供产品与服务、宣传企业形象的根本需求。随着网络与现实生活联系的日益紧密,越来越多的现实社会功能被整合到网络以及移动互联网中。因此,这两类网络营销站点也承载了越来越多的商务功能。本章内容主要包括四个部分。第一,介绍企业网站的建设及推广;第二,介绍移动 App 的开发、设计、运营与推广;第三,介绍微信小程序的开发、运营及应用;第四,介绍一些常用的网络支付手段。

§ 学习目标

- 掌握企业网站建设与规划的基本内容
- 掌握企业网站推广的方法
- 了解企业网站建设与推广的注意事项
- 了解移动 App 的现状
- 掌握移动 App 的开发与设计
- 了解移动 App 开发与设计的注意事项
- 掌握移动 App 的运营与推广方法
- 了解微信小程序的基本现状
- 掌握微信小程序的开发步骤

- 掌握微信小程序的运营与应用
- 了解微信支付、支付宝支付及面部识别支付等相关内容

§ 引导案例

从数据挖掘角度改善网站的用户体验

改进网站用户体验,从而提升用户满意度,我们可能需要做很多事情,很多人也都有自己的看法,有人说要做好网站的界面优化,有人说要策划专题活动以吸引更多的用户,等等。这些优化从普遍层面上是可以提高用户满意度的,但是要做到有效、准确,我们就需要从数据挖掘的角度进行分析,从而改善用户体验。

第一,通过用户指数有针对性地进行页面优化。用户的每一次点击、回复、评论乃至鼠标的每一次滑动,都是其心理的直接反映。通过 IP 地址的定位,知道哪些省份、城市、地区的用户在访问网站,不同地域的用户关注的内容有什么差异、经常访问的时段是否相同,通过对这些数据的分析,可指导市场业务部门具体选定在哪个城市、哪个时间段做推广或者活动策划。在这种全面而细致的数据分析基础上,我们就可以更真实地了解自己的网站对用户的吸引情况,从而帮助我们及时改进网站的用户体验。

第二,活跃用户与流失用户分析。我们经常会看到这样的宣传广告语:某网站的注册用户数已经超过几百万甚至几千万。其实,这些数据并没有太大意义。试想,如果很多用户已经不再登录该网站,这些数据还有什么意义呢?因此,对于一个网站而言,真正有意义的是活跃的用户数而非总的用户数,只有这些用户在创造着价值。所以,改善用户体验的目标可以说是发掘新用户、保留老用户。我们可以在存储用户基础信息的同时,记录用户的最近一次登录时间,这能够准确地计算出用户最近一次登录的间隔时间,进而区分该用户是活跃还是流失。

第三,优化站内搜索,让用户更容易找到所需的网站信息。站内搜索已经成为目前几乎所有网站必不可少的模块之一,特别是在内容丰富的网站中,当用户在网站中"迷路"时,就会求助于网站的站内搜索。分析站内搜索最常见的就是分析用户的搜索关键词。比如,我们可以通过网站的后台开发相应的搜索分析功能,记录用户的搜索关键词、访问页面、浏览页面、搜索点击页面排行榜等。在实际设计中,还应尽量减少用户的多余的操作,优化搜索体验。

第四,通过数据分析,把握用户的心理。网站进行改版的时候,我们往往会思考:现在的页面中存在哪些不合理的因素?哪些数据指标最能反映网站用户的心理呢?首先,我们可以持续跟踪某个网站流量的小时变化趋势,然后在运营过程中针对这个时段推荐有针对性的文章和评论,引导用户的访问。其次,分析首页的跳出率等指标,评估首页的浏览效果。比如,通过最近一个月的监测发现,75% 以上用户的访问深度都低于 3 页,访问最多的 10 条内容中,仅有 3 个来自网站首页,这就多少能够说明近期编辑发布的内容与当前热点有偏差,或者首页导航、热点区域的推荐内容有问题。

第五,对 PV/UV 的比值进行分析。如果发现这个比值明显下降,而 UV 变化不大,很显然,这说明用户单次访问的页面数减少,在这种情况下,网站的内容或结构急需调整。

这里所说的网站结构，是指网站中页面间的层次关系，它对网站搜索引擎的友好性及用户体验有着非常重要的影响。例如，查看首页作为网站入口的比例，查看首页流量在全站的比例，查看首页的二跳率和弹出率，查看首页带给其他版块或频道的流量。

资料来源：作者根据网络资料整理，http://www.it168.com/。

【案例思考题】
1. 本案例中数据是如何改善网站用户体验的？
2. 从网站建设角度看，改善用户体验需要考虑哪些因素？

10.1 网站建设与推广

网站建设是指使用标记语言（markup language），通过一系列设计、建模和执行的过程将电子格式的信息通过互联网传输，最终以图形用户界面（GUI）的形式被用户浏览。简单来说，网页设计的目的就是产生网站。而网站建成之后的推广，就是以国际互联网为基础，利用信息和网络媒体的交互性来辅助营销目标实现的一种新型的市场营销方式。本节将介绍网站建设的主要内容及具体步骤。

10.1.1 网站的建设

企业网站的建设是一项系统工程，它直接关系到后续网络营销的开展。企业网站建设的完整过程包括网站规划、网站建设的具体实施、网站的测试及网站的维护管理四个环节。

1. 网站规划

网站规划就是建设者在网站建设之前对企业及市场进行分析，确定网站建设的目的和主要功能，并对网站建设的技术、内容、费用、管理等方面做出规划，提出合理的建设方案。网站规划对网站建设起到指导的作用，对网站的内容和维护起到定位的作用。此阶段主要完成的任务有：①网站的设计思想和目标；②网站的总体设计；③网站的栏目规划；④网站文件、目录的规划和管理。

（1）网站的设计思想和目标。网站设计的指导思想直接关系到网站建设的品牌，只有在先进的思想指导下，才能让企业网站真正为企业创造价值。这些思想包括：以客户为中心，树立企业品牌形象，提升企业核心竞争力，等等。网络营销指导下的网站建设的核心思想是以客户为中心来策划、设计、运营和管理网站。对于一个企业，获取有价值的访问量才是网站建设的终极目标，以用户为中心，提高用户的体验感和转化率，最终将用户转化为企业客户。企业网站是企业的门户，是企业与服务对象之间的交互界面，企业网站的整体形象也是企业形象的体现，即代表了企业的品牌形象。同时，企业网站作为高效的信息平台，可以整合互联网的优势资源、扩充企业宣传途径、降低运营成本、提供优质服务、促进创新发展，从而提升企业的核心竞争力，为企业带来更多的经济效益。

企业为什么要建设网站？企业能够通过网站开展哪些业务？这些问题也正是企业网站建设的目标。每个企业因生产经营与业务的差异，其网站要实现的目标也有所区别。一般而言，企业建设网站的目标有：宣传企业形象、展示产品和服务、交流与沟通、实现网站交易、提供人工在线服务、信息检索、客户管理、信息发布，等等。

（2）网站的总体设计。在建网站之前，还需对企业的相关资源进行全面分析，为网站做出合理定位，根据需要制订网站建设方案。主要包括：内外部环境分析；网站建设的目标、类型和功能；可行性分析；网站建设的运行环境分析；网站内容规划；网站页面设计规范；网站的成本效益分析；网站扩展与安全。

1）内外部环境分析。企业的内部环境决定企业建设网站的优势和劣势，即企业条件、公司概况、建设网站的能力（费用、技术、人力）等；而企业的外部环境主要包括相关行业的市场状况（市场有什么特点和变化，是否能够并适合在互联网上开展业务，外部用户的特征，等等）和主要竞争对手（包括网站分析、推广手段分析、竞争对手的网站建设情况）等。

2）网站建设的目标、类型和功能。确定建设网站的目的，即企业打算利用网站进行哪些活动是建设一个企业网站首先需要考虑的工作。企业建设网站一般的目标，包括树立或深化企业形象；推广企业的产品及服务；建设网上交易平台；加强与客户的互动，等等。企业网站的类型应根据其目标确定，从经营的角度来分，主要包括信息发布型、网上直销型和电子商务型。不同形式的网站，其网站的内容、经营的方式、实现的功能、建站方式，以及投资规模等都各不相同。企业网站的功能应根据公司的需要和计划来确定，如主攻产品宣传、网上营销、客户服务、电子商务等。

3）可行性分析。企业网站建设的可行性分析是指企业经过调查分析决定是否正式进行网站建设，主要分为技术可行性分析、经济可行性分析和管理可行性分析三个方面。技术可行性分析是指构建与运行电子商务网站所必需的软硬件和相关技术对电子商务业务流程的支撑分析；经济可行性分析是指构建与运行企业网站的投入产出效益分析；管理可行性分析是指保证网站建设中所需要的人力资源方面的可行性分析。

4）网站建设的运行环境分析。运行环境是指网站运行所依托的软硬件环境。企业网站硬件平台的规划主要从网站建立方式入手，可采用自建服务器、服务器托管和虚拟主机等方式。自建服务器是指企业设置独立的 Web 服务器，放置自己的网站，它对企业的要求较高；服务器托管是指用户自行采购主机服务器，并安装相应的系统软件和应用软件，以实现用户拥有独享的服务器；虚拟主机用特殊的软硬件技术把一台运行在互联网上的物理服务器主机分解成多台"虚拟"的主机，各个虚拟主机之间完全独立，用户可自行管理。软件平台的规划包括运行平台和应用开发平台两部分。运行平台包括网络操作系统和服务器软件；应用开发平台包括数据库系统、网站的开发工具等。

5）网站内容规划。内容规划主要包括内容的搜集与整理、内容栏目的划分和表现。网站内容及其合理安排是企业网站的重要因素，没有内容或信息不实用只会拥有匆匆浏览的访客，而无法产生用户黏性。一般企业的内容栏目包括公司简介、产品介绍、服务内容、联系方式、信息搜索、相关帮助、会员注册、网上订单等项目。如果网站栏目较多，就需仔细考虑栏目内容之间的合理分配和相互关系。

6）网站页面设计规范。网页设计的表现形式应与企业整体形象一致，因此页面设计应符合企业形象规范，页面的色彩、图片及版面的结构应达成统一。

7）网站的成本效益分析。企业网站的建设是一个长期的发展计划，所以要考虑持续发展的问题。要分析基本的站点成本，主要包括硬件成本（服务器、连接硬件设备和支撑软件等）、服务成本（创意设计、软件设计、日常管理维护、内容版权等）及网站的宣传成本。同时，还应加强分析企业实施网站建设后的效益，分析可能存在的问题或下一步发展的目标。

8）网站扩展与安全。发展初期，可以采用托管空间、虚拟机、托管服务器等方式节约成本，但在设计之初就应当考虑到访问量上升所带来的软、硬件能力需求，要能够方便扩展、升级。但是，网站的安全从始至终都应当放在首位。网站代码、数据库的安全，网站可靠平稳运行（如 DNS 劫持、托管服务瘫痪等）也十分重要，应当建立完备的预案，尽量减少一些小的意外（如共享主机被封、托管数据丢失等）所带来的全局影响。

（3）网站的栏目规划。栏目规划的主要任务是确定网站的主要内容，并将它们组织成合理的链接结构。就好比一本书的目录，在设置栏目时需要仔细考虑、合理安排、突出重点、方便用户。

1）确定必需的栏目。一般网站栏目的信息包括公司概况、产品信息、公司动态、网站搜索、网上购物、售后服务、技术支持、联系信息等。

2）确定重点栏目。从一般栏目中挑选出最为重要的栏目，对其进行更为详细的规划。

3）建立层次结构。即为网站的所有栏目及其子栏目建立层次结构。

4）每一个栏目的详细规划。层次结构只是网站栏目的总体规划，每一个栏目的详细规划包括栏目的描述、栏目的实现方法以及此栏目与其他栏目之间的关系。

（4）网站文件、目录的规划和管理。网站的目录结构是网站文件组织管理的关键，它直接影响对站点本身的维护和管理。网站文件主要包括面向网站建设、开发的（网站内容和信息发布的各种网页及相关文件）以及面向业务的相关文件。

规划网站目录结构的主要原则是易用性原则，提供清晰简便的访问结构。在构建网站目录时需注意几个问题：不要把所有文件都存放在根目录下，根据栏目内容建立相应的子目录，将应用程序置于特定目录下，为每个主栏目建立图片目录，目录层次不宜太深，网站文件和目录的命名要规范。

2. 网站建设的具体实施

网站建设的步骤主要包括：申请域名；建设网站的软硬件环境；收集整理资料；网页制作；网站整合。

（1）申请域名。域名是网站的"商标"，就像开公司要起公司名一样，域名是企业网上信息、业务往来的基础，同时，域名也是人们利用搜索引擎在互联网上查找企业信息的依据之一。选择好的域名应遵循的一般原则是：简短、切题、易记，并与本公司密切相关。

申请域名的步骤十分简单，只需要到域名服务商网站直接申请。企业或个人用户要注册域名，可以向 CNNIC 授权的注册服务机构申请，此类注册服务机构有几十家，国际域名最好通过 ICANN 认证的域名注册服务商或 Network Solutions 公司代理商注册。

需要注意的是，根据中国法令，申请 .CN 域名需要先完成实名认证。另外，若服务器接入中国内地，所有域名都需要完成实名认证，并通过域名服务商或空间服务商完成 ICP 备案，若网站有在线销售、BBS 等，还需要走 ICP 附加备案流程。

（2）建设网站的软硬件环境。一个网站至少包括网络接入设备、操作系统、网络数据库、一般应用软件及 Web 服务器，它们是构成网站的最基本配置。网络接入设备主要指互联网的边缘接入设备，包括路由器、调制解调器、防火墙等。网站建设软件方面需要注意数据库的选择，对于 mysql、SQL Server、oralcal 等要视情况而定，asp 小型网站一般用 access，php 一般要用 mysql，数据量大的话可以考虑用 SQL Server、oralcal；硬件环境方面使用一般性的配置即可，但要选择好系统。

（3）收集整理资料。根据网站规划阶段确定的信息需求和网站功能，收集与网站主体相关的关键信息，用逻辑结构将这些信息有序地组织起来。这些文字资料应由公司内部的专人负责整理，最好是熟悉市场营销并有一定文字组织能力的人，他能够站在企业、市场和消费者等多个角度考虑文字的组织方式。通常情况下，资料常常来自本企业的宣传手册及各种报告与技术资料等方面，这些资料内容往往站在企业的角度上，却很少从用户角度来考虑问题，因此须对这些资料加以整理后才能在网站中使用。

除此之外，收集用户的访问、使用习惯也非常重要。这将决定网站采用什么样的业务流程，什么样的支付流程，提供什么样的浏览方式、订单方式等。

（4）网页制作。美工及设计人员负责设计网站的整体色彩色调、企业标志和形象、网页、图形图像和动画；内容编辑人员负责编写网页内容；网络编程人员、数据库设计人员负责数据库设计和开发、网络编程、网络接口设计；项目管理人员则协调各方面工作。

（5）网站整合。将各部分网页通过导航系统连接在一起，做好与数据库的接口连接，并与对应的支付接口、订单跟踪系统、服务跟踪系统对接。甲方需要注意交易流量的问题，避免流量过大导致超出系统承受能力；针对乙方需要注意用户的安全加密问题，甲方应妥善保管乙方提供的账户、密码和数字证书，甲方的账户、密码和数字证书是乙方识别甲方身份及指令的唯一标志。

3. 网站的测试

软件产品在正式推出之前都必须经历两个不同的测试阶段，即 Alpha 测试和 Beta 测试。

Alpha 测试是由用户在开发环境下进行的测试，也可以是公司内部的用户在模拟实际操作环境下进行的受控测试。Alpha 测试过程中发现的错误可以在测试现场立刻反馈给开发人员，由开发人员及时分析和处理，完成网站的 Alpha 测试后，根据测试的结果对网站进行修改，并进入 Beta 测试阶段。

Beta 测试是软件的最终用户在一个或多个用户的实际使用环境下进行的测试。在测试中由用户记录遇到的所有问题，并定期把这些问题报告给开发者，在接到问题报告之后，开发者对系统进行最后的修改。当完成 Beta 测试之后，网站的整个测试工作就宣告完成，可以准备发布 Web 站点了。

网站测试的内容主要包括用户界面、功能、兼容性、性能（包括速度、负载、压力等）和安全（包括用户身份校验、信息存取控制及加密信息等）等几个方面的综合测试。

4. 网站的维护管理

企业网站的维护是指对网站的各种软硬件资源和信息流的管理与监控，目的是保证企业网站的功能正常，并确保网站内容的完整性和一致性。一般来说，企业网站的维护工作主要包括网站系统维护和网站内容维护两方面。

（1）网站系统维护。网站系统维护主要是保证网站系统运行平台的软硬件设施、设备正常可靠地运转，以及数据资料的备份等工作；硬件维护主要包括服务器、网络连接设备及其他硬件的维护；软件维护主要包括操作系统及各类软件的安全维护；数据库维护主要包括系统文件的组织、系统数据备份、系统数据恢复和系统垃圾文件处理等；安全维护主要包括网站安全管理、监测、数据备份、防止病毒攻击和恶意访问等。

（2）网站内容维护。网站内容维护是指基本业务的维护，它是网站维护的核心内容，是保证企业网站有序和有效运作的基本手段，包括信息发布管理（经常更新网站的页面、网站的内容，及时发布企业最新的产品、价格和服务等信息）、客户信息管理（客户基本注册信息管理、客户分析与客户反馈信息管理等）、网站测试与评估（包括网站受关注程度、网站经营情况、网民的变化、网站设计的评价、网站的操作分析、技术应用分析、服务质量分析、安全性分析等）等内容。

10.1.2 网站的推广

随着网络越来越普及，企业对网络的重视程度越来越高，企业网站的数量也在极速上升。然而，大多数企业认为网站建成之后就万事大吉了，没有进行后续的管理和维护，结果企业网站并没有发挥其应有的价值。在浩瀚的网络世界里，无人问津的企业网站是不可能发挥任何作用的。因此，企业网站无论是在建设中还是建好后，都必须考虑有效推广的问题。目前，常用的推广方法有以下几种。

1. 搜索引擎的推广方法

搜索引擎推广是指利用各类搜索引擎的在线检索信息功能的网络工具进行网站推广。搜索引擎的基本形式可以分为自动搜索引擎（简称搜索引擎）和基于人工分类目录的搜索引擎（简称分类目录）。

在互联网众多的网站中，如何让自己的网站能迅速被网民知晓并点击进入？注册搜索引擎是最为迅速有效的方式。通过如雅虎、搜狐、网易、新浪、百度等搜索引擎把网站收录进去，设置网站关键字、竞价排名、固定排名，让客户更方便地查找网站内容。

搜索引擎推广的主要模式有以下几种。

（1）搜索引擎优化。为了方便被搜索引擎收录，并且在搜索结果中能获得理想的排名，网站就需要对搜索引擎"友好"，在网站建设过程中就需要针对搜索引擎对收录网页的要求以及对检索结果的排名方法进行优化，这就是搜索引擎优化。

（2）关键词广告。简单来说就是当用户利用某一关键词进行检索时，在检索结果页面会出现与该关键词相关的广告内容。由于关键词广告在特定关键词的检索时才出现在搜索结果页面的显著位置，所以针对性非常强，被称为性价比较高的网络推广方式。

2. 电子邮件的推广方法

电子邮件的推广方法就是通过建立企业的邮件列表，将企业的最新信息、产品动态、行业动态、调查问卷以及企业举办的活动信息定期向邮件列表用户发送，实现与客户之间的紧密联系，并逐渐发展品牌、建立信任及长期关系。同时，也可以借助第三方邮件服务提供商，获取愿意接受企业信息相关用户的邮件地址，然后向其传播企业信息，以扩大企业邮件的受众度。

3. 资源合作的推广方法

资源合作的推广方法是指通过交换广告、交换链接、内容合作等方式进行资源合作，实现互相推广的目的，其中最常用的资源合作方式为网站链接策略，实现网站访问量资源的合作以促进推广。如建立友情链接，在站点上相互交换链接；在行业站点上申请链接，因为这些行业站点具有较高的权威性和全面性，在行业内访问量比较高，有较高的点击率，因此，可根据站点所属的商务组织及时向这些站点申请链接；通过专门的站点交换动态链接，如网盟、太极链等形式，使其他成员的网站链接出现在你的网站上，你的网站也按照访问量成比例地显示在其他成员网站上。

4. 信息发布的推广方法

信息发布的推广方法是指将有关的网站推广公告信息发布在其他潜在客户可能访问的网站上，利用用户在这些网站获取信息的机会实现网站推广的目的。了解潜在用户可能访问的网站，将有关的企业网站推广信息发布在这些网站上，就可以实现网站推广的目的。例如，分类广告、论坛、供求信息平台、行业网站、博客网站、社会人际网、微博等。但要注意信息应发布在与本企业相关性较高的网站上，这样才会发挥出令人满意的作用。

5. 网络广告的推广方法

网络广告的推广方法是指利用国际互联网这种载体，通过图文或多媒体方式，发布的营利性商业广告，是在网络上发布的有偿信息传播。通常我们所指的网络广告推广是指通过互联网的种种手段进行的宣传推广等活动，确切地说这也是互联网营销的一部分，即通过互联网推广最终达到提高转化率的目的。

网络广告的常见形式包括：横幅广告、关键词广告、分类广告、E-mail 广告、赞助式广告、多媒体广告等。网络广告在网络品牌发展、产品促销、网站推广等方面均有明显作用。网络广告本身并不能独立存在，而是存在于各种网络营销工具中，需要与各种网络营销方法相结合才能实现信息传递的功能。另外，网络广告表现形式也是多种多样的。

6. 网络整合的推广方法

整合推广就是在深入研究互联网中各种零散的媒体资源的基础上，根据企业的客观实际情况，通过精确分析各种网络媒体资源的定位、用户行为和投入成本，进而通过衔接推广的方式，为企业提供带来最大化需求的一种整体网络推广解决方案。

企业网站在实际推广运用中，一般都是整合众多的网站推广方法，同时将线上与线下推广相结合，如利用电视、广播、名片、杂志广告、室外广告、行业贸易展会、直接邮寄广告等离线推广，甚至将网站推广融入各种活动中，最终实现网站推广效果的综合提升。

7. 互联网分销的推广方法

企业网站建立后，产品的信息化成本已经支付，应当充分利用信息化后零成本复制优势，大力推广互联网分销模式，让更多现实的和潜在的网站成为企业的分销站点，通过一定的技术工作，让企业可以快速建立自己的站点，或是快速将产品整合至原有站点。

这一步工作完成后，还可以定期或不定期与这些子站点分享新产品信息、产品变动信息等，保持步调一致，共同开发市场。

10.1.3　网站建设与推广的注意事项

网站建设对用户的影响最为直接，如何才能方便快捷地找到企业网站，这是用户接触网站的第一步，因此，企业就需要注意网站建设对推广的影响。然后才是网站的内容和服务，即使网站推广十分成功，但用户来到网站以后发现网站内容没有价值，或者想要的功能难以实现，就会造成客户的流失，企业的营销就没有达到效果。网站建设与推广过程中需要注意以下几个重要问题。

1. 从用户获取信息的角度来看

搜索引擎营销是企业网站推广中最常用的方法，网络设计对搜索引擎的影响基本表现为网站的设计本身就可能导致不能被搜索引擎检索，或者虽然可以被检索，但反馈信息对用户可能没有吸引力。那么企业在进行网站设计与建设的过程中，就需要充分认识搜索引擎友好性的问题，防范搜索引擎的不友好行为和作弊行为。

百度给站长的建站建议中包括：为每个网页添加合适的标题；充分利用网站首页或者频道首页的描述标签；网站应该有明晰的导航和层次结构；尽量使用文字而不是 Flash、Javascript 等来显示重要的内容或链接；尽量少使用 frame 和 iframe 结构；如果网站采用动态网页，减少参数的数量和控制参数的长度将有利于收录；网站改版或者网站内重要页面链接发生变动时，应该将改版前的页面永久重定向到改版后的页面；网站更换域名，应该将旧域名的所有页面永久重定向到新域名上对应的页面，等等。

搜索引擎的作弊行为包括：隐藏链接或隐藏关键词；在网页中堆砌与网站内容无关的关键词；在网页中滥用标签；制造大量的外部链接；桥链接；大量重复网页，等等。这些行为一旦被发现，一般都会受到搜索引擎的惩罚。

2. 从消费者沟通平台的角度来看

（1）网站信息的质量。顾客对购买过程和网站形象的满意程度与网站提供的相关信息的质量之间存在正相关的关系。提高网站信息的质量，需要从网页的整体结构上对网站各职能提供支持；站在客户的角度介绍产品或服务信息；注意信息的时效性等，这些都是衡量信息质量的关键因素。

（2）网站简单易用。让用户使用网站时感觉简单方便是一个成功网站必备的条件，包括方便的网站导航系统，必要的帮助信息，常见问题的解答，尽量简单的用户注册流程，使用浏览器默认的链接颜色，等等。网络营销导向的网站要求设计良好的导航系统还有另外一个重要原因，即大多数浏览者并非先来到网站主页，而是通过搜索引擎等方式进入信息网页或者其他相关页面。尽量采用先进的理念与技术，降低用户的时间成本，例如使用 PayPal 收款的网站：可以使用 PayPal 的 IPN 接口，以实现免注册购买（用户使用过 PayPal 支付，由网站间沟通用户的收货地址、联系方式等信息，用户只需要简单核对确认即可）。

（3）互动性。企业应充分利用互联网的交互性为消费者提供互动性体验。如提供网上论坛、电子邮件系统、在线社区等与顾客交流沟通的渠道，询问使用情况，甚至可以让顾客参与到企业产品和服务的设计与制作中；了解顾客的消费心理，更好地满足顾客的需求，提高顾客的满意度，提升顾客对网站的忠诚度。通过用户访问、行为记录分析系统以及在线交谈系统，能够与用户更便捷地实时沟通，使用订单跟踪、问题处理系统，能够让用户有更好的服务体验。

（4）吸引性。网站页面设计应该富有吸引力或鼓动性，因为用户浏览网站的兴趣和能否重复访问，直接受到网站页面设计的美观性及愉悦程度的影响。另外，网站页面的友好性也影响着顾客的行为。当前，移动互联网越来越流行，如何将基于 PC 页面的设计，发展成为自适应多种终端（电脑、手机、Pad、楼宇广告终端等），也是需要考虑的重要问题。

（5）安全性。在网站建设中，要注意加强网络建设以及网站运营过程中的安全性，具体包括网站运行环境的安全性，主要指物理的安全和网站运行支撑软件本身的安全；用户使用的安全性，需要对用户的个人信息进行保护，避免对用户造成滋扰。

3. 从交易平台的角度来看

（1）订购系统的易操作性。订购系统的易操作性，会直接促使消费者对网站形成良好印象并促进消费者完成更多交易。例如，用购物车方式结算顾客订单，方便用户随时订购和核对订单；允许顾客自由取消订单或继续订购，记录顾客的交易信息等方便顾客的措施，会成为顾客再次访问的影响因素。

（2）产品选择的多样性。可以将不同的产品进行各种组合，根据客户的需要进行产品的添加、删除等基本操作。

（3）安全可靠性。在时间与空间分离的情形下，消费者更加关注网站的安全和控制措施。因此，需要保证产品实际质量与消费者的预期一致、消费者的个人信息的安全性，以及明确的退货条款和方便易操作的退货途径等。

（4）客户服务的及时有效性。客户服务是消费者选择在线零售的关键影响因素之一，企业提供及时有效的客户服务，提供多种服务渠道，整合线上和线下客服，使消费者能享受各种服务和健全的物流配送体系等。

（5）个性化营销功能。在网络营销的条件下，每一名顾客都是一个细分市场，企业要借助网络技术识别、追踪、记录有关顾客的数据信息，进行个性化沟通，了解顾客的个性和需求并与其保持长期互动关系，最大限度地满足顾客需求。

10.2 移动 App 开发

App 是 application 的缩写，是智能手机应用程序的简称，通常指手机上的应用软件，或称手机客户端。App 安装方便，使用简单，可以结合图片、文字、音频、视频、游戏等方式生动展现品牌和产品信息，成为占据手机屏幕的第一入口。本节从对移动 App 承载平台的介绍入手，分析移动 App 开发的基本原则、基本流程，进而探讨移动 App 的运营与推广。

10.2.1 移动 App 的基本现状

移动手机 App 的兴起应该是从乔布斯推出 iOS 系统的 iPhone 开始的，智能手机出现之后，相继也刮起了移动 App 开发的热潮。随着网络环境的日益完善和移动互联网技术的飞速发展，各类 App 逐渐走进了人们生活的方方面面。2008 年，伴随着 iPhone 3G 诞生启动的 App store 最初的 App 仅 500 个；2009 年，苹果宣布 iTunes 的第十亿个应用下载出现，苹果 App store 的 App 数量突破 10 万大关；2010 年，苹果 App store 认证移动应用软件数量突破 30 万；2013 年，苹果 App store 的认证移动应用软件数量达到 90 万；2018 年，全球 App 下载量突破 1 940 亿次，其中中国市场的下载量占比接近 50%，平均每个用户每天的 App 使用时长大约为三个小时。截至 2018 年 6 月，我国手机网民规模达 7.88 亿，且使用手机上网的比例高达 98.3%，可见移动端已成为人们上网的主要入口。社交、娱乐、出行、购物、办公等移动端的出现，影响乃至改变了人们的生活方式，打破了个体在时间和空间上的局限。

根据现有的 App 中的应用种类，可以将 App 大致分为七大类：系统工具类、通信沟通类、影视音频类、网页浏览类、生活服务类、购物旅游类、休闲娱乐类。

10.2.2 移动 App 的承载平台

App 开发始于苹果公司的 App store，开创了手机软件业发展的新篇章，使得第三方软件的提供者参与其中的积极性空前高涨。随着智能手机日益普及，用户越发依赖手机软件商店。App 开发的市场需求也逐渐增大。移动互联网时代是全民移动互联网时代，是每个人的时代，也是每个企业的时代。App 改变了每个人的生活，App 几乎让每个企业都主动或者被动地开始了移动信息化进程。

目前，承载 App 软件的平台主要有 Windows、iOS、Android 三大手机系统平台，它们表现出各自的优缺点，如表 10-1 所示。

表 10-1　三大手机系统平台的优点和缺点对比

系统平台	优点	缺点
Windows	（1）用户体验一致，细节优化体验好，方便快捷：动态磁贴实时更新＋滑动触屏（在全新 Metro 开始界面下，强调信息本身为主要对象，而非应用） （2）Office 中心：可实现 Windows Phone 和个人 PC 版本 Microsoft Office 之间的相互操作 （3）"人脉"沟通联动更直接：强化了"人脉"App 的社交功能，具有各种社交更新等 （4）智能应用安全：App 均由微软认证，更加安全	（1）App 数量较少 （2）铃声与外放调节被绑定 （3）重力感应无法关闭 （4）没有消息中心
iOS	（1）丰富的 App：拥有全国最大、最成熟的移动网上商店 App store，现有 App 已超过百万 （2）炫酷的娱乐体验：iTunes 支持大量音乐、影视等下载和播放 （3）运行流畅：软硬件无缝搭配，优化程度高 （4）易用性好：优雅、简洁、直观的界面，以及完善的多点触控技术，带来良好的用户体验 （5）安全性高：低层级的硬件和固件功能；高层级的 OS 功能，加密网络通信	（1）大部分（超过 75%）App 要收费，第三方免费 App 偏少。非开发操作系统，固化存储，用户无法自由扩展 （2）蓝牙、U 盘模式等功能品牌兼容性差 （3）产品过于单一化，目前只支持苹果公司自己的产品 （4）受众面小，不能制定 UI（界面），只能进行功能解锁，比如越狱
Android	（1）良好的平台开放性，成本低：Android 是一个完全开放的平台，用于数量多、种类丰富的免费 App （2）实现个性化 App 设定，操作便捷：Android 系统的用户可以自由设定屏幕上各种 App、小插件，操作直观方便，更符合使用习惯，打造完全符合自己使用需求的个性化手机 （3）与谷歌应用的无缝结合：Android 是谷歌主导研发的，完美地结合了谷歌优势的网络应用，如谷歌地图、谷歌搜索、G-mail 等，能带来更好的互联网体验	（1）未建立完善的应用审核制度，有一定的安全隐患，如何控制血腥、暴力等方面的程序和游戏还是个难题 （2）蓝牙、USB 功能等兼容性不强 （3）版本太多，升级速度较快，导致用户体验不一致

此外，承载 App 的终端屏幕可以根据不同型号有所区分；终端的类型包括移动型、固定型等，操作方式分为触控式和点击式（见图 10-1）。

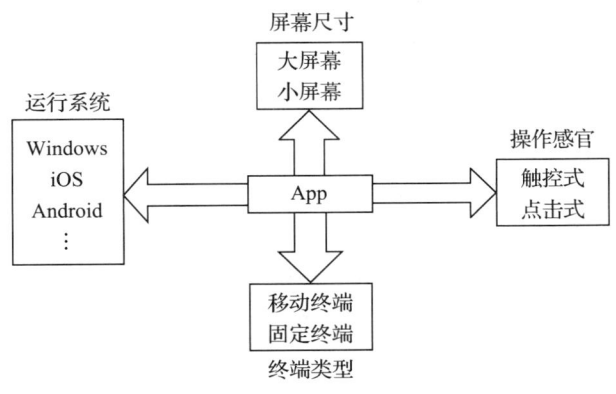

图 10-1　App 主要分类及功能结构示意图

基于智能手机的大屏幕、多点触摸及其轻松流畅的操作系统，用户可以随时下载并安装自己所需要的 App，但用户的要求不只停留在满足于基本的功能需求，而且对于各手机界面设计的形式与其服务的内容提出了更高的要求，使得用户能够快速、有效地完成操作。

10.2.3 移动 App 的开发与设计

手机 App 开发一般采用敏捷开发框架（Scrum）模式进行标准化项目管理。Scrum 是一个敏捷开发框架、由一个开发过程、几种角色以及一套规范的实施方法组成，可以被运用于软件开发、项目维护，也可以被用来作为一种管理敏捷项目的框架。

可以将项目开发流程细分为五个阶段。

（1）需求分析。在开发之前，需要明确移动 App 应用的详细需求及定位，即进行所谓的"需求分析"。对 App 的基本功能，要解决的问题，满足用户哪些方面的需要进行详细的分析，并形成初步的需求功能表。可以说，需求分析是开发手机 App 的起点，也是最为重要的环节。

（2）方案策划。在充分了解市场需求、用户需求，以及企业需求的基础上，移动 App 的策划、设计，以及开发人员基于需求功能表，结合国内外流行的 App 设计思路，形成策划方案（产品需求说明书）与 App 设计逻辑图。

（3）UI 设计。移动 App 产品经理协同 UI 设计师，基于 App 设计逻辑图，形成产品 UI 原型，经确认后交由美术设计师形成最终 App 界面设计方案。

（4）功能开发。产品经理协同主工程师，基于 App 界面设计方案，形成程序架构设计方案，并由工程师团队进行开发，完成产品设计，这点对于一款 App 来说至关重要。

（5）全面测试。产品经理协同测试工程师，基于需求功能表、UI 设计与程序架构设计进行全面终测，形成测试报告，测试通过后交付客户。

10.2.4 移动 App 开发设计的注意事项

随着智能手机的普及，我们已经步入移动互联网时代。订制开发自己的 App 日益成为企业信息化建设的重点。移动 App 之所以如此流行，不仅在于其随时随地使用的便捷性，更在于其丰富强大的应用软件能为广大用户带来最大的实用性及娱乐性。另外，手机应用开发强大且丰富的功能为广大用户提供了极大的方便和益处。对于移动 App 而言，用户的使用习惯和需求是获得成功的关键。因此，移动 App 的开发设计应遵循以下几项原则。

1. 用户习惯导向

移动互联网时代是信息爆炸的时代，移动 App 的开发必须把握的准则之一就是要关注对用户注意力的攫取。任何有可能给用户使用带来障碍的功能设计，都有可能造成用户对移动 App 的弃用。所以，移动 App 的开发必须紧扣用户的需求和使用习惯。在开发设计时，需要在充分了解用户需求的基础上，充分尊重用户的使用习惯。因此，在开发 App 时需要考虑用户在其他 App 上的既有习惯。比如下拉刷新功能已经成为全体用户皆知的行为习惯，这项功能最早来自 Twitter 且获得了专利。为了迎合全体用户的使用习惯，现在的 App 几乎都设置了这个功能。

2. 功能求变求新

移动互联网时代资讯发达，用户偏好容易改变。如果无法培育起客户长期的使用习惯及依赖性，一项网络应用即使得到大量的应用，也很容易式微，迅速淡出人们的视野。年轻一代的移动互联网用户总是不断追求更新鲜、更有趣的应用。移动互联网行业激烈的竞争，也使得移动 App 必须紧跟用户偏好的变化。甚至有人认为，在移动互联网行业 App 需要定期更换结构，升级功能，以满足用户不断求新求变的口味。

3. 内建熟悉开发

随着 App 开发技术平台的成熟，创新型技术的研发已不再是 App 开发者在开发 App 应用时所遇到的最高门槛。而在 App 开发过程中，最重要的环节是对 UI 设计的重视度，以及对 App 应用行动平台界面设计的熟悉度。开发者应该要确定 App 的开发行动平台，而每个行动平台都有着不同的开发准则，因此开发者必须要认真地思考关于装置中内建应用软件问题，并且要探究这个平台所要求的基本界面设计标准，只有严格按照平台准则研发出来的 App 产品才能受到大众欢迎，如果开发者忽视这些平台准则，即便勉强把产品研发出来了，也无法让使用者对这个界面感到满意。

4. 功能用途简化

对于手机 App 的功能模块设计而言，要尽量把一些重要的功能都汇聚在一个 App 中。当用户有需求时，进入这个应用程序中就能找到为其解决需求的功能。因此在开发 App 产品之前，企业首先要对 App 产品的主要功能有清醒的认识。对于一些无关紧要的功能应该要舍弃。手机 App 功能繁多，如果把所有的功能都集中在一款 App 上，反而会让这款 App 软件变得更加复杂。在与用户的交互性设计上，应该让用户一打开 App 软件，就能明白其用途。因此，在 App 界面设计上，App 开发人员要快速地了解这款 App 要向人们展现的功能。

10.2.5 常用 App 平台的运营与推广

现如今，移动 App 的数量呈现爆炸式增长，越来越多的新兴企业，甚至传统企业开发了自己的 App。种类繁多、功能各异的移动 App 对于用户注意力资源争夺的竞争日益激烈。因此，运营和推广成为每一个移动 App 赢得用户，并赖以生存的关键。

1. 移动 App 的运营

（1）内容运营。包括内容更新、内容推送、评论、专业生产内容（professionally generated content，PGC）、用户生产内容（user-generated content，UGC）、审核发布等。

（2）市场运营。包括广告推广合作、下载量推广、迭代功能市场拓展等。说到 App 的市场运营，必须要提到 AARRR 模型。第一个环节是获取用户（acquisition）：用户如何找到我们。第二个环节是激活用户（activation）：用户的首次体验如何。第三个环节是提高留存（retention）：用户会回来吗。第四个环节是增加收入（revenue）：如何赚到更多的钱。第五个环节是推荐（refer）：用户会告诉其他人吗。

（3）技术开发和运维。技术开发，即解决 App 客户端的软件漏洞，解决 App 的操作系统适配、手机适配和浏览器适配，功能升级迭代等。技术运维，即 App 客户端所在平台的运行维护，无论是自建平台还是云平台，都要涉及相关的操作系统、数据库、中间件、网络安全配置等。

（4）大数据分析。

1）下载量统计分析。在 App store 中可以统计 iOS 版客户端的下载量和活跃度。在常用的安卓市场，可以统计安卓客户端的下载量。

2）用户访问统计分析。包括客户端的活跃度，用户访问客户端的停留时间、访问时长，视频访问量和访问效果、视频加载时长、跳出率、转发量等，每条新闻及每个视频的阅读量、转发量、停留时间、加载时长等，编辑的工作量考核。用户量达到一定规模后，可以进行用户画像，实现对用户的内容智能推荐和广告精准投放。广告量达到一定规模后，可以对接 DSP 广告平台。

2. 移动 App 的推广方式

App 运营推广是一个复杂而长期的工作，且提供的 App 运营侧重点不同，比如新闻资讯类的 App，主要通过优质内容运营；社交爱好类 App，更注重社区运营；电商类的 App 更注重营销活动运营。最好的推广从来都不是单靠营销，营销只是引流的手段，好的 App 本身及其运营才是其在市场上安身立命之本，要解决用户的需求，迎合用户的期望，才能让顾客留存，产生依赖，并在市场中形成口碑传播，或许这才是最好的推广方式。

（1）与手机厂商合作捆绑。将移动 App 内置到手机的出厂设置中，用户一旦购买了手机，就成为移动 App 的用户。这种推广方式能够随着手机的销售，在短时间内实现移动 App 用户数量较大规模的增长。但对前期与手机厂商进行商务合作的能力要求较高，前期的市场费用也相对较高。这种方式是那些资金实力雄厚，比如拿到了风险投资，想实现用户安装量快速增长的移动 App 的首选。

（2）通过第三方应用商店推广。应用商店是移动 App 的集中营，是企业推广移动 App 的主流渠道，也是用户获取所需要的 App 的主要途径。目前的第三方应用商店主要有以下几类。

1）手机厂商应用商店。由手机的生产厂家开发建设，如小米应用商店、华为应用商店、vivo 应用商店等。通过此渠道推广 App，则意味着渠道部门需要较多的运营专员来跟手机厂商的商店进行接触。

2）手机运营商应用商店。这指的是由电信服务运营商提供的 App 运营商店，比如中国移动、联通、电信等，它们具有用户基数大、访问量、关注度高的特点。如果能够获得电信运营商的支持，则比较容易获得较高的关注度。

3）手机操作系统商应用商店。这是指由手机操作系统开发商提供的应用商店。例如，苹果 iOS、WindowsPhone 等官方应用商店。

4）网上软件下载站点。在常用的软件下载站点提交 App，比如天空下载、华军软件下载、百度软件下载中心、中关村在线下载、太平洋下载等，也可以获得用户的关注度。

（3）信息发布式推广。通过在网络中发表文章进行推广，书写有信息量的软文在网络中发布，促进转载和回复，提高软文的关注度。软文的撰写要注意以下两个原则：一是精胜于多原则，软文的质量比数量更重要。二是隐形广告，暗中分享。宣传信息不要以广告的形式出现，而是要包含有价值的信息，在软文内嵌入广告。在信息发布的过程中，也可以注意收集用户反馈的信息，帮助移动 App 不断改进。

（4）社交媒体互动式推广。现如今，社交媒体 SNS 成为用户使用互联网和移动互联网最为常用的平台，如 QQ、微博、微信等。用户花费大量的时间在 SNS 类应用上与自己的社会关系保持联系。对于移动 App 来说，通过社交媒体进行宣传，提高产品的曝光度，是接触真实用户、实现流量转化率的重要途径。通过社交媒体互动式的推广主要有以下形式：

1）植入广告推广。采用病毒式营销的方式，在一些对用户有价值的信息中加入广告，引导用户主动分享传播，从而带来新增用户。

2）意见领袖推荐。通过网络意见领袖的推荐，带来用户关注度的提升。

3）强关系互动推广。通过 QQ 群、微信群等，由强关系组成的用户群组进行推广。在与用户的密切接触中，通过创造话题，或是互动游戏，将 App 介绍给他们。比如通过下载获得红包的形式进行推广。

4）口碑营销推广。通过刷评论冲榜，提高排名，也可以获得 App 的用户量，让 App 形成口碑效应。口碑营销的关键在于，App 的功能必须有让用户喜欢的独特卖点。例如，对经常出差的人，可以推荐关于航班介绍的 App，以便快捷地了解航班情况。另外，还可以设计奖励机制来激励用户去推广。例如，App 分普通版的、高级版的，普通版的用户只需要推广 3 个好友，不用花钱就可以自动升级成为高级版。

（5）盟友合作互相推广。移动 App 之间可以通过结盟或付费的方式进行合作推广。另外，还可以通过应用平台为自己推广。如果 App 拥有充足用户量，还可以通过推广别人的 App 获得收益。

（6）线下面对面推广。通过线下广告、线下活动等方式，对线上的 App 进行推广。主要形式有以下几种。

1）线下媒体推广。发布广告，吸引用户关注，比如做灯箱、LED 屏幕等方式植入广告进行推广。

2）线下活动推广。与目标客户群体集中的线下店面合作，开展活动，使用户得到实惠，吸引用户关注。比如和麦当劳、肯德基合作，下载 App 送饮料、享优惠等。

3）地推式推广。在线下实际接触用户，通过推销的方式，让用户了解 App 的功能，并完成安装使用。比如携程的地推人员每天在机场推荐安装携程 App。

10.3　微信小程序的开发

微信小程序是微信推出的一种轻量型应用，它以微信为传播媒介，不需要下载、安装就可以使用，传播方便迅速、获取途径多样、无须卸载、设计理念极为简洁、用户体验出色。用户通过微信扫描二维码或点击应用就可以打开使用，方便快捷。如今，网络营销已成为最时尚、最受欢迎的营销方式。小程序发展后，它已成为网络营销运营的"工具"。它可以实现一对一的针对性推送，不仅更加准确，而且消费者在使用过程中也非常方便。

10.3.1 微信小程序的基本现状

2017年12月28日，微信更新了版本，开放并重点推荐了名为"跳一跳"的小游戏，一时之间风靡网络，更带动了小程序新一轮的火热讨论。如今，零售、餐饮、游戏等领域的企业纷纷加入小程序之中。小程序能够实现消息通知、线下扫码、公众号关联等功能。其中，通过公众号关联，用户可以实现公众号与小程序之间相互跳转。

微信小程序的特点有以下几个。

（1）触手可及。小程序可以通过微信扫码和搜索即刻获取，即时为用户提供服务。

（2）即用即退。相比App，小程序略过下载、注册等环节，即用即退，无须占用过多内存。

（3）开发成本低。只需一两个参与者进行简单的前后台及用户界面设计。

小程序也存在一些缺点：没有自己的用户沉淀，需要与微信里的其他小程序竞争用户；小程序不能订阅、没有粉丝，更无法推送消息。

10.3.2 微信小程序的开发

微信小程序全面开放申请以后，作为政府、企业、媒体、其他组织或者个人的开发者，都可以申请并注册小程序。目前小程序的注册入口已和订阅号、服务号以及企业号并列，用户可根据需要选择注册的账号类型。

为了帮助开发者简单和高效地开发微信小程序，腾讯还推出了全新的开发者工具，集成了开发调试、代码编辑及程序发布等功能，还在官网上发布了开发文档，详细介绍小程序的开发框架、基础组件以及API和设计指南、运营规范。设计指南包括小程序界面设计及建议，明确提出设计原则及规范。

微信小程序接入流程如下。

（1）注册。在微信公众平台注册小程序，完成注册后可同步进行信息完善和开发。

（2）小程序信息完善。填写小程序基本信息，包括名称、头像、介绍及服务范围等。开发前需绑定开发者并获取App ID，以保证程序可以通过手机进行扫码测试。

（3）开发小程序。完成小程序开发者绑定、开发信息配置后，开发者可下载开发者工具。微信官方提供了一套完整的开发框架，开发者可以根据微信开发文档进行小程序的开发与调试。

（4）提交审核和发布。完成小程序开发后，提交代码至微信团队审核，审核团队通过后即可发布（公测期间不能发布）。

10.3.3 微信小程序的运营与应用

微信小程序更适合以提供内容和服务为主，但又需要功能性的小应用，比如服务相对单一的O2O应用等，以及在内容之外还希望提供简单功能的应用。对那些功能和交互上要求很多的"大"应用，微信小程序是不适宜的。

对于微信小程序来说，在营销的逻辑上，内容是根本，运营解决的是内容跟产品之间的东西，而中心是用户。我们必须要了解用户生态的变化，不断为小程序找到下一波用户，给他们创造更好的条件和体验，挖掘到商业价值。

1. 小程序的运营优势

小程序依附于拥有庞大用户群的微信平台，与多数 App 相比，其天然具有平台优势与较高关注度。

（1）适用于"小需求"应用。小程序即用即退、不占内存的产品特征能够满足用户特定的碎片化"小需求"场景化应用。"微信+小程序"将微信平台操作系统化，能够实现微信应用场景的扩容。作为平台依附性的场景化应用，小程序自身"不带流量"，流量由平台提供。而微信拥有的近 9 亿月活用户、近 1 200 多万个公众号，为小程序提供了极大的发展空间，小程序与轻应用场景对接，其市场价值不言而喻。

（2）缩短传播路径，节约内存空间。在当下，用户对于快速便捷的传播路径愈加青睐。相较于传统的"微信公众号+H5"模式，小程序更能抓住用户痛点，"关注—小程序服务"的两步达成路径大大缩短了传播路径，通过糅合本地应用程序和网页应用程序的优点来提供便捷的服务，有效地提高了场景服务的成功率。

此外，小程序的随时调用特质节省内存又不影响手机运行速度，实现了多场景应用，极大地便利了用户使用并节约了终端内存，节省了用户的使用成本。

（3）强化个体互动，提升用户黏度。除了上述的挖掘利基市场、方便用户使用外，小程序的出现还促进了个体互动。微信小程序还有"饭局狼人杀""画画猜猜"等游戏，将处于线下各地的玩家聚在一起，强化了个体间的互动。

此外，小程序后来增设的转发功能使用户得以在朋友圈分享小程序，改变了其过去"一人查看，不能转发多人分享"的尴尬境地，打破了信息孤岛。像"今日头条"之类的资讯类小程序还不断完善分类、评论等功能，无限趋同于 App，使用户无须下载便能体验 App 应用级的服务，无疑又吸引了新的用户群体。

（4）功能较为丰富，开发成本低。可以基于手机的系统功能进行开发，例如重力感应、录音录像、GPS 定位等，能开发更丰富的使用场景。同样的功能，做一个 App 估计需要十几万元甚至几十万元，而开发一款小程序，一般几千元就能完成，并且小程序维护起来也比较简单方便。

（5）小程序开放的入口较多。除了通过扫码、发送朋友、搜索、附近小程序等常用入口外，还能与公众号关联、群发文章嵌入、公众号菜单链接等，对于小程序拥有者来说，推广更容易、更简单、更省成本。

（6）丰富企业营销渠道。小程序可以说是为企业开辟了又一营销布局方式，而且对于企业影响布局起到深化的作用，微信小程序、微信订阅号和服务号并驾齐驱，形成互补，进一步增强了用户的黏性。

2. 微信小程序的使用场景

依据小程序的使用界面形式，可将其使用场景划分为：现实性使用场景、虚拟性使用场景、现实增强性使用场景三个类型。

第一，现实性使用场景是基于真实存在的现实界面而形成的一种场景形态，可以发生于餐厅、酒店、电影院、KTV、健身房、商场等现实场所之中。

第二，虚拟性使用场景是依托于新兴科学技术、数字化媒体平台而产生的一种重要场景形态。常见的虚拟性使用场景包括线上聊天室、Instagram 社交分享平台或通过音乐、戏剧、电影等搭建出的虚拟传播界面。用户在虚拟性使用场景中使用小程序，以更快捷、方便、短距的方式实现信息的传递与内容的连接，是小程序互联网精神的直接体现。

第三，现实增强性使用场景作为现实性使用场景和虚拟性使用场景相结合、升级的产物，广泛应用于计算机图形学、计算机视觉、计算机网络语言等领域，能够增强信息内容的表达效果、提升信息传递的速度和效率，从而有效提升用户对场景体验的感知与认同。

10.4 网络支付手段

随着移动互联网的快速发展以及智能手机的普及，人们通过移动支付来完成消费的行为越来越普遍，移动支付为人们的生活提供了更加便捷与高效的服务。

移动支付（mobile payment），也称为手机支付，即交易双方为了某种服务或者商品，以移动终端设备为载体，通过移动通信网络实现的商业网络交易。这里，支付所使用的移动设备可以是智能手机、计算机、掌上电脑等。移动支付将移动终端设备、智能互联网、应用软件开发商以及大型金融机构四种业界相融合，为手机用户提供快捷缴费、便捷转账等金融业务。移动支付的特性有移动性、集成性、及时性、定制化等。移动支付的方式有短信支付、扫码支付、扫脸支付、声波支付、指纹支付等。但大体上分为两类，即近场支付和远程支付，近场支付常见的有以手机刷卡的方式乘坐公交车、商场购物等。远程支付有手机支付、电话银行、网上银行、邮寄、汇款等方式。

10.4.1 微信支付和支付宝

近年来，我国第三方移动支付行业保持高速发展，支付宝与微信支付占据第三方支付行业的主导地位，不断布局并争夺市场份额。

支付宝与微信支付凭借基础性用户群体和支付场景的多元化，掌握了市场发展的主导权，并通过用户黏性提升、支付场景多元化拓展等手段确立自身的行业地位。

虽然微信支付的创立晚于支付宝，但其凭借社交属性获得了更多用户的青睐，整体市场交易规模占比紧跟支付宝。

从分类上看，支付宝和微信支付都属于第三方移动支付平台。相比于其他支付平台，第三方移动支付平台可为消费者提供很多便利服务。此外，第三方移动支付平台最大的特点是能够通过智能手机等移动终端随时随地来完成支付业务，这不仅提高了用户的体验，增加了用户的参与度和安全感，还符合一般用户的消费习惯。

1. 微信支付

微信支付是腾讯集团旗下的第三方支付平台，致力于为个人用户和企业提供安全与便捷的在线支付服务。依托社交平台，使得社交圈内的微商交易更多地依赖于熟人间的信用，微信支付在交易过程中具有较少的信用中介以及信用保证的作用。经过多年发展，微信支付服务的个人用户已逾两亿人，其企业客户也超过 40 万家，覆盖的行业包括游戏、航旅、电商、保险、基金等。

微信支付入场虽晚，却迅速跟上了行业快速发展的步伐。微信支付是在 2013 年 8 月随着微信 5.0 版本而推出的功能，恰好赶上了移动支付爆发的浪潮。在微信支付上线初期，由于缺乏使用场景，一度陷入边缘化的困境。之后，随着滴滴打车接入微信支付，大批线上线下商户陆续接入微信支付体系，使得微信支付的应用场景进一步丰富。随着微信支付的进一步发展，2014 年春节期间，微信红包功能的爆红彻底改变了移动支付的生态。

微信支付在通过红包完成用户绑卡和微信钱包资金的初始积累后，从 2014 年下半年到 2015 年下半年，腾讯投资了以滴滴、大众点评、58 到家为代表的一系列 O2O 公司，将微信钱包等作为流量入口，并提供微信支付的支持。通过高频、小额的支付场景能够显著地培养用户支付习惯、提升用户黏性。

微信支付致力于精细化打磨产品，提升支付体验、打造创新支付形态，在产品端积累优势。微信在推出支付功能前就推出了扫描二维码功能，主要是通过扫码获取信息。微信支付推出后，该功能延伸至扫码获取支付信息，并将线上思维应用到线下场景，提供了一种低门槛、快速方便的线下解决方案，逐渐演变为如今线下支付的标配。扫码支付功能帮助微信支付迅速覆盖大量长尾商户：通过自行打印收款二维码，或者通过线上申请获得官方邮寄二维码，这些商户迅速、零成本地接入微信支付。相比之下，支付宝在线下二维码支付领域的动作要迟缓得多，直到 2017 年，支付宝才开始针对中小商户大力推广"收钱码"。

2. 支付宝

支付宝在成立之初，其实只是作为淘宝的一个部门，用于帮助淘宝解决网络购物支付问题。

2004 年，支付宝开始和各大银行合作，顾客可以通过支付宝开通各个银行的快捷支付业务，顾客在付款的时候就可以直接用银行的存款，使得网上购物更加便捷。

随着支付宝的发展，其业务的扩张方向不仅仅局限于淘宝的网上购物，还开始向各个不同的行业和领域发展业务。因此，支付宝开始考虑独立。2004 年 12 月，支付宝从淘宝中独立出来，作为一个独立的第三方支付存在。自此，支付宝正式开始了其外部发展的计划。

在国内电子商务环境并不成熟的阶段，支付宝一方面紧紧抓住淘宝网作为其根基力量，另一方面小心谨慎地拓展外部其他市场，例如电子机票、网络游戏、话费充值等。2007 年，国内航空业开始了信息化的发展，这也正好契合了支付宝的外部市场拓展业务。支付宝的独立身份被大家接受，越来越多的行业主动和支付宝接洽，支付宝开始了其真正的腾飞。支付宝是全球领先的，同时也是最大的第三方移动支付平台，其致力于为用户提供简单、安全、快速的支付解决方案，"支付宝钱包"是支付宝移动端的代表，也是独立的品牌。

10.4.2 面部识别支付

人工智能的浪潮涌起，让面部识别行业规模和企业数量都得到迅速发展。面部识别技术已经成为我国人工智能领域首个成熟技术，并开始在多个领域大范围应用。

面部识别支付是基于人脸识别技术的新型支付方式。该支付方式不需要手机，支付时只需面对屏幕上的摄像头即可，系统会自动将消费者面部信息与个人账户相关联，整个交易过程十分方便。目前人脸识别准确率最高可达到99.5%，未来还有上升的可能，而人眼在同等条件下识别的准确率仅为97.52%，人脸识别技术的准确率已经做到了比肉眼更精准。人脸识别系统的安全性已经达到了一定的高度。

面部识别支付的优势有以下几个。

（1）提高运营效率，降低人工成本。以无人超市为例，在接入刷脸支付的自助收银后，1名收银员可以维护3～4台自助收银机，效率提高了，成本也降低了。

（2）有效减少排队现象，提升用户体验。刷脸支付比二维码支付便捷很多，消费者不用手机便可实现支付，整个过程只需要几秒钟时间。特别是对于老年人而言，简单便捷的操作方法极为便利。

（3）刷脸支付更加安全。刷脸支付采用的是最新的3D面部识别技术，结合硬件和软件双重检测，能够高效判断真实用户，比起二维码技术更加安全可靠。而与传统的账号密码接入方式相比，优势则更加明显。因为人脸识别和指纹识别一样，面部就成了账户的代表，一个信息直接绑定了账号和密码，两者不再分割，这是任何账户密码组合都不能比的。尤其在需要消费者实名制的场所，比如酒店住宿、政务办理或是国家控制类药物的购买过程中，都能够利用面部识别技术快速完成身份认证与付款过程，可以说是巨大的进步。

（4）更加智能化，便于商家运营。对接大数据后，商家可以构建会员系统，清楚地看到商品的销售情况、营收情况以及客户信息与会员信息，从而针对客户做二次营销活动。

（5）活动多样化，提供更多广告空间。刷脸支付智能终端因为有了屏幕，自然就有了广告位，可提供一种开放形式的广告播放。商家通过在设备上安插图片和视频，可以创造灵活的广告形式，从而实现品牌宣传和活动推广。每次付款后，设备页面也可以跳出广告，达到较好的传播效果。

（6）付款媒介更加便利。对比扫码、NFC（near field communication）等移动支付方式，"刷脸支付"省略了手机这个媒介，尤其是那些不便于携带手机或是禁止使用手机的场所，例如泳池附近、沙滩海水浴场、游乐园，或者堆放易燃易爆等物品的场所，都将是刷脸支付的重要应用场所。

◆ 案例分析

App开发未来路在何方

2000年互联网泡沫过后，中国香港互联网产业发展令人担忧。现如今移动互联网飞速发展，然而提及香港，多数时候人们会想到："IT行业已死，App基本外包。"

实际上，"外包"只是香港移动应用开发产业链的一端，其代表是高度商业化的香港催生出的专门提供App定制服务的大公司；而另一端，则是在市场、创意与技术的夹缝中苦苦挣扎的中小型开发团队及个人开发者。而这正是当下香港移动应用开发所面临的严峻考验。

"四大App外包公司，App只是新媒体营销的载体"

MTel、Green Tomato、Cherrypicks、Nuthon，

这四家是被称为"Top 4"的香港移动应用"外包"开发公司。它们为大企业提供移动应用定制开发服务，客户要什么，它们做什么。其所制作的应用大多属于内容提供（如公司制度、业界资讯、信息定制等）、生活工具及少数小游戏应用。

以"Top 4"为代表的大型App开发公司有强大的数据库与技术引擎，开发应用并非难事。对它们而言，移动应用就是它们的商品，只管按需开发，不管上线运营，订单完成，交货，再接下一个项目。在这里，流水线生产的移动应用只是大企业出于宣传目的的新媒体营销载体，因此显得千篇一律，缺乏创意。并且，大企业在接过制作完成的App后，大多对运营、维护显得不那么重视，用户体验后劲不足，降低了App的生命周期。

长此以往，并不利于香港移动应用市场的良性发展。首先，龙头开发公司坐拥高新技术与设计团队，高质量、高速度产出的移动应用垄断香港市场的半壁江山，把中小型开发团队与个人开发者逼至角落，使原本就不平衡的移动应用市场变得更为失衡；其次，没有创新作为原动力，批量生产只会是"Made in HongKong"而不是"Created in HongKong"，香港App开发可能会彻底沦为外包市场，想再谈创造已无力回天；最后，前有欧美，后有日韩，充斥着大量海外优质应用的香港市场已然硝烟弥漫，香港App再不杀出重围，只怕彻底失去翻身机会。

"中小型团队与个人开发者，有勇无谋，举步维艰"

香港的中小型开发团队与个人开发者又分为两类，一类是刚离开学校的程序员，另一类是有一定经验的创业者。对于前者来说，他们很有自信与梦想，开发应用出于个人兴趣，看重把创意转化为现实；对于后者而言，他们想在移动互联网市场分一杯羹，因此看重App市场反馈，他们会制作很多应用投入市场，如果其中有一个市场表现不错，他们会专攻其一，如果市场表现都不如意，他们会继续制作更多的App继续投入市场，直至那个最令人满意的出现为止。

上述情况造成的后果是，投入市场的移动应用质量参差不齐，在一定程度上，这使得用户对港产App的信心产生动摇。创意再好，点子再新，没有考虑用户体验而开发出来的应用，带着界面不美观、互动性欠缺，甚至使用不流畅的种种残缺，又如何能在一波又一波袭来的移动应用浪潮中生存呢？

另外，这些中小型团队把App投入市场后实行放养，忽视推广、管理与运营，也加剧了其市场生存空间的恶化。在龙头开发公司与海外应用的围剿下，中小型团队虽然怀揣梦想、不断挣扎，然而能获得投资或者盈利的终是沧海一粟。

"外包制作VS自主创新，如何良性发展"

香港移动应用市场充斥着技术领先、制作精美的外包应用，以及不缺乏创意，但缺乏好的设计与包装的本土应用，还有不断从国外涌入的大量优质应用以及纷纷入港设点的海外开发团队，香港竞争十分激烈。

虽然香港特区政府出台了一些优惠政策，如"数码港培育计划"，各类培训工作坊，其他各方天使基金也多多少少对香港投来一定关注，然而现在糟糕的市场境况未得到有效改善，收效甚微。

如何缓解两极分化的市场矛盾，如何推开香港移动应用开发良性发展的大门，是移动互联网时代香港本地开发者们需要正视与解决的重要议题。

资料来源：http://www.cena.com.cn/infocom/20130215/9725.html。

【案例思考题】

1. 香港App开发行业所面临的问题是什么？
2. 香港App开发行业的出路在何方？所面临的困境是什么？

本章小结

网站建设是系统工程，网站建设前需要详细规划，制定出网站建设的具体方案。当前企业网站建设开发一般分为网站规划、网站建设的具体实施、网站的测试和网站的维护管理四个阶段。企业网站规划包括四个主要的内容：①网站的设计思想和目标；②网站的总体设计；③网站的栏目规划；④网站文件、目录的规划和管理。网站建设的具体实施包括申请域名、建设网站的软硬件环境、收集整理资料、网页制作及网站整合。网站的测试主要分为 Alpha 测试和 Beta 测试两个阶段，主要内容包括用户界面、功能、兼容性、性能和安全等几个方面的综合测试。网站的维护管理包括网站系统维护和网站内容维护两方面。

网站建设需要注意三个方面：从用户获取信息的角度来看，要注意搜索引擎的优化问题；从消费者沟通平台的角度来看，要注意网站信息的质量、网站简单易用、互动性、吸引性、安全性等问题；从交易平台的角度来看，要注意订购系统的易操作性、产品选择的多样性、安全可靠性、客户服务的及时有效性以及个性化营销功能等。

网站推广就是运用各种方法和策略推广企业网站，增加用户访问量、提高网站排名等，目的是让更多的潜在客户找到企业的网站。另外，网站推广应是系统工程，而不是对某些网站推广方法的简单复制。目前常用的网站推广方法有搜索引擎的推广、电子邮件的推广、资源合作的推广、信息发布的推广、网络广告的推广、网络整合的推广及互联网分销的推广等。

App 是智能手机应用程序的简称，通常专指手机上的应用软件，或称手机客户端。目前，承载 App 软件的平台主要有 Windows、iOS、Android 三大手机系统平台。相比于传统网站，移动 App 更关注客户需求以及用户的使用习惯。移动 App 的开发流程包括：需求分析、方案策划、UI 设计、功能开发、全面测试五个阶段。移动 App 开发设计的注意事项有：①用户习惯导向；②功能求变求新；③内建熟悉开发；④功能用途简化。移动 App 的运营包括：①内容运营；②市场运营；③技术开发和运维；④大数据分析。目前移动 App 的推广主要有以下几种方式：①与手机厂商合作捆绑；②通过第三方应用商店推广；③信息发布式推广；④社交媒体互动式推广；⑤盟友合作互相推广；⑥线下面对面推广。

微信小程序是微信推出的一种轻量型应用。它以微信为传播媒介，不需要下载安装就可以使用。微信小程序接入流程：①注册；②小程序信息完善；③开发小程序；④提交审核和发布。小程序的运营优势有：①适用于"小需求"应用；②缩短传播路径，节约内存空间；③强化个体互动，提升用户黏度；④功能较为丰富，开发成本低；⑤小程序开放的入口较多；⑥丰富企业营销渠道。微信小程序的使用场景：①现实性使用场景；②虚拟性使用场景；③现实增强性使用场景。

移动支付也称为手机支付，是指交易双方为了某种货物或者服务，使用移动终端设备为载体，通过移动通信网络实现的商业网络交易。近年来，我国第三方移动支付行业保持高速发展，支付宝与微信支付占据第三方移动支付行业主导地位，不断布局并争夺市场份额。面部识别支付是基于人脸识别技术的新型支付方式。面部识别支付的优势：①提高运营效率，降低人工成本；②有效减少排队现象，提升用户体验；③刷脸支付更加安全；④更加智能化，便于商家运营；⑤活动多样化，提供更多广告空间；⑥付款媒介更加便利。

关键词

网站建设　　网站推广　　App 开发　　App 推广　　微信小程序
网络支付手段　微信支付　支付宝　　面部识别支付

综合复习题

思考题

1. 分析企业网站建设的基本步骤。
2. 构建企业网站需要注意哪些问题？
3. 企业网站有哪些推广方法？
4. 试分析移动 App 的开发流程。
5. 移动 App 开发设计的注意事项有哪些？
6. 移动 App 有哪些推广方式？
7. 试分析微信小程序的接入流程。
8. 微信小程序的运营优势有哪些？
9. 微信小程序的使用场景有哪些？
10. 面部识别支付的优势有哪些？

讨论题

1. 网站的运营与推广是企业自己来做好还是外包好？为什么？
2. 网站应该如何保护用户的个人信息？
3. 企业网站与企业移动 App 之间有哪些区别和联系？
4. 谈谈目前使用三大 App 承载平台的体会。
5. 一款移动 App 成功的关键性因素是什么？
6. 在使用网络支付时享受到哪些便利？有哪些担忧？
7. 探讨微信支付和支付宝的优劣。

网络实践题

1. 注册一个域名，并尝试搭建一个网站。
2. 访问常用的几大移动 App 商店，对比它们之间运营模式的差异和特点。
3. 了解一个专门为大学生提供外卖的移动 App 设计需求，以及功能架构图。
4. 了解支付宝如何保障用户信息以及交易过程的安全。

第 11 章
CHAPTER 11

网络营销效果评估

§ 本章导读

本章介绍了网络营销效果评估的主要方法,为企业开展网络营销效果评估提供决策指导。效果评估是企业开展网络营销的重要环节,也是企业进一步优化网络营销策略的重要基础。网络营销评估是网络营销工作的反馈机制,能够有效提升企业的网络营销效果。本章介绍了网络营销效果评估指标体系的构建及其主要原则。网络营销效果评估指标体系涉及网络广告效果、销售促进效果、网站效益、网络营销效率、财务效果、竞争效率、网站服务有效性、社会公众导向效果、社会参与九个评估指标。本章还介绍了网络营销效果评估的主要方法,让学生学会采用定性和定量相结合的方法对网络营销效果进行综合分析。

§ 学习目标

- 掌握网络营销效果评估的核心功能
- 了解网络营销效果评估的基本原则
- 了解网络营销效果评估的主要方法
- 了解网络营销效果评估指标体系的构建
- 了解网络营销效果评估的典型案例

§ 引导案例

聚美优品的社交网络营销效果分析

随着中国电子商务和团购网站的逐步兴起,市场对化妆品的需求潜力非常大,2010 年国内化妆品销售额高达 1 300 亿元人民币,是世界第三大化妆品目标市场。基于此,2010 年 3 月陈欧在另外两个联合创始人——刘辉和戴雨森的帮助下,正式上线团美网(聚美前身),成为中国第一家化妆品团购网站,并模仿国外的 Groupon 模式,以化妆品的限时特卖为经营形式,主要卖最畅销的 20% 部分化妆品。2010 年,刚刚成立不久的团美网,为了赢得广大女性消费者的信赖，消除其网上购买化妆品真假难辨的顾虑，陈欧率先在电商行业提出了30天无条件退货、全程保障、100%正品的三大政策，这种在商业上看似愚蠢的行为，却恰恰赢得了广大消费者的信任与好评。在没有任何广告的前提下，团美网的注册用户在5个月内超过了10万人，如今每天2万名的新增注册用户，就是对其最好的说明。除此之外，为了更加方便用户、不断优化用户购买体验，团美网又推出了购物车、合并发货、推迟发货等一系列新功能。11月，为了方便消费者可以随时随地浏览聚美的网站，第一时间抢购心仪的化妆品，推出了手机版的聚美App。2011年4月，为了加强用户与公司之间的交流，方便公司了解消费者的化妆品使用体验，聚美在官网页面上推出了用户口碑中心，消费者可以在这里撰写产品用后感，撰写口碑报告的用户将会得到一定的优惠奖励，这样也提高了消费者的品牌忠诚度。

在聚美成立短短的一年多时间里，公司的总销售额突破1亿元，成为团购领域杀出的黑马，并获得"2010年度最受女性欢迎的团购网站"等多项荣誉称号。

1. 微博营销

自从新浪微博2010年推出以来，以其经济性、便捷性、传播性、快速性的特点受到越来越多网民的喜欢，据有关统计数据显示，截至2011年年底，已经有超过1.4亿用户注册新浪微博。由此可见，微博已经成为一种具有超强影响力的网络舆论发声媒体，我国逐步进入了全民微博的时代。陈欧很快意识到了微博营销的强大影响力，立即注册了"聚美优品"（粉丝：5 104 840人）"聚美优品客服中心"（粉丝：14 940人）"聚美优品时尚馆"（粉丝：193 285人）三个企业用户和"聚美陈欧"（粉丝：40 049 901人）一个个人用户，并鼓励企业员工人人注册个人微博，以微博为媒介发布信息使消费者能及时了解聚美的最新动态。

陈欧的微博内容丰富多彩，包括聚美促销信息、陈欧出席活动的照片、明星合影、个人自拍、生活感想、产品调查等，每条微博的点击率上万，甚至高达十几万，再加上明星朋友的转发，在网络中的影响力可见一斑，在增进与老客户联系的同时，可以挖掘很多潜在的用户。2012年，聚美的广告在湖南卫视播出后，"陈欧体"迅速蹿红，在微博上引起了广泛热议。

首先，获得了明星朋友的鼎力支持，奥运冠军孙杨、主持人何炅、艺人韩庚等在微博中纷纷转发、评论该广告，何炅评论说"我承认，有点感动"，而他拥有微博粉丝数2 400万，聚美投资人徐小平也评论道"非常精彩，非常深刻，反映了这个时代的声音"，这四个人的粉丝数加起来超过7 000万。

同时，"陈欧体"以其朗朗上口的广告词、固定的句式在微博中引起了网友的争相模仿，一时间"学生版""甄嬛版""吃货版"的"陈欧体"遍布微博，掀起一阵热潮，在新浪微博微话题栏中分别输入"陈欧体""带盐体"和"代言体"，可找到相关微博共1 210 752条。

同时，微博也是聚美进行危机公关的重要工具。2012年6月13日，号称"聚美前员工"的"姑苏毛十七"在天涯社区发表的一篇关于"聚美销售的化妆品90%都是假货"的帖子引起了网友的关注。"姑苏毛十七"在帖子中写道聚美的化妆品大部分来自广东某山寨基地，并列出了某些品牌的购货清单，价格低到离谱，瞬间"聚美优品售假"成为新浪热门话题，搜索热度居高不下。经过仔细调查后，证明是同行的故意抹黑，陈欧立即发表微博："某化妆品竞争对手，自从去年被聚美甩开两倍以上差距，正面竞争打不过后无所不用其极。告黑状、搞负面，还冒充聚美离职采购员工在天涯上找水军抹黑说聚美90%假货。聚美采购员工只进不出，麻烦抹黑前做做调查，找水军也麻烦找质量高发帖多点的。多花精力在货品和服务上，和睦相处不挺好的吗？"很快得到了 1 695 条粉丝评论和 476 条转发。微博转发具有滚雪球的特点，大大提高了聚美的危机公关能力。

2. 微信营销

2010 年，我国的手机网民规模高达 3.03 亿人，较 2009 年增加了 6 930 万人。手机网民规模的持续走高和智能手机的推陈出新促进了手机网络应用的快速发展，其中手机即时通信的使用率居首位。越来越多的企业利用手机即时通信的功能进行网络营销宣传，2011 年，以快捷、方便、省流量为特点的即时通信 App——微信一经推出，便立即引起了广大消费者和企业的广泛关注与喜爱，微信具有比微博更强的传播互动深度。陈欧也顺势推出了聚美微信公众号，并联合推出了"聚美优品 Jumei"和"聚美优品招聘"两个聚美相关公众号，正式拉开了微信营销的序幕。

首先，通过账户查找或者扫描二维码，消费者就可以简单、快捷地添加聚美公众号，在公众号的用户签名处可以看到公司简介，从而加深消费者对聚美的印象；其次，聚美微信公众平台的导航栏有极速免税、下载 App 和加入聚美三个板块，在这里消费者可以看到聚美最新的优惠活动、会员信息、招聘活动和聚美故事，确保消费者通过微信平台可以对聚美有全面的了解。自从聚美微信公众号开通以来，客服人员每天都会收到来自消费者的大量咨询信息，后台系统会根据明显的关键词进行自动回复，没有对应关键词的，则会进行一对一的人工客服交流，实现了精准营销，使消费者的问题得到更快速的解决，有效提高了消费者的黏性和忠诚度。

3. 网络社区营销

网络社区以网络虚拟环境为基础，集中了一批具有特定爱好、兴趣、经验的消费者和专家，以论坛、贴吧等形式形成一个社区，大家可以随时随地在此社区进行沟通和交流。为了加强聚美用户之间的交流，拉近彼此之间的距离，使营销更加精准化，陈欧抓住了逐步流行起来的百度贴吧。自聚美百度贴吧成立以来，已经获得了 586 493 个用户的关注，发帖总数达 1 063 199 篇，形成了聚美优品资讯、聚美优品优惠券等 11 个具体的群组。在这里用户可以看到聚美最新优惠活动、招聘信息，可以了解到聚美的成长历史，可以分享美妆的使用经验，可以参与不定时的话题讨论，使企业与消费者之间、消费者与消费者之间的距离不断被拉近。

4. 即时通信营销

即时通信工具是指在互联网的基础上建立的能够实现实时通信的系统服务软件，其允许两人或者多人同时使用文字、文档、语音、图片和视频进行交流。聚美刚刚成立之初，为了缩短企业与消费者之间的距离，加强与消费者之间的沟通，继续维护与老客户的良好关系，不断挖掘潜在的客户，消除顾客网上购买化妆品的疑虑，在技术团队的帮助下，迅速建立了聚美客服中心，7×24 小时全天候等待消费者的咨询，并将其客服中心精细地划分为售前咨询、售后服务、会员服务和投诉建议四个部分，其中，售前咨询包括服装、化妆品、母婴和轻奢；售后服务包括快递咨询、产品问题和退货。同时，为每一位客服人员设计了专门的粉色卡通人物形象，与聚美主色调相同，提高了消费者对聚美的形象认知，增强了客服人员的亲和力。在网站客服中心取得很好的营销效果后，聚美又注册了"聚美优品客服中心"官方微博，定时发布一些优惠活动信息、社会新闻、心灵鸡汤等，消费者可以通过私信的方式与客服人员取得实时联系，目前，其粉丝数已经有14 930人。

随后，为了推广口碑达人活动，聚美与腾讯QQ强强联手，利用QQ的强大营销功能与消费者实现实时沟通。目前，聚美已经建立了8个这样的QQ群，人数将近2 000人，在这里所有认识的或不认识的、熟悉的或不熟悉的都因为聚美被联系在一起，大家聊美妆、聊服装、聊经验等与女性息息相关的话题，并通过自己的QQ空间将好的经验推荐给更多的亲朋好友，无形中提高了聚美的营销效果。

资料来源：赵黎明，李玲，宋瑶. 聚美优品如何玩转网络营销. 中国管理案例共享中心. MKT-0357.2016.

【案例思考题】
1. 如何评价聚美优品不同网络营销策略的效果？
2. 如果想要销售一款童装，如何设计不同网络营销平台的运营策略？

11.1 网络营销效果评估指标

网络营销评估是一项系统性工作，关系到企业网络营销策略的制定和调整，有效地开展网络营销评估有利于促进企业及时调整网络营销策略。

随着网络营销的普及，企业对于网络营销的效果也需要进行综合评估，以便进一步促进企业网络营销活动的开展。网络营销评估作为衡量企业经营水平、比较与竞争对手的差距及反馈企业战略的重要工具，越来越受到企业管理者的关注。因此，建立一套适合企业发展战略、切合电子商务环境、符合企业网络营销工作的全面的网络营销效果评估指标体系，并采用相关评估模型方法进行测评，具有特别重要的意义。

在遵循网络营销效果评估指标体系设计原则的基础上，就可以构建企业网络营销评估指标体系了。评估指标体系的建立通常采用对最终评估目标逐层分解的方式来进行，通过层层分解可以将评估目标分解到具体的指标，这样有助于资料的收集和整理，并且设计的层次根据实际情况具体确定，这里仅仅以三层指标体系为例来进行说明。一级指标根据网络营销的功能维度划分为九个指标。如图11-1所示，将企业网络营销效果的评估指标体系划分为三个层次。

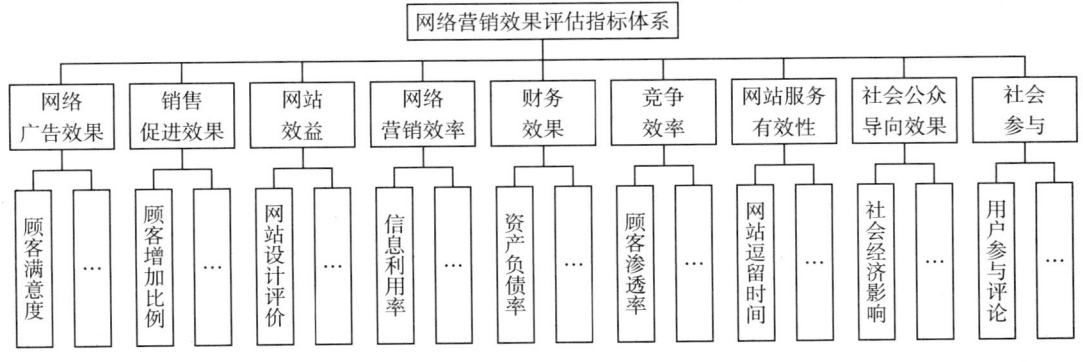

图11-1 网络营销效果评估指标体系

1. 网络广告效果评估指标

网络广告是网络营销的重要策略之一，因此评估和测量网络广告效果能够在一定程度上反映网络营销的效果。其相关指标有：

（1）因网络广告进行消费后的顾客满意度；

（2）由于网络广告刺激而购买产品或服务的顾客百分比；

（3）因网络广告投入了费用，相关咨询成本即进入公司网站要求咨询的人次与总的咨询成本之比；

（4）每千人网络广告成本，包括在网站获得信息的每千名顾客的广告成本，购买产品或服务的每千名顾客的广告成本。

这些指标能够较好地测定和分析网络广告的效率，从而提高网络广告对促进网络营销活动的财务价值。

2. 销售促进效果评估指标

销售促进是网络营销人员为了激发人们的购买欲望而采取的吸引消费者了解企业产品或服务的措施。评估的指标包括：

（1）增加顾客进入比例，即进入企业网站的顾客增长百分比；

（2）访问者中购买企业产品或服务的顾客增长比例；

（3）每千人的销售额增长率；

（4）市场扩大速度，即企业开展网络营销前后的市场占有率。

这些指标可以反映出企业开展网上促销活动的效果，有助于网络营销人员对销售促进策略的调整。

3. 网站效益评估指标

网站效益评估指标是网络营销评估中的重要指标，它能够反映出企业开展网络营销活动的直接效果，并且可以从定性与定量的角度来进行评估。

（1）网站设计评估。在网站设计方面，网站的功能、风格和视觉设计取决于网站本身的特定要求，一般较难判断，但是也有一些通用指标可以用来评估网站设计的效果，包括：主页下载时间、有无死链接、拼写错误、对搜索引擎的友好程度等。对于这些评估指标，企业可以通过自己设置的统计工具来测试，也可以参照第三方提供的测试结果来评估。

（2）网站推广评估。网站推广，即网络营销人员进行的网站自身宣传，而且可以进行量化。具体的指标包括以下几个。

1）登记的搜索引擎的数量和排名。一般来说，登记的搜索引擎越多，对增加访问量越有利。此外，搜索引擎的排名也很重要，虽然在搜索引擎注册了，但如果排名比较靠后，同样发挥的作用不大。

2）在其他网站的链接数量。在其他网站进行链接，就可以使访问者从链接的网页进入本企业的网站，因此，链接的数量越多，企业网站被访问的概率就越大。

3）注册用户数量。注册用户数量即企业网站的会员数量，一般而言，注册用户越多，说明该网站的知名度越高，网站的推广效果越好。

（3）网站流量评估。

1）独立访问者数量，即在一定时期内访问网站的人数；

2）页面浏览数，即在一定时期内所有访问者浏览的页面数量；

3）用户在网站的停留时间，即在一定时期内所有访问者在网站停留的时间之和；

4）用户在每个页面停留的平均时间，即访问者在网站停留总时间与网站页面总数之比。

4. 网络营销效率评估指标

这类指标综合反映了企业网络营销中人、财、物的利用效率。

（1）网络广告费边际效率：每花费一元钱的广告费给企业带来的收益的增加值，反映企业网络广告投资的效果。

（2）信息利用率：本企业直接利用的网上信息数与企业经过内部处理的信息数之比，反映企业对于网络营销搜集到的信息的利用比率。

（3）网站访问者中有消费倾向者的比例：网络访客中进行购买的消费者，反映企业网络营销的吸引力。

（4）开拓新市场的单位费用：每开拓一个市场所消耗的费用。反映企业争取新客户的成本。

（5）获取单位市场份额的费用：企业每获得一个单位市场份额所花费的网络营销费用。反映企业网络营销实际效果。

5. 财务效果评估指标

具有代表性的指标主要包括以下几个。

（1）资产负债率：又称举债经营比率，是用以衡量企业利用债权人提供资金进行经营活动的能力，以及反映债权人发放贷款的安全程度的指标，通过将企业的负债总额与资产总额相比较得出，反映在企业全部资产中属于负债比率，用于衡量企业进行网络营销时负债水平高低情况。

（2）流动比率：流动资产对流动负债的比率，用于衡量企业在某一时点偿付即将到期债务的能力。

（3）应收账款周转率：指定的分析期间内应收账款转为现金的平均次数，用于衡量企业进行网络营销时应收账款周转快慢。

（4）存货周转率：企业在一定时期内营业成本（销货成本）与平均存货余额的比率，用于衡量企业在一定时期内存货的周转次数。

6. 竞争效率评估指标

（1）顾客渗透率：通过本企业网站购买商品的顾客占所有访问顾客的百分比，用于衡量访问用户的有效性。

（2）顾客忠诚度：顾客从本企业网站所购商品与其所购同种商品总量的百分比，用于反映顾客对网站的依赖性与忠诚度。

（3）顾客选择性：即本企业网上顾客的购买量相对其他企业网上顾客的购买量的百分比，用于反映顾客对于本企业网站的黏着性。

（4）价格选择性：即本企业网上商品平均价格同其他企业网上商品平均价格的百分比，用于反映本企业网上商品价格竞争的优势。

7. 网站服务有效性评估指标

通过利用网站解析软件，网络企业可以对服务器的登录信息进行分析，进而解析用户的行为模式。对网站用户行为的分析可以反映网站服务的有效性。通过搜集用户点击网页的各项数据来优化网络经营的具体工作。

（1）网页浏览量：了解哪些网页的浏览量最大。

（2）网站访问途径：用户通过什么途径点击进入网站。

（3）网站逗留时间：网站访问者在各种网站上逗留的时间有多长。

（4）用户转化率：实际用户注册率，网络销售转换率。

（5）二次访问率：老用户回头访问率，网页是否对用户有再访吸引力。

8. 社会公众导向效果评估指标

这类指标反映了企业在网络营销活动中对社会的经济发展、消费习惯、时尚走向等的影响。

（1）社会经济影响力：反映企业网络营销活动对整个社会经济的推动作用。

（2）网络社区影响力：网络营销活动对其所处网络社区的精神文明等方面的影响。

（3）消费者影响力：网络营销活动对消费者的消费观念、思想意识等产生的影响。

（4）品牌价值贡献度：企业在进行网络营销的过程中对建立商品品牌所做的贡献。

（5）被竞争者效仿率：企业所采取的网络营销手段被同类企业效仿的比率。

9. 社会参与评估指标

Web 2.0 技术的出现，使得网页浏览指标变得不那么重要了，企业希望了解用户如何参与网站活动，而不仅仅是有没有浏览网站。

（1）用户参与行为指标：使用网络服务（如收看视频、收听音乐、玩网络游戏等）花费的时间。

（2）用户创造行为指标：在某一个网站上传自制的视频、照片或者其他资料的行为。

（3）用户收藏行为指标：用户下载收藏网络内容所花费的时间。用户在社会化书签站点为某一个站点添加标签。

（4）用户评估类行为指标：用户在博客网站或者其他的网站上张贴评论文章；对网络服务打分或者做出的各种评估。

在上述指标体系中，既有定性指标，又有定量指标。对于定性指标，由于很难进行具体的量化，因此需要经过适当的转换；对于定量指标，从企业的统计、财务等部门较易获得。同时为了保证所获取指标的真实客观性，也可以进行经常性的网络调查，通过抽样调查的方法获取。由于网络营销效果表现形式的复杂性，不可能通过若干指标将网络营销效果全面反映出来，因此，网络营销效果指标体系还需要在实践中不断完善。

11.2 网络营销效果评估的基本方法

1. 层次分析法

美国著名运筹学家 T.L.Satty 教授在 20 世纪 70 年代提出的层次分析法（analytic hierarchy process，AHP）是一种在多准则框架上将定性分析与定量分析结合的重要决策方法。层次分析法的主要优点是能通过将人们对于各个判断要素之间的差异数值化，从而将人们对于某一复杂系统的思维过程数字化，突破传统定性分析方法中以人的主观判断为主的局限性，并广泛应用于经济学、社会学、工程学等各个学科和领域。

基本原理如下：首先，对于某一复杂的多准则决策项目，按照项目实际运行情况，将其分解为一系列相关的组成因素；其次，按照这些因素相互之间的关系形成一个反映因素之间关联性的递阶层次结构；最后，通过所建立的层次结构，把项目决策转化为第三层指标（即待评估项目的各组成因素）相对于第一层（评估目标）的相对重要性确定问题。

层次分析法的步骤包含以下几个方面。

（1）建立层次结构模型。主要通过建立目标层、准则层、方案层三个层次进行总目标的因素分解，形成目标层由准则层支撑、准则层由方案层支撑的总体逻辑结构。

（2）构造判断（成对比较）矩阵。主要通过两两比较的方法对各因素之间进行权重比较，一般采用九级标度法形成判断矩阵。

（3）层次单排序及其一致性检验。层次单排序以 λ_{max} 为特征向量，经归一化进行因素之间的相对重要性排序，并且进行一致性检验，通过公式 CR=CI/RI 形成检验系数 CR 的结果，若检验系数 CR <1 则满足一致性检验要求。

（4）层次总排序及其一致性检验。通过总体地计算某层次对最高层总目标的相对重要性权值，形成总排序，并做一致性检验。

2. 模糊综合评估法

综合评估是对多种属性的事物，或者说其总体优劣受多种因素影响的事物，做出一个能合理地综合这些属性或因素的总体评判。例如，对网站建设质量的评估就是一个多因素、多指标的复杂的评估过程，不能单纯地用好与坏来区分。模糊逻辑是通过使用模糊集合来工作的，是一种精确解决不精确、不完全信息的方法，其最大特点就是用它可以比较自然地处理人类思维的主动性和模糊性。模糊综合评估是以模糊数学为基础，应用模糊关系合成的原理，将一些边界不清、不易定量的因素定量化，通过多个因素对被评估的事物隶属等级状况进行综合性评估的一种方法。

（1）模糊集与隶属函数。将所讨论的对象限制在一定的范围内，并记所讨论的对象全体构

成的集合为 U，则称之为论域（或称为全域、全集、空间、话题）。如果 U 是论域，则 U 的所有自己组成的集合为 U 的幂集，记作 $F(U)$，在此，总是假设问题的论域是非空的。为了与模糊集相区别，在这里称通常的集合为普通集。

对于论域 U 的每一个元素 $x \in U$ 和某一个子集 $A \in U$，有 $x \in A$ 或 $x \notin A$，二者有且仅有一个成立。于是，对于子集 A 定义映射

$$\mu_A : U \to [0,1]，$$

即

$$\mu_A(x) = \begin{cases} 1, & x \in A \\ 0, & x \notin A \end{cases}$$

则称之为集合 A 的特征函数，集合 A 可以由特征函数唯一确定。

所谓论域 U 上的模糊集 A 是指：对任意 $x \in U$，总以某个程度 $\mu_A(\mu_A \in [0,1])$ 属于 A，而不能用 $x \in A$ 或 $x \notin A$ 描述。若将普通集的特征函数的概念推广到模糊集上，即得到模糊集的隶属函数。

定义 11.1 设 U 是一个论域，如果给定了一个映射

$$\mu_A : U \to [0,1] \quad x \mapsto \mu_A(x) \in [0,1]$$

这就确定了一个模糊集 A，其映射 μ_A 称为模糊集 A 的隶属函数，μ_A 称为 x 对模糊集 A 的隶属度。

（2）模糊集的表示方法。当论域 $U = \{x_1, x_2, \cdots, x_n\}$ 为有限集时，若 A 是 U 上的任意一个模糊集，其隶属度为 $\mu_A(x_i)$ $(i = 1, 2, \cdots, n)$，通常有如下三种表示方法。

1）Zadeh 表示法。

$$A = \sum_{i=1}^{n} \frac{\mu_A(x_i)}{x_i} = \frac{\mu_A(x_1)}{x_1} + \frac{\mu_A(x_2)}{x_2} + \cdots + \frac{\mu_A(x_n)}{x_n}$$

这里 $\frac{\mu_A(x_i)}{x_i}$ 不是分数，+ 也不表示求和，只是符号，它表示点 x_i 对模糊集 A 的分隶属度是 $\mu_A(x_i)$。在论域 U 中，$\mu_A(x_i) > 0$ 的元素集合为 A 的台，又称为模糊集 A 的支集。

2）序偶表示法。

将论域中的元素 x_i 与其隶属度 $\mu_A(x_i)$ 构成序偶来表示 A。

$$A = \{(x_1, \mu_A(x_1)), (x_2, \mu_A(x_2)), \cdots, (x_n, \mu_A(x_n))\}$$

此种表示方法中，隶属度为 0 的项可不写入。

3）向量表示法。

$$A = \{\mu_A(x_1), \mu_A(x_2), \cdots, \mu_A(x_n)\}$$

在向量表示法中，隶属度为 0 的项不能省略。

（3）模糊集的运算。模糊集与普通集有相同的运算和相应的运算规律。

定义 11.2 设模糊集 $A, B \in F(U)$，其隶属函数为 $\mu_A(x), \mu_B(x)$。

1）若对任意 $x \in U$，有 $\mu_B(x) \leq \mu_A(x)$，则称 A 包含 B，记 $B \subseteq A$；

2）若 $B \subseteq A$，且 $A \subseteq B$，则称 A 与 B 相等，记为 $A = B$。

定义 11.3 设模糊集 $A,B \in F(U)$，其隶属函数为 $\mu_A(x),\mu_B(x)$，则称 $A \cup B$ 和 $A \cap B$ 为 A 与 B 的并集和交集，称 A^C 为 A 的补集或余集。它们的隶属函数分别为

$$\mu_{A \cup B}(x) = \mu_A(x) \vee \mu_B(x) = \max\{\mu_A(x),\mu_B(x)\}$$
$$\mu_{A \cap B}(x) = \mu_A(x) \wedge \mu_B(x) = \min\{\mu_A(x),\mu_B(x)\}$$
$$\mu_{A^C}(x) = 1 - \mu_A(x)$$

其中，"$\vee$""$\wedge$"分别表示取大运算和取小运算，称其为 Zadeh 算子。并且，并和交运算可以直接推广到任意有限的情况，同时也满足普通集的交换律、结合律、分配律等运算。

（4）模糊综合评估步骤。模糊综合评估通常包括以下三个方面。设与被评估事物相关因素有 n 个，记为 $U = \{u_1,u_2,\cdots,u_n\}$，称之为因素集。又设所有可能出现的评语有 m 个，记为 $V = \{v_1,v_2,\cdots,v_m\}$，称之为评判集。由于各种因素所处地位不同，作用也不一样，通常考虑用权重来衡量，记为 $A = \{a_1,a_2,\cdots,a_n\}$。模糊综合评估通常按以下步骤进行：

第一步，确定因素集 $U = \{u_1,u_2,\cdots,u_n\}$；

第二步，确定评判集 $V = \{v_1,v_2,\cdots,v_m\}$；

第三步，进行单因素评判，得到 $r_i = \{v_{i1},v_{i2},\cdots,v_{im}\}$；

第四步，构造综合评判矩阵，即

$$\boldsymbol{R} = \begin{pmatrix} r_{11} & r_{12} & \cdots & r_{1m} \\ r_{21} & r_{22} & \cdots & r_{2m} \\ \vdots & \vdots & & \vdots \\ r_{n1} & r_{n2} & \cdots & r_{nm} \end{pmatrix}$$

第五步，综合评判，对于权重 $A = \{a_1,a_2,\cdots,a_n\}$，计算 $B = A \circ R$，并根据最大隶属度原则做出评判。

（5）算子的定义。在进行综合评判时，根据算子 $\circ$ 的不同定义，可以得到不同的模型。

模型一：$M(\wedge,\vee)$——主因素决定型。

运算法则为 $b_j = \max\{(a_i \wedge r_{ij}), i=1,2,\cdots,n\}(j=1,2,\cdots,m)$。该模型评判结果只取决于在总评判中起主要作用的那个因素，其余因素均不影响评判结果。比较适用于单项评判最优就能认为综合评判最优的情形。

模型二：$M(\cdot,\vee)$——主因素突出型。

运算法则为 $b_j = \max\{(a_i \cdot r_{ij}), i=1,2,\cdots,n\}(j=1,2,\cdots,m)$。该模型与模型一比较相近，但比模型一精细一些，不仅突出了主要因素，还兼顾了其他因素，比较适用于模型一失效，即不可区别而需要加细时的情形。

模型三：$M(\cdot,+)$——加权平均型。

运算法则为 $b_j = \sum_{i=1}^{n} a_i \cdot r_{ij}(j=1,2,\cdots,m)$。该模型依权重大小对所有因素均衡兼顾，比较适用于要求总和最大的情形。

模型四：$M(\wedge,\oplus)$——取小上界和型。

运算法则为 $b_j = \min\left\{1,\sum_{i=1}^{n}(a_i \wedge r_{ij})\right\}(j=1,2,\cdots,m)$。使用该模型时，需要注意的是：各个 a_i 不能取得偏大，否则可能出现 b_j 均等于 1 的情形；各个 a_i 也不能取得太小，否则可能出现 b_j 均等

于各个 a_i 之和的情形,这将使单因素评判的有关信息丢失。

模型五:$M(\wedge,+)$——均衡平均型。

运算法则为 $b_j = \sum_{i=1}^{n}\left(a_i \wedge \dfrac{r_{ij}}{r_0}\right)(j=1,2,\cdots,m)$,其中 $r_0 = \sum_{k=1}^{n} r_{kj}$。该模型适用于综合评判矩阵 **R** 中的元素偏大或偏小时的情形。

(6)模糊综合评估案例。下面为一个网络产品评判的问题,为此建立因素集 $U = \{u_1, u_2, u_3, u_4\}$,其中 u_1 表示易用性,u_2 表示流行性,u_3 表示耐用性,u_4 表示价格实惠。建立评判集 $V = \{v_1, v_2, v_3, v_4\}$,其中 v_1 表示很受欢迎,v_2 表示较受欢迎,v_3 表示不太受欢迎,v_4 表示不受欢迎。进行单因素评判的结果如下:

$$u_1 \mapsto r_1 = (0.2, 0.5, 0.2, 0.1) \quad u_2 \mapsto r_2 = (0.7, 0.2, 0.1, 0)$$
$$u_3 \mapsto r_3 = (0, 0.4, 0.5, 0.1) \quad u_4 \mapsto r_4 = (0.2, 0.3, 0.5, 0)$$

设有两类顾客,他们根据自己的喜好对各因素所分配的权重分别为

$$A_1 = (0.1, 0.2, 0.3, 0.4) \quad A_2 = (0.4, 0.35, 0.15, 0.1)$$

试分析这两类顾客对此网络产品的满意程度。

单因素评判构造综合评判矩阵为

$$\boldsymbol{R} = \begin{pmatrix} 0.2 & 0.5 & 0.2 & 0.1 \\ 0.7 & 0.2 & 0.1 & 0 \\ 0 & 0.4 & 0.5 & 0.1 \\ 0.2 & 0.3 & 0.5 & 0 \end{pmatrix}$$

用模型 $M(\wedge, \vee)$ 计算综合评判为

$$B_1 = A_1 \circ \boldsymbol{R} = (0.2, 0.3, 0.4, 0.1) \quad B_2 = A_2 \circ \boldsymbol{R} = (0.35, 0.4, 0.2, 0.1)$$

根据最大隶属度原则可知,第一类顾客对此网络产品的总体评估为"不太受欢迎",第二类顾客对此网络产品的总体评估则为"较受欢迎"。

3. 盈利能力分析法

盈利能力就是企业赚取利润的能力。对于网络营销效果的评估而言,盈利能力分析就是评估企业开展网络营销活动以来对于企业盈利能力的影响,通常可以通过销售净利率、销售毛利率和资产净利率等指标来判断,但是由于网络营销效果很难和传统的营销行为完全分开,因此,客观上也造成了网络营销盈利能力判断的困难。

下面通过一个实例来说明盈利能力分析法在网络营销效果评估中的应用。

一家电器销售企业的营销管理者想通过已开设的三家网上商城甲、乙、丙,来确定网络营销给企业带来的盈利能力。现在已知企业在一定时间内的损益情况如表 11-1 所示。

表 11-1 电器销售企业的简化损益表 单位:元

销售额	销售成本	毛利润	营销费用	纯利润
60 000	39 000	21 000	15 800	5 200

首先，确定各网上商城的费用。假设该企业的所有营销费用都用于顾客访问网站、广告、网上咨询及售后服务。在本期 15 800 元的营销费用中，大部分用于顾客访问网站的开销，其次是售后服务与广告开支，最后为网上咨询费用。各类花费分别为 5 500 元、3 100 元、2 400 元和 4 800 元，如表 11-2 所示。

表 11-2 费用分配表

按功能分	顾客访问网站	广告	网上咨询	售后服务	合计
金额 / 元	5 500	3 100	2 400	4 800	15 800
所占比例 /%	34.8	19.6	15.2	30.4	100

其次，分析通过每家网上商城销售产品所需的费用。在网站设置计数器，可以清楚记录顾客访问次数。网上开展咨询为顾客提供售后服务等均可用次数表示并作为分配依据。广告费分配则较为困难，因为广告费开支中既有网上广告花销，又包括运用传统媒体对网址和企业售后服务的宣传费用。为使问题简化，此处使用每个网上商城的广告次数来进行分配，如表 11-3 所示。

表 11-3 网上商城费用分配依据

网上商城名称	顾客本期访问网站次数	网上广告次数	网上咨询次数	售后服务次数
A	2 000	50	500	100
B	650	20	210	42
C	100	30	90	18
功能性费用 / 元	5 500	3 100	2 400	4 800
单位数目	2 750	100	800	160
平均费用 / 元	2	31	3	30

通过计算，结果为本期该电器销售企业顾客访问其商务网站花费为 2 元 / 次，广告费用为 31 元 / 次，网上咨询费用为 3 元 / 次，售后服务费用为 30 元 / 次。

再次，为每家网上商城编制损益表。如表 11-4 所示，A 网上商城的销售额占销售收入的 50%，为 30 000 元，同时，A 网上商城的销售成本为 19 500 元，毛利为 10 500 元，其费用由表 11-3 可知，A 网上商城的顾客访问次数为 2 000 次，如果每次访问成本为 2 元，则 A 网上商城须承担 4 000 元的成本。此外，A 网上商城还必须承担 1 550 元的广告费、1 500 元网上咨询费和 3 000 元的售后服务费，因此，A 网上商城本期的总费用为 10 050 元，那么 A 网上商城销售所得的纯利润为 450 元。

重复以上的分析，可以得到 B、C 网上商城的获利情况。

最后，通过整体的分析可以得出，该企业在 A 网上商城有微利，在 B 网上商城的销售中出现亏损，企业利润基本上来自 C 网上商城。

表 11-4 各网上商城损益表　　　　　　　　　　　　　　　　金额单位：元

项目	A	B	C	整个企业
销售额	30 000	10 000	20 000	60 000
销售成本	19 500	6 500	13 000	39 000
毛利	10 500	3 500	7 000	21 000

(续)

项目	A	B	C	整个企业
毛利率 /%	35	35	35	
顾客访问网站（2元/次）	4 000	1 300	200	5 500
广告（31元/次）	1 550	620	930	3 100
网上咨询（3元/次）	1 500	630	270	2 400
售后服务（30元/次）	3 000	1 260	540	4 800
功能性费用合计	10 050	3 810	1 940	15 800
纯利	450	−310	5 060	5 200
纯利率 /%	1.5	−3.1	25.3	

为了深入分析三家网上商城盈利能力的差异，我们进一步分析三者的利润率，由表 11-4 可以看出，这三家网上商城的毛利率相同，均为 35%，但是纯利率有较大差异：A 网上商城是 1.5%，B 网上商城是 −3.1%，C 网上商城为 25.3%。显然，营销费用是影响三者纯利润的重要因素。从顾客访问网站次数来看，访问最多的是 A 网上商城，其次是 B 网上商城，最少的是 C 网上商城，这说明顾客的兴趣不是影响各网上商城获利能力的主要原因。同理，对其他费用进行分析，其结论也会一致。因此，单纯采取网站访问次数、广告次数等作为各网上商城费用分配的依据，失之偏颇。因此，在没有弄清楚真正原因之前就关闭 A、B 网上商城的做法是不值得提倡的。

通过对三家网上商城盈利能力的分析，为了更好地发挥企业网络营销的能力，企业的营销管理部门可以做出以下决策：一方面，对于 A 和 B 两家网上商城要增加商品信息，对于 C 网上商城则应该加大宣传力度，使其能够吸引更多的访问量；另一方面，企业要努力提高售后服务效率，降低成本。

4. 成本效益分析法

成本效益分析法是利用成本与效益之间的相互约束关系来直接评估经济效益的一种方法。即针对企业确定的目标，提出若干实现目标的方案，详列各方案的全部预期成本和全部预期收益，通过分析比较，选择出成本最低、效益最好的方案。对于网络营销而言，成本效益分析法的关键是计算网络营销方案的实施成本以及企业开展网络营销以来为企业带来的经济效益。

（1）网络营销的成本分析。网络营销成本可以从核算、决策、管理三方面来进行分析。

1）从核算角度分析网络营销成本。成本核算分析就是从企业的会计成本着手进行分析。对于网络营销而言，会计成本主要包括：平台费用，如主机服务、网络服务器、软件、互联网连接等费用；网络服务内容费用，如日常设计、项目管理器、编辑器、外部内容版本费等；相关网络营销人员的工资等费用。由于这些费用大都直接反映在企业会计账户中，因此，这种分析方法使用起来比较简单、直接，容易操作。

2）从决策角度分析网络营销成本。决策成本主要是与企业做出营销决策相关的费用，主要包括增量成本、机会成本、差别成本、边际成本等。增量成本是指因企业做出某一决策而引起的总成本的变化，包括构建、运行网络增加的费用以及新建机构所需的费用等。机会成本是由于采用了网络营销技术而放弃的用传统销售手段所能实现的利润。差别成本是指若干备选方案的预期成本之间的差额。边际成本是指在一定的销量水平上,每增加一个销售单位给总成本带来的变化。这些成本计算的方法有助于企业进行网络营销决策的制定。这些成本都可以通过对备选方案的评估而计算出来,并且具有可比性。

3)从管理角度分析网络营销成本。从管理角度来看,网络营销成本可以分为组织成本和运行成本。组织成本包括企业内部除去生产组织的花费之后的费用,因为开发和应用网络营销,需要建立相应的队伍和组织机构,这些都需要有成本的支出。这就是网络营销的组织成本。运行成本则是企业在网络营销中组织、协调、管理所花费的动态费用,包括财务会计核算上的总成本以及网络营销和传统营销转换过程中对原有销售业务的影响,销售人员对新的业务、方法、系统不适应而降低工作效率等所产生的成本。

(2)网络营销的效益分析。网络营销的开展大大缩减了企业的销售机构和人员,为企业节省了大量的办公费用,同时提高了员工素质,树立了良好的企业品牌形象,大大增强了企业的市场竞争能力,扩大了企业的销售额和利润,因此网络营销能够为企业带来大量效益。在这些效益分析中,节省的费用以及通过提升企业形象创造的新效益很难通过量化的方式直接表现出来,因此,往往是通过网络营销和传统营销的成本以及效益对比来分析的,通常可以采用的方法包括:网络营销成本/电子邮件反馈量与传统销售成本/回单和传真回复量,以及网络营销成本/带来的销售额与传统营销成本/带来的销售额。通过这些数据的比较,可以分析网络营销与传统营销两者的效益差别。

为了更加简要地说明网络营销效益的评估,下面列举一个例子。美国迪莱公司网络营销服务部对比了利用传统的直邮活动和利用网络促销软件所产生的相关数据,最终结果显示,网络营销成本只相当于传统直邮广告成本的 30%,但产生的销售却比原来增加了 50%,并且网络营销销售线索的有效率为 75%,而传统直邮销售线索的有效率仅为 18%。运用网络营销成本/带来的销售额与传统营销成本/带来的销售额这种计算方法,假设传统直邮广告的成本和效益均为 1,则网络营销的成本效益比为 0.27,即 $0.3/(1.5 \times 0.75)$,而传统直邮广告的成本效益比为 5.56,即 $1/(1 \times 0.18)$,这说明花费同样的成本,网络营销的效益要远高于传统直邮促销的效益,因此可以认为网络营销提高了企业的营销效率,降低了营销成本。

由于网络营销本身的复杂性以及相关评估指标值获得的困难性,在实践过程中,对于网络营销效果的评估仍处于探索阶段,但企业界已经意识到网络营销是一种非常有效的营销手段,越来越多的企业开始加大网络营销的力度,相应地,针对网络营销效果的评估也在不断发展和完善中。

11.3 网络营销效果评估策略

网络营销效果评估通常分为四步。

(1)确定网站营销目标。一个网站必须明确定义网站目标。这个目标是单一的,可以测量的。例如,如果是直接销售产品的电子商务网站,网站营销目标当然就是产生销售额。但网站的类型多种多样,很多网站并不直接销售产品。网站运营者就需要根据情况,制定出可测量的网站目标。如果网站是吸引用户订阅电子邮件,然后进行后续销售,那么用户留下 E-mail 地址,订阅电子杂志,就是网站的目标。网站目标也可能是吸引用户填写联系表格,或者打电话给网站运营者,可能是以某种形式索要免费样品,也可能是下载白皮书或产品目录。

这些网站都应该在网站页面上有一个明确的目标达成标志。也就是说用户一旦访问某个页面,说明已经达成网站目标。对电子商务网站来说,目标完成页面就是付款完成后所显示的感谢页面。对于电子邮件注册系统,目标完成页面就是用户填写姓名及电子邮件,提交表格后所看到的确认页面,或表示感谢的页面。如果是填写在线联系表格,和订阅电子杂志类似,目标完成页面也是提交表格后的确认页面。如果是下载产品目录或白皮书,就是文件每被下载一次,则标志着完成一次目标。

(2)计算网站目标的价值。明确了网站目标后,还要计算出网站目标达成时对网站的价值。如果是电子商务网站,计算非常简单,目标价值也就是销售产品所产生的利润。

对于其他情况可能需要站长下一番工夫才能确定。如果网站目标是吸引用户订阅电子杂志,那么站长就要根据以往的统计数字,计算出电子杂志订阅者有多大比例会成为付费用户,这些用户平均带来的利润是多少。假设每100个电子杂志订阅者中有5个会成为付费用户,平均每个付费用户会带来100元的利润,那么这100个电子杂志订阅者将产生500元的利润。也就是说每获得一个电子杂志订阅者的价值是5元。

类似地,如果网站目标是促使用户打电话直接联系站长,站长就要记录下有多少电话会最终转化为销售,平均销售利润又是多少,从而计算出平均每次电话的相应价值。

(3)记录网站目标达成次数。这个部分就是网站流量分析软件发挥功能的地方。沿用上面的例子,对于一个电子商务网站,每当有用户来到付款确认页面,流量分析系统都会记录网站目标达成一次。有用户访问到电子杂志订阅确认页面或感谢页面,流量分析系统也会相应记录网站目标达成一次。有用户打电话联系客服人员,客服人员也应该询问用户是怎样知道电话号码的。如果是来自网站,也应该做相应记录。网站流量分析系统更重要的作用是,不仅能记录网站目标达成的次数,还能记录这些达成网站目标的用户是怎样来到网站的。是来自搜索引擎吗?是哪个搜索引擎?搜索的关键词是什么?还是来自其他网站的链接?来自哪个网站?或者来自搜索竞价排名?这些数据都会被网站流量分析系统记录,并且与产生的相应目标相连接。

(4)计算网站目标达成的成本。要计算网站目标达成成本,最容易的是使用竞价排名PPC(pay per click)。这时候每个点击的价格,某一段时间的点击费用总额及点击次数,都在竞价排名后台有显示,成本非常容易计算。

对其他网络营销手段,则需要按经验进行一定的估算。有的时候比较简单,有的时候则比较复杂。如果网站流量来自搜索引擎优化,那么需要计算出外部SEO顾问或服务费用,以及内部配合人员的工资成本。如果进行论坛营销,则需要计算花费的人力、时间及工资水平,换算出所花费的费用。

◆ 案例分析

卡当网的七夕节网络营销活动策划

卡当网是一个专注于私人定制的电子商务交易平台,目前的主要服务对象是恋爱中的年轻男女,为其提供私人定制的爱情礼物。所以,一年中的三个节日(情人节、七夕节、圣诞节)是其销售高峰期。这三个节日决定了卡当网的整年销售成败。因此,卡当网选定在七夕前（2014年的七夕节是8月2日）做一场声势浩大的线下营销活动。

2014年7月15日，卡当网在杭州地铁1号线推出"卡当号爱情专列"，车厢选取古代三大经典爱情主题：牛郎与织女的鹊桥相会、许仙和白娘子的情定断桥、梁山伯和祝英台的同窗共读。车厢上的主广告语用的是"七夕好礼物，尽在卡当网"，同时还宣传了一个活动："情书写得好，卡当帮你上头条"，乘客可以通过微信方式参加情书比赛，头名得主可以将自己的情书印在地铁报的头版头条上，同时承诺为其私人定制求婚现场；发布情书者还可参加微信抽奖，中奖的人可以通过卡当网免费定制一件已印有三大爱情故事中某一主角卡通形象的T恤。平均30趟能遇上一班的爱情专列若单纯当作线下平面广告，受众面其实非常小。但卡当网把这个事情运作成了一个国内热门事件，杭州爱情地铁甚至成为杭州城市加分的一个热门事件。15日当天上午卡当网举办了爱情专列的首发仪式，刚开始杭州当地报纸（《都市快报》《钱江晚报》）、电视（《民生休闲》《西湖明珠》）、本地论坛19楼等媒体进行了小篇幅的报道，接着经过4天的发酵，到了7月20日，这趟列车一夜爆红，几乎同时占领了所有媒体的头条：百度头条图片新闻、微博热门话题，更有无数的当地媒体跟进报道。

一般情况下，对电商而言，线下营销的最终目的一定是实现"购买"，但是"购买"的实现有时需要较长周期，而且从"认知"到"购买"的整个环节中损耗很大，因为这些大部分的损耗与营销活动本身没有直接的关系，所以，评估一个线下营销活动的效果，不但要看最终的"购买"，还要看是否给目标用户留下了"印象"，并且这个"印象"是能"引导"用户到线上去"购买"的。

在对这个案例进行营销效果的评估中，在大的层次上使用"认知"与"购买"两个指标来度量。在这两个大指标下又有更细小的指标，分别如表11-5所示。

表11-5 卡当网营销效果评估指标

一级指标	二级指标	一级指标	二级指标
"认知"类指标	广告（二维码）的扫描数	"购买"类指标	广告中优惠券的使用量
	通过广告/软文推向网站的访客数		
	软文的阅读数/评估数/回复数		品牌广告转化率的变化
	品牌关键词搜索量增长幅度		
	社交媒体的评论/转发数量		

选用的这些指标，基本可以整体评估一个线下的活动对线上业务的影响，同时又是可以进行跟踪与明确测量的。接下来就使用这个分析框架来评估卡当网此次七夕线下活动的效果。

1. "认知"类指标

广告（二维码）的扫描数是活动最直接的效果，在7月16日活动启动后，直到27日，每天直接通过地铁广告扫码关注卡当网官方微信的大约是300人，随着七夕节的临近，在28~30日，扫码数达到平均每天600人。而在7月31日地铁求婚活动当天至8月2日，平均每天的扫码量达到了1 000人，高峰期是在求婚活动后的次日即8月1日，达到1 500人。在整个活动期间，卡当网官方微信粉丝增加速度达到平时的4倍。这些增加的粉丝大部分都参加了"情书写得好，卡当帮你上头条"的活动，互动效果很好。

广告（活动）推向网站的访客数普遍受到重视。访客的增长速度可以用来判断活动的效果。通过数据可以看到，在活动期间，这部分访客的增加速度显著加快，同时这部分访客占整个访客数的比例也一直稳步上升，最高时甚至达到平时比例的2倍。

软文总的被阅读数是一个常用的评估指

标。活动期间，关键词"杭州地铁爱情专列"，通过百度新闻搜索可以查到819篇相关的报道，有242万个相关网页。在7月20日，这条有关"卡当号"杭州地铁爱情专列的新闻登上了四大门户以及百度的新闻移动端与网页端的首页，其中网易的这条新闻评论数已经超过2万，阅读量超过500万。总的阅读量保守估计超过2 000万。7月31日的求婚软文《男子包下杭州地铁爱情专列，女孩现场含泪答应》在大浙网上的评论量也超过1 000条，阅读量应在25万以上。8月2日，《钱江晚报》官方微博发布此次地铁求婚事件，48小时内，此微博累计转发量10 162次，评论数1 122条，且被"时尚魅力排行""美女小娟""世界生活资讯""环球头条新闻汇"等多个百万级微博账号主动转发。

产品或者品牌关键词搜索量的增长幅度可以通过"百度指数"来查看，"淘宝指数"也是一个重要的参考。通过搜索品牌词直接访问网站的人越多，表明活动效果越好。因为通过这种方式来访问网站的人，营销费用几乎可以不计。

社交媒体的评论、转发数量在移动互联网时代显得尤为重要。卡当网主持的"杭州地铁爱情专列"话题讨论热烈，得到新浪微博在首页的推荐。第一次活动的阅读量达到782.9万次，讨论量达到4.5万次；第二次活动参与的人数虽然少了，但仍然有496.7万人阅读，2.7万人讨论。

2. "购买"类指标

广告中优惠券的使用量是评估"购买"的最直接指标，因为线下活动中使用了优惠券代码，所以这部分直接"购买"的效果很容易评估。在活动期间（7月16日至8月2日），一共使用了大约1 000张优惠券，即带来了直接订单1 000个。

品牌广告转化率的变化可以用来评估线下活动对用户的购买决策所产生的影响。通过这个转化率的增长情况，可以看出活动的效果。

通过与去年七夕品牌词广告转化率的对比来看，这次活动对转化率的影响不大，只有轻微的增长。因此，可以认为此次营销活动是大大增加了搜索品牌词的人数，但对提高这些人的购买转化率的作用并不明显。这也是此次活动可以提升的空间所在。

资料来源：艾瑞咨询，http://www.iresearch.cn。

【案例思考题】

1. 案例中所涉及的分析卡当网营销活动效果的指标，分别属于本教材前文中网络营销评估指标体系中的哪类指标？
2. 案例中所涉及的网络营销评估指标的数据是如何获取的？

本章小结

网络营销评估是企业开展网络营销的重要环节，也是企业制定网络营销策略的重要基础。此外，网络营销评估还可以改进企业的服务水平，并在一定程度上提高企业的知名度。网络营销的评估指标体系需要从竞争效率、营销效率、财务效果、网络广告效果、销售促进效果、服务效果、社会公众导向效果、网站服务有效性，以及社会参与等方面来设定，并且按照一定的评估步骤来进行。网络营销效果评估的方法有很多，可以采用定性与定量相结合的办法，比如利用层次分析法和模糊综合评估法来评估指标等级，用盈利能力分析法以及成本效益分析法来评估网络营销的财务效益。

关键词

网络营销评估　　网络营销指标　　竞争效率评估　　网络广告效果评估
财务效果评估　　顾客满意度　　网站推广效果

综合复习题

思考题

1. 什么是网络营销评估？为什么要进行网络营销评估？
2. 网络营销评估对企业发展会产生哪些作用？
3. 网络营销评估指标体系包括哪些方面的指标？
4. 网络营销评估是不是仅需要评估企业网站的访问量即可？为什么？
5. 网络营销效果的综合评估可以采用什么方法？
6. 网站的网络营销效果评估工作应该由哪些角色参与并完成？
7. 网络营销效果评估指标中，哪些适用于定性分析？哪些适用于定量分析？
8. 搜集网络营销评估指标的途径有哪些？
9. 移动互联时代，网络营销效果评估应该侧重关注哪些因素？
10. 不同的网络营销评估方法分别适用于哪些类别的评估指标？

讨论题

1. 移动互联网营销效果评估与传统的网络营销评估有何差异？
2. 设计一个有效的网络营销评估体系的关键性因素是什么？
3. 如何保证所获取的网络营销评估指标是准确并且合理客观的？
4. 企业网络营销评估的结果如何与企业各部门的业绩考核进行挂钩？
5. 网络营销的评估工作应该由哪个部门或企业角色来牵头完成？
6. 如何将网络营销评估指标的变化与企业的网络营销策略联系起来？

网络实践题

1. 浏览百度关键词工具，输入几个特定关键词，研究其变化趋势。
2. 对比开心网、人人网、微博这三个SNS类网站近几年的访问量变化情况。
3. 分别查找你认为网络营销做得好的两个网站，以及网络营销做得不好的两个网站，对比分析其网络营销工作的优缺点与差距。
4. 用层次分析法与模糊综合评估法为某网站的客户服务质量设计一个评估模型。

参 考 文 献

[1] MÖLLER K K, WILSON D T. Interaction and network approach to business marketing: a review and evaluation[M]. Boston: Kluwer Academic Publishers, 1995.

[2] MAYFIELD A. What is social media[M]. NewYork.: Prentice-Hall Englewood Cliffs，2007.

[3] CHAFFEY D, ELLIS-CHADWICK F, MAYER R, et al. Internet marketing: strategy, implementation and practice[M]. New York: Pearson Education, 2009.

[4] KOTLER P. Principles of marketing [M]. 12th ed, New York: Pearson Education，2011.

[5] LAUDON K C, TRAVER C G. E-commerce: business, technology, society [M]. Boston: Pearson, 2013.

[6] HANSON W A, KALYANAM K. Internet marketing and e-commerce: student ed [M]. London: Thomson/South-Western, 2020.

[7] ACHROL R S, KOTLER P. Marketing in the network economy[J]. Journal of Marketing, 1999: 146-163.

[8] STEPHEN B, KOZINETS R V, JOHN F, et al. Teaching old brands new tricks: retro branding and the revival brand meaning[J]. Journal of Marketing, 2003,67(3): 19-33.

[9] LAROS F J M, STEENKAMP J E M. Emotions in consumer behavior:a hierarchical approach[J]. Journal of Business Research, 2005, 58(10):1437-1445.

[10] ABDOLLAHI G, LEIMSTOLL U. A classification for business model types in e-commerce[J]. Association for Information Systems, 2011.

[11] MONTREUIL B, ROUGÈS J F, CIMON Y, et al. The physical internet and business model innovation[J]. Technology Innovation Management Review, 2012, 2(6):32-37.

[12] ZHOU X, WILDSCHUT T, SEDIKIDES C, et al. Nostalgia: the gift that keeps on giving[J]. Journal of consumer research, 2012, 39(1):39-50.

[13] TURBER S, SMIELA C. A business model type for the internet of things[J]. Association for Information Systems, 2014.

[14] HABIBI F, HAMILTON C A, VALOS M J, et al. E-marketing orientation and social media implementation in B2B marketing[J]. European Business Review，2015，27(6):638-655.

[15] WU J T, WEN N, DOU W Y, et al. Exploring the effectiveness of consumer creativity in online marketing communications[J].European Journal of Marketing，2015，49(1/2): 262-276.

[16] LI S M，LIN Z X，QIU J X, et al. How friendship networks work in online P2P lending markets[J]. Nankai Business Review International，2015，6(1):42-67.

[17] LILJANDER V，GUMMERUS J，SÖDERLUND M. Young consumers'responses to suspected covert

and overt blog marketing[J]. Internet Research, 2015, 25(4): 610-632.

[18] LABANAUSKAITĖ D, FIORE M, STAŠYS R. Use of E-marketing tools as communication management in the tourism industry[J]. Tourism Management Perspectives, 2020, 34(2):100652.

[19] ABRI D A, VALAEE S. Diversified viral marketing: the power of sharing over multiple online social networks[J]. Knowledge-Based Systems, 2020, 193:105430.

[20] HE H, ZHU L L. Online shopping green product quality supervision strategy with consumer feedback and collusion behavior[J]. PloS ONE, 2020,15(3).

[21] LIN J B, GUO, J Y TUREL O, et al. Purchasing organic food with social commerce: an integrated food-technology consumption values perspective[J]. International Journal of Information Management, 2020, 51.

[22] LEONG L Y, HEW T S, OOI K B, et al. Predicting the antecedents of trust in social commerce: a hybrid structural equation modeling with neural network approach[J]. Journal of Business Research,2020,110: 24-40.

[23] NATHAN J P, KUDADJI E, GYAMFIE, HALBERSTAM L, et al. Consumers' information-seeking behaviors on dietary supplements[J]. International quarterly of community health education, 2020, 40(3).

[24] WATLINGTON A. An introduction to social media: where the teens are[J]. Web marketing today free weekly, 2007.

[25] FUCHS C. Social media: a critical introduction [M].London: SAGE Publications Ltd, 2013.

[26] 劳顿, 特瑞佛. 电子商务：商业、技术和社会 [M]. 劳帼龄, 等译. 北京：高等教育出版社, 2004.

[27] 陆川. 网络营销实务 [M]. 北京：对外经济贸易大学出版社, 2008.

[28] 陈孟建. 电子商务网站建设与管理实训 [M]. 2版. 北京：清华大学出版社, 2009.

[29] 陈月波. 电子商务实务 [M]. 北京：清华大学出版社, 2010.

[30] 刘芸. 网络营销与策划 [M]. 北京：清华大学出版社, 2010.

[31] 劳顿 K C, 劳顿 J P. 管理信息系统：管理数字化公司：第11版 [M]. 张政, 闫大刚, 等译. 北京：清华大学出版社, 2011.

[32] 史达. 网上创业实务 [M]. 大连：东北财经大学出版社, 2011.

[33] 宋晓兵, 董大海. 网络营销 [M]. 北京：对外经济贸易大学出版社, 2011.

[34] 陈拥军, 孟晓明. 电子商务与网络营销 [M]. 北京：电子工业出版社, 2008.

[35] 昝辉. 网络营销实战密码：策略、技巧、案例 [M]. 北京：电子工业出版社, 2009.

[36] （美）戴维. 战略管理：概念与案例：第13版 [M]. 北京：清华大学出版社, 2013.

[37] 特班, 金, 麦凯, 等. 电子商务：管理视角 [M]. 严建援, 等译. 北京：机械工业出版社, 2010.

[38] 何新起. 网页制作与网站建设从入门到精通 [M]. 北京：人民邮电出版社, 2013.

[39] 张丽芳. 网络经济学 [M]. 北京：中国人民大学出版社, 2013.

[40] 特班, 金, 李在奎, 等. 电子商务：管理与社交网络视角 [M]. 时启亮, 陈育君, 占丽, 等译, 北京：机械工业出版社, 2014.

[41] 池田拓司. App, 这样设计才好卖 [M]. 陈筱烟, 译. 北京：人民邮电出版社, 2014.

[42] 李建忠, 牟凤瑞, 安刚. 电子商务网站建设与维护 [M]. 北京：清华大学出版社, 2014.

[43] 钱旭潮, 韩翔, 袁海波. 网络营销与管理 [M]. 2版. 北京：北京大学出版社, 2005.

[44] 刘宇涵, 韦恒. 网络营销实务 [M]. 北京：机械工业出版社, 2015.

[45] 斯特劳斯, 弗罗斯特. 网络营销 [M]. 时启亮, 陈育君, 译.7版. 北京：中国人民大学出版社, 2015.

[46] 张燕翔. 虚拟/增强现实技术及其应用 [M]. 合肥：中国科学技术大学出版社, 2017.

[47] 杨路明, 罗裕梅, 陈曦, 等. 网络营销 [M]. 2版. 北京：机械工业出版社, 2017.

[48] 陈德人. 网络营销与策划理论、案例与实训 [M]. 北京：人民邮电出版社，2019.

[49] 胡介埙，周国红，周丽梅. 市场营销调研 [M]. 4 版. 大连：东北财经大学出版社，2018.

[50] 夏雪峰. 全网营销：网络营销推广布局、运营与实战 [M]. 北京：电子工业出版社，2017.

[51] 胡利，皮尔西，尼库洛，等. 营销战略与竞争定位 [M]. 楼尊，译. 6 版. 北京：中国人民大学出版社，2019.

[52] 瞿彭志，周培端，潘秋荣. 网络营销 [M]. 5 版. 北京：高等教育出版社，2019.

[53] 余来文，林晓伟，黄绍忠，等. 互联网思维：商业模式的颠覆与重塑 [M]. 北京：经济管理出版社，2020.

[54] 张吉军. 模糊层次分析法：FAHP[J]. 模糊系统与数学，2000，14（2）：80-88.

[55] 韩利，梅强，陆玉梅，等. AHP：模糊综合评价方法的分析与研究 [J]. 中国安全科学学报，2004，14（7）：86-89.

[56] 闫志强. 网络营销对传统营销管理的修正与挑战 [J]. 经济师. 2004，03.

[57] 兰继斌，徐扬，霍良安，等. 模糊层次分析法权重研究 [J]. 系统工程理论与实践，2006，26（9）：107-112.

[58] 李紫微，董晓常. 躁动的无线社交 [J]. 互联网周刊，2006（30）：46-47.

[59] 於志东. 网络时代的客户关系管理是企业未来竞争的关键 [J]. 特区经济，2006（1）：225-226.

[60] 李红. 网络营销与传统营销信息传播方式的比较 [J]. 商场现代化，2008（31）：163-164.

[61] 任鑫. 怎样监控和评估网络营销 [J]. 成功营销，2008（10）：84-86.

[62] 张涛. 网络营销效果的数字解析式 [J]. 现代广告，2010（6）：54-55.

[63] 官志华，曾凡奇. 网络营销的模式与管理 [J]. 南方经济，2002（12）：69-71.

[64] 鞠彦辉，何毅. 社会化商务模式研究 [J]. 现代情报，2012，32（11）：6-9.

[65] 李倩茹，郑娜，王政嘉. 刍议我国企业的网络营销战略 [J]. 中国商论，2012（8）：37-38.

[66] 杨剑英. 网络营销时代的传统商业企业营销管理创新探讨：基于顾客让渡价值视角 [J]. 江苏商论，2012（8）：22-24.

[67] 郑炜斌. 浅谈移动出版：跨平台 App 应用 [J]. 中国出版，2013，（23）：63-64.

[68] 宗乾进. 国外社会化电子商务研究综述 [J]. 情报杂志，2013，32（10）：117-121.

[69] 李京春. 移动终端 App 应用安全问题及防护措施 [J]. 信息安全与通信保密，2014（12）：47-48.

[70] 顾春来. App 应用程序开发模式探究 [J]. 硅谷，2014（5）：35-36.

[71] 方金友. 网络社会的嬗变进程与基本特征 [J]. 学术界，2014（9）：99-107.

[72] 王海晴. 企业加强网络营销安全管理的重要性 [J]. 现代营销：下旬刊，2014（9）：40.

[73] 吴菊华，高穗，莫赞，等. 社会化电子商务模式创新研究 [J]. 情报科学，2014，32（12）：48-52.

[74] 周曦. 当代市场经济中网络营销的安全及对策 [J]. 电脑知识与技术，2014，10（13）：2955-2957.

[75] 陈斌，辛楚阳，戚静静，等. 移动支付的用户黏性、平台策略与发展机制研究 [J]. 资源开发与市场，2015，31（11）：4.

[76] 韩文智，骆文亮. Android 平台的移动 App 开发方法与应用研究 [J]. 四川理工学院学报：自然科学版，2015，28（3）：5.

[77] 李科熠. 企业营销管理创新：网络营销 [J]. 现代工业经济和信息化，2015（10）：88-89.

[78] 张康之，向玉琼. 网络空间中的政策问题建构 [J]. 中国社会科学，2015（2）：123-138.

[79] 李莉，张超然，刘丹，等. 移动 App 开发模式研究 [J]. 长春理工大学学报：自然科学版，2016，39（5）：6.

[80] 张焕国，韩文报，来学嘉，等. 网络空间安全综述 [J]. 中国科学：信息科学，2016，46（2）：125-164.

[81] 张新宝，许可. 网络空间主权的治理模式及其制度构建 [J]. 中国社会科学，2016（8）：139-158.

[82] 张妍. 电子商务环境下移动支付模式研究：以支付宝和微信支付为例 [J]. 现代经济信息，2016（18）：318.

[83] 杜睿云，蒋侃. 新零售：内涵、发展动因与关键问题 [J]. 价格理论与实践，2017（2）：139-141.

[84] 洪涛."新零售"与电商未来发展 [J]. 商业经济研究，2017（8）：52-55.

[85] 赵树梅，徐晓红."新零售"的含义、模式及发展路径 [J]. 中国流通经济，2017 31（5）：12-20.

[86] 中国流通三十人论坛秘书处，《中国流通经济》编辑部，林英泽，等. 从阿里与百联"联姻"看"新零售" [J]. 中国流通经济，2017，31（3）：124-128.

[87] 胡子傲. 网络营销的商业模式与发展趋势分析 [J]. 现代经济信息，2018（7）：363.

[88] 李永壮，杨泽新，郭华. 数字资产内涵、价值评估与交易研究：基于演化视角的展开 [J]. 北京财贸职业学院学报，2018，34（3）：22-28.

[89] 吕伟，钟臻怡，张伟. 人工智能技术综述 [J]. 上海电气技术，2018，11（1）：62-64.

[90] 张庆杰，龚涵适. 人脸识别支付用户使用意愿研究 [J]. 财经理论与实践，2018，39（5）：111-117.

[91] 邓晓悦. 浅析网络营销常用的战略模式 [J]. 财会学习，2019（9）：173-175.

[92] 林吉红. 虚拟中间商在全球电子商务网络营销战略中的作用 [J]. 现代企业，2019（12）：96-97.

[93] 刘雨晴. Web 2.0 向 Web 3.0 过渡下的网络信息资源组织发展：以社会化媒体为例 [J]. 电脑知识与技术：学术版，2019，15（36）：33-35.

[94] 陆岷峰，王婷婷. 基于数字经济背景下的数字资产经营与管理战略研究：以商业银行为例 [J]. 西南金融，2019（11）：80-87.

[95] 满孜热·白力克. 互联网环境下网络营销在国际贸易中的应用 [J]. 信息与电脑：理论版，2019，31（19）：178-180.

[96] 彭晶晶. 互联网时代中小企业的网络营销战略分析 [J]. 科技经济导刊，2019，27（35）：248.

[97] 许缦，孙济惠. 基于消费行为模式的知识付费 App 的营销模式及策略研究 [J]. 产业创新研究，2019（12）：47-50.

[98] 王硕，淦苏美. 新零售时代大型零售企业营销模式分析和研究 [J]. 福建电脑，2019，35（12）：20-22.

[99] 向纯洁，王萍萍. 移动社会化媒体下企业创新氛围的形成机制：基于社会–技术视角 [J]. 企业经济，2019（7）：14-24.

[100] 周坤顺."互联网+"背景下的网络营销机遇和挑战 [J]. 商场现代化，2019（14）：50-51.

[101] 常宽. 网络经济背景下新零售商业模式创新思考 [J]. 老字号品牌营销，2020（12）：62-63.

[102] 陈亚兴. 浅析新零售环境下实体零售发展 [J]. 经济研究导刊，2020（4）：39-40.

[103] 黄博文. 内容型网红经济商业模式研究 [J]. 现代商业，2020（28）：41-42.

[104] 李瑶. 互联网环境下企业网络营销渠道选择分析 [J]. 产业与科技论坛，2020，19（2）：16-17.

[105] 李支东，金辉，罗小芳. 商业模式创新与技术创新二元关系：一个面向工业企业的多案例研究 [J]. 技术经济与管理研究，2020（12）：3-9.

[106] 李志鹏. 互联网环境下的在线旅游商业模式创新研究 [J]. 老字号品牌营销，2020（10）：40-41.

[107] 刘宸希."互联网+"时代传统企业互联网化转型路径研究 [J]. 技术经济与管理研究，2020（11）：56-60.

[108] 刘大民. 基于互联网消费行为的商业银行零售业务发展策略 [J]. 中外企业家，2020（9）：76.

[109] 吕梅. 抖音直播平台的商业模式创新研究 [J]. 传媒，2020（21）：76-78.

[110] 王冠馨. 移动互联时代短视频行业盈利模式探讨 [J]. 新闻世界，2020（10）：52-54.

[111] 王家宝，满赛赛，敦帅. 基于共生理论的分享经济创新治理 [J]. 治理研究，2020，36（6）：112-119.

[112] 张杰. 网络口碑传播对社会化媒体营销的影响研究 [J]. 北京印刷学院学报，2020，28（1）：9-11.

[113] 马蓝，王士勇，张剑勇. 数字经济驱动企业商业模式创新的路径研究 [J]. 技术经济与管理研究，2021（10）：37-42.

[114] 谭平，张明. 物流企业"互联网+"商业模式创新的机理分析 [J]. 商业经济研究，2021（20）：120-123.

[115] 王丹鹤. 电子商务时代 O2O 多元网络营销冲突与合作模式构建 [J]. 商业经济研究，2021（18）：85-88.

[116] 中国互联网络信息中心. 第 45 次中国互联网络发展现状统计报告 [R]. 2020.

[117] 刘美龙. 基于风险管理理论的电力营销安全研究 [D]. 保定：华北电力大学，2015.

[118] 郑佩娜. 基于区块链技术的数字资产交易：案例分析视角 [D]. 杭州：浙江大学，2018.

[119] 张紫龙. 社会化商务环境下网络口碑效应实证研究 [D]. 杭州：杭州电子科技大学，2020.

[120] 刘亮. 典型互联网商业模式研究 [J]. 电脑知识与技术，2012，8（10）：2435-2437+2440.

[121] TIMMERS P. Business models for electronic markets [J]. Journal on Electronic Markets，1998，8(2):3-8.

[122] HAWKINS R. The"business model"as a research problem in electronic commerce [J]. SPRU-Science and Technology Policy Research, 2001.

[123] PETROVIC O, KITTL C, TEKSTEN R D. Developing business models for e-Business[C].International Conference on Electronic Commerce, 2001.

[124] CHESBROUGH H，ROSENBLOOM R S．The role of the business model in capturing value from innovation: evidence from Xerox corporation's technology spinoff companies[J].Industrial and Corporate Change, 2002, 11(3):529-555.

[125] AFUAHA，TUCCI C L．Internet business models and strategies: text and cases[M]. Boston：McGraw-Hill，2002.